БИОЛОГИЯ

Учебное пособие

И. Эдвард Алькамо

БИОЛОГИЯ

Учебное пособие

Москва
АСТ • Астрель
2002

УДК 57 (075)
ББК 28я923
А 56

Автор И. Эдвард Алькамо

Настоящее издание представляет собой авторизованный перевод оригинального английского издания «Biology. Coloring workbook»

Алькамо И.Э.

А 56 Биология. Учебное пособие / И. Эдвард Алькамо; Пер. с англ. — М.: ООО «Издательство Астрель»: ООО «Издательство АСТ», 2002. — 315 с.

ISBN 5-17-015436-4 (ООО «Издательство АСТ»)
ISBN 5-271-04795-4 (ООО «Издательство Астрель»)
ISBN 0-679-77884-5 (англ.)

Пособие, которое вы держите в руках, основано на совершенно новом подходе к изучению науки о жизни. Чтение этой книги попутно с раскрашиванием рисунков позволяет зафиксировать в памяти биологические понятия для того, чтобы потом быстро вспомнить их на экзамене.

В этой книге содержится около 150 таблиц с четкими и ясными рисунками, выполненными с помощью компьютерной графики. Они сопровождаются подробными объяснениями. Сложные биологические структуры разъясняются с помощью простых схем. Учебник-раскраска построен как стандартный вводный курс в биологию, что сделает его вашим идеальным союзником в учебе.

УДК 57(075)
ББК 28я923

Подписано в печать с готовых диапозитивов 10.06.2002.
Формат 60×90 1/8. Печать офсетная. Бумага офсетная.
Усл. печ. л. 41. Тираж 5000 экз. Заказ 3596.

Общероссийский классификатор продукции ОК-005-93, том 2;
953005 — литература учебная

Санитарно-эпидемиологическое заключение
№ 77.99.11.953.П.002870.10.01. от 25.10.2001 г.

ISBN 5-17-015436-4 (ООО «Издательство АСТ»)
ISBN 5-271-04795-4 (ООО «Издательство Астрель»)
ISBN 0-679-77884-5 (англ.)

Посвящается моим родителям,
Анжело и Джин Алкамо,
с любовью и благодарностью

Признательность

Ряд талантливых специалистов внесли свой вклад в реализацию этого проекта, и мне приятно высказать им слова благодарности. Ивэн Шнитман сначала подал идею проекта, а потом исполнял различные функции, будучи контрольным редактором, главным инициатором и вдохновителем данного проекта над ним. Кристен Адзара занимался координацией производственного процесса, а Джон Бергдал применил свои исключительные художественные способности в подготовке иллюстраций, составляющих основу книги. Рейчел Уоррен занималась корректурой, а Крис Томас отвечал за подготовку макета книги. Замечательно работать с людьми, прекрасно знающими, как довести работу до конца.

Я также обязан многим Барбаре Данливи. Не будучи биологом, Барбара прекрасно разобралась в моей научной тарабарщине и справилась с рукописью. Она не знала слова «потом». Более того, сталкиваясь с невообразимо плотным графиком работы, она неизменно отвечала с улыбкой и уверенностью: «Нет проблем!» Спасибо тебе, Барбара!

Я продолжаю ощущать любовь и поддержку своих детей – Майкла, Элизабет и Патриции. Они поддерживали меня в трудные минуты, терпели меня, когда я бывал раздражительным, и выслушивали меня, когда мне нужно было сочувствие. Ни один отец не мог бы гордиться своими детьми так, как я. И, наконец, особые слова любви и благодарности я обращаю к Чарлин. Вы были рядом со мной с самого начала этого проекта, и теперь я очень счастлив, что вы можете видеть его завершенным.

Предисловие

Когда я, будучи маленьким мальчиком, жил в Бронксе, родители купили мне книжку-раскраску и коробку цветных карандашей. Они учили меня прекрасному искусству раскрашивания картинок и побуждали меня учиться при этом. К тому времени, как я пошел в школу и начал получать образование, я уже раскрасил огромное количество книжек-раскрасок о животных, о цветах, о строении человеческого тела и т.п. Мне казалось, что дни, когда я занимался раскрашиванием, для меня уже в прошлом.

И что же? Эти дни не ушли безвозвратно. Я снова вернулся к раскрашиванию, но теперь уже как автор книги «Биология. Книга-раскраска».

Конечно, с того времени, как гласит пословица, утекло огромное количество воды, но принципы раскрашивания остались неизменными. Раскрашивание является прекрасным методом обучения. Оно обеспечивает вас мгновенной обратной связью, так как при этом вы можете наглядно видеть, как идеи и понятия соотносятся друг с другом. Вы получаете удовольствие от того, что что-то сделали и затраченные вами время и усилия не пропали даром. Кроме того, вы получаете удовлетворение от того, что подготовили ценный учебный материал, который пригодится вам и сегодня, и в будущем. И, конечно, при подготовке к экзаменам в вашем распоряжении оказывается уникальный справочник, которого не найти ни в одном учебнике. Это – ваше творение.

Раскрашивание также вовлекает вас в процесс обучения. Вы больше не пассивный получатель информации. С этой книгой вы активно обучаетесь. Автор при этом является не «лектором», а скорее вашим «проводником». Вы ведете с ним непрерывный диалог и открываете основные принципы, процессы и взаимосвязи, делающие биологию динамической наукой.

При раскрашивании «Биологии» в работе принимают участие все органы ваших чувств – вы осязаете, ощущаете и переживаете биологию так, как никогда до этого. Обычные учебники указывают на основные моменты схем и диаграмм, не задерживаясь на них. В этой же книге вы постепенно сами создаете их, по мере того как мы методично ведем вас по каждому рисунку. Рекомендуем вам раскрашивать основные биологические понятия по мере их разъяснения. Вскоре вы будете пожинать плоды своей работы, получая уникальные иллюстрации.

Мы ничего не упустили из виду в своей книге. «Биология. Книга-раскраска» соответствует стандартному курсу по биологии. Неважно, учебником какого автора пользуется ваш преподаватель — Джона, Смита или еще кого-нибудь, — биология остается той же самой. Даже последовательность, в которой приводятся темы в этой книге, соответствует стандартным учебникам по биологии. Каждая тематическая таблица дается на отдельном листе, что придает этой последовательности огромную динамичность – вы можете по своему желанию начать с изучения генетики, экологии или эволюции.

Нужна ли вам книга, подобная этой, в вашей образовательной карьере? Думаем, что да, так как курсы по биологии проникают в огромное количество различных учебных программ в колледжах и высшей школе. Если вы изучаете науку, связанную со здравоохранением, эта книга послужит для вас основой в каждом курсе по биологии, который вам преподают. Вы можете также изучать биологию, если основная ваша специальность посвящена искусству, управлению здравоохранением, психологии, медицине, криминологии, бизнесу или гуманитарным наукам. Конечно, редко, но бывает так, что кто-нибудь заканчивает колледж, не пройдя в нем курс биологии. И студенты высшей школы по достоинству оценят ту помощь, которую окажет им эта книга в овладении основами общей и специальной биологии.

Однако не все имеют возможность изучать биологию в учебном заведении. Например, вы можете готовиться к экзаменам в экспертной комиссии на получение допуска или лицензии и т.п. Вы можете пройти один из курсов самостоятельного обучения, которые предлагаются сегодня. Но что может быть лучше обучения по прекрасному биологическому курсу, который вы уже сами подготовили? Даже студенты медицинских учебных заведений могут извлечь для себя пользу, просматривая в этой книге главы, посвященные отдельным темам по биологии.

Раскрашивание этой книги – прекрасный способ зафиксировать основные биологические понятия в своей памяти. Вы сосредоточиваете свое внимание на какой-нибудь теме, выбираете подходящие цвета и приступаете к раскрашиванию таблицы. Вскоре ваше сознание будет следовать за движениями вашей руки, по мере того как изучаемые понятия откладываются в памяти. В этом процессе участвуют все органы ваших чувств.

Раскрашивание книги также способствует коллективному обучению. Можно работать вместе со своими друзьями, придумывая новые цветовые гаммы, преподаватели могут развивать такой творческий подход у своих учеников, а родители могут заниматься такой учебной деятельностью со своими детьми любого возраста.

В большинстве учебников текст является «самым важным» в главе, а иллюстрациям отводится второстепенная роль. В этой книге центральное место в обучении занимают таблицы с иллюстрациями. Даже раскрашивая в детстве свои первые книжки-раскраски, мы обучались при этом. Здесь мы взяли основные биологические концепции и поместили их в книге-раскраске, предназначенной для взрослых. Вам еще раз в жизни предлагается обучаться при раскрашивании. Пожалуй, это всего лишь еще одно подтверждение пословицы: «Чем больше вещи меняются, тем больше они остаются теми же самыми».

Вот и все, что я хотел сказать. Теперь ваша очередь. Я был бы рад услышать и узнать ваше мнение об этой книге и о том, насколько полезной она оказалась для вас. В скором времени мы будем готовить новое издание книги, и ваше мнение будет очень важным. Пожалуйста, сообщите мне о возможных недостатках книги, чтобы мы могли внести исправления. Мой адрес:

Биологический факультет
Государственный университет Нью-Йорка
Фармингдейл, Нью-Йорк 11735

Если вы предпочитаете позвонить, мой номер: 516-420-2423. Мой адрес в электронной почте: alcamoie@snyfarva.cc.farmingdale.edu. Примите мои наилучшие пожелания в успешном изучении биологии. И помните поразительно простое, но мудрое высказывание: «Тише едешь – дальше будешь».

Искренне ваш,
Э. Алькамо

Некоторые рекомендации по раскрашиванию

В этой книге содержится 150 таблиц, и каждая из них сопровождается текстом и указаниями по раскрашиванию, расположенными слева, а справа приводятся соответствующие рисунки. В тексте разъясняется то или иное понятие или структура, и вам предлагается найти их на рисунке и раскрасить. По мере внимательного раскрашивания рисунков вы начнете разбираться в структурах и во взаимосвязях между элементами и поймете, что биологию можно понять и изучить довольно легко.

Для того чтобы как можно лучше изучить биологию по этой книге, у вас должно быть 10 – 20 цветных карандашей или фломастеров. (Избегайте раскрашивать таблицы ручками, так как ими труднее пользоваться и чернила могут проступать с обратной стороны бумаги.) Для начала у вас должен быть набор светлых и темных цветов, а потом можно добавлять к ним и другие цвета. Пусть вас не пугают рисунки – просто решитесь и начните чтение и раскрашивание. Скоро ваши усилия будут вознаграждены.

Мы старались упростить работу, предоставляя вам больший выбор цветов. При выделении ключевых элементов и процессов мы избегали использования непривычных символов, стрелок или скобок. При работе с книгой вам поможет текст по мере его чтения. В тех случаях, когда это было логически обоснованно, мы использовали для обозначений строчные или прописные буквы. Наконец, мы надеемся на то, что в процессе раскрашивания вы создадите свой неповторимый образ мира биологии.

Содержание

Введение в биологию

Глава 1-1: Характеристики живых организмов

Биология – наука, изучающая жизнь. Трудно дать строгое определение слову «жизнь», но в этой таблице мы дадим описание некоторых характеристик, присущих всем организмам.

Посмотрев на таблицу, вы заметите, что она состоит из семи различных разделов, каждый из которых соответствует одному из признаков живых существ.

Одной из характеристик живого организма является его внутренняя организация. Она характерна как для отдельной клетки, так и для организма в целом.

Все живые существа должны получать вещества и энергию из внешней среды. Процесс обмена веществ (метаболизм) является суммой всех химических реакций, происходящих в живом организме. В данной таблице показаны **растение (A)** и **животное (B)**. Растение синтезирует органические вещества из неорганических, которые поглощает из почвы и воздуха, а животные получают их в готовом виде из **пищи (C)**. В обоих этих организмах происходят реакции и вещества синтезируются и распадаются. При распаде органических веществ выделяется энергия, необходимая организму.

Организм функционирует как единая система, обладающая саморегуляцией (см. таблицу: **птица (D)**). Движения скоординированны, все процессы, внутренние и внешние, идут согласованно. Метаболические процессы осуществляются в живых существах в определенной последовательности и с определенной скоростью. Для взмаха крыльев птицы, например, необходимо, чтобы к мышцам пришли соответствующие нервные импульсы и чтобы мышцы сокращались в согласованной последовательности. Кровь должна поступать к тканям, а продукты распада должны выводиться из них. Неживые предметы не обладают саморегуляцией.

Мы рассмотрели две характеристики живых организмов – метаболизм и саморегуляцию. Теперь рассмотрим еще три. Продолжайте чтение, раскрашивая таблицу.

Другой важной характеристикой жизни является размножение. Здесь мы видим **клетку (E)** в процессе бинарного деления, в результате которого появляются две идентичные дочерние клетки. Размножение сопровождается увеличением в размерах, то есть ростом. На этой таблице мы видим рост **человека (G)**. Во время развития клетки увеличиваются в размерах, растет их количество и расширяется специализация. Полностью сформировавшийся человек намного более сложный организм, чем оплодотворенная клетка, из которой он развивался.

Живые организмы обладают также раздражимостью, то есть реагируют на изменения во внешней среде. На рисунке можно увидеть, как человек **реагирует (F)** на полученную травму. Гормоны и нервные клетки активизируются.

Теперь мы рассмотрели пять характеристик, которыми обладают все живые существа: метаболизм, саморегуляцию, размножение, рост и возбудимость. В заключение рассмотрим еще две: адаптацию и эволюцию.

Адаптация означает физическое приспособление организмов, происходящее за относительно долгий период времени в ответ на изменения в окружающей среде. Рассмотрим адаптацию на примере животного, которое изображено на **таблице (H)**. Оно имеет шкуру, которая сливается по цвету с коричневой степной травой в летнее время. Когда выпадает снег, это животное линяет и становится белым, что делает его незаметным на фоне снега.

Эволюция означает изменение популяций во времени. Эволюция – это медленный процесс изменений в генетической структуре популяции (а не индивидуальные изменения), позволяющий ей выжить в изменяющейся окружающей среде. На этом рисунке показано развитие **популяции (I)** на примере человека. В процессе адаптации к меняющимся условиям человечество пережило давление естественного отбора со стороны внешней среды в течение тысяч лет. В процессе эволюции наша популяция повысила свои возможности выжить и избежала вымирания. Другие популяции, которые не сумели адаптироваться к изменениям внешней среды, вымерли.

Характеристики живых организмов

Растение .... A	Птица .... D	Человек .... G
Животное .... B	Клетка .... E	Животное .... H
Пища C	Реакции человека .... F	Развитие популяции I

ХАРАКТЕРИСТИКИ ЖИВЫХ ОРГАНИЗМОВ

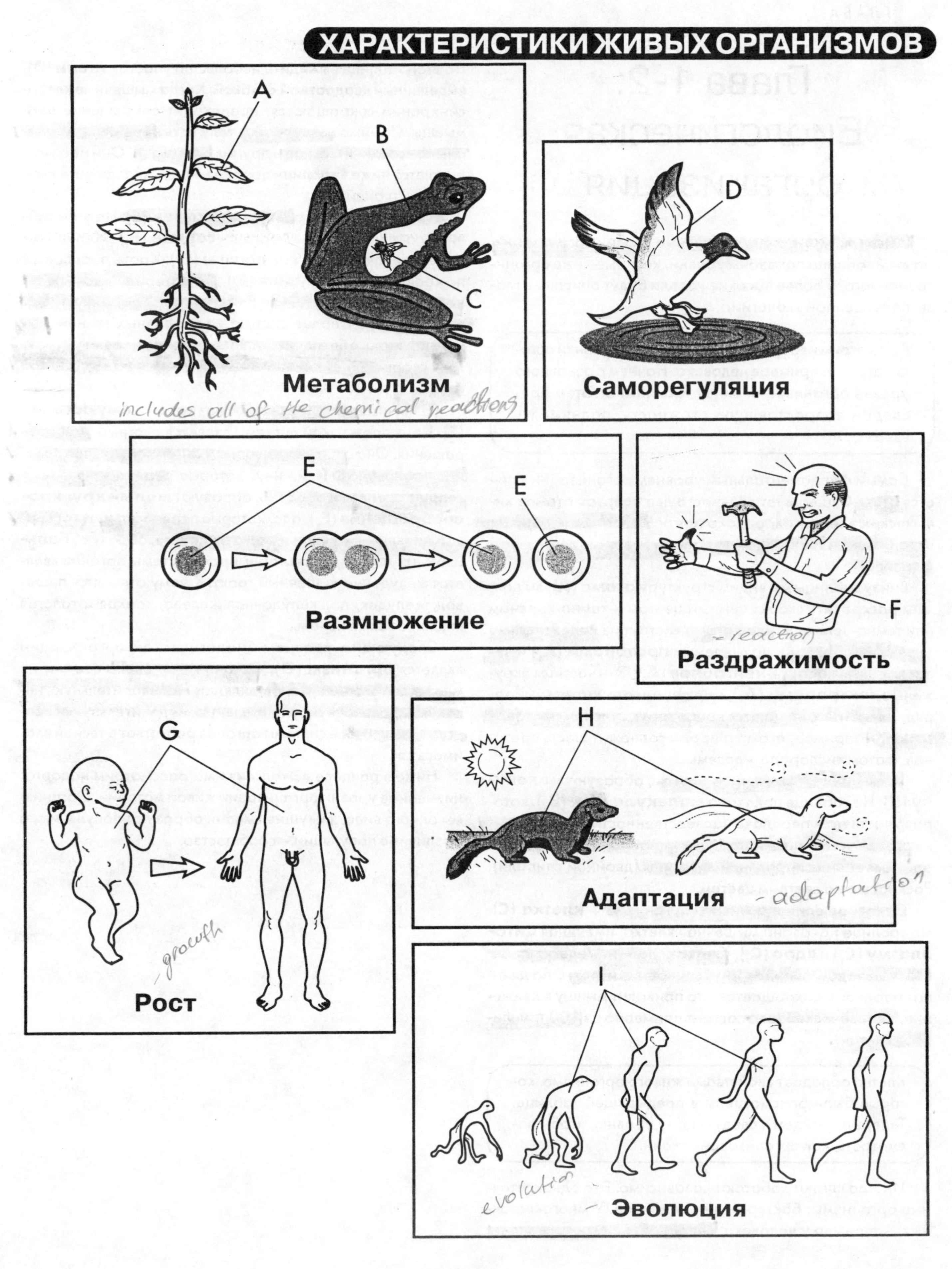

Глава 1-2: Биологическая организация

Живая материя имеет различные уровни организации. На этой таблице показаны уровни, которые ниже организационного, а более высокие уровни будут описаны в главе, посвященной экологии.

Рассмотрим иерархическую структуру уровней организации на примере человека. Начнем с основного уровня организации внизу таблицы, а затем проследим возрастающую сложность, поднимаясь вверх.

Самым фундаментальным уровнем организации является атом. Существует девяносто два «сорта» атомов химических элементов, однако почти 99% атомов в живых организмах – это углерод, водород, кислород, азот, сера и фосфор.

Внизу таблицы мы видим структуру **атома (А)**; вы должны раскрасить скобку темным цветом – темно-красным или темно-зеленым. Ядро атома состоит из положительно заряженных частиц, называемых **протонами (A_1)** и незаряженных частиц – **нейтронов (A_2)**. Эти частицы окружены **электронами (A_3)**, имеющими отрицательный заряд. Элементы отличаются друг от друга числом протонов в ядре. Например, атом углерода содержит шесть протонов, а атом кислорода – восемь.

Атомы, соединяясь друг с другом, образуют **молекулу (В)**. На таблице показана **молекула ДНК (B_1)**, которая участвует в передаче наследственности. Она состоит из атомов углерода, водорода, кислорода, азота и фосфора и имеет вид спиральной лестницы (двойной спирали). Раскрасьте ее светлым цветом.

Основная единица живого организма – **клетка (С)**. На таблице показана мышечная клетка, имеющая **цитоплазму (C_1)** и **ядро (C_2)**. Клетка содержит молекулы белков, углеводов, липидов и нуклеиновых кислот. Она длинная и тонкая и сокращается, что приводит мышцу в движение. Человеческое тело состоит примерно из 100 триллионов клеток.

Клетка обладает свойствами живого организма, которые были рассмотрены в предыдущей таблице. Теперь перейдем к следующему уровню, чтобы посмотреть, как организованы ткани.

Иногда клетки работают независимо. Это одноклеточные организмы: бактерии и простейшие. У многоклеточных, например у человека, клетки объединяются в ткани. На этой таблице вы видите небольшой участок **ткани (D)**, выделенный квадратной скобкой. Когда мышечные клетки синхронно сокращаются, происходит сокращение всей мышцы. Помимо мышечной, в теле есть нервная, эпителиальная, соединительная и другие типы ткани. Они рассматриваются ниже в таблице под названием «Различные типы клеток и тканей».

Орган состоит из различных **тканей (Е)**. На этой таблице показан типичный орган – **сердце (F_1)**. Желудочки перекачивают кровь, как **насосы (E_1)**. Кровь передается по кровеносным **сосудам (E_2)**. По артериям кровь переносится от сердца к телу, а по венам она опять возвращается к сердцу. Сердце состоит из различных тканей; мышечная ткань обеспечивает сокращение, нервная управляет скоростью биения, а соединительная поддерживает сердце.

Различные органы вместе образуют **систему органов (F)**. Примером такой системы является система кровообращения. Она состоит из сердца и огромного числа кровеносных сосудов. Те из них, которые переносят кровь от сердца к легким и обратно, образуют **малый круг кровообращения (F_2)**, а те, которые переносят кровь от сердца к различным участкам тела и обратно, образуют **большой круг (F_3)**. Другим примером системы органов является желудочно-кишечный тракт. К нему относятся пищевод, желудок, поджелудочная железа, тонкая и толстая кишки, а также печень.

Следующим уровнем биологической организации является **организм (G)**. Организм человека состоит из множества систем органов, включая пищеварительную, нервную, кровеносную, дыхательную, выделительную и репродуктивную. Все системы органов работают в тесной взаимосвязи.

Ниже в разделе «Экология» мы рассмотрим надорганизменные уровни организации живой материи. Организмы одного вида, живущие вместе, образуют популяцию, а различные популяции – сообщество.

БИОЛОГИЧЕСКАЯ ОРГАНИЗАЦИЯ

Организация живой материи

- Атом .... A
- Протоны .... A_1
- Нейтроны .... A_2
- Электроны .... A_3
- Молекула .... B
- Молекула ДНК .... B_1
- Клетка C
- Цитоплазма .... C_1
- Ядро .... C_2

- Ткань .... D
- Орган .... E
- Желудочки сердца .... E_1
- Кровеносные сосуды .... E_2
- Система органов .... F
- Сердце .... F_1
- Малый круг кровообращения ...... F_2
- Большой круг кровообращения .... F_3
- Организм .... G

Глава 1-3: Соотношения размеров в биологии

Организмы очень сильно различаются по своим размерам. На этой таблице изображены некоторые живые существа и указаны их относительные размеры.

На этой таблице живые и неживые объекты расположены на метрической шкале по размерам. Мы разбили их на три группы.

Будем двигаться по этой шкале от атомов и мельчайших организмов, которые располагаются слева, к самым крупным. Начнем с существ, которые настолько малы, что их можно рассмотреть только под **электронным микроскопом (A)**. Стрелки, показывающие различные группы организмов, надо раскрасить темными цветами – красным, зеленым или синим.

Атомы нельзя рассмотреть под электронным микроскопом. Диаметр **атома (B)** равен одной миллиардной метра. (Поэтому атом равен одной десятимиллиардной метра.) Мельчайшей частицей, которую можно увидеть под электронным микроскопом, является **молекула (C)**, например молекула аминокислоты или глюкозы. Такая молекула имеет примерно 1 нм (одну миллиардную метра) в диаметре. Чуть больше свернутая молекула **белка (D)**. Белки могут иметь диаметр в пределах от 4 нм до 10 нм, что показано фигурной скобкой.

Вирусы (E) имеют размеры от 10 до 100 нм. На диаграмме показан сложный вирус, называемый бактериофагом. Его детали легко можно рассмотреть под электронным микроскопом. Вирусы – инертные частицы, обладающие способностью размножаться.

Теперь рассмотрим биологические организмы, которые можно увидеть под световым микроскопом. Продолжайте раскрашивать таблицу по ходу чтения этой главы.

Диапазон размеров объектов, которые можно увидеть при помощи светового **микроскопа (F)**, указан соответствующей стрелкой. Этот диапазон начинается с объектов, имеющих размеры примерно 100 нм. К ним относится **хлоропласт (G)** — органоид, участвующий в фотосинтезе растения. Хлоропласты имеют в диаметре примерно 1 микрон (мк), то есть около одной миллионной метра.

Как показано на диаграмме, **бактерии (H)** имеют размеры от 1 до 10 мк. Они меньше **растительных и животных клеток (I)**, которые имеют размеры примерно от 10 до 100 мк. Любые клетки можно рассматривать под электронным микроскопом, и он часто используется для рассмотрения более мелких подструктур растительной и животной клетки.

Человеческая яйцеклетка так крупна, что ее можно рассмотреть даже невооруженным глазом (**J**). Эта клетка имеет в диаметре примерно 125 мк.

Теперь перейдем к тем биологическим объектам, которые можно видеть невооруженным глазом. Продолжайте читать дальше, отмечая соотношения размеров между биологическими объектами.

Диапазон объектов, видимых невооруженным глазом (K), показан соответствующей стрелкой, и его тоже надо раскрасить темным цветом. Этот диапазон начинается с размеров **яйцеклетки лягушки (L)**. Этот объект чуть больше 1 миллиметра (мм) в диаметре.

Следующий организм, который можно увидеть невооруженным глазом, – **насекомое (M)**. Особь, изображенная здесь, имеет в длину примерно 1 сантиметр (см). Следующим более крупным объектом на нашей диаграмме является **грызун (N)**, его длина составляет примерно 5 см.

Теперь перейдем к человеку. Показанный здесь человек имеет рост около 1,2 метра.

Самым крупным существом среди показанных здесь является **кит (P)**. Отметь его огромные размеры по сравнению с другими объектами. Это животное имеет в длину примерно 25 метров. Кит относится к самым крупным организмам, населяющим Землю.

СООТНОШЕНИЕ РАЗМЕРОВ В БИОЛОГИИ

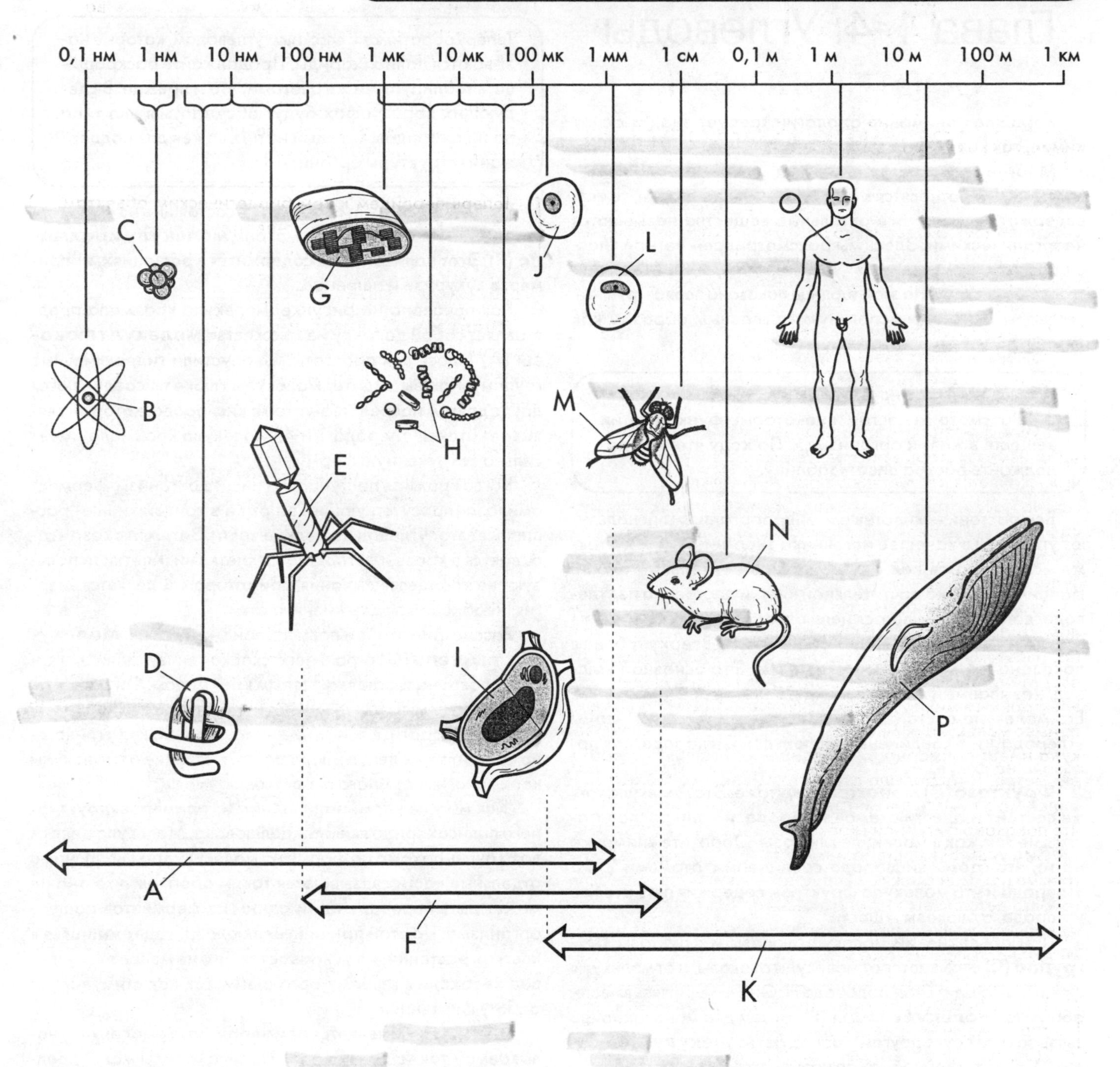

Относительные размеры в биологии

Диапазон электронного микроскопа .... A
Атом .... B
Небольшая молекула C
Свернутая молекула белка .... D
Вирус .... E

Диапазон светового микроскопа .... F
Хлоропласт .... G
Бактерия .... H
Растительная/Животная клетка I
Человеческая яйцеклетка .... J

Диапозон объектов, видимых невооруженным глазом .... K
Яйцеклетка лягушки L
Насекомое .... M
Грызун .... N
Человек .... O
Кит .... P

Глава 1-4: Углеводы

Хорошее понимание биологии требует знания основ химии, так как жизнь основана на химических процессах.

Многие химические вещества, связанные с живыми организмами, относятся к органическим веществам, то есть содержат углерод. Все остальные вещества называются неорганическими. Здесь мы рассматриваем четыре класса органических веществ: углеводы, жиры, белки и нуклеиновые кислоты. На этой таблице показана первая группа – углеводы. Углеводы используются главным образом как источники энергии живых существ.

Углеводы делятся на простые сахара и полисахариды. Рассмотрим состав и некоторые функции этих веществ в живых организмах. По ходу чтения продолжайте раскрашивать таблицу.

Все растения, животные и микроорганизмы используют углеводы в качестве источника энергии. Углеводы также используются как структурные строительные блоки. Например, стенка растительной клетки построена из углевода, который называется целлюлоза. Углеводы состоят из атомов углерода, водорода и кислорода. Вверху таблицы показана **молекула глюкозы (A)**. Это основной углевод, называемый моносахаридом, или простым сахаром. Его молекула состоит из шести атомов углерода. Атомы углерода 1 и 5 соединены с молекулой кислорода, как показано на схеме.

Фруктоза (B) моносахарид тоже. Эта молекула также состоит из шести атомов углерода, но они располагаются не так, как в молекуле глюкозы. Обратите внимание на то, что атомы кислорода соединены с атомами 2 и 5 углерода и что молекула фруктозы содержит пять атомов углерода, а глюкозы – шесть.

При объединении молекул глюкозы и фруктозы **OH-группа (C)** отрывается от молекулы глюкозы, а от молекулы фруктозы уходит атом водорода H. Они, соединяясь вместе, образуют **молекулу воды (E)**. Затем два моносахарида связываются друг с другом и образуют **молекулу сахарозы (D)**, и этот двойной сахар называется дисахаридом.

К дисахаридам относятся также мальтоза (образованная двумя молекулами глюкозы) и лактоза (одна молекула глюкозы и одна молекула галактозы). Когда дисахариды используются для получения энергии, они расщепляются ферментами в моносахариды, а моносахариды подвергаются окислению в процессе клеточного дыхания (как показано в таблице «Гликолиз»). Для осуществления процесса усваивания лактозы (молочного сахара) необходим определенный фермент. Люди, которые не переносят лактозы, не вырабатывают этого фермента, поэтому у них возникают проблемы с желудком, когда они выпивают молоко.

Теперь обратимся к сложным углеводам, которые называются полисахариды. Продолжайте раскрашивать таблицу теми же цветами, что и прежде. В следующих параграфах будут обсуждаться два типа полисахаридов. Каждый из них важен для поддержания структуры организмов.

Полисахариды – это молекулы, состоящие из сотен или тысяч моносахаридов. Рассмотрим **молекулу крахмала (F)**. Этот полисахарид содержится в растениях, например, в кукурузе и пшенице.

Как показано на рисунке, молекула крахмала представляет собой цепочку из множества **молекул глюкозы (A)** (здесь для простоты мы опустили гидроксильные группы). Как вы видите, молекулы глюкозы соединяются друг с другом посредством атома кислорода, который связывает атомы углерода 1 и 4. Молекула крахмала имеет сильно закрученную форму.

Когда крахмал поступает из пищи в организм, фермент амилоза (присутствующий во рту и в тонкой кишке) расщепляет этот углевод на мелкие части. Затем глюкоза всасывается в кровь и поглощается клетками. Клетки используют ее в процессе дыхания, при котором выделяется энергия, необходимая для жизни клетки.

Рассмотрим второй полисахарид – гликоген. **Молекула гликогена (G)** ограничена скобкой внизу таблицы. Гликоген часто называют животным крахмалом. Он накапливается в печени и мышцах, обеспечивая организму запас глюкозы. Обратите внимание на то, что молекула гликогена состоит из молекул глюкозы, но, в отличие от молекулы крахмала, имеет много отростков.

Как мы уже упоминали, одним из примеров структурного полисахарида является целлюлоза. Молекула целлюлозы очень похожа по форме на молекулу крахмала, но ее отдельные части связываются таким образом, что она не может быть переварена ни одним из ферментов нашего организма. По этой причине целлюлоза, содержащаяся в клетках растений, не усваивается. Тем не менее этот углевод необходим нашему организму, так как стимулирует работу кишечника.

Полисахарид является примером макромолекулы, называемой также полимером. Полисахариды могут представлять собой простые цепочки или иметь множество отростков. Типы молекулярных связей в полисахаридах определяют происходящие с ними химические реакции.

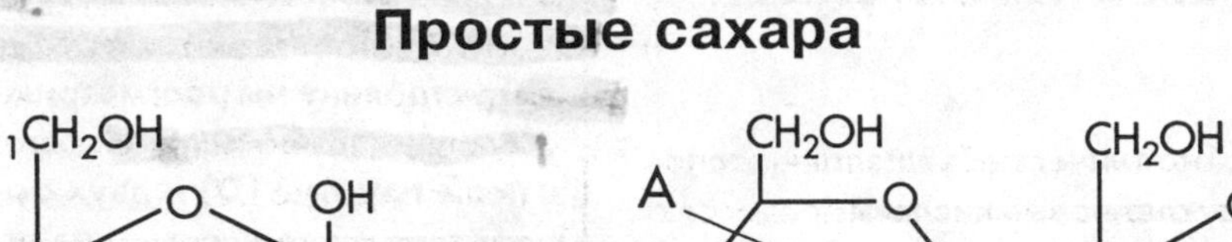

Простые сахара

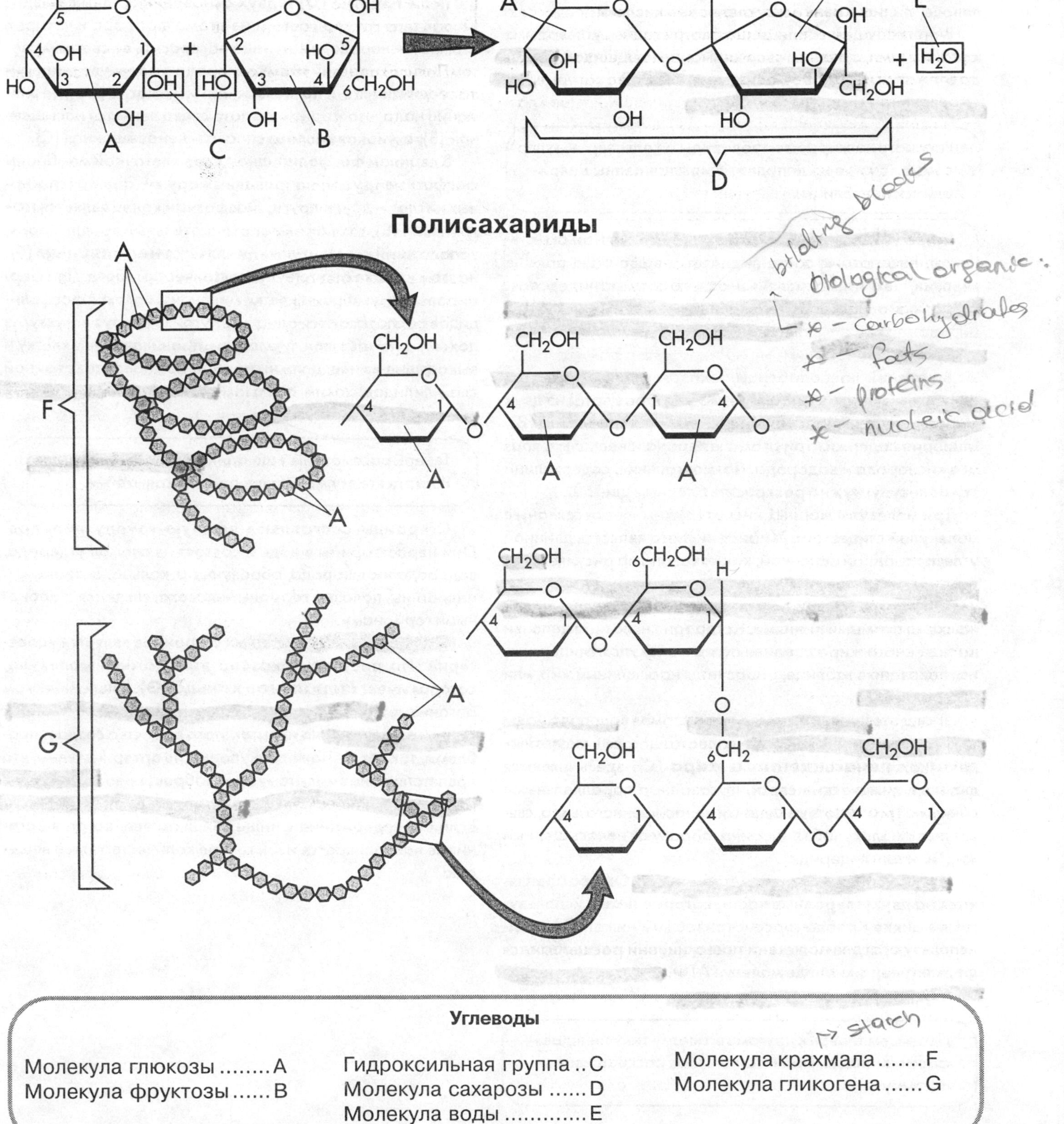

Углеводы

Молекула глюкозы .... A
Молекула фруктозы ...... B

Гидроксильная группа .. C
Молекула сахарозы ...... D
Молекула воды .... E

Молекула крахмала .... F
Молекула гликогена ...... G

Глава 1-5: Липиды

Четыре основные типа органических веществ — это углеводы, липиды, белки и нуклеиновые кислоты.

В предыдущей таблице рассматривались углеводы, а здесь мы сосредоточим свое внимание на липидах. Липиды относятся к группе органических молекул, которые растворяются в маслах, но не в воде.

Рассмотрим жиры, фосфолипиды и холестерин, как самые важные из липидов. Жиры показаны в верхней части таблицы.

Жиры содержат большой запас энергии. При окислении одного грамма жира выделяется в два раза больше энергии, чем при окислении одного грамма углеводов. Жиры — это основные запасающие вещества в организме, кроме того, они обеспечивают физическую и термическую защиту тела.

В верхней части таблицы показаны два типа жиров: насыщенные и ненасыщенные. Жиры образуются из двух составных частей: **глицерина (A)** и **жирных кислот (B)**. Глицерин содержит три атома углерода и несколько атомов кислорода и водорода. Прямоугольник, содержащий эту молекулу, нужно раскрасить бледным цветом.

Три молекулы жирных кислот (B) химически связаны с молекулой глицерина. Жирная кислота является длинной углеводородной цепочкой, как показано на рисунке. Кислота насыщенного жира содержит максимальное число его атомов водорода; единичные химические связи показаны на схеме прямыми линиями. Когда три кислотные цепочки насыщенного жира соединяются с молекулой глицерина, как показано в таблице, образуется насыщенный жир, или триглицерид.

В кислоте ненасыщенного жира атомов водорода меньше максимального их числа, содержащегося в кислотных цепочках **ненасыщенного жира (C)**; здесь имеются двойные химические связи, показанные параллельными линиями. Три кислотные цепочки ненасыщенного жира, связанные с молекулой глицерина, образуют ненасыщенный жир, или триглицерид.

Жиры очень важны для метаболизма. Они расщепляются на двухуглеродные части, которые потом используются в цикле Кребса (рассматриваемом ниже). Они подвергаются ряду химических превращений и высвобождают свою энергию в виде молекул АТФ. Жиры служат источником энергии наряду с углеводами.

Перейдем теперь к другому важному типу липидов – фосфолипидам. Прочитайте о них, раскрашивая диаграмму.

Одна из основных функций фосфолипидов – формирование клеточной мембраны (плазмолеммы). Мембрана состоит из двух слоев фосфолипидов с вкраплениями белков. Ее строение мы рассмотрим ниже.

Молекула фосфолипида состоит из глицерина (A), **фосфатной группы (D)** и двух оснований жирных кислот. Фосфатная группа состоит из атома фосфора и четырех атомов кислорода, и вам надо раскрасить ее светлым цветом. Второй и третий атомы углерода в молекуле глицерина соединяются с цепочками жирных кислот. Обратите внимание на то, что жирная кислота слева является насыщенной (B), а жирная кислота справа – ненасыщенная (C).

В двойном фосфолипидном слое клеточной мембраны фосфатные группы направлены наружу, а цепочки жирных кислот – друг к другу. Фосфатный конец является **полярным (E)**, так как имеет отрицательный заряд. Противоположный конец молекулы является **неполярным (F)**, на этом участке отсутствует электрический заряд. При формировании мембраны клетки миллионы молекул фосфолипидов располагаются одна за другой, образуя структуру, похожую на частокол. Молекулы, проникающие в клетку и выходящие из нее, должны проходить через этот двойной слой липидов, таким образом мембрана служит клетке фильтрующим барьером.

Теперь рассмотрим еще один липид – холестерин. Раскрасьте эту молекулу, продолжая чтение.

Стероиды составляют важную группу липидов. Они нерастворимы в воде и состоят из атомов углерода, водорода и кислорода, образующих кольца. Эстрогены и андрогены, половые гормоны человека, являются стероидными гормонами.

Одним из самых известных стероидов является холестерин. На рисунке показана эта сложная молекула, которая имеет **стерольное кольцо (G)**. В человеческом организме холестерин используется как предшественник половых гормонов, но избыток этого вещества создает проблемы, так как он может закупоривать артерии и вены, что препятствует нормальному кровообращению. Холестерин синтезируется в печени, но может поступать и из пищи. Если его содержание в пище слишком велико, то в организме накапливается избыточное количество этого вещества.

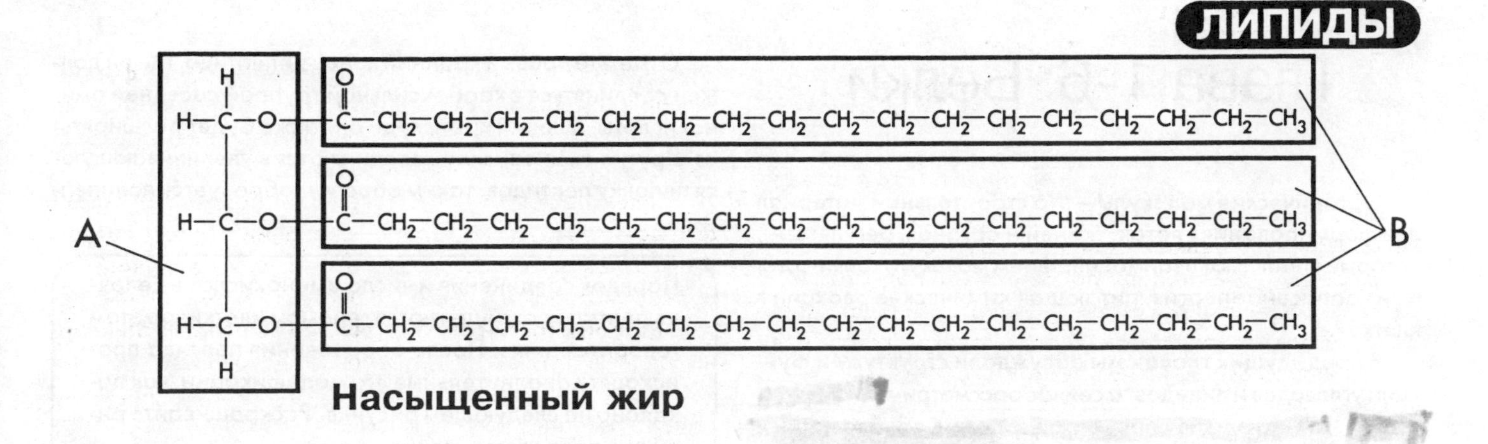

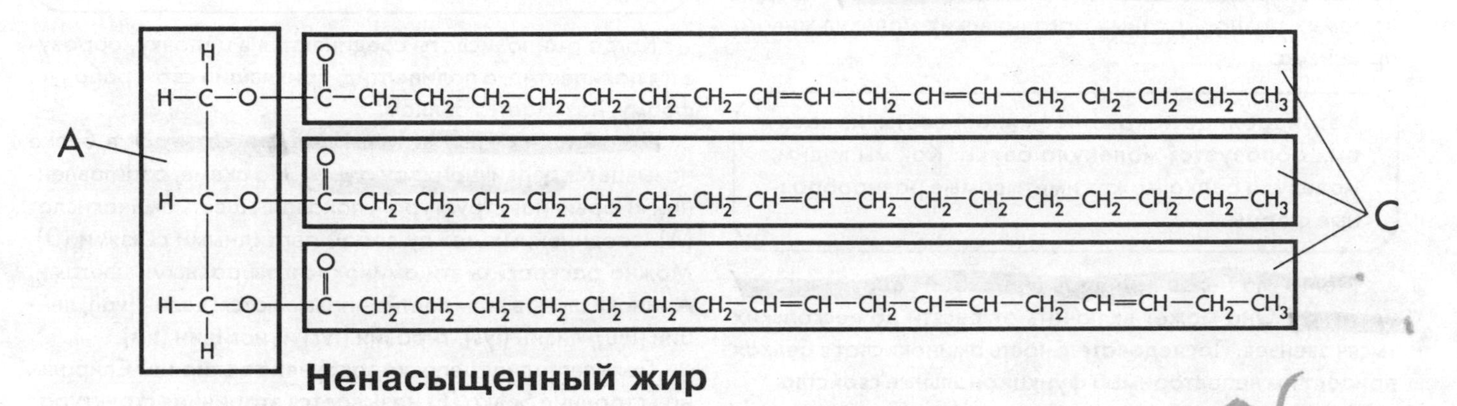

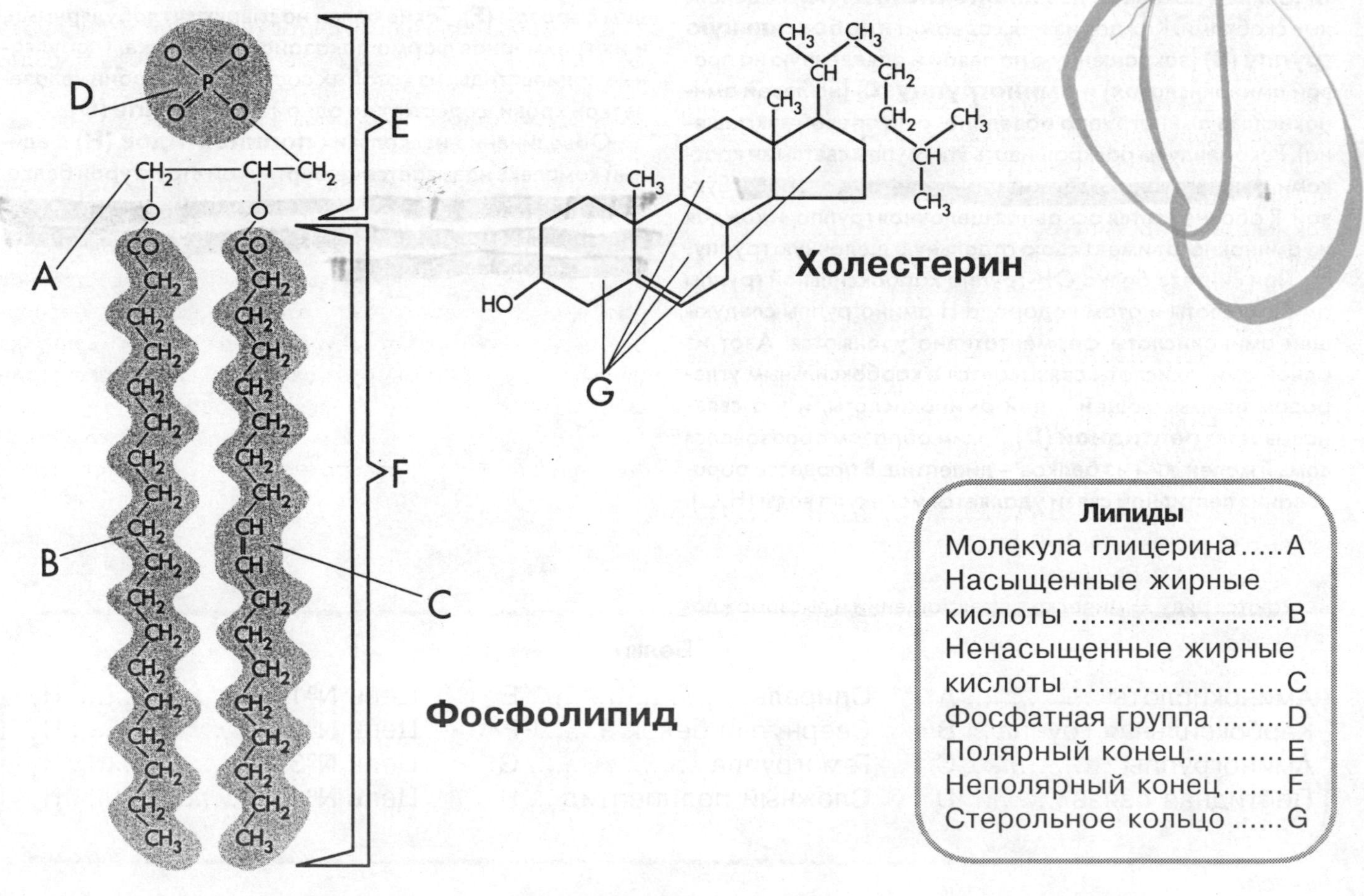

Липиды

Молекула глицерина..... A
Насыщенные жирные кислоты .... B
Ненасыщенные жирные кислоты C
Фосфатная группа........ D
Полярный конец........... E
Неполярный конец....... F
Стерольное кольцо ...... G

Глава 1-6: Белки

Органические молекулы – это строительный материал для формирования клеток, тканей и органов, регуляторы, которые управляют взаимодействием молекул, кроме того, в них запасена энергия, питающая химические реакции в клетках.

В предыдущих главах мы обсуждали структуру и функции углеводов и липидов, а сейчас рассмотрим белки (протеины). Белки играют очень важную роль в образовании и функционировании многих клеточных структур. Это одни из самых разнообразных органических молекул живого организма.

В этой таблице показаны аминокислоты, из которых образуется молекула белка. Как мы видим, молекула белка может иметь самые разнообразные формы.

Молекула белка представляет собой цепочку из аминокислот. Она может включать от десяти до нескольких тысяч звеньев. Последовательность аминокислот в белках придает им неповторимые функциональные свойства.

В этой таблице будет показано как аминокислоты, соединяясь друг с другом, образуют белок. В верхней части таблицы показаны две **аминокислоты (A)**, выделенные скобками. Каждая из них содержит **карбоксильную группу (B)** (закрашенную на левой и обведенную на правой аминокислотах) и **аминогруппу (C)** (на левой аминокислоте аминогруппа обведена, а на правой закрашена). Рекомендуем раскрашивать эти группы светлыми красками. Аминогруппа содержит атомы азота и водорода. Буквой R обозначается основная щелочная группа, и каждая из аминокислот имеет свою отдельную щелочную группу.

При синтезе белка OH-группа карбоксильной группы аминокислоты и атом водорода H аминогруппы следующей аминокислоты ферментативно удаляются. Азот из одной аминокислоты связывается с карбоксильным углеродом примыкающей к ней аминокислоты, и эта связь называется **пептидной (D)**. Таким образом образовался самый маленький из белков – дипептид. В процессе образования пептидной связи удаляется молекула воды (H_2O).

Отметьте правый крайний конец дипептида, где он должен соединяться с карбоксильной группой соседней аминокислоты, и левый край, куда он также будет расширяться. Другие аминокислоты соединяются в увеличивающуюся цепочку пептидов, таким образом образуется полипептид.

Порядок соединения и число аминокислот в цепочке пептидов определяются геномом клетки; об этом говорится ниже. После образования пептида происходят дополнительные его модификации, как показано на следующем рисунке. Раскрашивайте рисунки, продолжая чтение.

Когда аминокислоты соединяются в цепочку, образуется полипептид, а полипептид, принявший свою рабочую форму, называется белком.

Линейная последовательность аминокислот в белке называется первичной структурой. На схеме, озаглавленной «Первичная структура», показаны шесть аминокислот (A), соединенных между собой пептидными связями (D). Можно раскрасить эти аминокислоты разными цветами. Аминокислоты в этом пептиде называются: валин (val), лейцин (leu), лизин (lys), тирозин (tyr) и гистидин (his).

Полипептидная цепочка закручена в спираль. Спиральное строение белка (**E**) называется вторичная структура.

Некоторые полипептидные цепи имеют третичную структуру, то есть свернуты в пространстве определенным образом (**F**). Такие белки называются глобулярными, и их трехмерная форма показана на рисунке. Глобулярные полипептиды, из которых состоит гемоглобин человеческой крови, содержат по одной **гемогруппе (G)**.

Объединение нескольких **полипептидов (H)** в единый комплекс называется четвертичной структурой белка. Гемоглобин состоит из четырех одинаковых свернутых полипептидных **цепей (H_1, H_2, H_3, H_4)** и служит для переноса кислорода по всему телу.

Белки

Аминокислоты	A	Спираль	E	Цепь №1	H_1
Карбоксильная группа ...	B	Свернутый белок	F	Цепь №2	H_2
Аминогруппы	C	Гемогруппа	G	Цепь №3	H_3
Пептидная связь	D	Сложный полипептид ...	H	Цепь №4	H_4

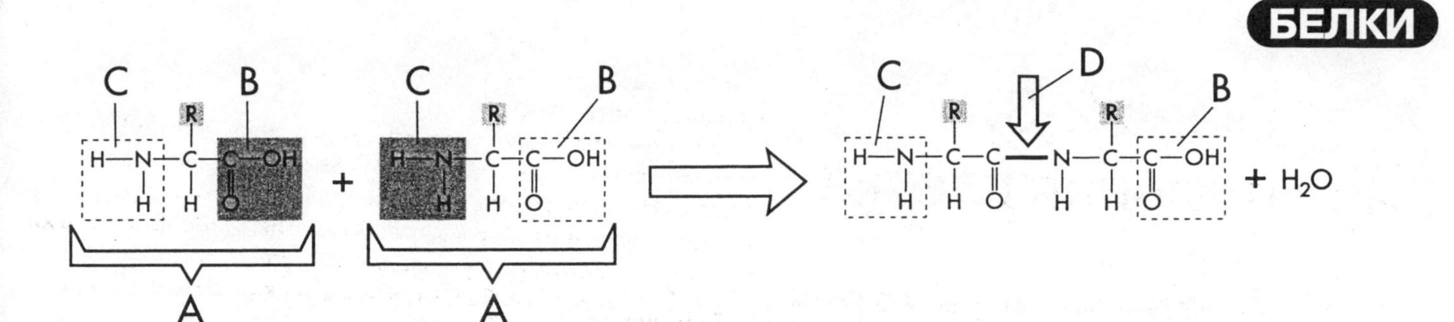

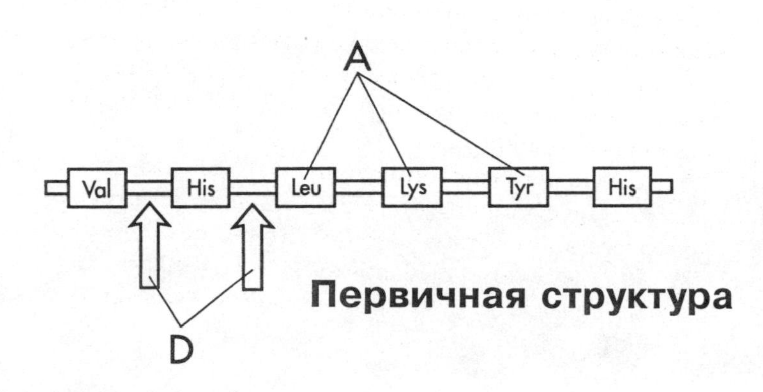

Первичная структура

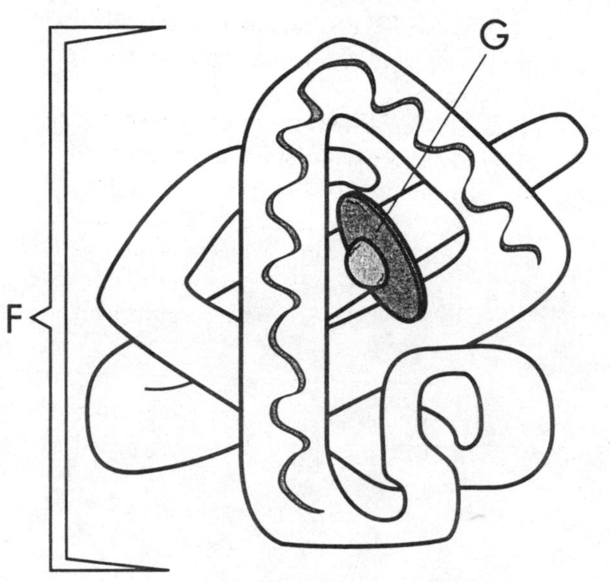

Вторичная структура

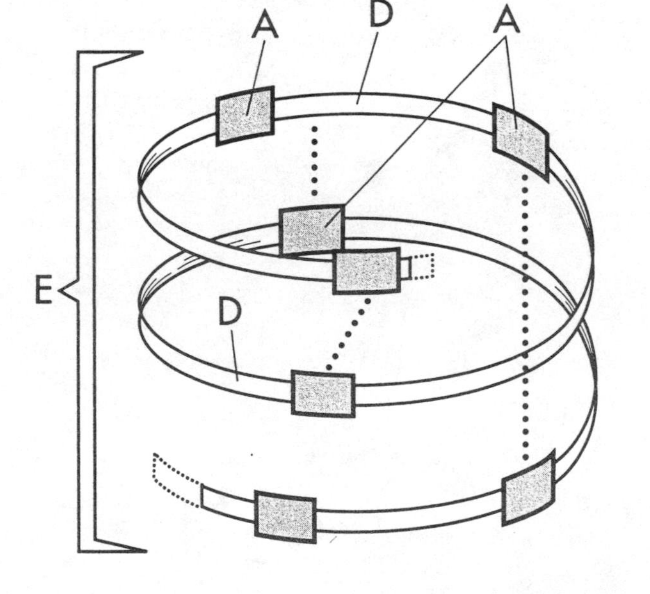

Третичная структура

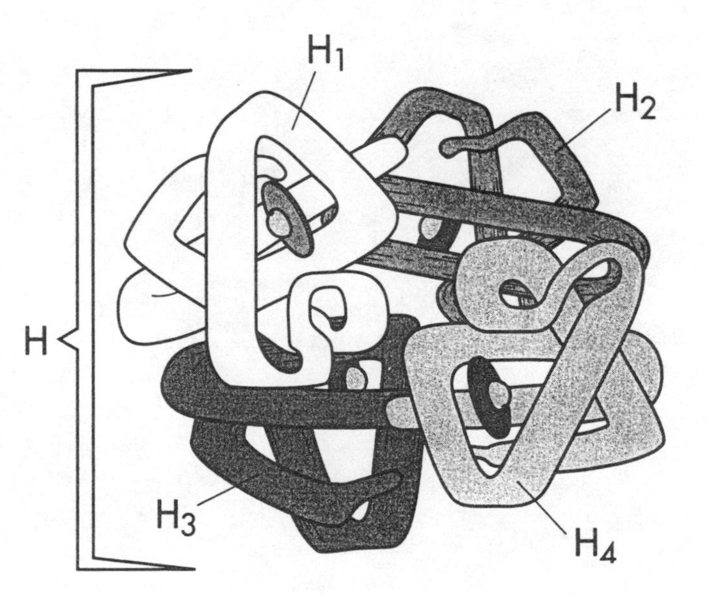

Четвертичная структура

ГЛАВА 2

Биология клетки

Глава 2-1: Животная клетка

Основной единицей живых систем является клетка. Рассмотрим некоторые характеристики животных клеток. Растительная клетка показана на следующем рисунке.

Под световым микроскопом кажется, что животная клетка устроена довольно просто, но под электронным микроскопом видно множество структур, которые способствуют деятельности клетки. Раскрашивайте их по ходу чтения. Поскольку структуры клетки мелкие, раскрашивайте их светлыми цветами.

Невозможно выделить «типичную» животную клетку в природе, так как таковых не существует; здесь представлена гипотетическая клетка, содержащая все наиболее важные составные части.

Клетка покрыта **мембраной (плазмолеммой) (A)**, состоящей из фосфолипидов и белков. Различные биохимические механизмы позволяют мелким частицам питательных веществ проникать внутрь клетки через эту мембрану.

Внутри клеточной мембраны находится **жидкая цитоплазма (B)**, в которую погружены органеллы. В цитоплазме содержится внутренний белковый **цитоскелет (C)**. Выделите его волокна темным цветом. Микрофиламенты обеспечивают сокращение мышечных клеток, а другие элементы цитоскелета, называемые микротрубочками, участвуют в размножении клеток.

Снаружи на мембране клеток пищеварительного тракта имеются выступы, называемые **микроворсинками (D)**. Через их поверхность происходит всасывание питательных веществ. Длинные, похожие на волосики, выступы, называемые **ресничками (E)**, находятся на клетках дыхательного тракта. Они захватывают частички пыли для того, чтобы предотвратить их попадание в легкие.

Теперь мы перейдем к некоторым субмикроскопическим структурам внутри клетки и рассмотрим, как они связаны с функциями клетки. Продолжайте раскрашивать рисунок. Используйте светлые цвета, чтобы не затемнять детали рисунка.

Центросома (F) состоит из двух частей, называемых **центриолями (F_1)**. Как показано на рисунке, центриоли расположены под прямым углом друг к другу и состоят из микротрубочек; они участвуют в процессе митоза.

Рибосомы (G) видны повсюду в огромном количестве внутри клетки. Эти частицы являются «фабриками» клеток; в них белок синтезируется из аминокислотных субъединиц. Рибосом особенно много в клетках, где идет интенсивный синтез белка, например в клетках поджелудочной железы, мышц и эпидермиса.

Важной органеллой цитоплазмы является **митохондрия (H)**. Митохондрия – это органелла, закрытая двойной мембраной, продуцирующая АТФ (аденозинтрифосфорная кислота. – *прим. пер.*) – энергетическую «валюту» клетки. Клетки, которым нужно много энергии, такие как мышечные клетки и сперматозоиды, содержат много митохондрий, тогда как в менее активных клетках этих органелл меньше.

Центром генетической активности клетки является **ядро (I)**. За исключением клеток красных кровяных телец и гамет (половых клеток), все клетки человека содержат в своих ядрах по сорок шесть хромосом. В жидкой **нуклеоплазме (I_2)** ядра находится тело из РНК, которое называется **ядрышком (I_1)**. Кроме этого, в ядре содержится ДНК, то есть наследственный материал, который содержит биохимические инструкции по синтезу конкретных белков.

Эта таблица помогла нам изучить некоторые структуры, важные для жизнедеятельности клетки. Некоторые из них участвуют в синтезе белков. Продолжайте раскрашивать рисунок светлыми цветами, так как эти структуры довольно малы.

Эндоплазматический ретикулум (ЭР) (J), – это система взаимосвязанных между собой мембранных каналов в цитоплазме. Эндоплазматический ретикулум, покрытый рибосомами, называется **шероховатым (J_1)**. Шероховатый ЭР преобладает в клетках, которые активно синтезируют и выделяют белки. Эндоплазматический ретикулум, на котором нет рибосом, называется **гладким ЭР (J_2)**. Синтезированные белки обычно накапливаются в уплощенных мембранных пузырьках, которые называются **комплексом Гольджи (K)**. Комплекс Гольджи сортирует и упаковывает белки для их выделения из клетки.

Клетки хранят пищеварительные ферменты в органеллах, называемых **лизосомами (L)**. Ферменты лизосом помогают расщеплению органических молекул на отдельные компоненты, которые необходимы для синтеза белков и получения энергии. Некоторые ферменты находятся **в пероксисомах (M)**, где нейтрализуются токсические вещества. Особенно много пероксисом в клетках печени, которые расщепляют алкоголь и другие вредные вещества.

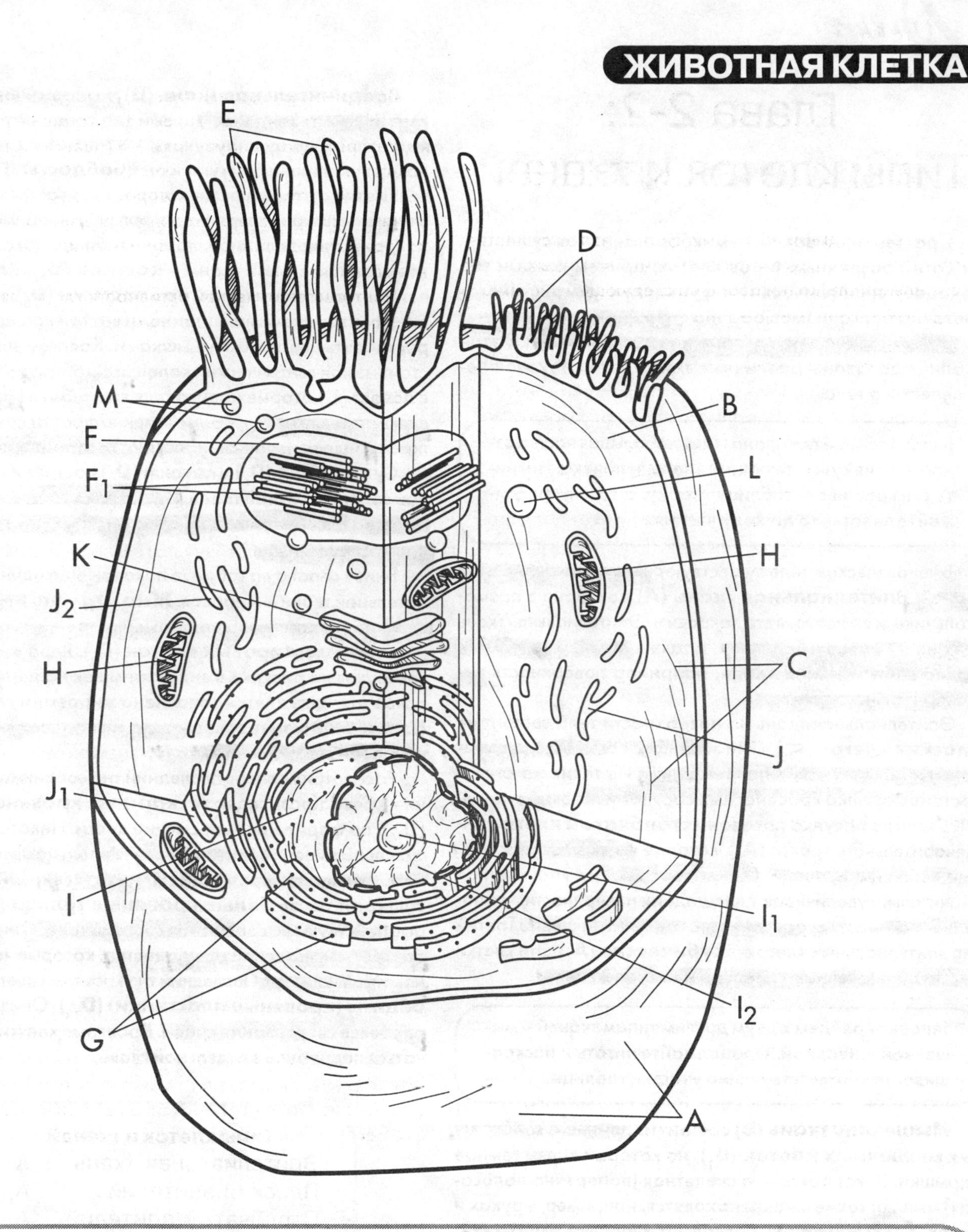

Животная клетка

Мембрана клетки .... A	Центриоли .... F_1	Эндоплазматический ретикулум .... J
Цитоплазма .... B	Рибосомы .... G	Шероховатый ЭР .... J_1
Цитоскелет C	Митохондрии .... H	Гладкий ЭР .... J_2
Микроворсинки .... D	Ядро I	Комплекс Гольджи .... K
Реснички .... E	Ядрышко .... I_1	Лизосома L
Центросома .... F	Нуклеоплазма .... I_2	Пероксисома .... M

Глава 2-2: Типы клеток и тканей

У растений, животных и микроорганизмов существуют сотни различных типов клеток, причем каждый тип обладает специфическими функциями. Клетки многоклеточных организмов обычно функционируют организованными группами, которые называются ткани. В этой таблице показаны различные типы клеток и тканей человеческого тела.

В этой таблице показана лишь небольшая часть разнообразия существующих в теле человека. Начните раскрашивать таблицу сверху, а затем продолжайте делать это по ходу чтения.

В человеческом теле существуют четыре основных типа тканей. **Эпителиальная ткань (A)** показана в прямоугольнике, и вы должны его закрасить. Эпителиальная ткань покрывает поверхность тела, а также области контакта с веществами внешней среды, например поверхность пищеварительного тракта.

Эпителиальная ткань на поверхности тела состоит из **плоских клеток (A_1)**. Они защищают тело от обезвоживания и механических повреждений. Из таких же клеток состоит выстилка кровеносных сосудов и легочных альвеол. В центре рисунка показаны **столбчатые клетки** пищеварительного тракта (**A_2**), которые всасывают питательные вещества из пищи. Микроворсинки на этих клетках значительно увеличивают площадь их поверхности, что повышает скорость всасывания питательных веществ. Третий тип эпителиальных клеток – **кубические (A_3)**. Эти клетки выстилают почечные канальцы и многие железы.

Теперь перейдем к двум другим типам тканей – мышечной и нервной. Продолжайте читать и раскрашивайте соответствующие участки таблицы.

Мышечная ткань (B) состоит из длинных, волокнистых **мышечных клеток (B_1)**, на которых видны темные ядрышки. Здесь показана скелетная (поперечно-полосатая) мышца; такие мышцы находятся, например, в руках и ногах. Мышечные ткани позволяют выполнять движения, а также выстилают полые структуры тела, например кровеносные сосуды.

Нервная ткань (C) состоит из особых клеток — **нейронов (C_1)**, по которым нервные импульсы передаются по всему телу. Большие скопления нейронов находятся в мозгу.

В заключение рассмотрим шесть типов соединительной ткани.

Соединительная ткань (D) поддерживает и соединяет другие ткани тела. Первый тип соединительной ткани, который мы будем изучать, – **хрящевая ткань (D_2)**. Хрящевую ткань образуют **хондробласты (D_1)**, заключенные в упругом веществе, которое называется хондрином. Эта ткань поддерживает форму органов, например уха.

На противоположной стороне таблицы показан второй тип соединительной ткани – **костная (D_4)**. Клетки костной ткани называются **остеобластами (D_3)**, на рисунке они показаны темными штрихами внутри колец. Их нужно раскрасить цветными пятнышками. Костное вещество состоит из концентрических колец; остеобласты заключены в полостях, которые называются лакунами и покрыты фосфатом кальция и коллагеном. Именно фосфат кальция и коллаген придают кости твердость. Кости служат опорой тела.

Сухожилия (D_6) и **связки (D_7)** состоят из других типов соединительной ткани. Сухожилия соединяют мышцы с костями, как это показано на рисунке, а связки (D_7) – кости с костями.

Внизу справа на таблице показан еще один тип соединительной ткани – жировая. **Жир (D_9)** – это органическое вещество, заполняющее большую часть межклеточного пространства **жировых клеток (D_8)**. Ядра жировых клеток видны на рисунке в виде пятнышек на периферии, но основная часть клетки заполнена жировыми капельками. Жир обеспечивает защиту тела и запасает энергию для метаболической деятельности.

Рассмотрим теперь последний тип соединительной ткани – кровь. Кровь содержит **красные кровяные тельца (D_{10})**, по форме напоминающие диски. Некоторые из них сцеплены вместе. Красные кровяные тельца переносят кислород к клеткам и забирают от них углекислый газ. Кровь содержит также **белые кровяные тельца (D_{11})**, которые действуют как защитная система тела. Они пожирают бактерии и продуцируют вещества, которые являются основой иммунитета. Последний тип кровяных клеток – **тромбоциты (кровяные пластинки) (D_{12})**. Они участвуют в процессе свертывания крови. Кровяные клетки будут изучаться подробнее в отдельной главе.

Типы клеток и тканей

Эпителиальная ткань .... A
Плоский эпителий .... A_1
Столбчатый эпителий ... A_2
Кубический эпителий .... A_3
Мышечная ткань........... B
Мышечные клетки .... B_1
Нервная ткань C
Нервные клетки .... C_1
Соединительная ткань .. D
Хондробласты .... D_1

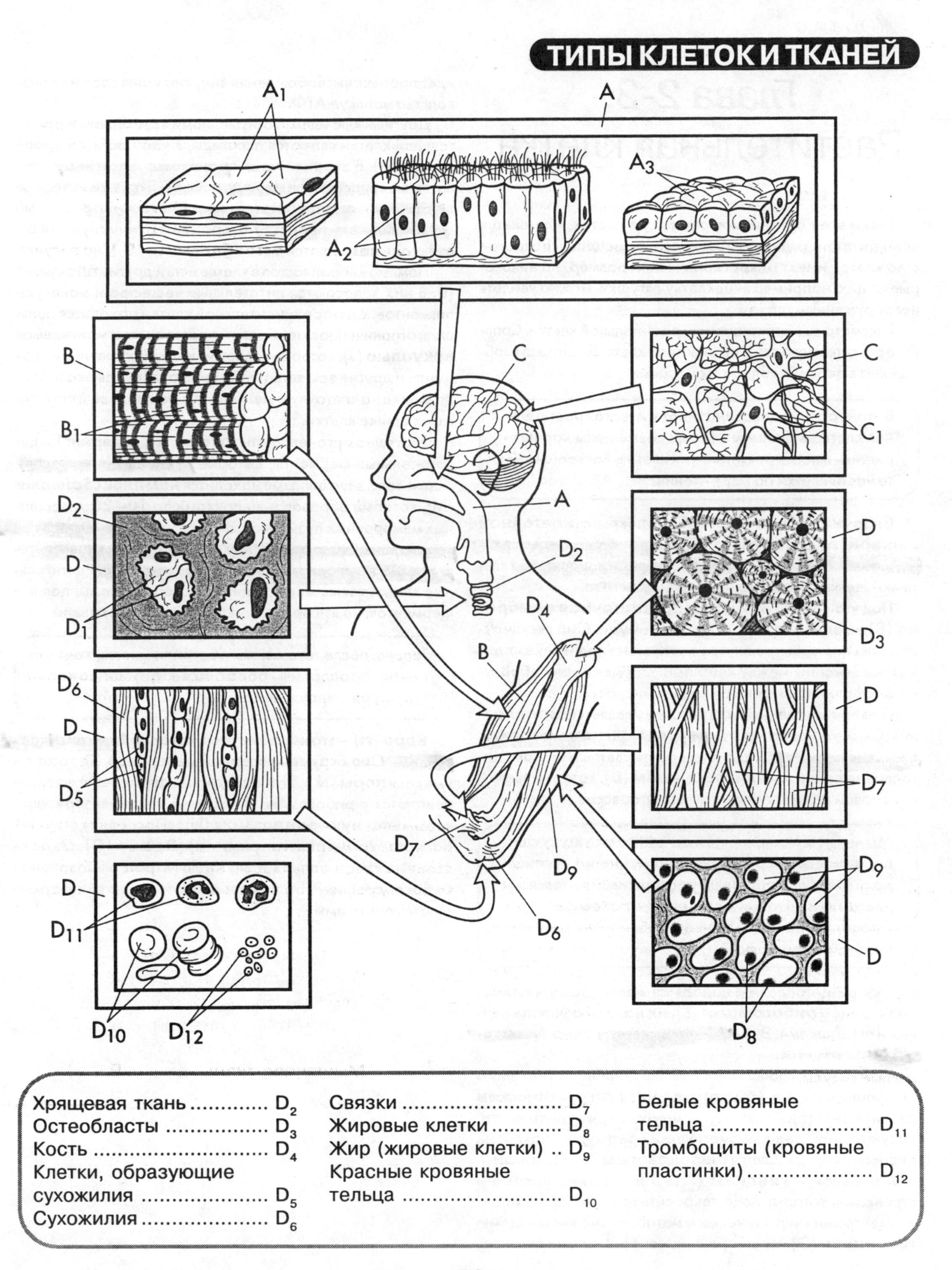

A_1
A
A_2
A_3
B
B_1
C
C_1
A
D_2
D
D_1
D_4
D_3
B
D_6
D_5
D_7
D_9
D_6
D_{11}
D_{10}
D_{12}
D_8
Хрящевая ткань .... D_2
Остеобласты .... D_3
Кость .... D_4
Клетки, образующие сухожилия .... D_5
Сухожилия .... D_6
Связки .... D_7
Жировые клетки .... D_8
Жир (жировые клетки) .. D_9
Красные кровяные тельца .... D_{10}
Белые кровяные тельца .... D_{11}
Тромбоциты (кровяные пластинки) .... D_{12}

Глава 2-3: Растительная клетка

Ткани всех организмов состоят из клеток, и именно в клетках происходят метаболические процессы. Большинство клеток имеет микроскопический размер, но некоторые из них, например яйцеклетку лягушки, можно увидеть невооруженным глазом.

Рассмотрим характеристики растительной клетки. Сравните растительную клетку с животной клеткой, которая изображена в первой таблице этой главы.

В этой таблице показана гипотетическая растительная клетка в разрезе. На ней совмещены характеристики многих растительных клеток. Раскрашивайте части клетки по мере чтения.

Снаружи растительная клетка покрыта **клеточной стенкой (A)**. Эта структура защищает и поддерживает клетку и делает ее относительно твердой. Главным компонентом клеточной стенки является полисахарид целлюлоза.

Под этой оболочкой находится **клеточная мембрана (B)**, называемая также плазмолеммой. Она регулирует движение веществ внутрь клетки и из нее и служит для взаимодействия между клетками. Эту мембрану образуют фосфолипиды и белки.

Главной внутренней частью клетки является **цитоплазма (C)**. Эту жидкую массу, где происходят многие метаболические процессы, надо раскрасить светлым цветом. Цитоплазма пронизана **цитоскелетом (D)**, который является основой для многих клеточных процессов.

Мы изучили поверхность и основную структуру клетки, а теперь сосредоточим внимание на органеллах. Мелкие органеллы раскрашивайте темными цветами, а крупные органеллы – более светлыми. Продолжайте раскрашивать таблицу по ходу чтения этого параграфа.

Внутри цитоплазмы находятся мельчайшие частицы, называемые **рибосомами (E)**, их надо обозначить черными пятнышками. Это «фабрики» клетки; здесь происходит синтез белков.

Рибосомы располагаются в толще цитоплазмы или вдоль мембран, которые называются **эндоплазматический ретикулум (F)**. Компоненты мембраны и липиды синтезируются в ЭР. Эндоплазматический ретикулум, покрытый рибосомами, называется **шероховатым ЭР (F_1)**, а лишенный рибосом – **гладким (F_2)**. Эти два типа показаны стрелками, которые надо закрасить темными цветами.

Центрами энергетического метаболизма являются **митохондрии (G)**. На внутренних мембранах этих органелл идет процесс высвобождения энергии углеводов и производства молекул АТФ.

Другими ключевыми органеллами в цитоплазме растительной клетки являются пластиды, в частности **хлоропласты (H)**. В хлоропластах происходит фотосинтез, при котором солнечная энергия преобразуется в химическую в виде глюкозы и других углеводов. Фотосинтез – важный метаболический процесс, который мы изучим глубже в отдельной главе.

Помимо хлоропластов в клетке есть и другие **пластиды (I)**. В них запасаются питательные вещества и молекулы пигментов. В центре растительной клетки находится большое, ограниченное мембраной пространство, называемое **вакуолью (J)**, которое содержит воду, сахара, ионы, пигменты и другие вещества. Кроме того, вакуоль оказывает давление на клеточную мембрану, расширяя ее и приближая к стенке клетки.

Еще одна органелла, **лизосома (L),** содержит пищеварительные ферменты, которые расщепляют вещества. Кроме того, в цитоплазме находится **комплекс Гольджи (M)**, который образован цепочками по 10—20 уплощенных мембранных пузырьков. Эта органелла изменяет, упаковывает и обволакивает белки после того, как они синтезированы в эндоплазматическом ретикулуме. Растительные клетки также могут содержать пероксисомы, полные ферментов, но эти органеллы в таблице не показаны.

Теперь, после того как мы обсудили многие компоненты цитоплазмы, обратимся к другой важной структуре – ядру клетки.

Ядро (N) – это часть клетки, в которой находятся хромосомы. Оно окружено ядерной мембраной, на которой имеются **поры (N_1)**. РНК выходят из ядер через эти поры и двигаются к рибосомам. Жидкое вещество внутри ядра называется **нуклеоплазмой (N_2)**. Последняя структура, которую мы рассмотрим, – **ядрышко (O)**. Оно состоит из РНК и белков и служит центром образования рибосомальной РНК, из которой впоследствии формируются рибосомы.

РАСТИТЕЛЬНАЯ КЛЕТКА

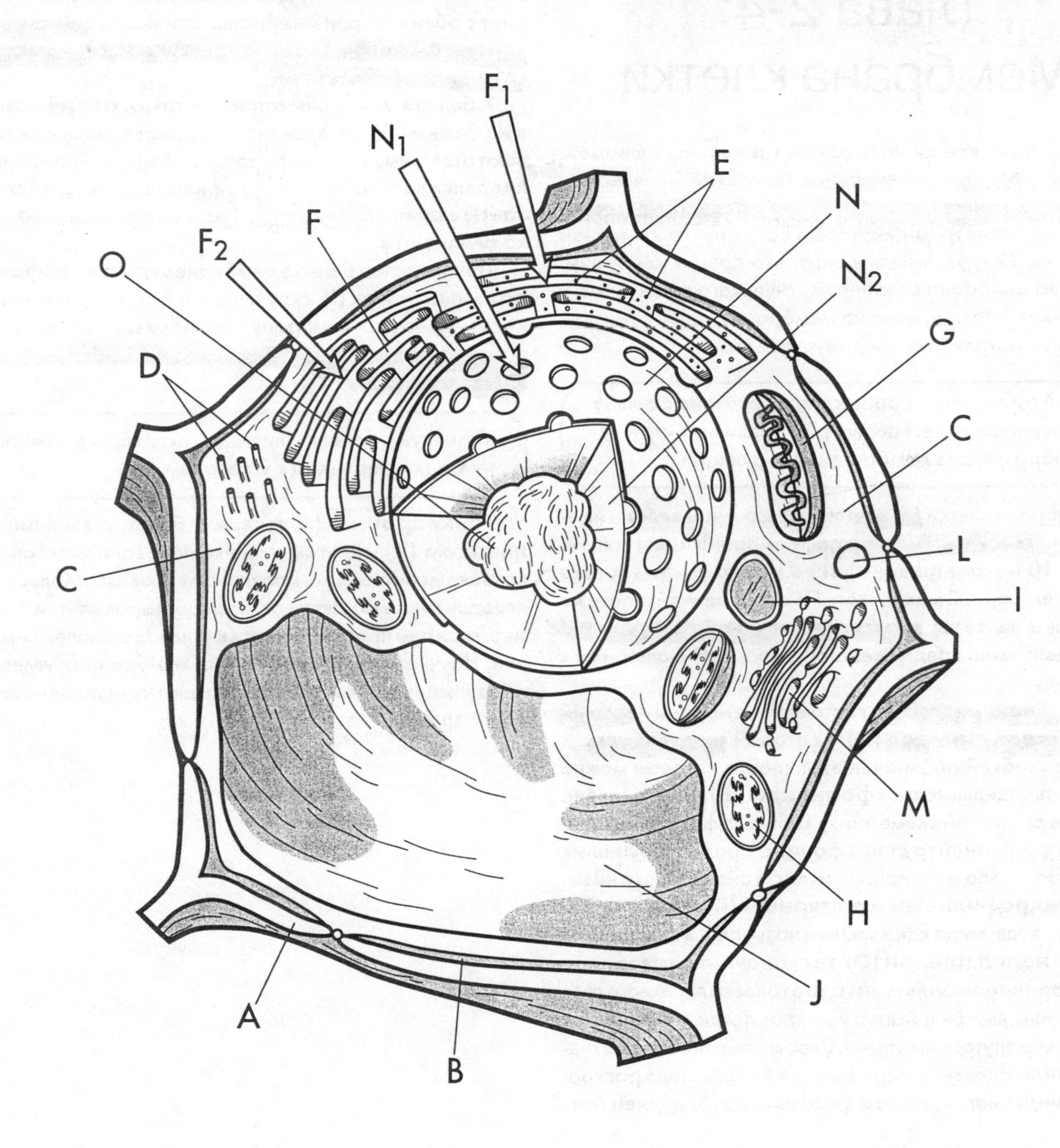

Растительная клетка

Клеточная стенка .... A	Шероховатый ЭР .... F_1	Лизосома L
Мембрана клетки .... B	Гладкий ЭР .... F_2	Комплекс Гольджи .... M
Цитоплазма C	Митохондрия .... G	Ядро .... N
Цитоскелет .... D	Хлоропласт .... H	Поры .... N_1
Рибосомы .... E	Пластида I	Нуклеоплазма .... N_2
Эндоплазматический ретикулум .... F	Вакуоль .... J	Ядрышко .... O

Глава 2-4: Мембрана клетки

Мембрана клетки называется также плазмолеммой. Мембрана осуществляет перенос в клетку питательных веществ и выделение метаболических продуктов распада. Здесь мы рассмотрим некоторые компоненты клеточной мембраны. Следует иметь в виду, что другие мембраны, например мембрана эндоплазматического ретикулума и ядра, похожи по строению на мембрану клетки. Эти органеллы рассмотрены на предыдущей странице.

В этой таблице мембрана клетки показана в сильно увеличенном виде. Рассмотрим различные структуры, образующие мембрану, и их функции.

Мембрана клетки состоит из белков и углеводов и имеет двойной слой фосфолипидов. Мембрана имеет толщину в 5—10 нанометров (нм), и ее можно увидеть только через электронный микроскоп. По современной гипотезе, мембрана является жидкой «мозаичной» структурой. Эта модель была предложена Зингером и Никольсоном в 1976 году.

Самый важный элемент клеточной мембраны – жидкий двойной **слой липидов (A)**, в который входят и белки. В таблице скобкой обозначен этот слой, в котором можно различить отдельные **фосфолипиды (B)**. Как показано на более детальной схеме внизу таблицы, фосфолипид состоит из фосфатной группы в форме шара и двух длинных хвостиков – цепочек жирных кислот. Район головки называется **гидрофильным** и **полярным (C)**, так как он растворим в воде, тогда как хвостики называются **гидрофобными и неполярными (D)**, так как они нерастворимы в воде. Обратите внимание на то, что головки липидного слоя направлены внутрь и наружу клетки, тогда как хвостики направлены внутрь мембраны. Скобки, обозначающие гидрофильные головки и гидрофобные хвосты, надо раскрасить темным цветом, но сам фосфолипид (B) должен быть светлым.

В двойном липидном слое встречается также **молекула холестерина (E)**. Холестерин поддерживает жидкое состояние двойного слоя, разделяя тесно связанные между собой фосфолипиды. На рисунке видны несколько молекул холестерина, который относится к стероидам.

Итак, мы обсудили основу клеточной мембраны, а теперь рассмотрим связанные с ней белки и углеводы.

Белки, входящие в состав мембраны, выполняют различные функции, например перенос питательных веществ и энергии, а также передача информации. Одним из таких белков является **интегральный белок (F)**, который занимает всю толщину двойного липидного слоя и выступает с обеих сторон мембраны. Эти белки действуют как каналы, по которым ионы и молекулы могут проникать в клетку и выходить из нее.

К белкам мембраны относятся также **периферические белки (G)**, которые располагаются снаружи и связывают отдельные части интегральных белков. Периферические белки часто соединяются с филаментами **цитоскелета (H)** в цитоплазме клетки. В таблице показаны несколько филаментов.

Другим типом белка в мембране является **альфа-спиральный белок (I)**, скрученный в виде спирали. Он проходит через всю мембрану, как показано на рисунке, и играет роль канала для питательных веществ, поступающих в цитоплазму.

Упомянув о белках и липидах, входящих в мембрану клетки, перейдем к углеводам.

Гликопротеин (J) содержит белок, связанный **с углеводом (K)**. На этом рисунке показана нить, образованная шестигранными молекулами глюкозы. Молекулы углеводов также входят в состав рецепторов клетки. Например, гормоны присоединяются к углеводам молекул-мишеней. Научное исследование этих мембранных углеводов продолжается. Они также помогают соединению клеток друг с другом.

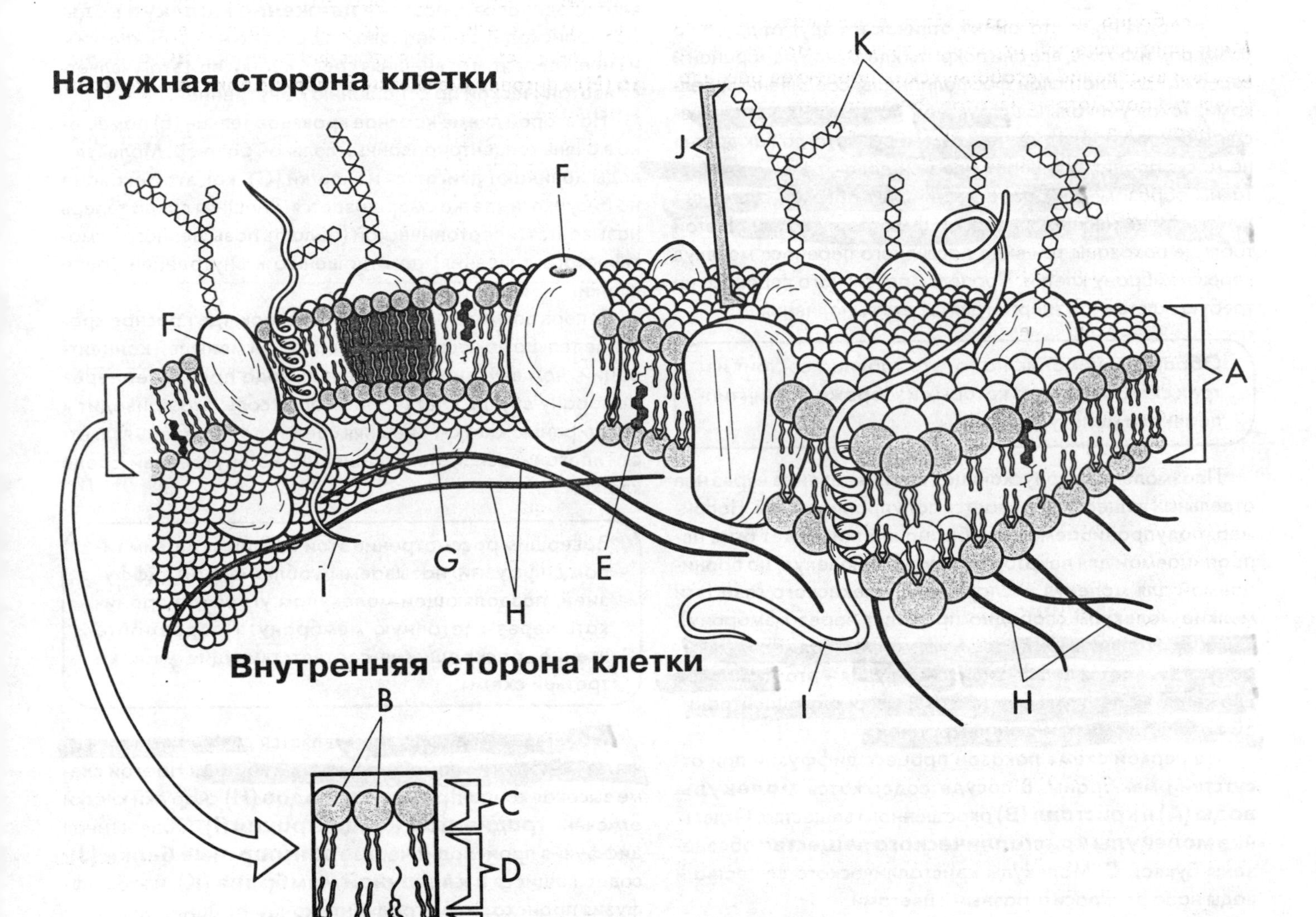

МЕМБРАНА КЛЕТКИ

Двойной слой липидов .... A
Фосфолипиды .... B
Гидрофильная полярная головка C
Гидрофобный неполярный хвост .... D
Молекула холестерина .... E
Интегральный белок .... F
Периферический белок .... G
Филаменты цитоскелета .... H
Альфа-спиральный белок I
Гликопротеин .... J
Углевод .... K

Глава 2-5: Пассивный перенос

Несмотря на то что клетки отличаются друг от друга по размерам и форме, все они покрыты клеточной мембраной и содержат двойной слой фосфолипидов, соединенных белками. Такая уникальная структура позволяет одним веществам быстро проходить через мембрану, тогда как другие не могут проникнуть через нее или делают это медленно. Таким образом, мембрана регулирует объем и состав веществ, проникающих в клетку и выходящих из нее. В этой таблице показаны три вида пассивного переноса молекул через мембрану клетки. Процессы пассивного переноса не требуют клеточной энергии для своего выполнения.

Обратите внимание на то, что таблица состоит из трех схем, каждая из которых изображает один тип переноса молекул.

Плазмолемма, допускающая проникновение через нее отдельных веществ, называется полупроницаемой. Например, полупроницаемая мембрана клетки может быть непроницаемой для некоторых крупных молекул, но проницаемой для молекул кислорода и углекислого газа (эти мелкие молекулы свободно проходят через мембрану). Сила, проводящая кислород и углекислый газ через мембрану, называется диффузией. Диффузия – это свободное движение молекул из области с их высокой концентрацией в области с низкой концентрацией.

На первой схеме показан процесс диффузии при отсутствии мембраны. В сосуде содержатся **молекулы воды (A)** и **кристалл (B)** окрашенного вещества. Отдельные **молекулы кристаллического вещества** обозначены буквой **C**. Молекулы кристаллического вещества и воды надо раскрасить разными цветами.

Молекулы диффундируют, то есть двигаются из областей, где имеется их высокая концентрация, в области, где концентрация ниже. Во втором сосуде можно видеть движение **молекул кристалла (C_1)** из области, содержавшей кристалл, а также движение **молекул воды (A_1)** в область кристалла.

В третьем сосуде достигнуто равновесие молекул, и здесь вы можете видеть полностью **перемешанные молекулы кристалла и воды (D)**. Произошла диффузия, и больше не будет направленного движения молекул кристалла.

Теперь обратимся к особому виду диффузии, называемому осмосом. Рассмотрим клетку и покажем движение молекул через ее мембрану. Это движение пассивное, то есть осуществляется без расходования энергии. Продолжайте раскрашивать рисунки по ходу чтения.

Движение молекул воды через клеточную мембрану представляет собой особый вид диффузии, называемый осмосом. На первом рисунке мы видим **красное кровяное тельце (E)**, которое надо раскрасить светлым цветом. **Концентрация соли и воды (F)** внутри и снаружи клетки одинакова, поэтому **движение молекул воды (G)** происходит с одинаковой скоростью – внутрь клетки и из нее. Говорят, что внешняя среда клетки при этом является изотонической по отношению к внутренней.

На второй схеме красное кровяное тельце (E) помещено в очень концентрированный соляной раствор. Молекулы воды начинают двигаться из клетки (G), как это показано на рисунке, и клетка сморщивается. Внешняя среда теперь называется гипертонической (область повышенного осмотического давления) по отношению к внутренней среде клетки.

Теперь посмотрим на третий рисунок, где красное кровяное тельце помещено в раствор соли меньшей концентрации, чем внутри клетки. Теперь вода проникает через мембрану внутрь клетки, растворяя соль; это приводит к расширению клетки. Внешняя среда клетки теперь является гипотонической по отношению ко внутренней среде клетки.

Завершим рассмотрение этой таблицы третьим типом диффузии, называемым облегченной диффузией, позволяющей молекулам углевода проникать через клеточную мембрану. Продолжайте чтение, раскрашивая соответствующие участки третьей схемы.

Облегченной диффузией является движение молекул через мембрану с помощью белка мембраны. На этой схеме высокая концентрация **углеводов (H)** снаружи клетки отмечена **градиентом концентрации (I)**. Облегченная диффузия происходит через **транспортные белки (J)**, содержащиеся **в клеточной мембране (K)**, и эта диффузия происходит по градиенту концентрации.

На втором рисунке этой схемы диффузия началась. Молекулы углевода движутся из области с высокой концентрацией в область с пониженной концентрацией, то есть внутрь клетки. Одна молекула углевода уже проникла внутрь клетки. На третьем рисунке к этой молекуле углевода внутри клетки добавляется еще одна. Остальные молекулы будут следовать за ними до тех пор, пока концентрация молекул углевода снаружи и внутри клетки не сравняется.

Диффузия

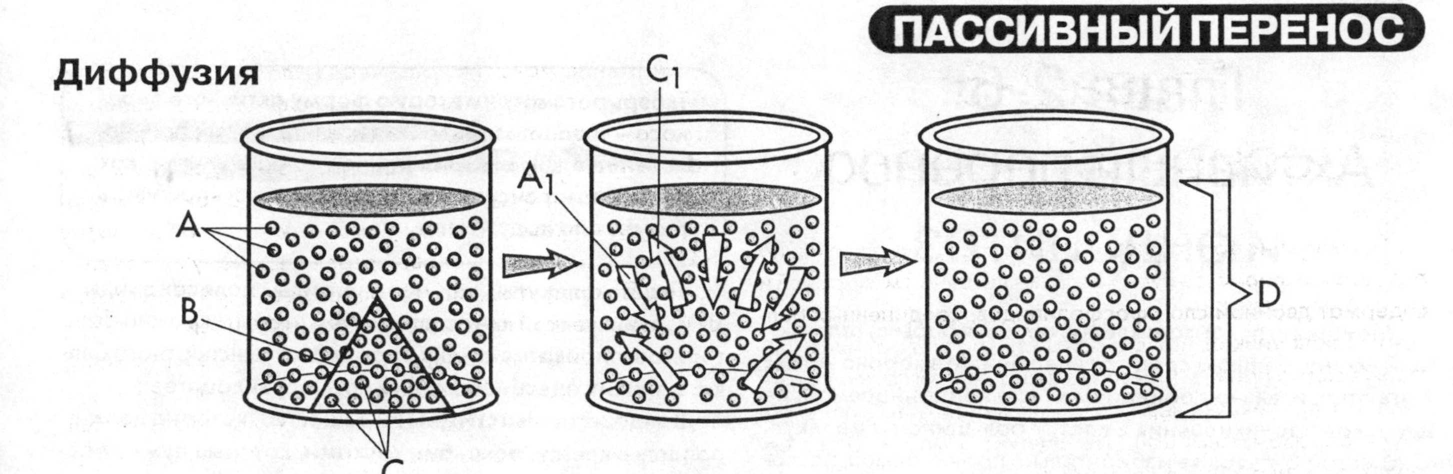

Осмос

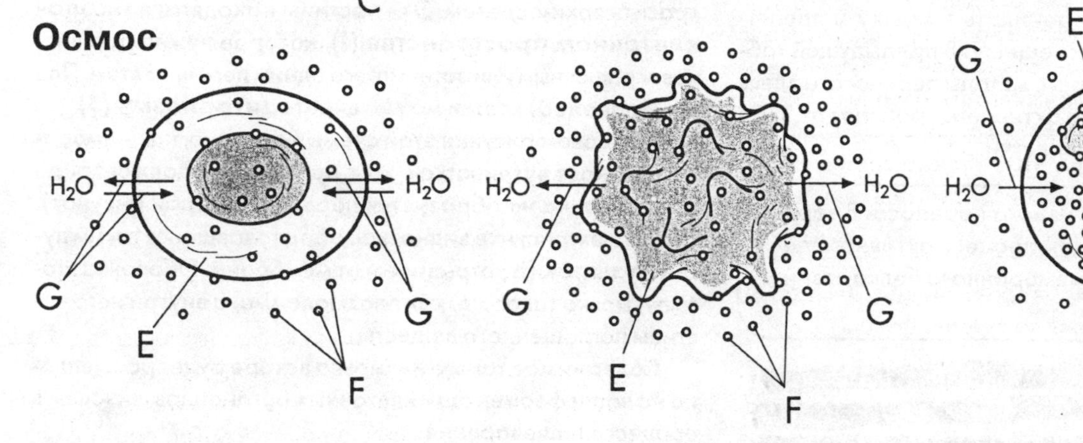

Облегченная диффузия

Высокий уровень

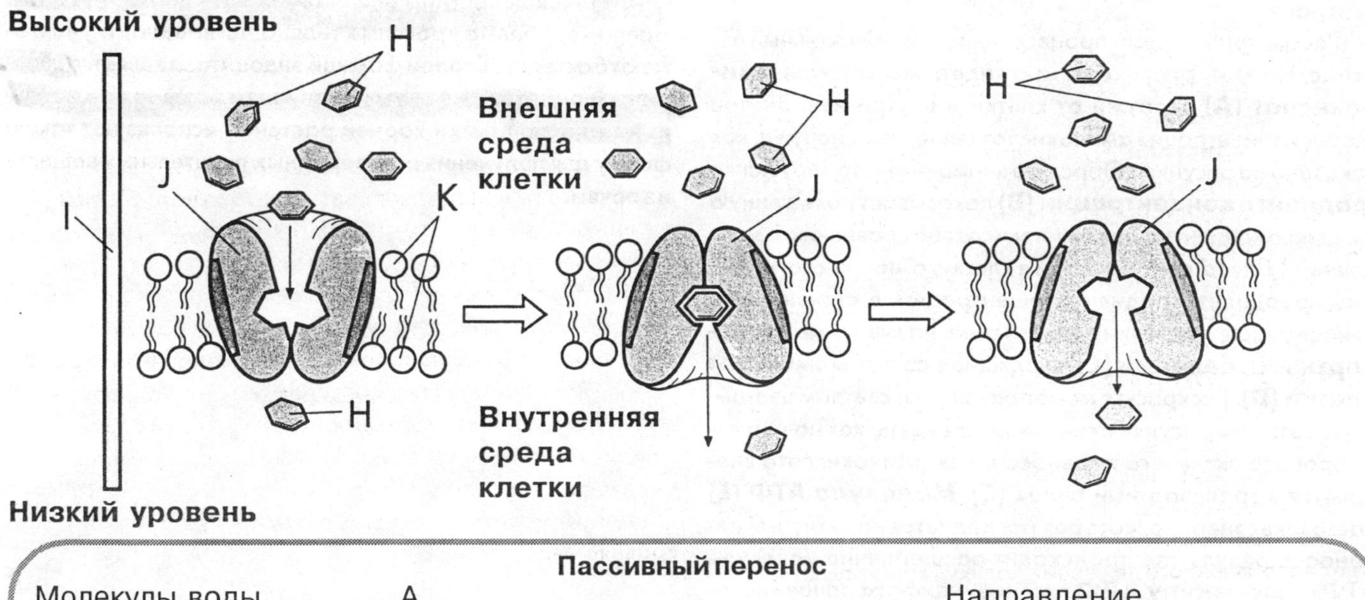

Низкий уровень

Пассивный перенос

Молекулы воды .... A
Движение молекул воды .... A_1
Кристалл .... B
Молекулы кристалла C
Движение молекул кристалла .... C_1

Перемешанные молекулы воды и кристалла .... D
Красное кровяное тельце .... E
Вода .... F

Направление движения воды .... G
Углеводы .... H
Градиент концентрации I
Транспортный белок ..... J
Мембрана клетки .... K

Глава 2-6: Активный перенос и эндоцитоз

Мембрана покрывает клетку, образуя барьер, отделяющий ее внутреннюю среду от внешней. Мембрана может быть относительно проницаемой или непроницаемой, не допуская проникновения в клетку большинства молекул. Она может быть также избирательно проницаемой, позволяя некоторым веществам проникать в клетку и препятствуя проникновению других веществ. В предыдущей таблице мы рассмотрели пассивные методы переноса, а здесь будем обсуждать два метода активного транспорта. Оба они требуют участия энергии клетки.

Рассмотрим два типа активного переноса. В верхней части таблицы показан процесс активного переноса с участием трансмембранного белка, а внизу — эндоцитоз.

Для осуществления процесса активного переноса необходима энергия, так как молекулы при этом передвигаются из области своей пониженной концентрации в область повышенной концентрации. Следовательно, их перенос должен осуществляться против градиента концентрации.

Рассмотрим первый процесс – настоящий активный перенос. На этом рисунке можно видеть **молекулы аминокислот (A)** снаружи от клетки и внутри нее. Внутри клетки концентрация аминокислот выше, чем снаружи, как показано на рисунке. (Обратите внимание на то, что планка **градиента концентрации (B)** показывает повышенную внешнюю концентрацию аминокислот по сравнению с внутренней.) Для того чтобы войти в клетку, аминокислоты должны преодолеть градиент концентрации. В активном переносе участвуют белки особого типа, называемые **транспортными белками (C)**, входящие в состав **мембраны клетки (D)**. Раскрасьте мембрану клетки светлым цветом.

На втором рисунке схемы можно видеть, как начинается процесс активного переноса и как аминокислота внедряется в транспортный белок (C). **Молекула АТФ (E)** поставляет энергию, которая расходуется на активный перенос. В результате происходит расщепление молекулы АТФ на **молекулу АДФ** (аденозиндифосфорная кислота. – *Прим. пер.*) и **фосфат-ион (G)**. На третьем рисунке мы видим, что процесс активного переноса завершен и аминокислота находится внутри клетки; именно таким образом аминокислоты всасываются после переваривания белка клетками, выстилающими пищеварительный тракт.

Теперь рассмотрим вторую форму активного переноса – эндоцитоз. Эндоцитозом называется проникновение отдельных частиц вещества в клетки, как показано на рисунке. Продолжайте раскрашивать рисунок по ходу чтения.

Такие молекулы, как полипептиды, полисахариды и ДНК, слишком велики по размерам, чтобы их можно было транспортировать в клетку с помощью транспортного белка, а значит, здесь необходим процесс эндоцитоза.

В эндоцитозе **частицы (H)** вещества, которые должны попасть в клетку, показаны точками, которые нужно раскрасить ярким цветом. Эти частицы находятся в **околоклеточном пространстве (I)**, которое нужно оставить незакрашенным или затенить его одним легким цветом. Под мембраной (D) клетки можно видеть **цитоплазму (J)**.

На первом рисунке этой схемы показано, как мембрана начинает впячиваться, этот процесс продолжается до тех пор, пока не образуется перехват (второй рисунок). На третьем рисунке видно, как образовавшийся таким путем **пузырек (K)** отрывается от мембраны. Оболочка этого пузырька такая же, как плазмолемма, а внутри него частицы поглощенного вещества.

Содержимое такого пузырька вскоре будет расщеплено на части ферментами клеточных органоидов лизосом в процессе пищеварения.

Биологи различают два типа эндоцитоза. Первый из них, называемый фагоцитозом, происходит, когда клетка принимает в себя частицы вещества для их переваривания. Например, белые кровяные тельца поглощают и уничтожают бактерии. Второй формой эндоцитоза является питоцитоз, при котором в клетку проникают растворы питательных веществ. Клетки корней растений используют такую форму для получения растворенных питательных веществ из почвы.

Активный перенос

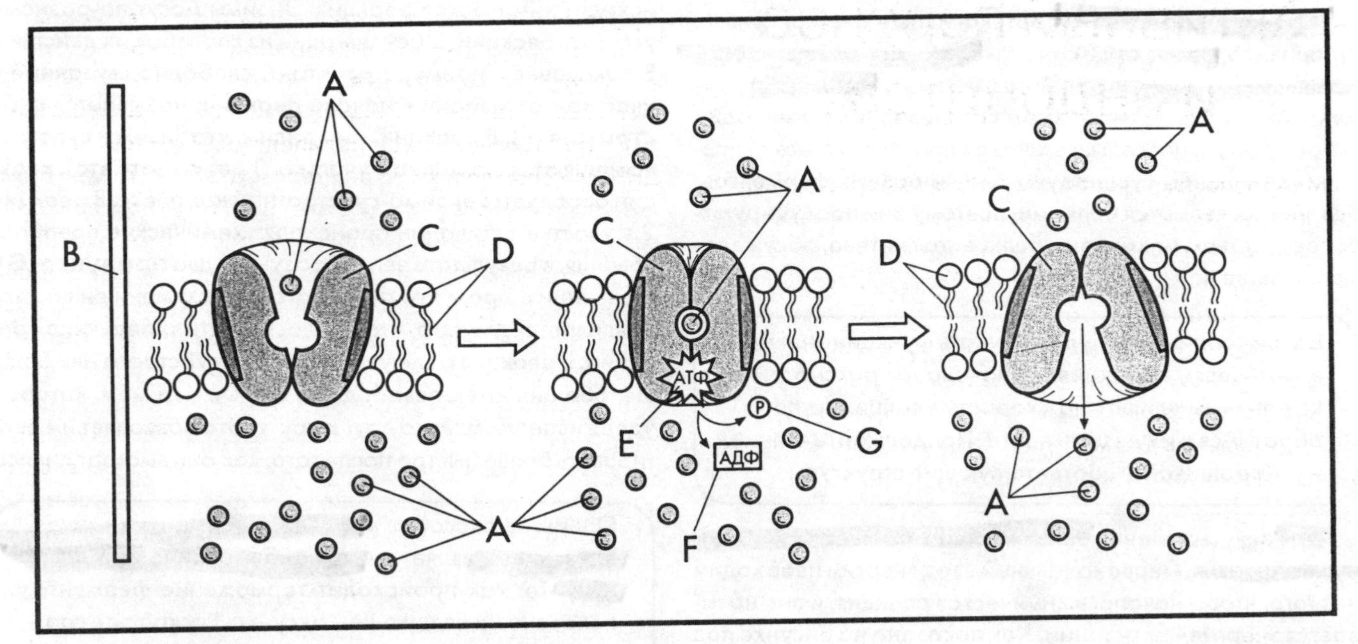

Эндоцитоз

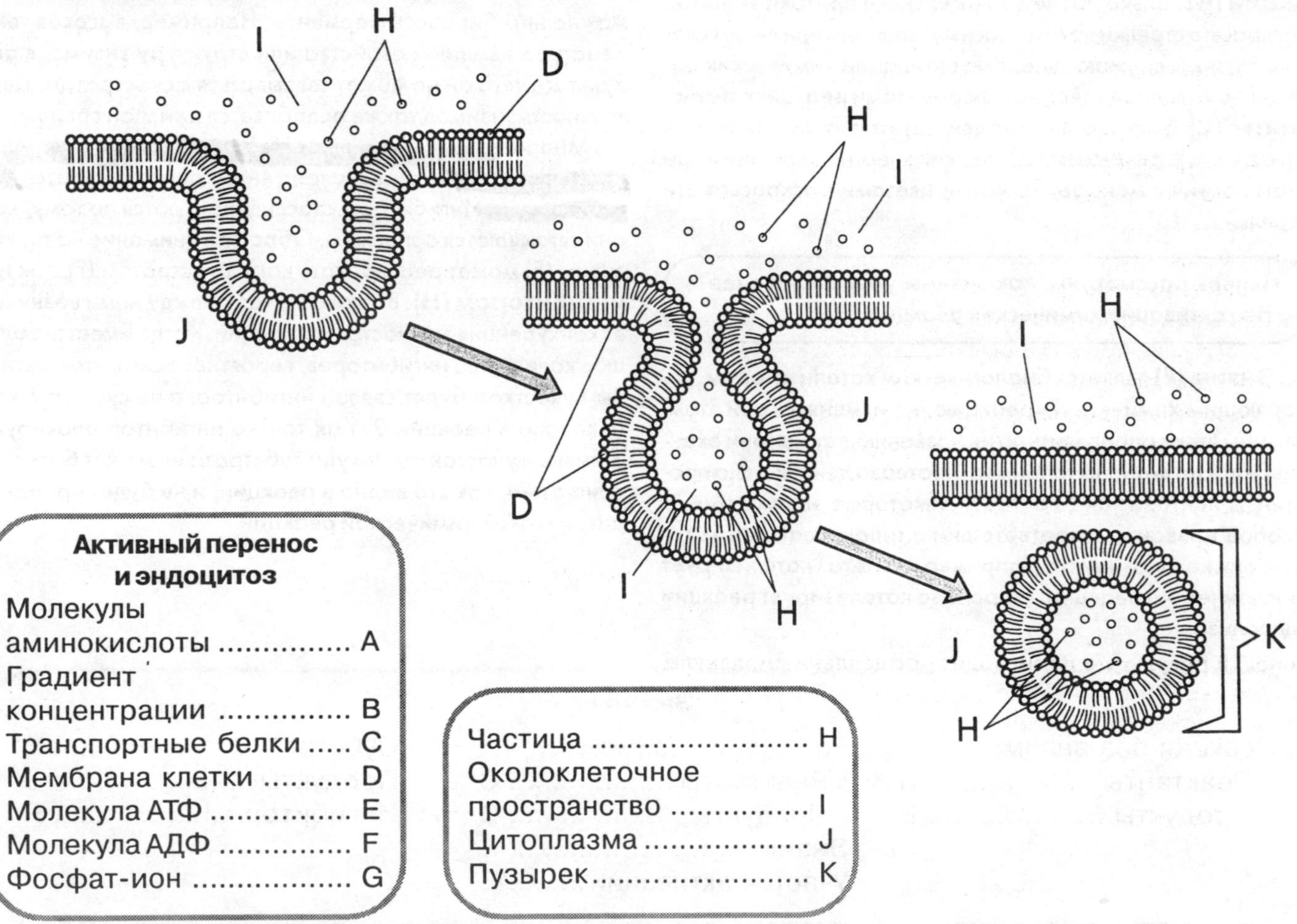

Активный перенос и эндоцитоз

Молекулы аминокислоты .... A
Градиент концентрации .... B
Транспортные белки C
Мембрана клетки .... D
Молекула АТФ .... E
Молекула АДФ .... F
Фосфат-ион .... G

Частица .... H
Околоклеточное пространство I
Цитоплазма .... J
Пузырек .... K

Глава 2-7: Энзимы

Химические реакции, протекающие в клетках живых организмов, происходят отчасти благодаря действию биологических катализаторов, называемых энзимами (ферментами). Каждый тип энзима катализирует только один тип реакции, и, поскольку в клетках происходят тысячи различных реакций, существуют тысячи разных ферментов. Все энзимы являются белками, поэтому они продуцируются посредством механизма белкового синтеза, обсуждаемого в главе 4.

В этой таблице мы будем изучать функции энзимов в химических реакциях. Сначала мы рассмотрим, как энзимы влияют на скорость реакции, а потом обратимся к их деятельности. Продолжайте чтение и раскрашивайте соответствующие структуры.

Для осуществления большинства химических реакций нужна энергия. Первоначальный ввод энергии необходим для того, чтобы началась химическая реакция, и она называется энергией активации. Как показано на рисунке под названием «Активация энзима», **химические реактанты (A)** могут превращаться **в продукты** химических **реакций (B)** только после значительного притока энергии. Раскрасьте стрелки ярким красным, зеленым или синим цветом. Энзимы снижают энергию активации химических реакций; в катализированных ферментами реакциях **реактанты (C)** быстрее взаимодействуют для образования **продуктов реакции (D)**, так как энергия активации при этом намного меньше. Темными цветами раскрасьте эти стрелки.

Теперь рассмотрим, как энзимы уменьшают энергию активации химических реакций.

Энзим (E) является биологическим катализатором, ускоряющим химическую реакцию, не изменяясь при этом. Энзимы легко определить по их названию, так как они оканчиваются на «-аза». Например, протеаза действует на протеин, а лактаза – на лактозу. Некоторые энзимы имеют особое название в соответствии с типом реакции, которую они катализируют. Например, синтетаз катализирует синтетические реакции; гидролаза катализирует реакции гидролиза.

Главной частью энзима является **участок активации (E_1)**. Этот участок является областью, где присоединяются химические реактанты, и, что более важно, – местом, где происходит химическая реакция. Энзимы могут по-разному ускорять реакции. Обсудим один из способов их действия. В показанном примере реактант, свободно связанный с участком активации в начале реакции, называется **субстратом (F)**. В реакции 1 мы видим, что энзим и субстрат соединяются в активном участке. В результате этой реакции образуется энзимо-субстратный комплекс. В реакции 2 в участке активации происходят химические преобразования, в результате чего образуются два **продукта (G)**. В реакции 3 продукты отделяются от энзима, и он восстанавливается для того, чтобы участвовать в следующей реакции. В реакциях, где участвуют два субстрата или больше, оба они имеют свободную связь с энзимом, который удерживает их близко друг к другу. Это позволяет им реагировать более быстро после того, как они высвободились.

Одним из способов удаления энзима из химической системы является его ингибирование (торможение). То, как происходит торможение фермента, показано на следующем рисунке. Раскрасьте соответствующие структуры в таблице.

Существует огромное количество способов, которыми можно ингибировать ферменты. Например, высокая температура изменяет свойства или структуру энзима, в результате чего он не может связываться с субстратом. Деятельность энзимов также ослабляется в кислой среде.

Многие химические вещества препятствуют деятельности ферментов, связываясь с ними, они называются ингибиторами. Ингибиторы классифицируются по тому, как они связываются с энзимом. Обратите внимание на то, что энзим (E) может реагировать как с субстратом (F), так и с **ингибитором (H)**. В таких случаях между ними возникает конкуренция за участок активации. Когда имеется большое количество ингибиторов, вероятнее всего, что с активным участком будет связан ингибитор, а не субстрат, как показано в реакции 2. Как только ингибитор блокирует активный участок, молекула субстрата не может быть связана с ним, как это видно в реакции, и не будет происходить никакой химической реакции.

Энзимы

Реакция без энзима
- Реактанты .... A
- Продукты .... B

Реакция с энзимом
- Реактанты C
- Продукты .... D

Энзим .... E

Участок активации .... E_1

Субстрат .... F

Продукты .... G

Ингибитор .... H

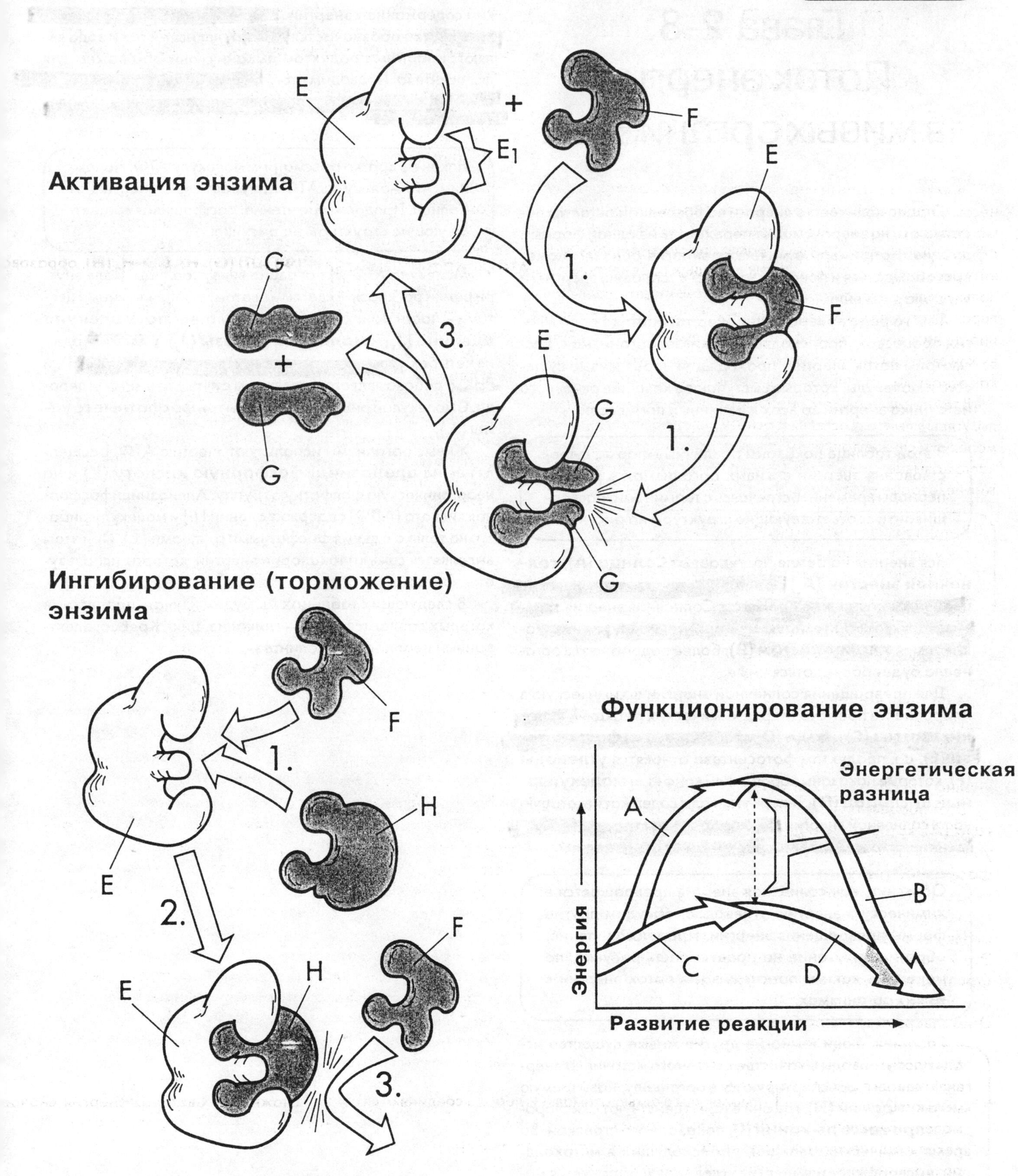

Активация энзима
E
+
F
E1
E
1.
F
G
3.
+
E
G
G
1.
G
Ингибирование (торможение) энзима
F
1.
H
E
2.
F
E
H
3.
Функционирование энзима
Энергетическая разница
A
B
C
D
Энергия
Развитие реакции

Глава 2-8: Поток энергии в живых организмах

Общее количество энергии во Вселенной остается постоянным, но энергия может переходить из одной формы в другую. Например, химическая энергия бензина может высвобождаться и преобразоваться в тепловую энергию и энергию движения.

Такого рода превращения энергии протикают во многих процессах, происходящих в живых организмах. Рассмотрим поток энергии, проходящий через живые существа и молекулы, которые выступают в качестве основного источника энергии во всех жизненных процессах.

В этой таблице показаны различные формы существования энергии в живых организмах в разные периоды времени. Встречаясь с терминами, раскрашивайте соответствующие структуры на рисунке.

Вся энергия на Земле поступает от **Солнца (A)**; **солнечная энергия (A_1)** приводит в действие химические реакции и жизненные процессы. Солнечная энергия улавливается фотосинтезирующей органеллой растения, называемой **хлоропластом (B)**; более подробно эта органелла будет обсуждаться ниже.

Для превращения солнечной энергии в химическую в хлоропласте происходит ряд химических реакций. **Углекислый газ (C)** и **вода (D)** необходимы для **фотосинтеза (E)**, а к продуктам фотосинтеза относятся **углеводы (F)**, которые показаны коробочкой конфет, и **молекулярный кислород (G)**. Теперь углеводы содержат некоторую часть солнечной энергии. Кислород является продуктом фотосинтеза, и он выделяется растениями в атмосферу.

Объяснив, как солнечная энергия превращается в химическую энергию углеводов, обсудим другие формы превращения энергии. Продолжая чтение, обратите внимание на правую часть рисунка, по мере того как мы прослеживаем поток энергии в живых организмах.

Растения, люди и многие другие живые существа используют углеводы в качестве основного источника энергии. Углеводы транспортируются в органеллу, называемую **митохондрией (H)**, где они взаимодействуют с кислородом в **процессе дыхания (I)**, показанного стрелкой. Во время химических реакций, происходящих в митохондрии, высвобождается энергия углеводов и образуется молекула **аденозинтрифосфорной кислоты (J)** с высоким содержанием энергии. (Аденозинтрифосфорная кислота кратко обозначается АТФ.) Углекислый газ и вода являются парным продуктом дыхания; они оба важны для фотосинтеза. Подводим итог, энергия Солнца сначала преобразуется в энергию углеводов, а потом в энергию молекулы АТФ.

Наконец, кратко рассмотрим молекулу АТФ. Напомним, что молекула АТФ получает свою энергию от Солнца. Продолжайте чтение, раскрашивая соответствующие структуры на рисунке.

Молекула АТФ (J) показана внизу таблицы. Поле внутри рамки раскрасьте светлым цветом, а более темными цветами – части молекулы АТФ. К ним относятся **молекула аденина (J_1)** и **молекула рибозы (J_2)**. Аденин – одно из четырех азотистых оснований, содержащихся в ДНК и РНК, а рибоза является углеводом с пятью атомами углерода. С молекулой рибозы соединены три **фосфатные группы (J_3)**.

Живые организмы используют энергию АТФ, расщепляя ее на **аденозиндифосфорную кислоту (K)** и на неорганическую фосфатную группу. Аденозиндифосфорная кислота (АДФ) содержит аденин (J_1) и молекулу рибозы, но только с двумя фосфатными группами (J_3). При этом выделяется семь килокалорий энергии, которая используется клеткой.

В следующих таблицах мы будем изучать процессы, в которых создается АТФ, – гликолиз, цикл Кребса, электронный перенос и хемосинтез.

Поток энергии:

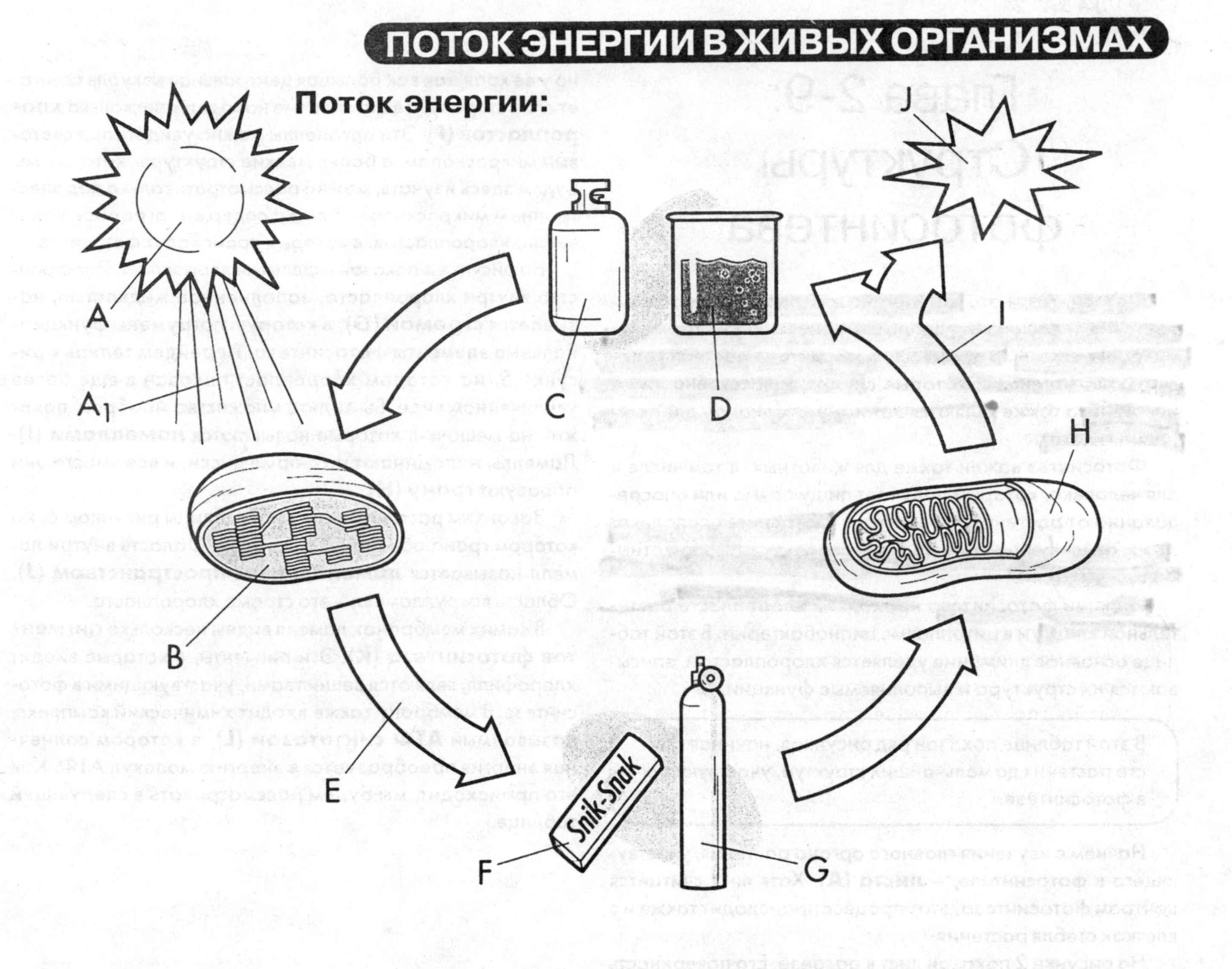

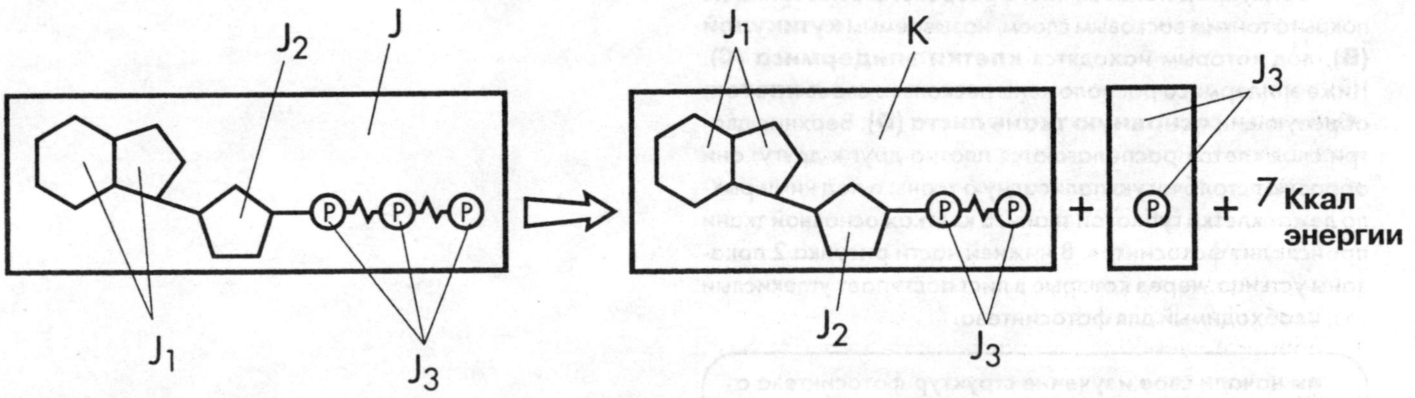

Поток энергии в живых организмах		
Солнце .... A	Углеводы .... F	Аденин .... J_1
Солнечная энергия .... A_1	Кислород .... G	Рибоза .... J_2
Хлоропласт .... B	Митохондрия .... H	Фосфатные группы .... J_3
Углекислый газ C	Дыхание I	Аденозиндифосфорная
Вода .... D	Аденозинтрифосфорная	кислота .... K
Фотосинтез .... E	кислота .... J	

Глава 2-9: Структуры фотосинтеза

Фотосинтез — это биохимический процесс, в котором растения преобразуют солнечную энергию в энергию химических связей. В процессе фотосинтеза растения продуцируют углеводы, которые служат запасом энергии у растений, а также являются важным материалом для построения клеток.

Фотосинтез важен также для животных, в том числе и для человека, который получает пищу прямо или опосредованно от растений. Кроме того, фотосинтез пополняет запас атмосферного кислорода, используемого животными при дыхании.

Реакции фотосинтеза проходят в хлоропласте растительной клетки и в цитоплазме цианобактерии. В этой таблице основное внимание уделяется хлоропластам, описываются их структура и выполняемые функции.

В этой таблице показан ряд рисунков, начиная с листа растения до мельчайших структур, участвующих в фотосинтезе.

Начнем с изучения главного органа растения, участвующего в фотосинтезе, – **листа (A)**. Хотя лист считается центром фотосинтеза, этот процесс происходит также и в клетках стебля растения.

На рисунке 2 показан лист в разрезе. Его поверхность покрыта тонким восковым слоем, называемым **кутикулой (B)**, под которым находятся **клетки эпидермиса (C)**. Ниже эпидермиса расположены несколько слоев **клеток**, образующих **основную ткань листа (D)**. Верхние двa-три слоя клеток располагаются плотно друг к другу; они образуют столбчатую палисадную ткань, а под ними рыхло лежат клетки губчатой ткани. В клетках основной ткани происходит фотосинтез. В нижней части рисунка 2 показаны устьица, через которые в лист поступает углекислый газ, необходимый для фотосинтеза.

Мы начали свое изучение структур фотосинтеза с целого листа растения и некоторых его деталей. Теперь рассмотрим отдельную клетку листа и отметим ее структуры, участвующие в фотосинтезе. Продолжайте чтение, раскрашивая таблицу.

Посмотрите на отдельную клетку на рисунке 3. Эта клетка четырехугольная по форме, у нее есть стенки, придающие ей твердость.

На рисунке 3 показаны отдельная клетка основной ткани и ее основные органеллы. **Ядро (E)** клетки расположено у ее края, так как большая центральная вакуоль сдвигает его в сторону, а в цитоплазме находится несколько **хлоропластов (F)**. Эти органеллы можно увидеть под световым микроскопом, а более мелкие структуры, которые мы будем здесь изучать, можно рассмотреть только под электронным микроскопом. Клетка содержит огромное количество хлоропластов, в которых происходит фотосинтез.

На рисунке 4 показан отдельный хлоропласт. Пространство внутри хлоропласта, заполненное жидкостью, называется **стромой (G)**, в которую погружены функциональные элементы фотосинтеза. Перейдем теперь к рисунку 5, на котором хлоропласт показан в еще более увеличенном виде. Вы видите множество мембран, похожих на мешочки, которые называются **ламеллами (I)**. Ламеллы напоминают по форме диски, и все вместе они образуют **грану (H)**.

Закончим рассмотрение этой таблицы рисунком 6, на котором грана обозначена скобкой. Область внутри ламелл называется **ламеллярным пространством (J)**. Область вокруг ламелл – это строма хлоропласта.

В самих мембранах ламелл видны несколько **пигментов фотосинтеза (K)**. Эти пигменты, в которые входит хлорофилл, являются веществами, участвующими в фотосинтезе. В мембрану также входит химический комплекс, называемый **АТФ синтетазой (L)**, в котором солнечная энергия преобразуется в энергию молекул АТФ. Как это происходит, мы будем рассматривать в следующей таблице.

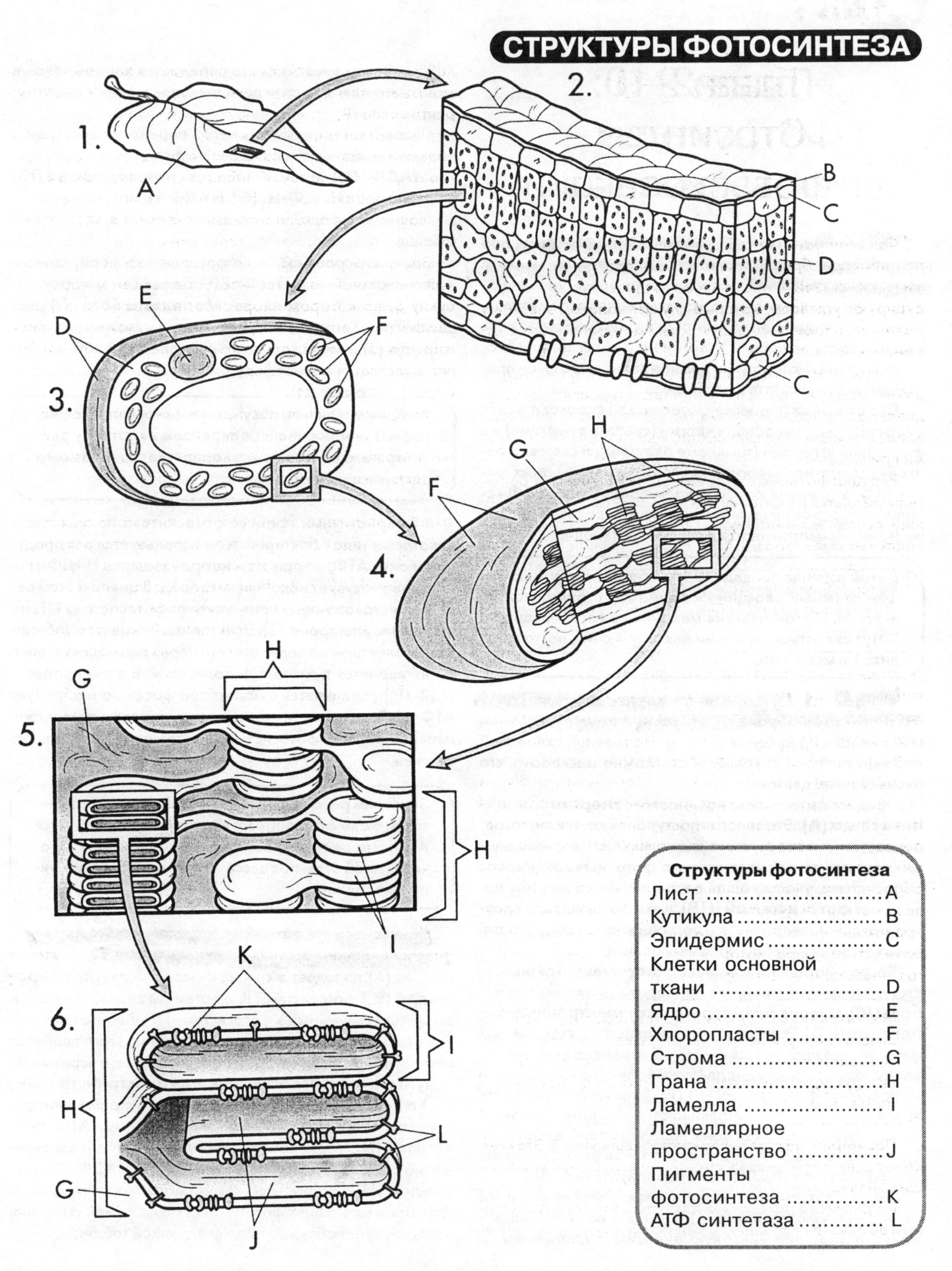
СТРУКТУРЫ ФОТОСИНТЕЗА
1.
A
2.
B
C
D
C
3.
D
E
F
4.
F
G
H
5.
H
G
H
I
6.
K
I
H
L
G
J
Структуры фотосинтеза
Лист ....A
Кутикула ....B
Эпидермис C
Клетки основной ткани ....D
Ядро ....E
Хлоропласты ....F
Строма ....G
Грана ....H
Ламелла I
Ламеллярное пространство ....J
Пигменты фотосинтеза ....K
АТФ синтетаза L

Глава 2-10: Фотосинтез – световые реакции

Фотосинтез является биохимическим процессом, при котором из углекислого газа и воды под действием света образуются углеводы. К фотосинтезирующим организмам относятся зеленые растения, морские водоросли и отдельные виды бактерий. Эти организмы играют ключевую роль в круговороте веществ и энергии на Земле, так как весь атмосферный кислород и огромное количество пищи производится в результате фотосинтеза.

Два основных процесса фотосинтеза включают в себя ряд реакций с фиксацией энергии (световые реакции) и с фиксацией углерода (темновые реакции). В световых реакциях солнечная энергия фиксируется в химических связях АТФ, в то время как во втором процессе эта АТФ используется для образования молекул углеводов. Темновые реакции рассматриваются в следующей таблице.

> В этой таблице приведены три схемы, изображающие световые реакции фотосинтеза с фиксацией энергии. Биохимические механизмы этих реакций могут оказаться трудными для понимания, поэтому читайте медленно.

Фотосинтез осуществляется внутри хлоропластов в специальных мембранах, называемых ламеллами (о чем говорилось в предыдущей главе). На главной схеме этой таблицы показан крупный лист. Можно раскрасить его очень светлым цветом.

Процесс фотосинтеза начинается с **энергии солнечного света (A)**. Эта энергия поступает в клетки листа, поглощается и преобразуется в ряд молекул хлорофилла внутри сложного пучка, называемого фотосистемой. Первая фотосистема, участвующая в этом переносе энергии, называется **фотосистемой II (B)**, и эта фотосистема содержит молекулы хлорофилла, поглощающие свет, который имеет длину волны 680 нанометров (нм).

Когда внутренний комплекс фотосистемы II активируется световой энергией, это приводит в движение **электроны (C)**, которые затем поглощаются **электронным акцептором (D)**. Этот электронный акцептор является частью того, что называется системой переноса энергии, через который происходит движение электронов, пока они не достигнут **фотосистемы I (F)**. В процессе этих переносов ионы водорода выталкиваются из стромы внутрь ламеллы. По мере того как ионы водорода пересекают мембрану через специальные транспортные белки, называемые **АТФазами**, **АДФ (E_1)** преобразуется в **АТФ (E)**.

Теперь фотосинтез продолжается. Энергия света (A) поглощается фотосистемой I (F), чьи хлорофилловые пигменты поглощают световую энергию с длиной волны 700 нм. Затем энергия снова передается хлорофиллом в этот комплекс и электрон покидает электронный акцептор ферредоксин.

Потом электронный акцептор переносит электрон в молекулу никотиноамидо-аденозиндинуклеотид фосфата, или **НАДФ (G_1)**, который забирает **ион водорода (H)**, превращаясь в **НАДФ-H_2 (G)**. **НАДФ-H_2** используется для фиксации углерода, что рассматривается в следующей таблице.

Завершим рассмотрение фотосинтеза, вернувшись к первоначальной молекуле Ф680, потерявшей электрон, который должен быть замещен. **Молекула воды (I)** расщепляется, образуя три иона водорода и **молекулу кислорода (J)**, и отдает электрон комплексу Ф680. Кислород выделяется в атмосферу.

> Итак, мы закончили обсуждение фотосинтеза с фиксацией энергии и теперь перейдем к краткому рассмотрению одного из его вариантов, называемого циклической реакцией.

Альтернативный процесс фотосинтеза происходит в некоторых типах бактерий, и он используется для продуцирования АТФ, но при этом не производится НАДФ-H_2 и в нем не участвует вода или кислород. В циклической реакции световая энергия стимулирует фотосистему I (F) на выделение электрона (C). Электронный акцептор забирает этот электрон и пропускает его через ряд молекул, пока он не вернется в итоге в фотосистему. В этом процессе АДФ (E_1) соединяется с молекулой фосфора и образует АТФ (E). Такая реакция является циклом, так как электрон перемещается из фотосистемы и затем опять возвращается в нее.

> Закончим рассмотрением ключевых элементов световой фазы фотосинтеза, в которой продуцируется АТФ. Эта реакция называется хемиосмосом. Прочитайте об этом процессе, глядя на последний рисунок таблицы.

Хемиосмос – это механизм, посредством которого в хлоропласте клетки растения продуцируется АТФ. Световая энергия (A) попадает в специфическую молекулу **хлорофилла (B_1)** фотосистемы II, а затем мы видим, что **поток энергии (L)** движется в фотосистему I (F). Все это происходит в **мембране ламеллы (K)**. Во время этого переноса энергии **поток ионов водорода (M)** проходит через мембрану из **стромы (P)** в **ламеллярное пространство (O)**.

Когда ионы водорода возвращаются в строму, они проходят через комплекс ферментов, называемый **АТФ-синтетазой (N)**. Поток ионов водорода происходит одновременно с образованием молекул АТФ (E) из АДФ. Формирование АТФ в процессе хемиосмоса является важным фактором в реакциях фотосинтеза с фиксацией углерода, который будет обсуждаться в следующей таблице.

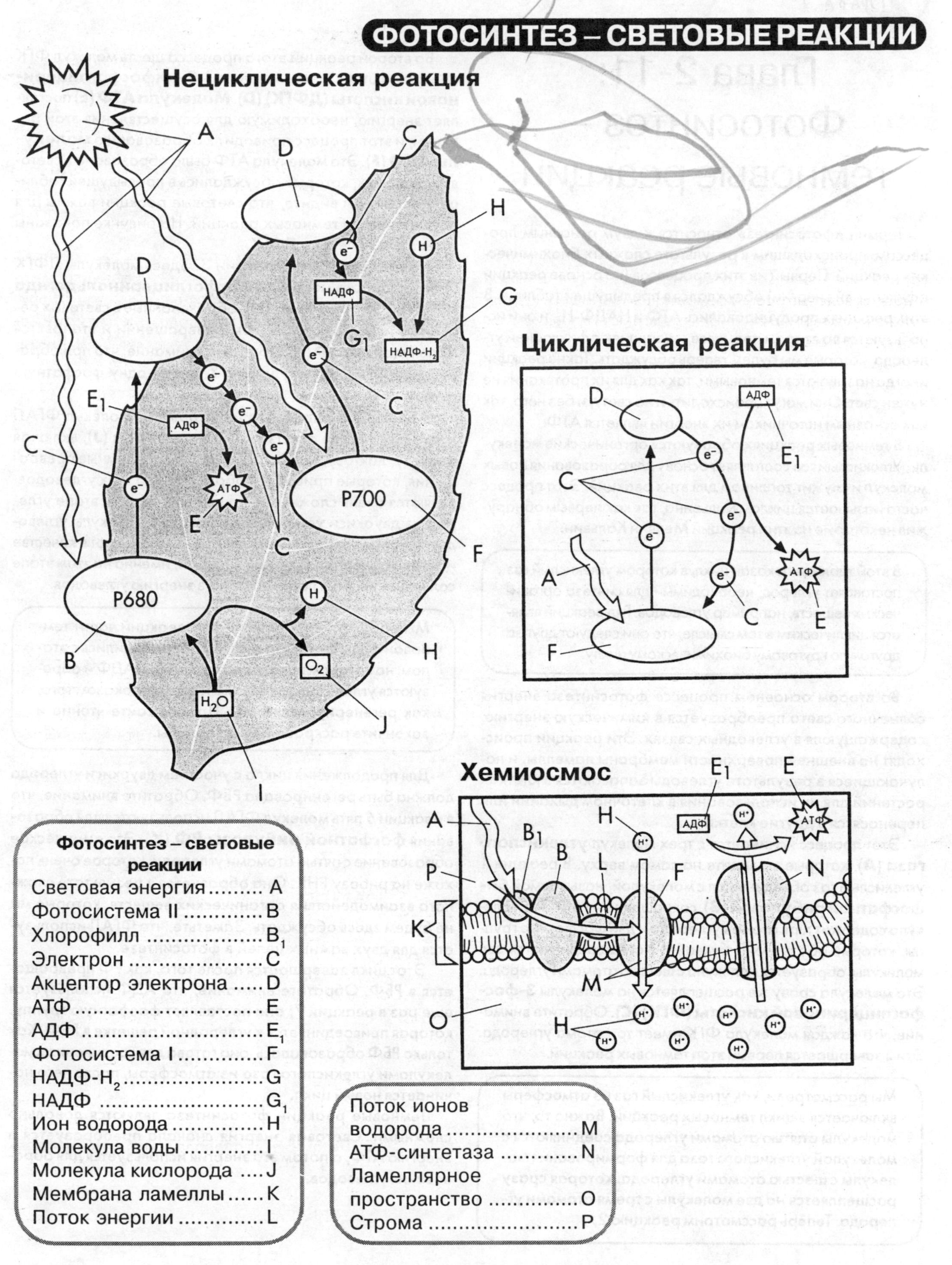
ФОТОСИНТЕЗ – СВЕТОВЫЕ РЕАКЦИИ
Нециклическая реакция
A
D
C
H
e⁻
НАДФ
G
G_1
НАДФ-H_2
D
e⁻
E_1
АДФ
АТФ
E
C
P700
F
P680
B
H
O_2
H_2O
J
I
Циклическая реакция
D
АДФ
E_1
C
A
АТФ
F
E
Хемиосмос
E_1
E
A
H
АДФ
АТФ
B_1
B
L
F
N
P
K
M
O
H
Фотосинтез – световые реакции
Световая энергия .... A
Фотосистема II .... B
Хлорофилл .... B_1
Электрон C
Акцептор электрона ...... D
АТФ .... E
АДФ .... E_1
Фотосистема .... F
НАДФ-H_2 .... G
НАДФ .... G_1
Ион водорода .... H
Молекула воды I
Молекула кислорода ...... J
Мембрана ламеллы .... K
Поток энергии L
Поток ионов водорода .... M
АТФ-синтетаза .... N
Ламеллярное пространство .... O
Строма .... P

Глава 2-11: Фотосинтез – темновые реакции

Термин «фотосинтез» относится к двум основным процессам, происходящим в результате сложных биохимических реакций. Первый из этих процессов (на основе реакции с фиксацией энергии) обсуждался в предыдущей таблице. В этих реакциях продуцировались АТФ и НАДФ-H_2, и они используются во втором процессе – реакциях с фиксацией углерода, которые мы будем теперь обсуждать. Такие реакции иногда называются темновыми, так как для их протекания не нужен свет. Они могут происходить и на свету, и без него, так как основным источником их энергии является АТФ.

В темновых реакциях образуются органические молекулы. Углекислый газ составляет основу для образования новых молекул и служит топливом для этих реакций. Этот процесс часто называется циклом Кальвина, так как первым обнаружил некоторые из этих реакций Мелвин Кальвин.

В этой таблице показан цикл, в котором углекислый газ поставляет углерод, необходимый для синтеза органических веществ, например углеводов. Ряд реакций является циклическим в том смысле, что они следуют друг за другом по круговому биохимическому циклу.

Во втором основном процессе фотосинтеза энергия солнечного света преобразуется в химическую энергию, содержащуюся в углеводных связях. Эти реакции происходят на внешней поверхности мембраны ламеллы, и получающиеся в результате углеводы запасаются в клетках растений для их использования в клеточном дыхании или переносятся в другие клетки.

Этот процесс начинается с трех молекул **углекислого газа (A)**, которые вы видите на самом верху. В реакции 1 углекислый газ объединяется с молекулой, называемой **бифосфатной рибулозой (B)**, сокращенно – РБФ. Эта молекула содержит пять атомов углерода и две фосфатные группы, которые обозначены буквой Р. Когда соединяются две молекулы, образуется молекула с шестью атомами углерода. Эта молекула сразу же расщепляется на молекулы **3-фосфоглицериновой кислоты (ФГК) (C)**. Обратите внимание, что каждая молекула ФГК имеет три атома углерода. Этим завершается первый этап темновых реакций.

Мы рассмотрели, как углекислый газ из атмосферы включается в цикл темновых реакций. Важно то, что молекулы с пятью атомами углерода соединяются с молекулой углекислого газа для формирования молекулы с шестью атомами углерода, которая сразу расщепляется на две молекулы с тремя атомами углерода. Теперь рассмотрим реакцию 2.

Во второй реакции этого процесса шесть молекул ФГК превращаются в шесть молекул **1,3-дифосфоглицериновой кислоты (ДФГК) (D)**. **Молекула АТФ (E)** поставляет энергию, необходимую для осуществления этой реакции, и этот процесс приводит к образованию **молекулы АДФ (F)**. Эта молекула АТФ была образована в световых реакциях, которые обсуждались в предыдущей таблице, поэтому вы видите, что световые реакции важны для осуществления темновых реакций. На рисунке показаны только две молекулы ДФГК.

Теперь перейдем к реакции 3. Здесь молекулы ДФГК превращаются в молекулы **фосфоглицеринальдегида (ФГАЛ) (G)**. **НАДФ-H_2 (H)**, образованные в световых реакциях, используются в этом превращении и становятся молекулой **НАДФ (I)**. Обратите внимание, что при образовании ФГАЛ молекула ДФГК теряет одну фосфатную группу.

В реакции 5 видно, что некоторые из молекул ФГАЛ используются для образования **углеводов (J)**, включая глюкозу, лактозу, целлюлозу и другие. Взаимные превращения, которые приводят к образованию этих углеводов, являются очень сложными, но именно на этом этапе углерод из двуокиси углерода включается в молекулы углеводов, которые все растения и животные используют в качестве источника энергии. Другими словами, именно на этом этапе солнечная энергия превращается в энергию углеводов.

Мы рассмотрели большинство реакций части темновой фазы фотосинтеза. Мы познакомились с этапом, на котором используются АТФ и НАДФ и образуются углеводы. Завершим этот цикл показом того, как регенерируется РБФ. Продолжайте чтение и закончите раскрашивание таблицы.

Для продолжения цикла с участием двуокиси углерода должна быть регенерирована РБФ. Обратите внимание, что в реакции 6 пять молекул ФГАЛ используются для образования **фосфатной рибулозы РФ (K)**. Это химическое образование с пятью атомами углерода, которое очень похоже на рибозу РНК. Она образуется в результате сложного взаимодействия органических веществ, которые мы не будем здесь обсуждать. Заметьте, что ФГАЛ используется для двух важных целей в фотосинтезе.

Этот цикл завершается после того, как РФ превращается в РБФ. Обратите внимание, что АДФ используется еще раз в реакции 7; она поставляет фосфатную группу, которая присоединяется к углеродной решетке в РБФ. Как только РБФ образовалась, она готова для соединения с молекулами углекислого газа из атмосферы, после чего начинается новый цикл.

Темновые реакции фотосинтеза являются довольно сложными. Световая энергия сначала преобразуется в энергию АТФ, а потом эта энергия используется для образования углеводов.

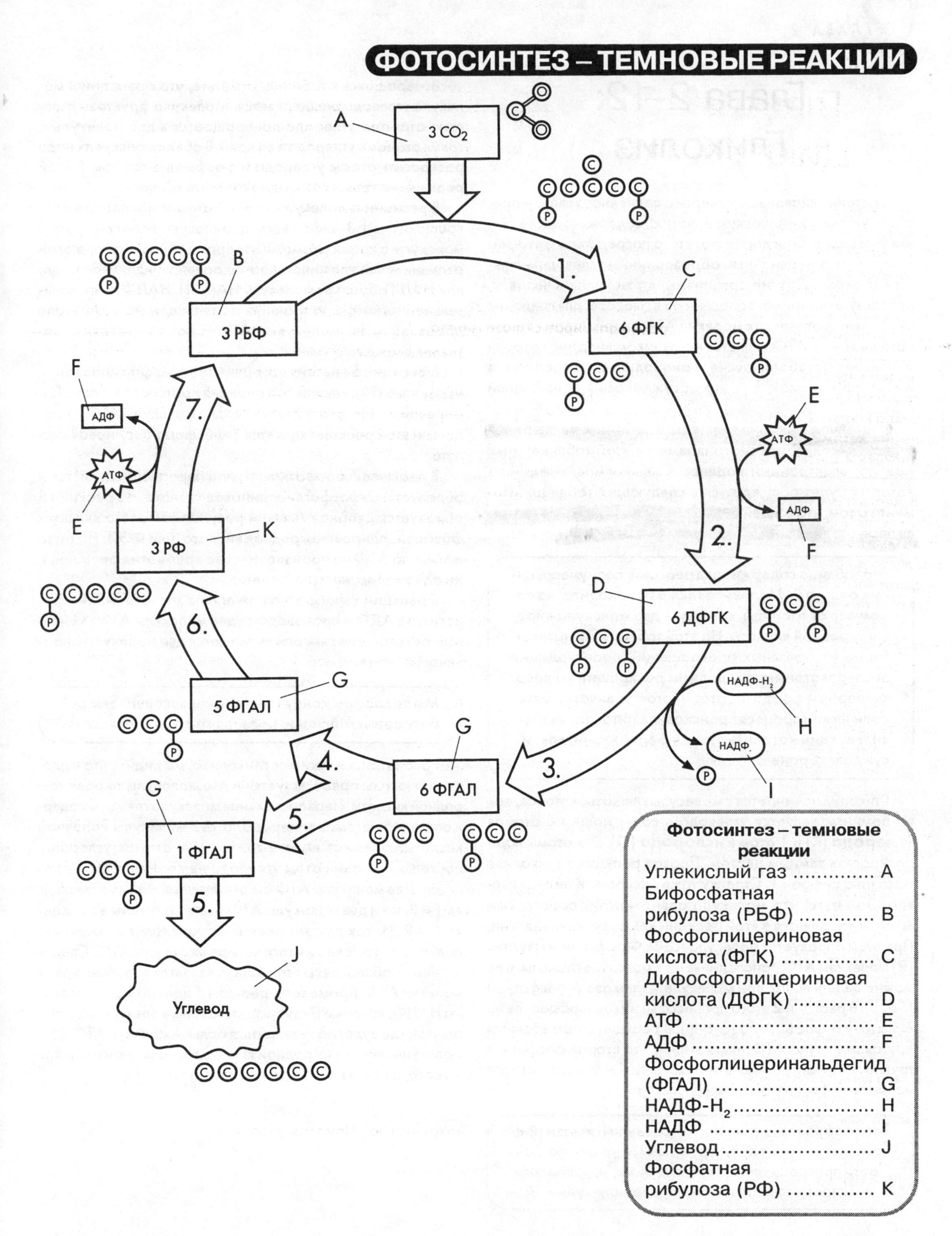
ФОТОСИНТЕЗ – ТЕМНОВЫЕ РЕАКЦИИ
A
3 CO_2
B
3 РБФ
C
6 ФГК
1.
E
АТФ
АДФ
F
2.
D
6 ДФГК
НАДФ-H_2
H
НАДФ
I
3.
6 ФГАЛ
G
4.
5 ФГАЛ
G
6.
3 РФ
K
АТФ
E
АДФ
F
7.
5.
1 ФГАЛ
G
5.
J
Углевод
Фотосинтез – темновые реакции
Углекислый газ .... A
Бифосфатная рибулоза (РБФ) .... B
Фосфоглицериновая кислота (ФГК) C
Дифосфоглицериновая кислота (ДФГК) .... D
АТФ .... E
АДФ .... F
Фосфоглицеринальдегид (ФГАЛ) .... G
НАДФ-H_2 .... H
НАДФ I
Углевод .... J
Фосфатная рибулоза (РФ) .... K

Глава 2-12: Гликолиз

Растения улавливают энергию солнечного света и преобразуют ее в химическую энергию, содержащуюся в связях углеводов. Они достигают этого посредством фотосинтеза, в котором основным образованным углеводом является глюкоза. Другие организмы, в том числе и человек, используют энергию, запасенную в глюкозе, для создания высокоэнергетических молекул АТФ посредством клеточного дыхания. АТФ является источником энергии, которая усиливает метаболические и анаболические процессы в живых организмах, как это обсуждалось в предыдущей главе.

Клеточное дыхание включает в себя четыре основных этапа: гликолиз, рассматриваемый в этой таблице; цикл Кребса; электронный перенос и хемиосмос, каждый из которых будет обсуждаться в следующих таблицах. Помните о том, что общей целью клеточного дыхания является перенос энергии из молекул глюкозы в АТФ.

Эта таблица содержит ряд реакций, пронумерованных от 1 до 9. Молекула глюкозы находится на самом верху таблицы, а внизу – две молекулы пировиноградной кислоты. На этой таблице видны некоторые из основных превращений, происходящих последовательно. Вы должны раскрасить углерод, кислород и фосфаты. Этот многоступенчатый метаболический процесс происходит в цитоплазме клетки. Реакции катализируются ферментами, как обсуждалось ранее.

Гликолиз начинается с молекулы глюкозы, которая, как вы помните, является углеводом, содержащим 6 атомов **углерода (С)** и 1 атом **кислорода (О)**. Эти атомы надо раскрасить темным цветом. Первая реакция в гликолизе показана цифрой 1. Стрелку тоже раскрасьте темным цветом. Заметьте, что молекула аденозинтрифосфата, или АТФ, потребляется в этой реакции для получения энергии. При этом образуется молекула АДФ. **Фосфатная группа (Р)** молекулы АТФ присоединяется к молекуле глюкозы, и ее можно видеть во второй молекуле – глюкозе 6-фосфатной (г-6-ф). В реакции 2 этого процесса энзим превращает ее во фруктозу 6-фосфатную (ф-6-ф). В реакции 3 потребляется другая молекула АТФ, и мы видим, что вторая фосфатная группа появляется во вновь образованной молекуле, которая называется фруктозой 1,6-дифосфатной.

Таким образом, в гликолизе молекула глюкозы превращается в молекулу фруктозы 1,6-дифосфатной. За эти превращения отвечают энзимы, и, кроме того, в этом процессе потребляются две молекулы АТФ.

Возвращаясь к таблице, отметьте, что в реакции 4 молекула углевода расщепляется. Молекула фруктозы с шестью атомами углерода превращается в две молекулы с тремя атомами углерода в каждой. В обеих молекулах надо раскрасить атомы углерода и фосфатные группы. В этой реакции не теряется ни один атом углерода.

В реакции 5 молекулы с тремя атомами углерода превращаются в 1,3-дифосфоглицериновую кислоту – другую молекулу с тремя атомами углерода. Кроме того, в этой реакции молекула никотиноамидааденозиндинуклеотида, или НАД$^+$, образует молекулу НАДФН. НАДФН исключительно важна в электронном переносе, и на этом этапе образованы две молекулы НАДФН, так как реакция протекает дважды.

В реакции 6 энергия затрачивается на формирование молекулы АТФ. Так как эта реакция протекает и с левой, и с правой, сторон, то образуются две молекулы АТФ и продуктом этой реакции является 3-фосфоглицериновая кислота.

В реакции 7 фосфатная группа перераспределяется и образуется 2-фосфоглицериновая кислота, а в реакции 8 образуется двойная связь, и результатом этого является фосфоэнолпировиноградная кислота, или ФЭП. Ни одна молекула АТФ не производится во время этих реакций, и ни одна из них не используется.

В реакции 9 фосфатная группа из кислоты ФЭП переносится в АДФ и производятся две молекулы АТФ. Конечным результатом гликолиза являются две молекулы пировиноградной кислоты.

Мы подошли к концу гликолиза и заканчиваем работу с этой таблицей, подводя краткие итоги.

Рассматривая процесс гликолиза, мы видим, что молекула глюкозы преобразуется в две молекулы пировиноградной кислоты. Первоначальная молекула глюкозы содержала шесть атомов углерода, а две молекулы конечной кислоты содержат вместе тоже шесть атомов углерода, поскольку ни один атом углерода не потерян в этом процессе. Две молекулы АТФ были «использованы» в реакциях 1 и 3, но и две молекулы АТФ были получены в реакциях 6 и 9. И, так как эти реакции происходят дважды, мы получаем в конечном итоге четыре молекулы АТФ. Следовательно, общей целью гликолиза является получение двух молекул АТФ. Кроме того, реакция 5 дает нам две молекулы НАДФ, которые будут использованы в электронном переносе, где будет производиться больше молекул АТФ. Две молекулы пировиноградной кислоты используются в цикле Кребса, как это разбирается в следующей главе.

Гликолиз

Углерод C
Кислород .... O
Фосфатная группа .... P

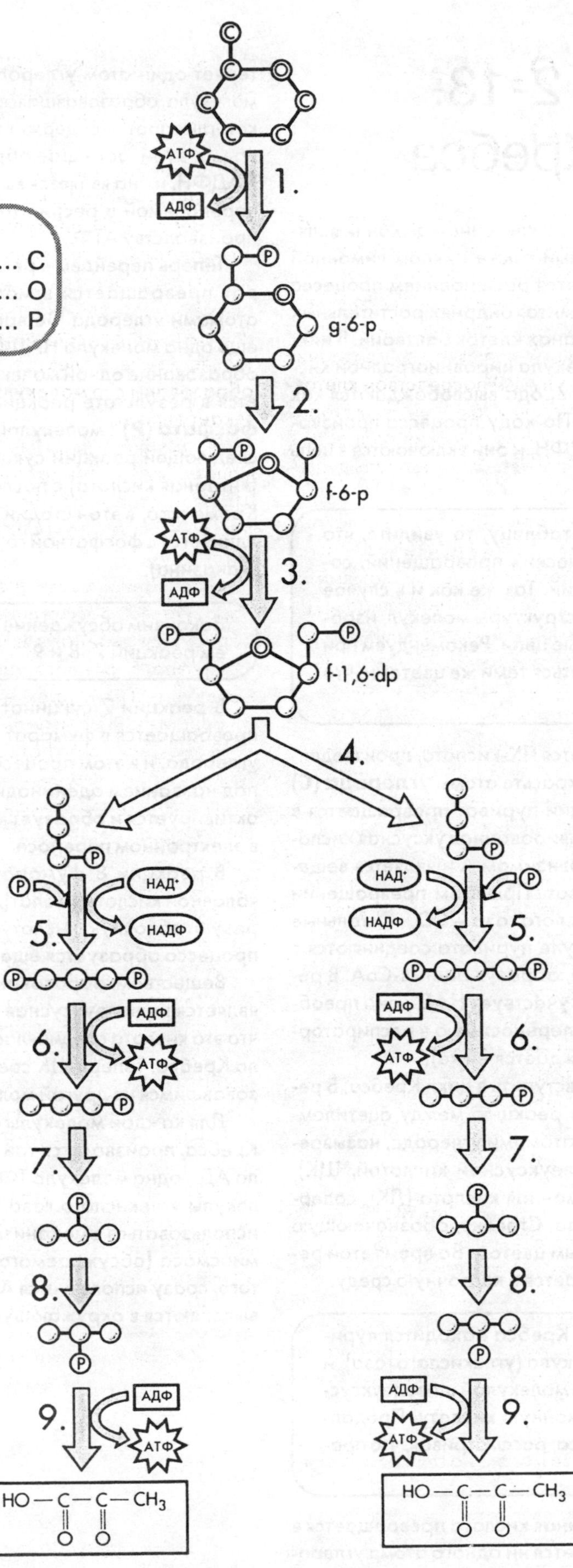

Глава 2-13: Цикл Кребса

Вторым важным процессом в клеточном дыхании является цикл Кребса (называемый также циклом лимонной кислоты). Цикл Кребса является расширением процесса гликолиза. Он происходит в митохондриях растительных и животных клеток и в мембранах клеток бактерий. В цикле Кребса потребляется молекула пировиноградной кислоты (ПК) и ее три атома углерода высвобождаются как молекулы углекислого газа. По ходу процесса производятся несколько молекул НАДФН, и они включаются в цепь электронного переноса.

Если вы взглянете на эту таблицу, то увидите, что она содержит ряд циклических превращений, состоящий из восьми реакций. Так же как и в случае гликолиза, мы упростили структуры молекул, изображая только их углеродные цепи. Рекомендуем при раскрашивании пользоваться теми же цветами, что и для гликолиза.

В цикле Кребса потребляется ПК-кислота, произведенная в гликолизе; сначала раскрасьте атомы **углерода (С)** ПК-кислоты. В первой реакции пуриват превращается в молекулу ацетил -СоА («активированная уксусная кислота»). Этот ацетил связан с коэнзимом А и является веществом, активирующим пуриват. При этом превращении образуется молекула углекислого газа – CO_2. Остальные два атома углерода в молекуле пуривата соединяются с молекулой уксусной кислоты, образуя ацетил-СоА. В реакции 1 цикла Кребса также участвует $НАД^+$; она преобразуется в молекулу НАДФ, переносимую в респираторную цепь (этот процесс обсуждается ниже).

Теперь ацетил-СоА готов вступить в цикл Кребса. В реакции 2 энзим катализирует реакцию между ацетилом-СоА и молекулой с четырьмя атомами углерода, называемой оксалоацетатом (щавелеуксусной кислотой, ЩК). В результате образуется лимонная кислота (ЛК), содержащая шесть атомов углерода. Стрелку, обозначающую реакцию 2, раскрасьте темным цветом. Во время этой реакции коэнзим А высвобождается в клеточную среду.

К этому моменту в цикле Кребса находится пуриват. Высвобождается молекула (углекислого газа), и ацетил-СоА соединяется с молекулой щавелеуксусной кислоты, образуя лимонную кислоту. Продолжим изучение цикла Кребса, рассматривая, что происходит в реакции 3.

Во время реакции 3 лимонная кислота превращается в изоцитрат, и при этом не теряется ни одного атома углерода. Но в следующей реакции молекула углекислого газа теряет один атом углерода (обратите внимание, что эта молекула, образовавшаяся в результате реакции 4, – альфакетоглютарат, – содержит только пять атомов углерода). Во время этой реакции образуется еще одна молекула НАДФН, и она является высокоэнергетической молекулой, переносимой в респираторную цепь и способствующей производству АТФ.

Теперь перейдем к реакции 5. Здесь альфакетоглютарат превращается в молекулу сукцинила с четырьмя атомами углерода. Во время этого процесса образуется еще одна молекула НАДФ. Обратите также внимание на образование одной молекулы АТФ. Эта молекула образуется в результате реакции соединения неорганического **фосфата (Р)** с молекулой аденозиндифосфата (АДФ). В следующей реакции сукцинил превращается в сукцинат (янтарная кислота) с последующим образованием $НАД^+$. Кроме того, в этой стадии дифосфат гуаназина (ДФГ) соединяется с фосфатной группой, образуя ТФГ (трифосфат гуаназина).

Закончим обсуждение цикла Кребса рассмотрением реакций 7, 8 и 9.

В реакции 7 сукцинат с четырьмя атомами углерода превращается в фумарат с таким же количеством атомов углерода, и в этом процессе принимает участие вещество под названием аденинодинуклеотид (АД). Эта молекула активируется и образует молекулу $ФАДВ_2$, участвующую в электронном переносе.

В реакции 8 фумараты превращаются в молекулу яблочной кислоты (малат), а в следующей реакции преобразуют яблочную кислоту в оксалоацетат. Во время этого процесса образуется еще одна молекула $НАД^+$.

Веществом, образовавшимся в результате реакции 9, является щавелеуксусная кислота, и вы можете заметить, что эта кислота соединялась с ацетилом-СоА в начале цикла Кребса. Теперь ЩК соединена с ацетилом-СоА, образовавшимся из другой молекулы ПК после гликолиза.

Для каждой молекулы ацетил-СоА, начинающей цикл Кребса, производятся три молекулы НАДФ, одна молекула $АД_2$, одна молекула ТФГ, одна молекула АТФ и две молекулы углекислого газа. Молекулы НАДФ и $АД_2$ будут использоваться в механизме электронного переноса и хемиосмоса (обсуждаемого в следующей главе), и, кроме того, сразу используется АТФ. Молекулы углекислого газа выделяются в окружающую среду при дыхании.

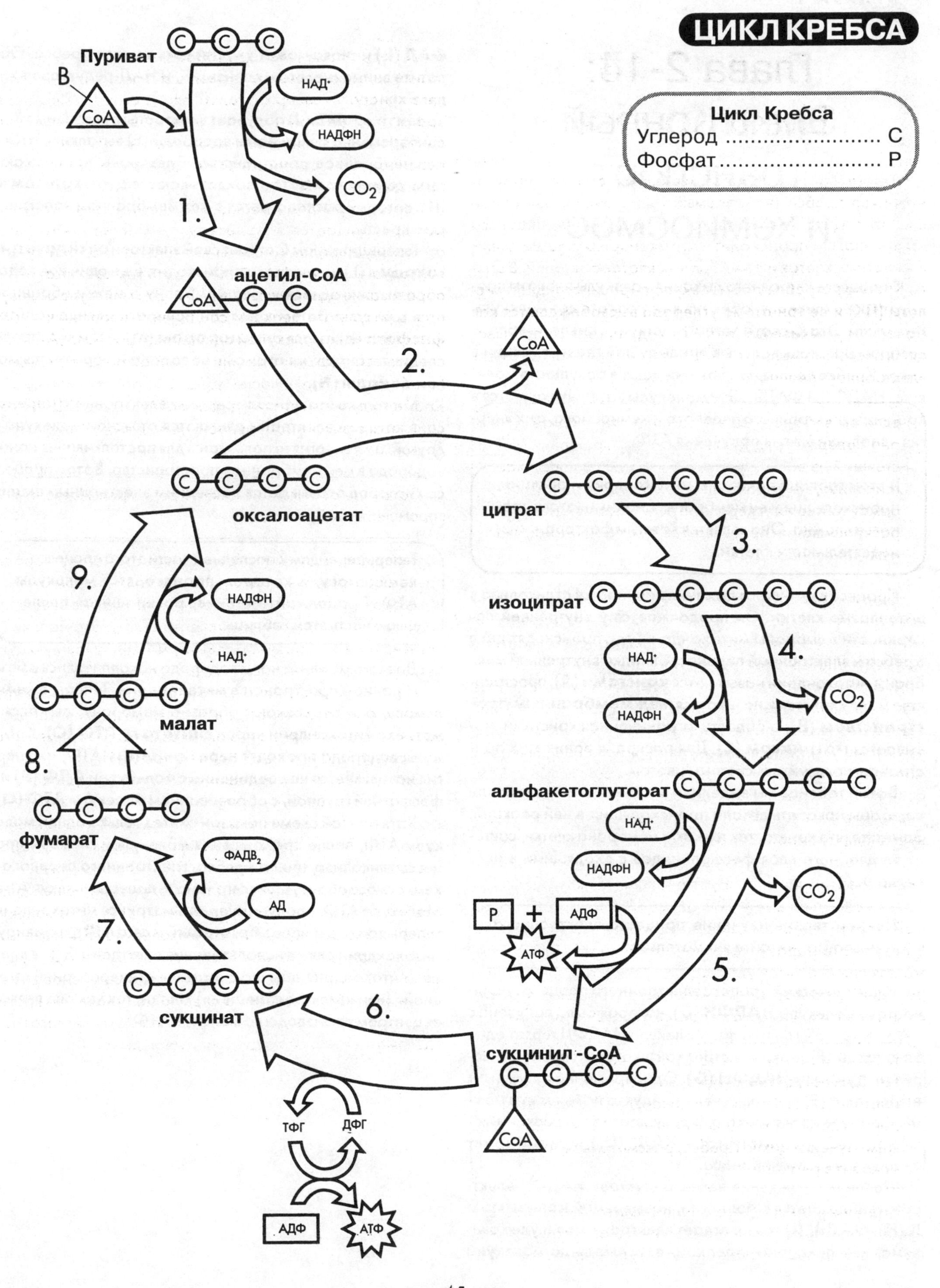
ЦИКЛ КРЕБСА
Цикл Кребса
Углерод .... С
Фосфат .... Р
Пуриват
В
CoA
НАД·
НАДФН
CO_2
1.
ацетил-CoA
2.
CoA
оксалоацетат
цитрат
3.
изоцитрат
НАД·
НАДФН
4.
CO_2
альфакетоглуторат
НАД·
НАДФН
CO_2
P
+
АДФ
АТФ
5.
сукцинил-CoA
CoA
6.
сукцинат
ТФГ
ДФГ
АДФ
АТФ
7.
ФАДВ₂
АД
фумарат
8.
малат
9.
НАДФН
НАД·

Глава 2-14: Электронный транспорт и хемиосмос

В процессе клеточного дыхания молекулы глюкозы проходят через гликолиз, образуя в результате две молекулы Р-кислоты. Эта кислота затем участвует в цикле Кребса, о котором рассказывалось в предыдущей главе. Реакции в цикле Кребса важны, так как они дают в результате молекулы НАДФН и ФАДВ$_2$. Эти молекулы затем включаются в процессы электронного переноса и хемиосмоса, а их энергия используется для получения АТФ.

В этой таблице показаны митохондрия и реакции, происходящие у ее мембраны. Биохимия этого процесса сложна. Она является важным фактором жизнедеятельности клетки.

Процесс клеточного дыхания начинается с гликолиза в цитоплазме клетки. Он продолжается у внутренней поверхности мембраны митохондрии, где происходят цикл Кребса и электронный перенос. Складки внутренней мембраны митохондрии называются **кристами (А)**, пространство между кристами называется **межмембранным пространством (В)**, а область, ограниченная кристами, называется **матриксом (С)**. Для раскрашивания этих пространств пользуйтесь светлым цветом.

В этой таблице мы выделили часть кристы и увеличили ее, чтобы показать детали происходящих в ней реакций. Заметьте, что криста, так же как и мембрана клетки, состоит из двойного слоя фосфолипидов с входящими в него белками.

Начнем теперь изучение процесса электронного транспорта. Читайте внимательно!

Биохимический процесс электронного процесса начинается с молекулы **НАДФН (D)**, которая была получена в цикле Кребса и гликолиза. Молекула НАДФН теряет один **электрон (F)** (показан стрелкой), который проходит через **редуктазу НАДФН (G)**. Одновременно с этим **ион водорода (Е)** проходит через редуктазу и входит в межмембранное пространство. В результате этой реакции молекула НАДФН окисляется в **НАД$^+$ (D$_1$)** и снова может участвовать в цикле Кребса.

После прохождения через редуктазу НАДФН электрон приближается к молекуле, называемой **коэнзимом К (Н)**. **ФАДВ$_2$ (I)** также отдает электроны молекуле коэнзима, как показано стрелкой, окисляется до молекулы **ФАД (I$_1$)** и снова может участвовать в цикле Кребса. Обратите внимание, что и коэнзим К, и НАД-редуктаза входят в кристу.

Цитохром В (J) получает электроны от коэнзима К, и одновременно с этим ионы водорода (Е) выталкиваются в межмембранное пространство. Электроны продолжают свое движение и затем захватываются **цитохромом С (К)**, который располагается в межмембранном пространстве кристы.

Теперь цитохром С отдает свой электрон **оксидазе цитохрома (L)**, и, когда это происходит, еще один ион водорода выталкивается через мембрану в межмембранное пространство. Затем электрон покидает оксидазу цитохрома и соединяется с **кислородом (М)**. Атом кислорода соединяется с двумя атомами водорода и образуется молекула **воды (N)**.

Мы только что описали систему электронного переноса, в котором электроны двигаются от одной молекулы к другой, а их энергия используется для проталкивания ионов водорода в межмембранное пространство. В этом процессе кислород оказывается последним электронным акцептором.

Теперь перейдем к последней части этого процесса – хемиосмосу, в котором производятся молекулы АТФ. Продолжайте чтение, раскрашивая последнюю часть этой таблицы.

До этого момента ионы водорода накапливались в межмембранном пространстве митохондрии. Теперь, в хемиосмосе, они пересекают обратно мембрану, двигаясь в матрикс митохондрии через **синтетазу АТФ (О)**. Когда ионы водорода проходят через синтетазу АТФ, их энергия используется на соединение с молекулой **АДФ (Р)** и с фосфатной группой, с образованием молекулы **АТФ (Q)**.

Хотя на этой схеме показан синтез только одной молекулы АТФ, после прохождения молекулой глюкозы процесса гликолиза, цикла Кребса, электронного переноса и хемиосмоса образуется всего тридцать шесть молекул АТФ. Молекула АТФ, продуцируемая в матриксе митохондрии, теперь проходит через **белковый канал (R)**, активируя митохондрии для их использования еще где-нибудь в клетке. Митохондрия обычно считается «генераторной станцией» (или «электростанцией») клетки, так как она является центром производства молекул АТФ.

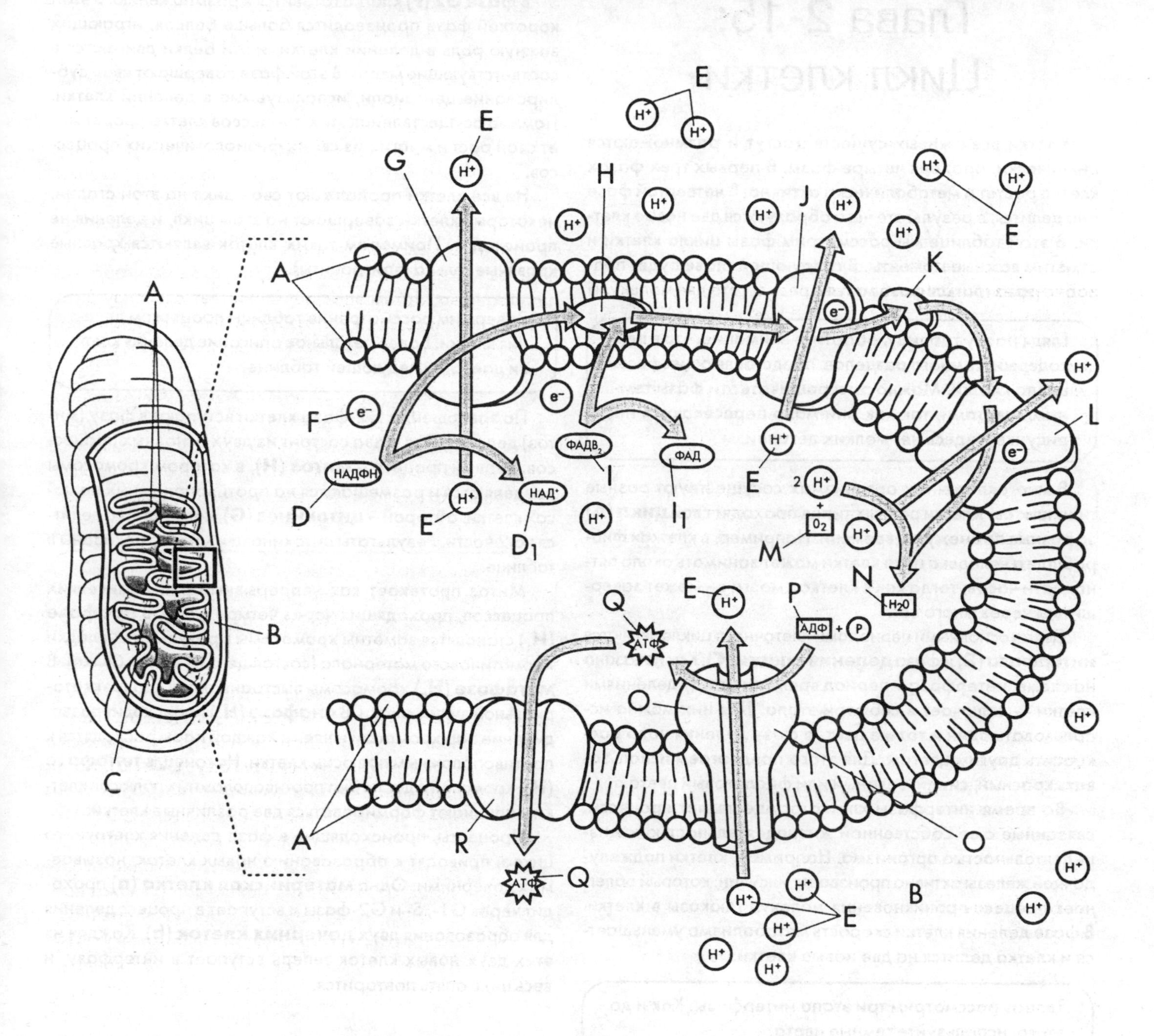

Электронный транспорт и хемиосмос

Кристы ... A
Межмембранное пространство ... B
Матрикс ... C
НАДФН ... D
НАД⁺ ... D_1
Ион водорода ... E
Электрон ... F
Редуктаза НАДФН ... G
Коэнзим К ... H
ФАДВ$_2$ ... I
ФАД ... I_1
Цитохром В ... J
Цитохром С ... K
Оксидаза цитохрома ... L
Кислород ... M
Вода ... N
Синтетаза АТФ ... O
АДФ ... P
АТФ ... Q
Белковый канал ... R

Глава 2-15: Цикл клетки

Клетки всех живых существ растут и размножаются циклически, проходя четыре фазы. В первых трех фазах клетка растет и метаболически активна. В четвертой фазе она делится, в результате чего образуются две новые клетки. В этой таблице мы рассмотрим фазы цикла клетки и отметим важные моменты. В следующей главе будет подробно разбираться фаза митоза.

Глядя на эту таблицу, обратите внимание, что в ней содержится много разделов, представляющих фазы цикла клетки. Можно раскрашивать эти фазы темными цветами, так как они мало пересекаются на рисунке и здесь нет мелких деталей.

В многоклеточных организмах сосуществуют разные типы клеток. Клетки разных типов проходят свой **цикл (A)** за разные промежутки времени. Например, в клетках фибробласта человека цикл клетки может занимать около пятнадцати часов, тогда как в клетках мозга он может завершиться через много лет.

Двумя основными периодами клеточного цикла являются **интерфаза (B)** и фаза **деления клетки (C)**. Как показано на схеме, интерфаза – период времени между делениями клетки — включает в себя три этапа. Для них можно использовать один и тот же цвет, а фазу деления надо раскрасить другим цветом. Для этого предлагаем использовать красный, синий, зеленый или фиолетовый цвета.

Во время интерфазы клетка осуществляет процессы, связанные с ее собственной жизнедеятельностью и жизнедеятельностью организма. Например, клетки поджелудочной железы активно производят инсулин, который облегчает процесс проникновения молекул глюкозы в клетки. В фазе деления клетки скорость метаболизма уменьшается и клетка делится на две новые клетки.

Теперь рассмотрим три этапа интерфазы. Как и до этого, используйте темные цвета.

Первый этап называется **G1-фазой (D)**. В этот период времени метаболизм протекает с большой скоростью, синтезируется много белков и происходит энергичный рост клетки; G1-фаза — это фаза роста клетки. Растут также размер и число органелл.

Второй этап интерфазы – **S-фаза (E)**. В этой фазе происходит некоторая деятельность, имеющая отношение к делению клетки (S-фаза – фаза синтеза). При этом удваиваются нити молекул ДНК, чтобы будущим достались копии наследственного материала материнской клетки, в этой же фазе продуцируются белки, связанные с ДНК.

В **фазе G2 (F)** клетка готовится к размножению. В этой короткой фазе производится больше белков, играющих важную роль в делении клетки, и эти белки двигаются в соответствующие места. В этой фазе завершают свое дублирование центриоли, используемые в делении клетки. Помимо осуществления этих процессов клетка продолжает свой рост и многие из своих физиологических процессов.

Не все клетки продолжают свой цикл на этой стадии; некоторые клетки завершают на этом цикл, и деления не происходит. Примером таких клеток являются красные кровяные тельца (эритроциты).

Завершим рассмотрение таблицы процессом деления клетки. Более детальное описание деления клетки дается в следующей таблице.

По завершении G2-фазы клетки вступают в фазу (митоз) деления. Эта фаза состоит из двух основных процессов: первый процесс – **митоз (H)**, в котором хромосомы разделяются и размещаются на противоположных полюсах клетки, а второй – **цитокинез (G)**, когда клетка делится на 2 части. Результаты цитокинеза и митоза показаны в таблице.

Митоз протекает как непрерывный ряд химических процессов, проходящих через четыре фазы. В **профазе** (**H_1**) становятся заметны хромосомы в результате укладки хроматинового материала (состоящего из ДНК и белка). В **метафазе** (**H_2**) хромосомы выстраиваются вдоль экваториальной линии клетки. В **анафазе** (**H_3**) происходит разъединение пар хромосом и члены каждой пары расходятся к противоположным полюсам клетки. Наконец, в **телофазе** (**H_4**) хромосомы достигают противоположных полюсов клетки и начинают формироваться две различные клетки.

Процессы, происходящие в фазе деления клеточного цикла, приводят к образованию новых клеток, называемых дочерними. Одна **материнская клетка (a)** проходит через G1-, S- и G2-фазы и вступает в процесс деления для образования двух **дочерних клеток (b)**. Каждая из этих двух новых клеток теперь вступает в интерфазу, и весь цикл опять повторится.

ЦИКЛ КЛЕТКИ

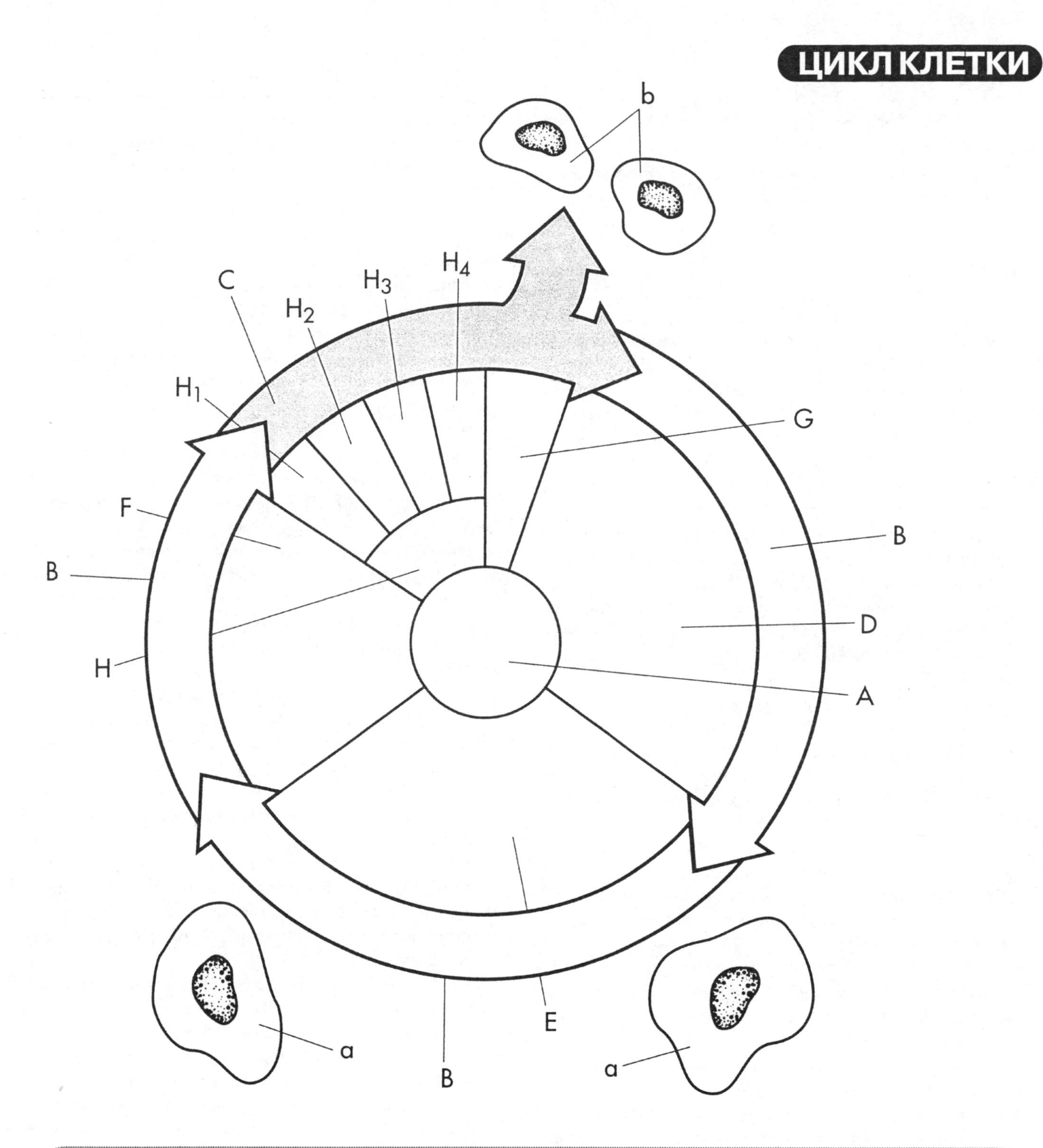

Цикл клетки

Цикл клетки .... A	G2-фаза .... F	Анафаза .... H_3
Интерфаза .... B	Цитокинез .... G	Телофаза .... H_4
Деление клетки C	Митоз .... H	Материнская клетка ...... a
G1-фаза .... D		Дочерние клетки .... b
S-фаза .... E		
	Фазы митоза	
	Профаза .... H_1	
	Метафаза .... H_2	

Глава 2-16: Митоз

В фазе деления клетка сначала проходит митоз, а затем цитокинез. Митоз – это процесс, в котором хромосомные пары разделяются, а в цитокинезе клетка разделяется на две новые клетки. В этой таблице рассматривается процесс митоза.

В этой таблице показаны шесть последовательных стадий, через которые проходит клетка в митозе. Это непрерывный процесс, и обычно он характеризуется четырьмя фазами: профаза, метафаза, анафаза и телофаза. Пользуйтесь одинаковыми цветами на всех шести схемах. Эти схемы имеют довольно мелкие детали, поэтому рекомендуем раскрашивать их светлыми цветами.

В S-фазе интерфазы клеточного цикла в ядре клетки происходит репликация молекул ДНК, но не происходит разделения этих молекул. **Ядро (B)** содержит ДНК в диффузной массе, называемой хроматином. **Ядрышко (C)** хорошо видно в интерфазе клетки, а ядро окружено нуклеарной **мембраной (D)**. Раскрасьте светлым цветом **цитоплазму (A)**.

Двумя мельчайшими частицами (тоже дублирующими себя до митоза) являются центросомы. Каждая из центросом содержит две цилиндрические структуры, располагающиеся под прямым углом друг к другу и называемые **центриолями (E)**, которые участвуют в образовании микротрубочек при делении клеток.

Теперь перейдем к началу процесса митоза; наша клетка находится сейчас в ранней профазе. Используйте те же цвета для раскрашивания этой схемы, что и для интерфазы.

Профаза – самая длинная фаза митоза. Она начинается, когда хроматин клеточного ядра концентрируется, образуя отдельные хромосы. Так как во время интерфазы происходит репликация ДНК, то каждая хромосома состоит из двух идентичных нитей, называемых **хроматидами (G_1)**. Заметьте, что на ранней стадии профазы центриоли (E) окружены рядом микротрубочек, расположенных по радиусу наружу; они называются **астерами (F)**.

В поздней стадии профазы центриоли (E) двигаются к противоположным полюсам клетки и астеры (F) становятся видны. Между центриолями видны нити **веретена (H)**, и их можно раскрасить светлым, например, желтым цветом. Ткани веретена состоят из микротрубочек и связанных белков. Обратите внимание на то, что **хроматиды (G_1)** становятся короче и толще. Нуклеарная мембрана начинает разрываться и исчезает по мере того, как клетка проходит позднюю стадию профазы.

В процессе митоза хромосомы разделяются на хроматиды. Продолжайте чтение, раскрашивая соответствующие структуры на схеме.

Следующая фаза митоза – метафаза. На этой стадии пары хроматидов располагаются вдоль экватора клетки, так называемой метафазной, или экваторной, пластинки. Хроматиды (G_1) соединяются у центра хромосом, и это место соединения называется **кинетохором (I)**. Один кинетохор располагается на каждой хроматиде, и их комбинации неизвестны. На этой стадии **нити веретена (H)** разделяются и ориентируются наружу от центриолей. Остальную часть цитоплазмы (A) нужно раскрасить светлым цветом.

На стадии анафазы ДНК в кинетохоре (I) дублируется, а хроматиды разделяются. Каждая хроматида теперь является **хромосомой (G_2)**. Вверху и внизу клетки можно видеть по четыре хромосомы. Хромосомы имеют V-образную форму, так как нити веретена притягивают их к своим центриолям. Одинаковое количество хромосом двигается к противоположным полюсам клетки. Например, в клетке человека сорок шесть хромосом двигаются к одному полюсу и сорок шесть таких же хромосом – к противоположному полюсу.

Теперь рассмотрим клетку в стадии телофазы; эта фаза сигнализирует об окончании митоза и непосредственно предшествует цитокинезу.

Когда процесс деления клетки вступает в телофазу, вы можете увидеть, что хромосомы (G_2) подходят к противоположным полюсам клетки, где они становятся тоньше и менее различимыми. Нити веретена (H) в этой фазе начинают разрываться, вокруг хромосомного материала начинает формироваться нуклеарная мембрана (D) и снова появляется ядрышко (C).

В конце телофазы цитоплазма (A) разделяется между двумя дочерними клетками. В центре животной клетки начинает формироваться **перемычка (J)** в результате сужения мембраны с обеих сторон клетки. Появление перемычки говорит об окончании телофазы и начале цитокинеза. Мембрана сужается внутрь с обеих сторон клетки, пока не образуются две клетки. Эти клетки называются дочерними.

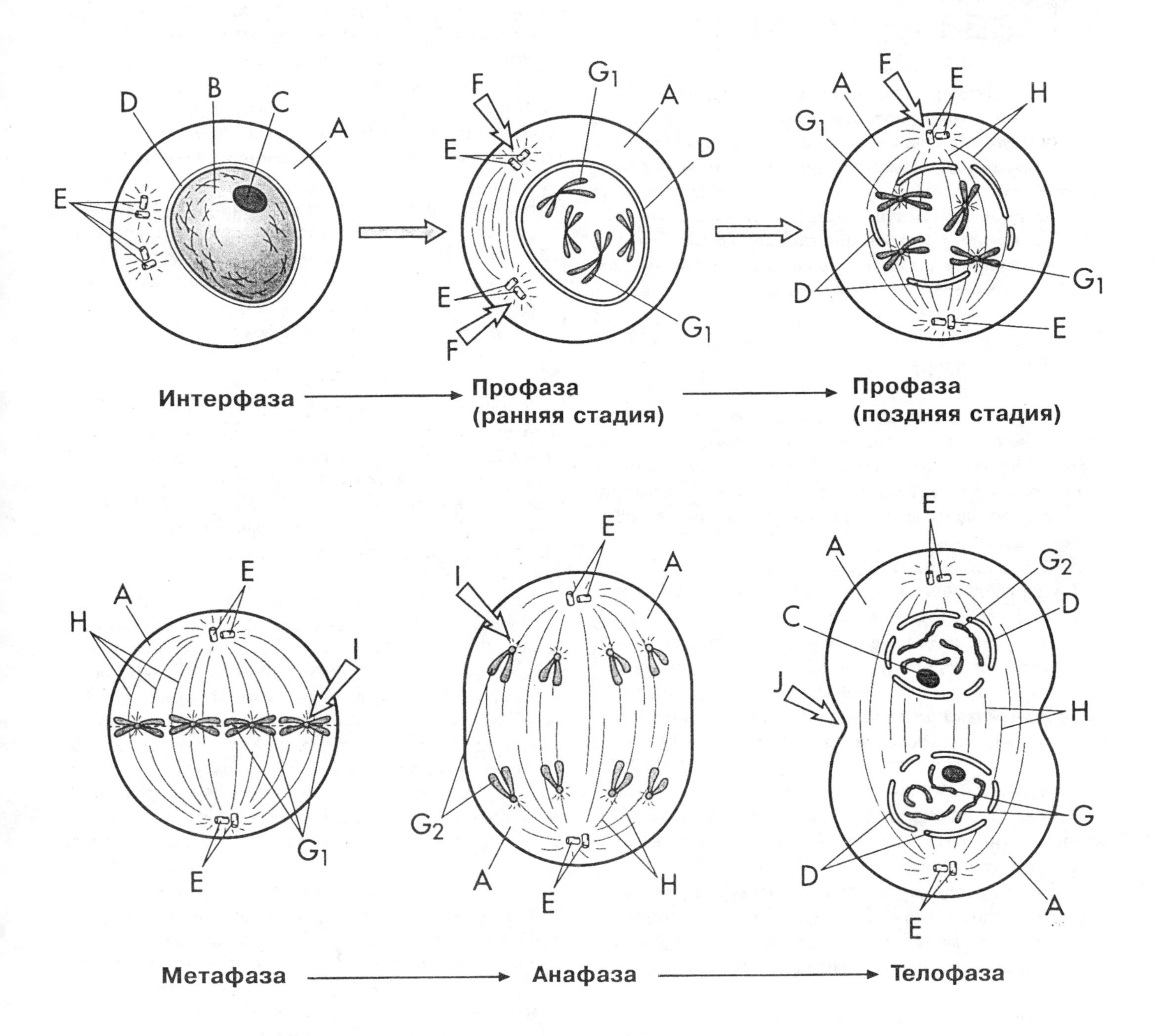

Митоз

Цитоплазма .... A	Центриоли .... E	Нити веретена .... H
Ядро (хроматин) .... B	Астеры .... F	Кинетохор I
Ядрышко C	Хроматиды .... G_1	Перемычка .... J
Нуклеарная мембрана .. D	Хромосомы .... G_2	

Глава 2-17: Мейоз

Процесс митоза, обсуждавшийся в предыдущей главе, происходит в клетках, которые репродуцируются во время роста, при заживлении ран и замене мертвых клеток. Две клетки, образующиеся в результате митоза, идентичны своей материнской клетке. Некоторые клетки проходят через другую форму деления, называемую мейозом. В этом процессе единственная материнская клетка продуцирует четыре клетки, каждая из которых содержит половину материнских хромосом. Материнская клетка имеет два набора хромосом и это называется диплоидом (2N), тогда как клетки, получающиеся в результате мейоза, имеют каждая по одному набору хромосом, и он называется гаплоидом (N).

Мейоз происходит в органах размножения и приводит к образованию клеток, участвующих в размножении. Эти клетки – сперматозоиды и яйцеклетки – называются гаметами. При оплодотворении слияние двух гаплоидных гамет образует одну клетку, называемую зиготой, которая является диплоидом.

В этой таблице мы проследим две основные фазы мейоза. Многие из этих процессов аналогичны процессам митоза, и вы должны при необходимости обращаться к предыдущей таблице. Мы будем рассматривать прохождение одной пары хромосом через мейоз и проследим, как они распределяются в четырех продуцированных клетках.

Процесс мейоза включает в себя два этапа деления клеток, известных как **первое деление мейоза (A)** и **второе деление мейоза (B)**. Рамки, обозначающие оба этих этапа, нужно закрасить. Первый этап приводит к образованию дочерних клеток, которые имеют уменьшенное количество хроматид. На втором этапе эти хроматиды распределяются между гаметами. Каждый этап мейоза состоит из профазы, метафазы, анафазы и телофазы, как при митозе.

Начнем с первого деления мейоза. Здесь мы видим материнскую клетку с **ядром (C)** и **ядрышком (D)**. **Цитоплазму (E)** нужно раскрасить светлым цветом. **Центриоль (F)** функционирует в мейозе так же, как и в митозе. Фаза, обозначенная 1a, представляет профазу.

Профаза переходит в стадию 1b. Здесь рассматривается одна пара хромосом (помните, что в каждой клетке человека содержится двадцать три пары хромосом). Здесь мы видим пару **гомологичных хромосом 1 (G_1)** и **2 (G_2)**. ДНК в каждой хромосоме дублируется. Здесь хромосомы сближаются друг с другом и может происходить перекрест хромосом (глава 3).

На схеме 1c показана метафаза. Гомологичные хромосомы выстраиваются вдоль экватора клетки, и мы видим, что каждая из них содержит родственные хроматиды. Хромосома 1 содержит **родственные хроматиды 1 (H_1)**, а хромосома 2 – **родственные хроматиды 2 (H_2)**.

На схеме 1d показана анафаза. Хроматиды 1 двигаются к левому полюсу клетки, а хроматиды 2 – к правому полюсу. В телофазе родственные хроматиды 1 содержатся в левой дочерней клетке, а хроматиды 2 – в правой. Это означает окончание мейоза первого деления.

В конце первого деления мейоза пара хромосом разделилась, и хромосома, состоящая из двух родственных хроматид, перемещается в каждую из дочерних клеток. Родственные хроматиды удерживаются вместе в центромере. Каждая из двух дочерних клеток теперь вступает в фазу второго деления мейоза.

Две дочерние клетки вступают в фазу мейоза II, как показано на верху второго столбца. Профаза показана на схеме 2a. И в этом случае мы видим здесь центриоли (F) и цитоплазму (E), которые надо раскрасить светлым цветом. Родственные хроматиды 1 (H_1) находятся в левой клетке, а хроматиды 2 (H_2) – в правой. На схеме 2b хроматиды выстраиваются вдоль экватора каждой клетки. Затем кинетохоры разделяют эти хроматиды.

На схеме 2c показана анафаза в развитии, и хроматиды становятся здесь хромосомами. В левой клетке **хромосома 1 (I_1)** двигается к одному полюсу клетки, а **хромосома 2 (I_2)** – к другому. **Хромосомы 3 (I_3)** и **4 (I_4)** разделяются во второй клетке. В телофазе на схеме 2d видны четыре клетки, образовавшиеся в результате цитокинеза. Каждая клетка является гаплоидной, то есть она содержит единственную хромосому из первоначальной пары хромосом. Вспомните, что мы начинали с двух хромосом. Теперь, на последней схеме, каждая клетка имеет одну хромосому из первоначальной пары. У мужчины эти клетки развиваются дальше, становясь сперматозоидами, а у женщины одна из этих клеток становится яйцеклеткой.

Мейоз связан с половым размножением у растений и животных. При оплодотворении гаплоидные клетки соединяются, образуя диплоидную клетку. У животных гаплоидная фаза очень короткая, но у некоторых растений она превышает диплоидную фазу, как это будет показано в главах, посвященных биологии растений.

Мейоз

Первое деление мейоза	A
Второе деление мейоза	B
Ядро	C
Ядрышко	D
Цитоплазма	E
Центриоли	F
Гомологичная хромосома 1	G_1
Гомологичная хромосома 2	G_2
Родственные хроматиды 1	H_1
Родственные хроматиды 2	H_2

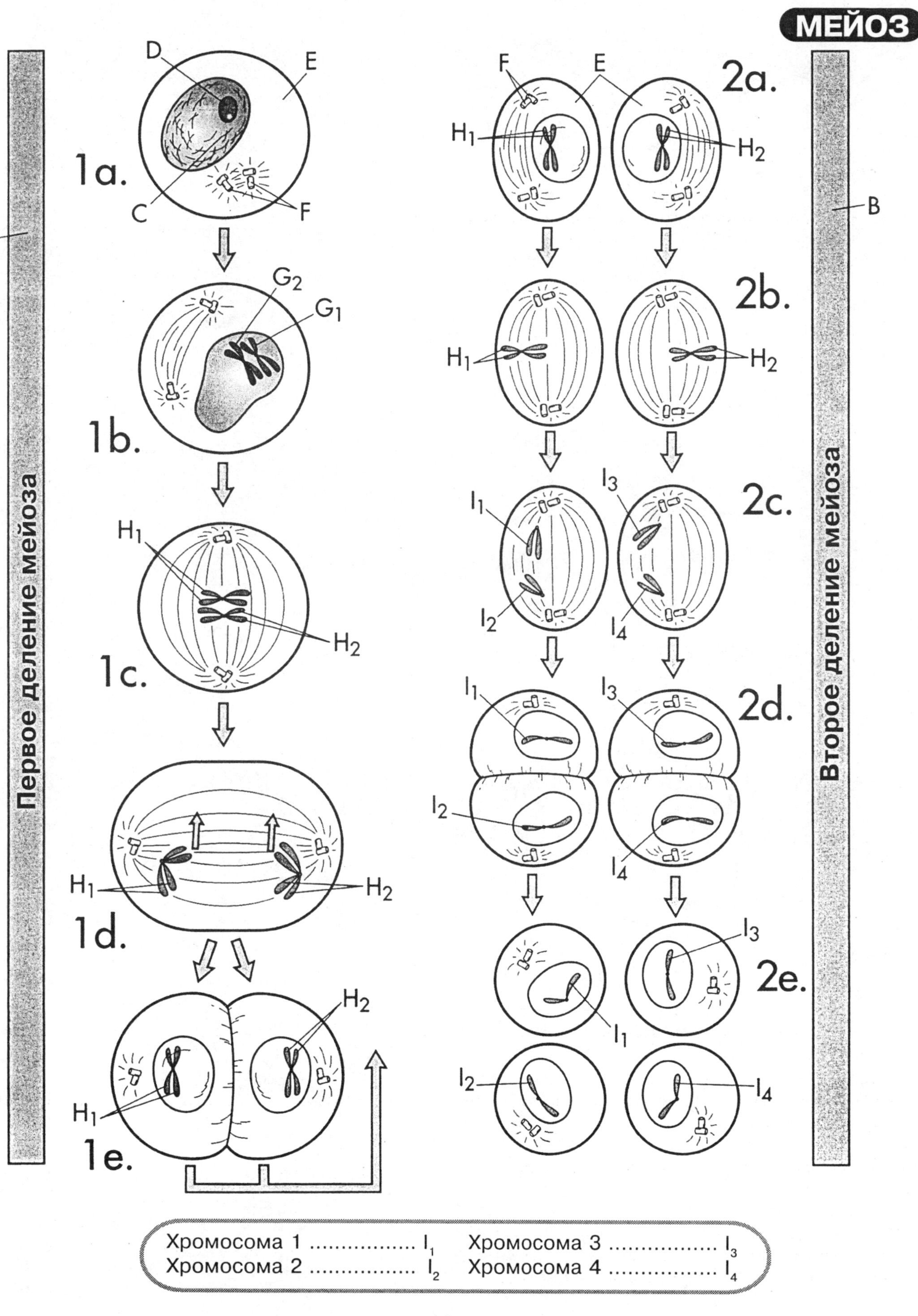

Хромосома 1 .... I_1 Хромосома 3 .... I_3
Хромосома 2 .... I_2 Хромосома 4 .... I_4

ГЛАВА 3

Основы генетики

Глава 3-1: Генетика Менделя

Законы генетики были открыты Грегором Менделем в 1860-е годы. Два основных закона Менделя определяют, как гены передаются из поколения в поколение. В этой главе представлены основные положения этих законов.

> Эта глава является первой в разделе, посвященном генетике. В ней мы расскажем об эксперименте Менделя с семенами гороха. Мы познакомим вас с некоторыми терминами генетики и покажем, как Мендель пришел к открытию двух основных законов этой области биологии.

Грегор Мендель провел ряд экспериментов с обыкновенным горохом. Эти растения были всегда у Менделя под рукой, и их было очень легко вырастить. И другие ученые тоже изучили особенности их размножения.

Мендель начал работу с изучения двух типов семян (горошин): **желтых (A)** и **зеленых (B)**. Когда он посадил желтое семя, из него выросло растение с **желтыми горошинами (C)**, а когда он посадил зеленое семя, из него выросло **растение с зелеными горошинами (D)**. Первое поколение растений с желтыми горошинами и растений с зелеными горошинами получило название родительского поколения, или поколения P_1.

> На этом этапе у Менделя было два типа растений: одно, давшее желтые семена (горошины), и одно, давшее зеленые семена. Когда вы раскрасите рисунок, продолжайте читать дальше.

В своем следующем эксперименте Мендель «скрестил» растение с желтыми горошинами и растение с зелеными горошинами. Такое скрещивание называется моногибридным. При моногибридном скрещивании родительские растения отличаются только одним признаком. В данном случае этим признаком является цвет семян.

Потомство родительского поколения называется **поколением F_1 (E)**. Это поколение показано на среднем рисунке. Назовем это растение **растением поколения F_1 (F)**. Все семена растения из поколения F_1 были желтыми. Это означало, что признак зеленой окраски почему-то не проявился. Горошины растения из поколения F_1 рекомендуем раскрасить желтым (A) цветом.

Мендель пришел к следующему выводу: поскольку семена поколения F_1 не имели признаков окраски обоих родителей, и так как все получившиеся семена имели желтую окраску, то признак желтой окраски был проявленным, или доминантным, а признак зеленой окраски – непроявленным, или рецессивным. На этом этапе экспериментов Мендель не был уверен, исчез ли полностью фактор, порождающий признак зеленой окраски.

> Все растения поколения F_1, полученные Менделем, имели желтые семена. Он предположил, что желтая окраска доминирует над зеленой. Чтобы понять, что произошло, Мендель действовал следующим образом. Продолжайте читать и раскрашивайте рисунок.

В своем следующем эксперименте Мендель скрестил между собой растения поколения F_1. Получилось **поколение F_2 (G)**. Раскрасьте рамку, выделяющую на рисунке это поколение. Мендель обнаружил нечто удивительное: у **растения из поколения F_2 (H)** бóльшая часть горошин была желтой (A) окраски, однако имелось и некоторое количество горошин зеленого (B) цвета. Признак зеленой окраски вновь проявился!

Мендель тщательно пересчитал количество желтых и зеленых горошин растения из поколения F_2 и обнаружил следующее: примерно три четверти семян были желтыми, а около одной четверти семян были зелеными. Другими словами, соотношение цветов желтого и зеленого было 3:1.

Проведя сотни подобных экспериментов, Мендель сделал вывод, что каждый наследственный признак определяется двумя факторами, которые в настоящее время мы называем генами. Мендель предположил, что каждая родительская особь передает один ген, определяющий признак. Эти альтернативные формы генов называются аллелями. Таким образом, в каждом гене содержатся две аллели. Если обе аллели одинаковые, то говорят, что особь является гомозиготной по данному признаку, а если особь имеет две разные аллели, тогда говорят, что особь является гетерозиготной по данному признаку, или гибридом.

Формулируя свой первый закон (закон расщепления), Мендель дополнительно предположил, что аллели расходятся, или расщепляются, во время формирования спермиев и яйцеклеток у растений и сперматозоидов и яйцеклеток у животных. Он также установил, что каждая пара аллелей расходится независимо от других пар аллелей. Свой второй закон Мендель назвал законом независимого расхождения.

Генетика Менделя

Желтая горошина .... A
Зеленая горошина .... B
Растение с желтыми горошинами C
Растение с зелеными горошинами .... D
Поколение F_1 .... E
Растение из поколения F_1 .... F
Поколение F_2 .... G
Растение из поколения F_2 .... H

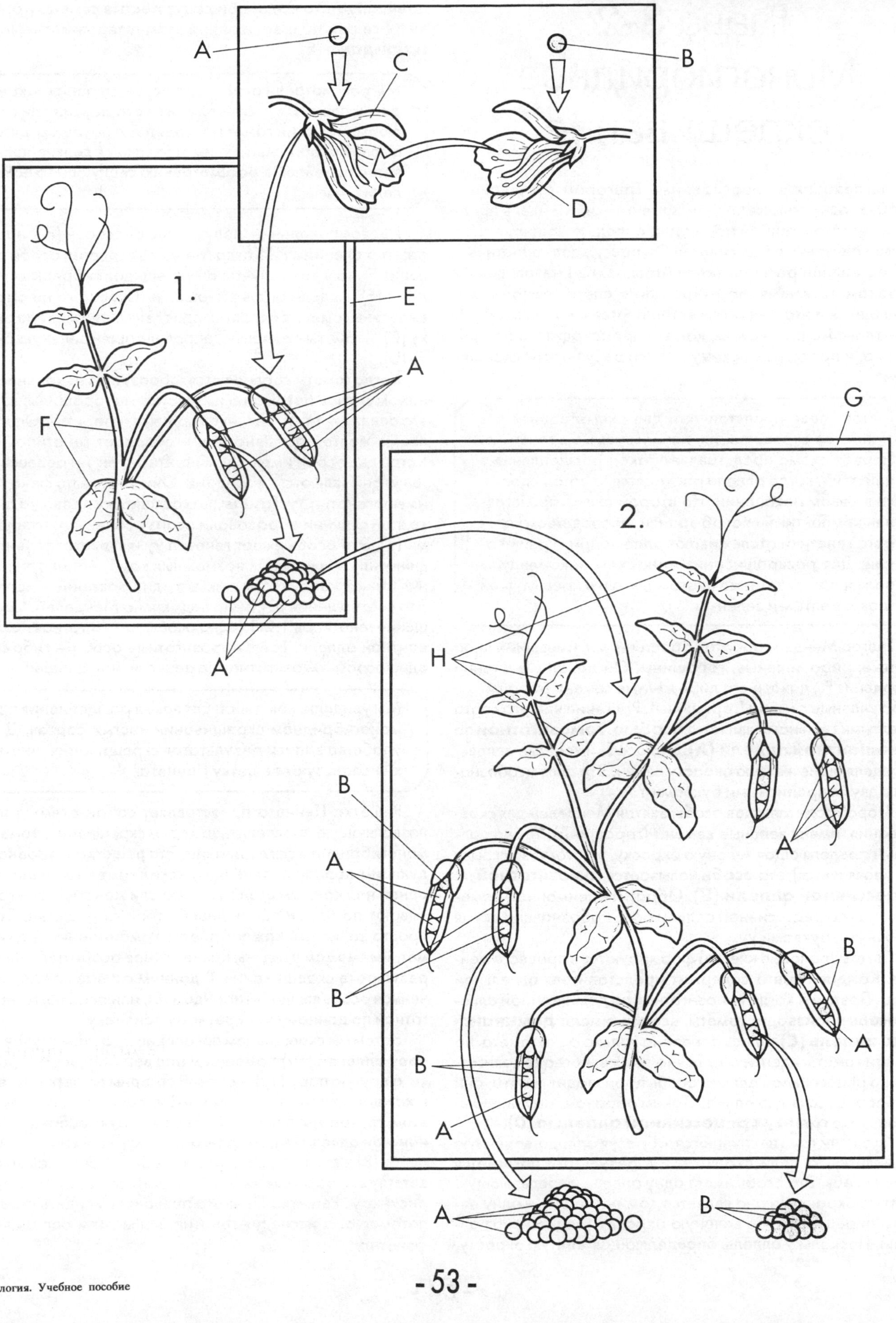

A
B
C
D
1.
E
A
F
A
G
2.
H
B
A
B
A
B
A
B
A
A
B

Глава 3-2: Моногибридное скрещивание

Исследования, проведенные Грегором Менделем в 1860-е годы, заложили основу генетики. Мендель предположил, что в генной паре одна аллель доминирует над другой аллелью, рецессивной. Он рассуждал теоретически, что аллели расщепляются (расходятся) независимым образом во время формирования сперматозоидов и яйцеклеток и что они опять встречаются в новой особи. В этой главе мы расскажем, как это происходит у растений гороха, и представим схему записи результатов скрещивания.

В этой главе представлены две схемы записи результатов скрещивания, используемые в генетике. Первая схема представляет закон расщепления в действии, когда аллели расходятся, а потом сходятся в новом поколении. На второй схеме представлен компактный способ записи, посредством которого генетики отслеживают аллели при скрещивании. Для раскрашивания этих схем рекомендуем пользоваться теми же цветами, что и в предыдущей главе: желтым и зеленым.

Грегор Мендель работал с растениями, имевшими либо желтые, либо зеленые, горошины. Он начал с растений поколения P_1, дававшего либо желтые семена (горошины), либо зеленые семена (горошины). Растение чистого сорта с желтыми семенами является **особью**, **гомозиготной** по **доминантной аллели (A)**. Эта особь имеет две аллели, определяющие желтую окраску семян. Эти аллели обозначены двумя прописными буквами YY.

Вторая родительская особь, взятая Менделем для скрещивания, имеет зеленые семена (горошины). Так как аллель, определяющая зеленую окраску, у потомства скрыта (не проявляется), эта **особь** называется **гомозиготной** по **рецессивной аллели (B)**. Обратите внимание – гомозиготная по рецессивной аллели особь обозначена двумя строчными буквами yy.

Гаметы (половые клетки) формируются в процессе мейоза. Каждая гамета содержит представителя аллельной пары. Поэтому, когда гомозиготная по доминантной аллели особь производит гаметы, все они имеют **доминантную аллель (C)**. Здесь показана только одна гамета, но все эти гаметы идентичны. Точно так же, когда гомозиготная по рецессивной аллели особь производит гаметы, они имеют рецессивную аллель. Таким образом, мы показали на рисунке **гамету с рецессивной аллелью (D)**.

Когда эти гаметы сливаются, образуя оплодотворенную яйцеклетку, аллели сходятся, и в результате появляется новая особь. Эта особь имеет одну аллель, определяющую желтую окраску (и она является доминантной), и одну аллель, определяющую зеленую окраску (рецессивная аллель). Поскольку аллель, определяющая желтую окраску, доминирует, то все особи дадут желтые семена (горошины). Все они называются при этом гетерозиготными, или **гибридами (E)**.

Мы рассмотрели основу для осуществления закона расщепления, в соответствии с которым аллели при формировании гамет расходятся, а потом сходятся в новой особи. Мы изучим этот закон в дальнейшем, когда перейдем к рассмотрению следующего поколения.

Первое поколение, полученное от особей (P_1), называется поколением F_1. Когда Мендель скрестил особи поколения F_1, то в этом случае он скрещивал гибриды с гибридами (E). Аллели опять разошлись. Скобками на рисунке выделены гаметы с аллелью, определяющей желтую окраску (C), и гаметы с аллелью, определяющей зеленую окраску (D).

Когда гаметы соединяются, образуется поколение F_2. В одном случае потомство имеет желтые горошины, так как его аллели – YY. У генетиков принято говорить: «Особь является желтой по фенотипу и обладает генотипом YY». Когда две особи имеют доминантный ген Y и рецессивный ген y, они являются гибридами. Они желтые по фенотипу и имеют генотип Yy. Гаметы, находящиеся справа на рисунке, при слиянии образовали особь с зелеными горошинами (B). Эта особь имеет генотип yy и является зеленой по фенотипу. Из четырех возможных комбинаций три растения имеют желтые горошины, а одно растение – зеленые. Это соотношение 3:1 было подмечено Менделем. Соотношение генотипов 1:2:1 (одна особь, гомозиготная по доминантной аллели, две гетерозиготные особи – гибриды, и одна особь, гомозиготная по рецессивной аллели).

Мы увидели, как действует закон расщепления при моногибридном скрещивании чистых сортов. Для удобства записи результатов скрещивания генетики используют решетку Пеннета.

Решетка Пеннета представляет собой схему записи, позволяющую проследить за ходом скрещивания гамет при моногибридном скрещивании. Эта решетка устроена следующим образом: аллели мужских гамет записывают по одной над каждым столбцом. Аллели женских гамет записывают по одной вдоль левой стороны решетки. Затем, просто записав в каждой клетке комбинацию из двух гамет, мы сможем увидеть, какие четыре особи получаются в результате скрещивания. В данном случае каждая полученная особь является гибридом (E), или особью, гетерозиготной по данному конкретному признаку.

Затем мы скрещиваем поколение F_1. В этом случае одну пару аллелей (Yy) помещаем над верхней частью решетки, а другую пару (Yy) – с левой стороны решетки. А теперь в каждой клетке запишем комбинацию из двух гамет. В этом случае мы получаем гомозиготную особь по доминантной аллели (A), гомозиготную по рецессивной аллели особь (B) и две гетерозиготные особи (E). Этот набор соответствует соотношению 1:2:1, записанному под левым рисунком. Решетка Пеннета позволяет увидеть генотипы потомства, а исследуя генотип, мы можем определить и фенотип.

МОНОГИБРИДНОЕ СКРЕЩИВАНИЕ

Скрещивание чистых сортов

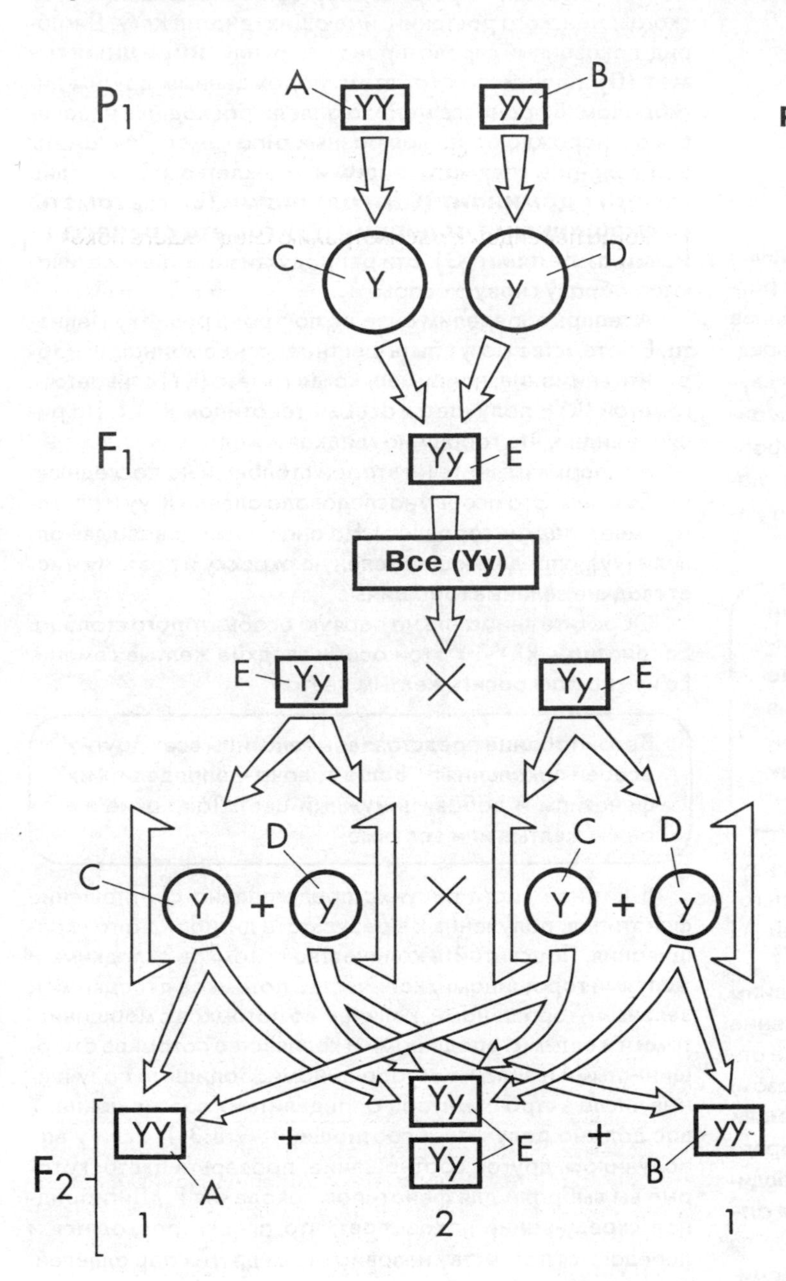

Решетка Пеннета

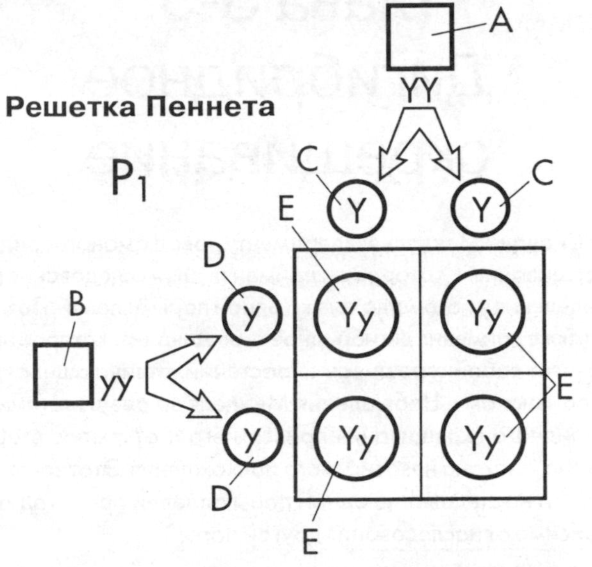

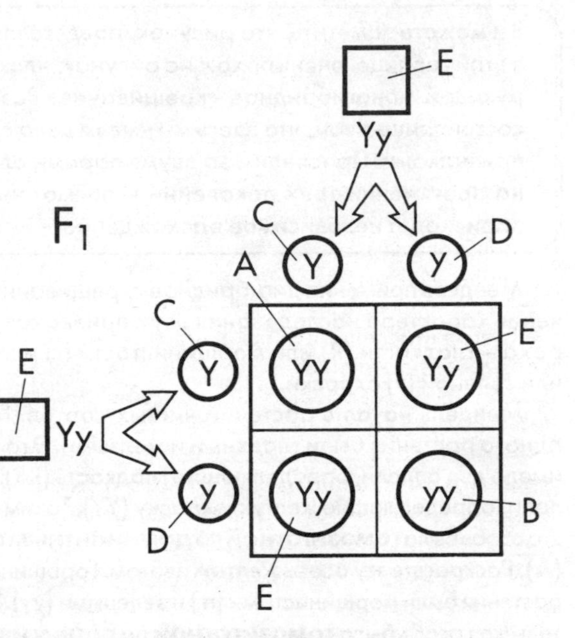

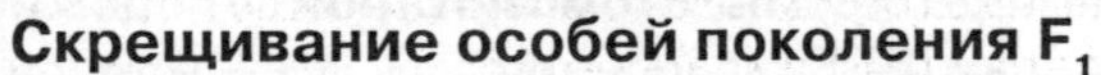
Скрещивание особей поколения F_1

Моногибридное скрещивание

Особь, гомозиготная по доминантной аллели .... A
Особь, гомозиготная по рецессивной аллели .... B
Гамета с доминантной аллелью C
Гамета с рецессивной аллелью .... D
Гетерозиготная особь (гибрид) .... E

Глава 3-3: Дигибридное скрещивание

Сначала Мендель экспериментировал с моногибридным скрещиванием, которое он применял для исследования распределения у потомства только одной пары аллелей. Позднее он также применил дигибридное скрещивание, которое представляет собой скрещивание растений, отличающихся двумя признаками. Наблюдения Менделя за результатами дигибридного скрещивания привели его к открытию второго закона – закона независимого расхождения. Этот закон гласит, что наследование одной пары аллелей происходит независимо от наследования другой пары.

Вы можете заметить, что рисунок, представленный в этой таблице, очень похож на рисунок, иллюстрирующий моногибридное скрещивание. Различие состоит лишь в том, что здесь мы имеем дело с двумя признаками. Проследим за двумя парами аллелей на протяжении трех поколений и посмотрим, как происходит независимое расхождение.

Мендель применил дигибридное скрещивание для изучения характера наследования двух признаков семян гороха – гладкости (R) или морщинистости (r) и желтой (Y) или зеленой (y) окраски.

Мендель начал с растений чистых сортов. Горошины одного растения были гладкими и желтыми. Это растение имело две аллели, определяющие гладкость (RR), и две аллели, определяющие желтую окраску (YY). Таким образом, эта особь была **гомозиготной** по **доминантным аллелям (A)**. Раскрасьте эту особь желтым цветом. Горошины второго растения были морщинистыми (rr) и зелеными (yy). Эта родительская особь была **гомозиготной** по **рецессивным аллелям (B)**. Раскрасьте эту особь зеленым цветом.

Когда Мендель скрестил особи, гомозиготные по доминантным аллелям, с особями, гомозиготными по рецессивным аллелям, он получил ряд **гетерозиготных особей (C)**, или гибридов. Все особи поколения F_1 имели гладкие желтые семена, так как каждая из них унаследовала от родительских особей одну аллель, определяющую гладкость, и одну аллель, определяющую желтую окраску. Обе эти аллели являются доминантными. На этом этапе скрещивания рецессивные аллели не проявились. Все особи имеют генотип RrYy и являются гладкими и желтыми по фенотипу.

Мы рассмотрели, как были получены особи, гетерозиготные по двум признакам. А теперь посмотрим, что получится, если один дигибрид скрестить с другим дигибридом. Продолжайте читать, обращая внимание на нижнюю часть рисунка.

Потом Мендель провел дигибридное скрещивание мужского и женского растений, имеющих генотип RrYy. Дигибрид, показанный справа, произвел группу **гибридных гамет (D)**, идентичных гаметам, порожденным другим дигибридом. В процессе мейоза аллели расходятся независимо и порождают четыре разных типа гамет. Эти гаметы эквивалентны сперматозоидам и яйцеклеткам. Это – одна **гамета с доминантными аллелями (E)**, две **гаметы со смешанными аллелями (F)** и **гамета с рецессивными аллелями (G)**. Эти репродуктивные клетки сливаются, образуя новую особь.

А теперь определим аллели, построив решетку Пеннета. В потомстве могут быть шестнадцать комбинаций. Обратите внимание: например, когда гамета (RY) сливается с гаметой (RY), получается особь с генотипом RRYY. На рисунке видно, что горошина гладкая и желтая.

А теперь взгляните на второй столбец и на последнюю особь в нем. Эта особь унаследовала аллели Rryy и поэтому имеет гладкие горошины. Но она унаследовала две аллели (yy), определяющие зеленую окраску и поэтому имеет гладкие зеленые горошины.

Обратите внимание на первую особь второго столбца. Ее генотип – RRYy. У этой особи гладкие желтые семена. Ее нужно раскрасить желтым цветом.

В этой таблице представлены генотипы всех других особей поколения F_2. Ваша задача – определить их фенотипы и добавить нужный цвет. Так какие же они – желтые или зеленые?

В нижней части рисунка представлено соотношение фенотипов, полученных в результате дигибридного скрещивания. Подсчитайте количество потомков с гладкими и желтыми горошинами, количество потомков с гладкими и зелеными горошинами, количество потомков с морщинистыми и желтыми горошинами и количество потомков с морщинистыми и зелеными горошинами. Запишите полученные числа в строчки, чтобы определить их соотношение. У вас должно получиться соотношение 9:3:3:1. Если у вас получилось другое соотношение, проверьте цвета, которые вы выбрали для фенотипов поколения F_2. Дигибридное скрещивание показывает, что аллели расходятся и передаются потомству независимо от других пар аллелей.

Дигибридное скрещивание

Особь, гомозиготная по доминантным аллелям .... A
Особь, гомозиготная по рецессивным аллелям .... B
Гетерозиготная особь (гибрид) C
Гибридные гаметы .... D
Гамета с доминантными аллелями .... E
Гамета со смешанными аллелями .... F
Гамета с двумя рецессивными аллелями .... G

ДИГИБРИДНОЕ СКРЕЩИВАНИЕ

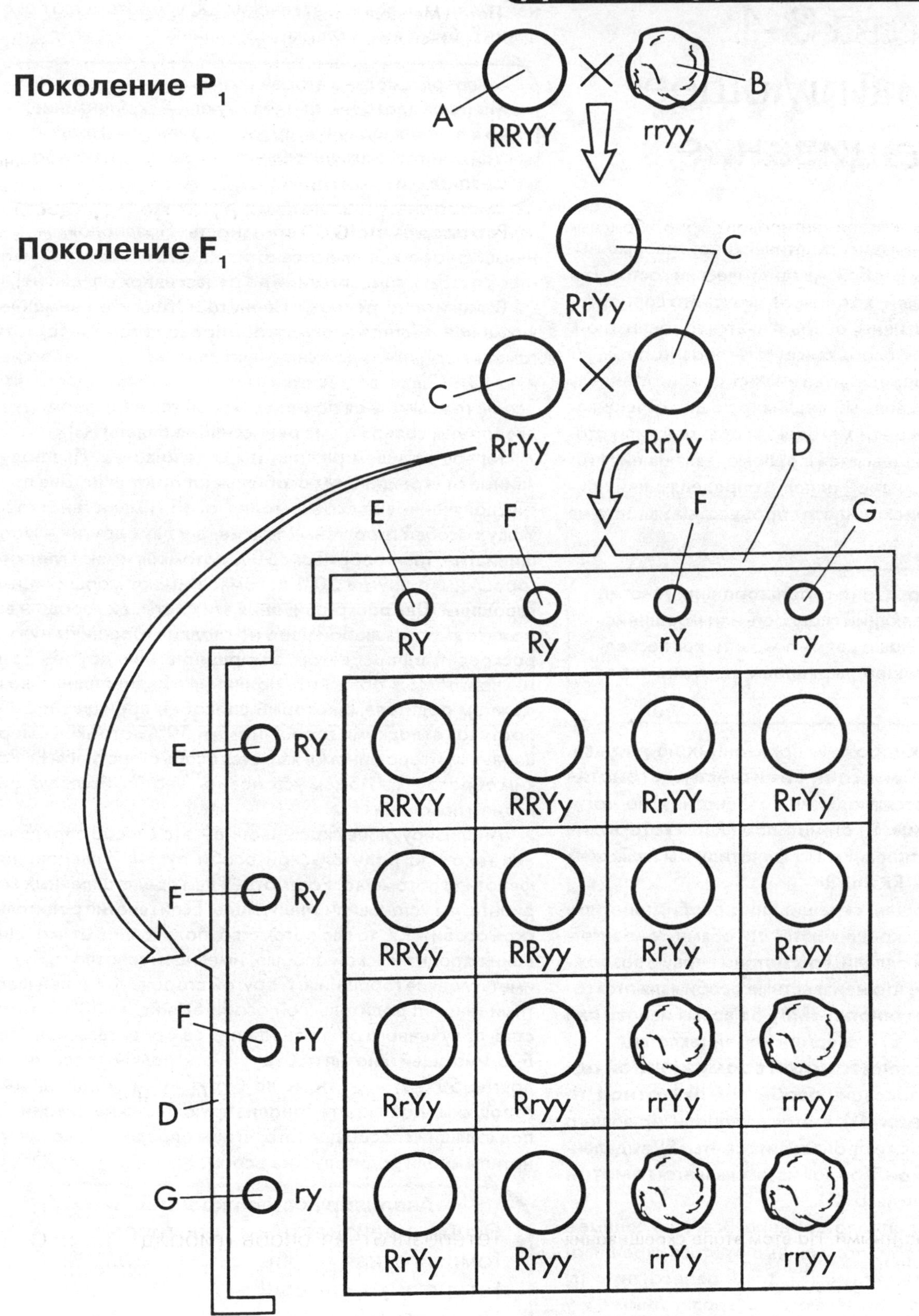

Фенотипы

Гладкая, желтая: ___________

Гладкая, зеленая: ___________

Морщинистая, желтая: ________

Морщинистая, зеленая: _______

Глава 3-4: Анализирующее скрещивание

Для того чтобы проводить генетические эксперименты, важно знать генотипы особей, их генетический состав. Ген состоит из двух аллелей, которые являются его вариантами. Если аллели идентичны, особь является гомозиготной. Если аллели различны, особь является гетерозиготной.

Для того чтобы определить генотип особи, Мендель применил метод, называемый анализирующим скрещиванием. В соответствии с эти методом особь, генотип которой неизвестен, скрещивается с особью, являющейся гомозиготной по рецессивной аллели, определяющей признак. О том, как происходит этот процесс, вы узнаете из этой главы.

В этой таблице показана горсть горошин, генотип которых, определяющий гладкость или морщинистость, неизвестен. Наша цель – показать, как посредством анализирующего скрещивания можно определить их генотипы.

Начнем с гладких горошин, показанных на рисунке. Они представляют собой **особи с неизвестным генотипом (A)**. Они являются гладкими по фенотипу, но могут быть **гомозиготными (B)** с генотипом RR или **гетерозиготными (C)** с генотипом Rr. По фенотипу мы не можем определить генотип – RR или Rr.

При анализирующем скрещивании особи, генотипы которых неизвестны, скрещиваются с особями, гомозиготными по рецессивной аллели. Рассмотрим первую возможность. Предположим, что неизвестные особи являются гомозиготными и имеют генотип RR(B). Во время мейоза они формируют **гаметы (E)** – спермии или яйцеклетки.

Каждая клетка является **гаметой с доминантной аллелью (F)**. Справа показана **особь, гомозиготная по рецессивной аллели (D)**, взятая для анализирующего скрещивания. Она также производит гаметы (E), выделенные на рисунке скобкой. Каждая из них является **гаметой с рецессивной аллелью (G)**.

Итак, происходит оплодотворение. Все, записанные в решетке Пеннета особи, полученные от этого скрещивания, имеют как доминантную (R), так и рецессивную (r) аллели. Все четыре особи являются гетерозиготными, и у всех гладкие горошины. Вы можете выбрать для этих четырех горошин любой цвет, но он должен быть для всех одинаковым. Таким образом, единственно возможный результат этого скрещивания – растения с гладкими горошинами. Отсюда мы можем сделать следующий вывод: если неизвестная особь имеет генотип RR, все потомство поколения F_1 будет иметь гладкие горошины.

Теперь рассмотрим второй возможный генотип – Rr. Мы опять проводим анализирующее скрещивание, но в этот раз получим другие результаты. Продолжайте читать дальше, следите по рисунку и раскрашивайте его.

Рассмотрим вторую вероятность. Предположим, что неизвестная особь имеет генотип Rr. Эта особь скрещивается с особью, гомозиготной по рецессивной аллели (rr).

Взгляните на решетку Пеннета. Обратите внимание, какие неизвестная особь сформировала гаметы (E). Эти гаметы могут иметь доминантную аллель (F) или рецессивную (G). Слева от решетки Пеннета можно видеть, что особь, гомозиготная по рецессивной аллели, формирует две гаметы, содержащие рецессивные аллели (G).

Теперь запишем результаты скрещивания. Две полученные от скрещивания особи имеют генотип Rr. Две другие, полученные от скрещивания, особи имеют генотип rr. У двух особей горошины гладкие, а у двух других – морщинистые. Таким образом, 50% потомков имеют гладкие горошины, а другие 50% потомков имеют морщинистые горошины. Для раскрашивания этих четырех горошин вы можете выбрать любой цвет, но гладкие горошины нужно раскрасить одним цветом, а морщинистые – другим. Если мы попытаемся объяснить причину, то единственно возможным родителем, который способен произвести 50% потомков с гладкими горошинами и 50% потомков с морщинистыми горошинами, является особь с генотипом Rr. Таким образом, мы можем установить генотип, исследуя фенотипы поколения F_1.

Анализирующее скрещивание – это способ определения генотипа родительской особи путем исследования фенотипа потомства. Рассмотрев два представленных варианта, мы установили следующее. Если генотип родительской особи – RR, то все потомство, полученное от скрещивания с родительской особью, имеющей генотип rr, будет иметь гладкие горошины. С другой стороны, если неизвестный генотип родительской особи был Rr, то 50% потомства, полученного от скрещивания ее с родительской особью, имеющей генотип rr, будут иметь гладкие горошины, а другие 50% этого потомства будут иметь морщинистые горошины. Как видите, анализирующее скрещивание – подходящий способ для того, чтобы определить, какие генотипы имели родительские особи.

Анализирующее скрещивание

Особи с неизвестным генотипом ...... A
Гомозиготная особь .... B
Гетерозиготная особь C
Особь, гомозиготная
по рецессивной аллели .... D
Гаметы .... E
Гамета с доминантной аллелью .... F
Гамета с рецессивной аллелью .... G

АНАЛИЗИРУЮЩЕЕ СКРЕЩИВАНИЕ

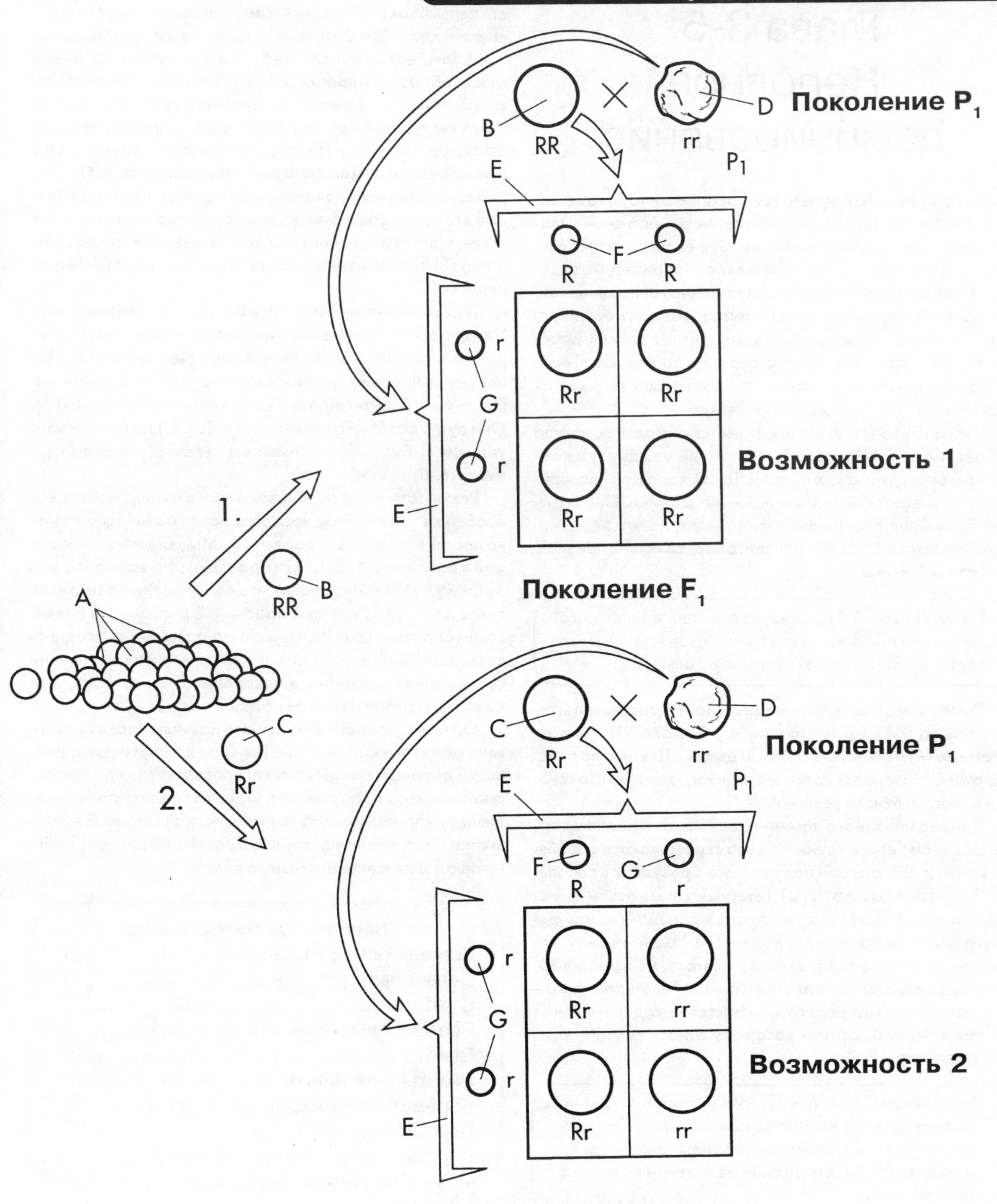

Глава 3-5: Неполное доминирование

В экспериментах Менделя с растениями гороха доминантная аллель подавляет проявление рецессивной аллели. Гетерозиготное потомство имеет фенотипы, определяющиеся только доминантной аллелью. Например, мы видели, что желтая окраска горошин доминирует над зеленой, а гладкая поверхность семян доминирует над морщинистой. У гетерозиготных особей доминантные аллели, определяющие гладкость и желтую окраску, проявляются, если имеются эти аллели, а аллели, определяющие морщинистость и зеленую окраску, не проявляются.

Иногда бывает так, что проявляются обе аллели, и тогда гибрид имеет фенотип, промежуточный между двумя фенотипами родительских особей. Такой характер наследования называется неполным доминированием. Оно вызывает взаимное смешивание фенотипов, но это не истинное смешивание, так как аллели, определяющие признак, не были изменены.

> В этой главе мы будем изучать явление неполного доминирования у цветков львиного зева. Начните с верхней части рисунка и читайте дальше.

Львиный зев имеет два чистых сорта. У **красного львиного зева (A)** красные цветки, а у **белого (B)** – белые. **Стебель (C)** раскрасьте зеленым цветом. Для начала предположим, что генотип красного львиного зева — RR, а генотип белого львиного зева – WW.

Пример неполного доминирования можно наблюдать, когда особи белого львиного зева скрещиваются с особями красного. Все особи полученного в результате поколения F_1 **розового цвета (D)**. Гетерозиготные особи имеют фенотипы, которые являются промежуточными между фенотипами двух растений – родителей. Имейте в виду, что аллели, определяющие окраску цветков, не изменились, даже если фенотип является смешанным. Генотип потомка – RW, так что это гетерозиготное растение содержит ген от каждого чистого сорта, к которому относятся родительские растения.

> Как мы уже говорили, в случаях неполного доминирования аллели у потомства не изменялись. Это проявится, когда мы скрестим гибриды поколения F_1. Продолжайте читать дальше и смотрите на вторую часть рисунка.

Когда скрещиваются две особи розового львиного зева, вы можете предсказать фенотипы поколения F_2, если знаете первый закон Менделя – закон расщепления. Мы скрещиваем два гибрида розового львиного зева, являющихся представителями поколения F_1. Львиный зев, показанный слева, образует в процессе мейоза спермии, и эти **гаметы (E)** показаны слева. Они выделены скобкой. Одна из гамет является **гаметой с аллелью, определяющей красную окраску (F)**, а другая гамета – это **гамета с аллелью, определяющей белую окраску (G)**. Над решеткой Пеннета показаны яйцеклетки, сформированные второй особью львиного зева, и здесь снова присутствует одна гамета с аллелью, определяющей красную окраску (F), и одна гамета с аллелью, определяющей белую окраску (G).

Теперь мы можем записать результаты скрещивания. Первая особь, полученная от этого скрещивания, будет иметь генотип RR, и это будет красный львиный зев (A). Две полученные особи будут иметь генотип RW – такой же, как и у их родителей, принадлежащих к поколению F_1. Они будут особями розового цвета (D). Одна особь из поколения F_2 будет белым львиным зевом (B), и она будет иметь генотип WW.

Результаты этого скрещивания показывают, что аллели особей не изменились, несмотря на то что ни одна из них не проявилась явно в поколении F_1. Мы увидели соотношение генотипов 1:2:1, которое можно записать как 1RR:2RW:1WW. Интересно, что соотношение фенотипов такое же – 1:2:1, то есть 1 красный, 2 розовых и 1 белый. Таким образом, соотношения генотипа и фенотипа одинаковы. (Вспомните, что при моногибридном скрещивании соотношение генотипов в поколении F_2 было 1:2:1, в то время как соотношение фенотипов было 3:1.)

Одним из примеров неполного доминирования у человека может служить болезнь Тея-Сакса. Индивидуум, имеющий две рецессивные аллели, проявляет симптомы этого генетического расстройства. Однако гетерозиготный индивидуум проявляет слабовыраженные симптомы. Это указывает на то, что присутствие доминантной аллели не полностью подавляет рецессивную аллель.

Неполное доминирование

Красный львиный зев .... A
Белый львиный зев .... B
Стебель C
Розовый львиный зев .... D
Гаметы .... E
Гаметы с аллелью, определяющей красную окраску .... F
Гаметы с аллелью, определяющей белую окраску .... G

НЕПОЛНОЕ ДОМИНИРОВАНИЕ

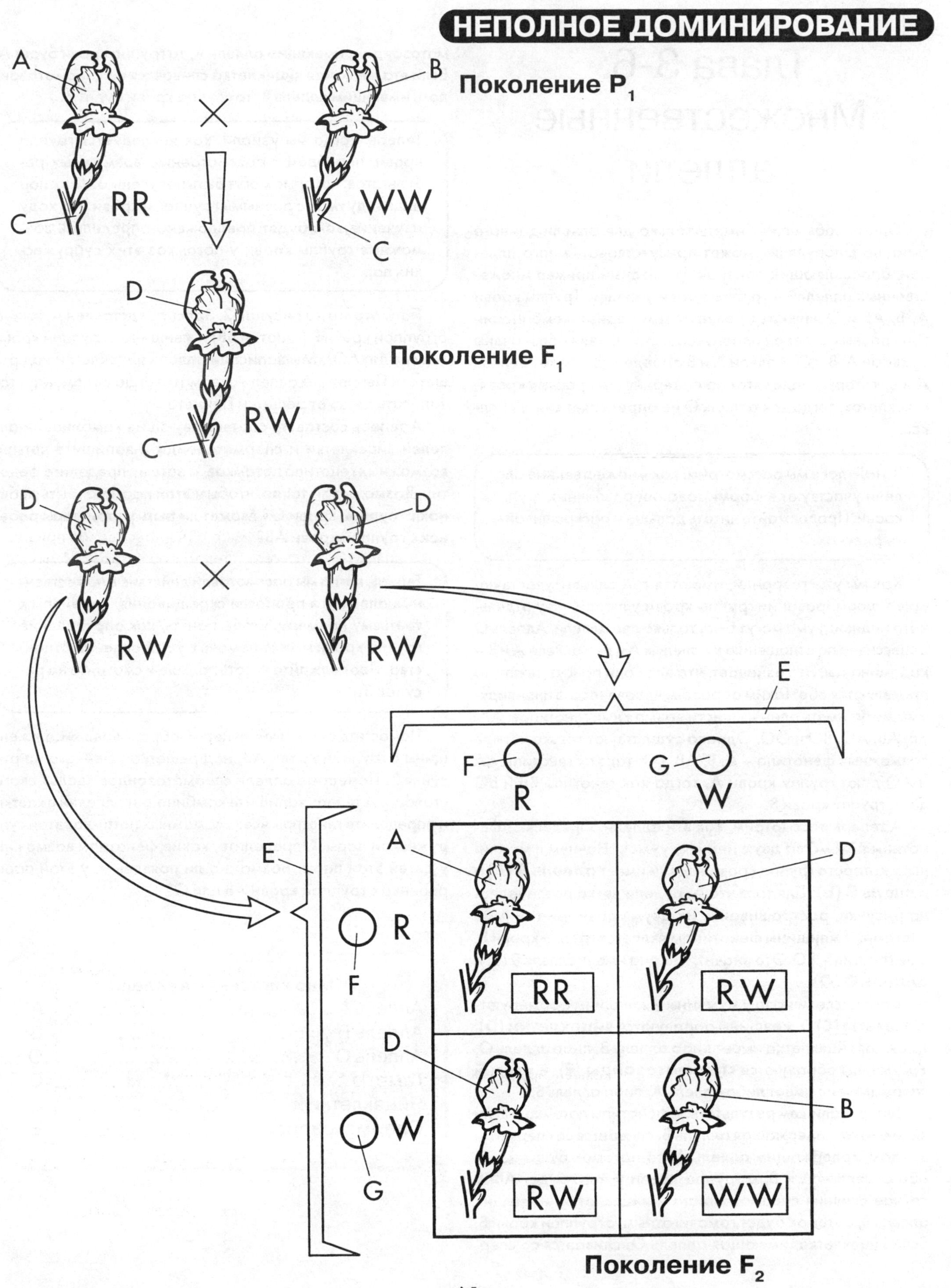

Глава 3-6: Множественные аллели

Одна особь может иметь только две аллели данного типа, но в популяции может присутствовать много аллелей, определяющих признак. Наглядный пример множественных аллелей – группы крови у людей. Группы крови А, В, АВ и О являются результатом парных комбинаций трех разных аллелей одного гена. Эти аллели обозначены буквами А, В и О. Аллели А и В определяют синтез белков А и В, которые находятся на поверхности красных кровяных клеток, тогда как аллель О не определяет синтез белков.

В этой главе мы рассмотрим, как множественные аллели участвуют в формировании различных групп крови. Продолжайте читать дальше и раскрашивайте рисунок.

Как мы уже говорили, имеются три аллели, участвующие в формировании группы крови у людей, но у отдельного индивидуума могут быть только две аллели. Аллель О рецессивна по отношению к аллелям А и В, а аллели А и В – кодоминанты. Это означает, что если они присутствуют, то проявляются обе. Таким образом, человеческие индивидуумы могут иметь один из шести возможных генотипов: АА, ВВ, АВ, АО, ВО и ОО. Однако существуют только четыре возможных фенотипа – А, В, АВ и О, так как генотипы АА и АО дают группу крови А, тогда как генотипы ВВ и ВО дают группу крови В.

А теперь рассмотрим, как эти аллели определяют фенотипы потомства двух индивидуумов. Начнем с мужчины, у которого группа крови АВ. Он имеет **аллель А (А)** и **аллель В (В)**. Для того чтобы аллели четко различались на рисунке, раскрашивайте их двумя разными темными цветами. У женщины фенотипом является группа крови В, а ее генотип – ВО. Это значит, что она имеет аллель В (В) и **аллель О (О)**.

В процессе мейоза у мужчины и женщины формируются **гаметы (С)**. У женщины образуются **яйцеклетки (D)**, и каждая яйцеклетка имеет либо аллель В, либо аллель О. У мужчины образуются **сперматозоиды (Е)**, и каждый сперматозоид имеет либо аллель А, либо аллель В.

Теперь запишем результаты – фенотипы потомков. Если яйцеклетка, содержащая аллель В, сливается со сперматозоидом, содержащим аллель А, то потомок будет иметь обе аллели – А и В, а группа крови у него будет АВ. В случае слияния сперматозоида и яйцеклетки, имеющих аллель В, потомок будет гомозиготным, с группой крови В. Если яйцеклетка, имеющая аллель О, сливается со сперматозоидом, имеющим аллель А, то группа крови будет А. Если эта же самая яйцеклетка сливается со сперматозоидом, имеющим аллель В, то группа крови будет В.

Теперь, когда мы узнали, как наследуется группа крови, перейдем к рассмотрению возможных результатов, которые могут быть получены от двух пар индивидуумов с разными группами крови. По ходу изучения вам будет предложено определить возможные группы крови у потомков этих супружеских пар.

Посмотрите на рисунок 2. Здесь представлен мужчина с группой крови В (генотип ВВ) и женщина с группой крови А (генотип АО). Мы записали аллели яйцеклетки над решеткой Пеннета. А аллели сперматозоида рекомендуется записать слева от решетки Пеннета.

А теперь составьте соответствующие комбинации аллелей яйцеклетки и сперматозоида и запишите четыре возможных генотипа потомков, а затем определите фенотип. Возможно ли такое, чтобы у этой пары мог быть ребенок с группой крови О? Может ли быть у этой пары ребенок с группой крови АВ?

Теперь, когда мы рассмотрели действие множественных аллелей в процессе скрещивания, перейдем к третьему примеру, чтобы понять, как определение группы крови может помочь в установлении отцовства. Продолжайте читать дальше и смотрите на рисунок 3.

Поместите аллели яйцеклетки, образовавшейся у женщины с группой крови АВ, над решеткой Пеннета на рисунке 3. Поместите аллели сперматозоидов вдоль левого столбца. А теперь запишите комбинации аллелей в клетки и определите генотипы всех возможных потомков этой супружеской пары. Определите, какие фенотипы возможны у детей этой пары. Возможно ли появление у этой пары ребенка с группой крови АВ или О?

Множественные аллели

Аллель А .... А
Аллель В .... В
Аллель О .... О
Гаметы .... С
Яйцеклетки .... D
Сперматозоиды .... Е

МНОЖЕСТВЕННЫЕ АЛЛЕЛИ

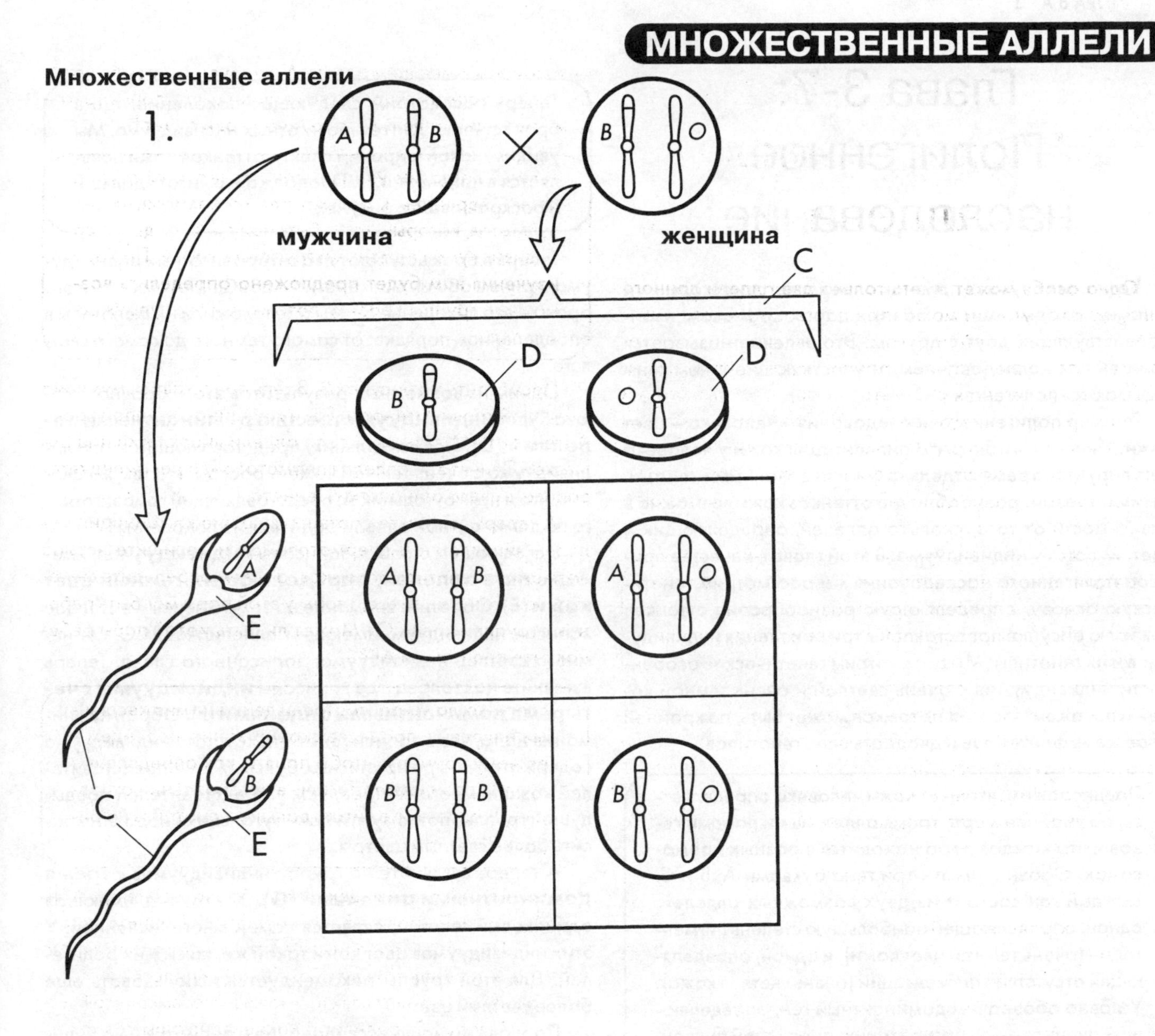

2.

B B × A O

A O яйцеклетка

сперматозоид

3.

O O × A B

яйцеклетка

сперматозоид

Глава 3-7: Полигенное наследование

Во многих случаях признак определяется несколькими генами, находящимися в разных парах хромосом, взаимодействующих друг с другом. Это явление называется полигенным наследованием, а участвующие в нем гены называются полигенами.

Пример полигенного наследования у человека – цвет кожи. Ученые считают, что пигментация кожи у человека регулируется тремя отдельно унаследованными генами. Таким образом, разнообразие оттенков кожи возможно в зависимости от того, сколько аллелей, определяющих и цвет, имеется у индивидуума. В этой главе в качестве примера полигенного наследования мы рассмотрим генетическую основу, определяющую разнообразие оттенков кожи. На рисунке представлены три поколения индивидуумов и их генотипы. Мы рассмотрим генетические особенности индивидуумов с очень светлой и очень темной кожей и покажем, что у их потомков может быть, по крайней мере, семь фенотипов и двадцать семь генотипов.

Предположим, что цвет кожи человека определяется, по крайней мере, тремя аллельными парами генов и что каждая пара находится в разных хромосомах. Обозначим эти три гена буквами А, В и С. Каждый ген состоит из двух возможных аллелей: одной, определяющей наибольшую степень пигментации (очень темный цвет кожи), и одной, определяющей отсутствие пигментации (очень светлая кожа). Условно обозначим доминантный ген, определяющий очень темную пигментацию прописной буквой, а рецессивный ген, определяющий отсутствие пигментации, – строчной буквой.

Начнем с фенотипа **индивидуума** с очень темной кожей, являющегося **гомозиготным по доминантным аллелям (А)**. Для раскрашивания этого прямоугольника пользуйтесь очень темным цветом. Этот индивидуум вступает в брак с **индивидуумом**, имеющим очень светлую кожу и являющимся **гомозиготным по рецессивным аллелям (В)**. Этот прямоугольник раскрасьте очень светлым цветом.

Каждый из родителей передает своему потомку аллели, определяющие пигментацию кожи. Родитель, гомозиготный по доминантным аллелям, передает аллели А, В и С, а родитель, гомозиготный по рецессивным аллелям, передает аллели а, в и с. Потомок является **гетерозиготным (С)**, имеющим три аллели, определяющие пигментацию, и три аллели, определяющие ее отсутствие. Его кожа будет иметь цвет, промежуточный по отношению к цвету кожи его родителей.

Теперь рассмотрим следующее поколение, где в брак вступают два гетерозиготных индивидуума. Мы увидим, какой широкий спектр оттенков кожи появляется в поколении F_2. Продолжайте читать дальше и раскрашивайте рисунок.

Теперь в брак вступают два гетерозиготных индивидуума, причем оба имеют генотип АаВвСс. Потомки от этого брака – это поколение F_2. Мы расположили их фенотипы в определенном порядке: от самого темного до самого светлого.

Одним из возможных результатов этого брачного союза будет **индивидуум с шестью доминантными аллелями (D)**. Прямоугольник, представляющий этого индивидуума с очень темной кожей, раскрасьте тем же цветом, что и прямоугольник А, представляющий гомозиготного по доминантной аллели родителя из поколения P_1.

В следующем столбце записаны **индивидуумы**, имеющие **пять аллелей, определяющих темный цвет кожи (Е)**. Обратите внимание на то, что первым в столбце записан индивидуум, имеющий аллели АаВВСС. Он немного светлее индивидуума, записанного слева. Теперь взгляните на столбец, где записаны **индивидуумы с четырьмя доминантными аллелями** (F). Обратите внимание на то, что в записи генотипа каждого индивидуума содержатся четыре прописных буквы. У этих представителей кожа немного светлее, чем у представителей предыдущей группы, поэтому эти прямоугольники надо раскрасить более светлым цветом.

А теперь взгляните на группу индивидуумов с **тремя доминантными аллелями (G)**. Эта группа, имеющая одинаковый генотип, является самой многочисленной. У этих индивидуумов цвет кожи такой же, как и у их родителей. Для этой группы рекомендуется использовать еще более светлый цвет.

Продолжим наше исследование и посмотрим на индивидуумов **с двумя доминантными аллелями (Н)**. Их кожа светлее, чем кожа их родителей, поскольку каждый имеет только по две аллели, определяющие темный цвет кожи. Далее перейдем к индивидуумам **с одной аллелью, определяющей темный цвет кожи (I)**. У них еще более светлая кожа, так как они имеют только одну доминантную аллель. И последний возможный вариант, который мы рассматриваем, – это индивидуум с аллелями, определяющими **отсутствие пигментации (J)** с очень светлой кожей.

После того как вы подсчитаете количество столбцов, вы увидите, что получилось семь возможных фенотипов от двух людей, являющихся гетерозиготными по трем генам, а количество прямоугольников показывает, что в поколении F_2 наблюдается двадцать семь возможных генотипов.

ПОЛИГЕННОЕ НАСЛЕДОВАНИЕ

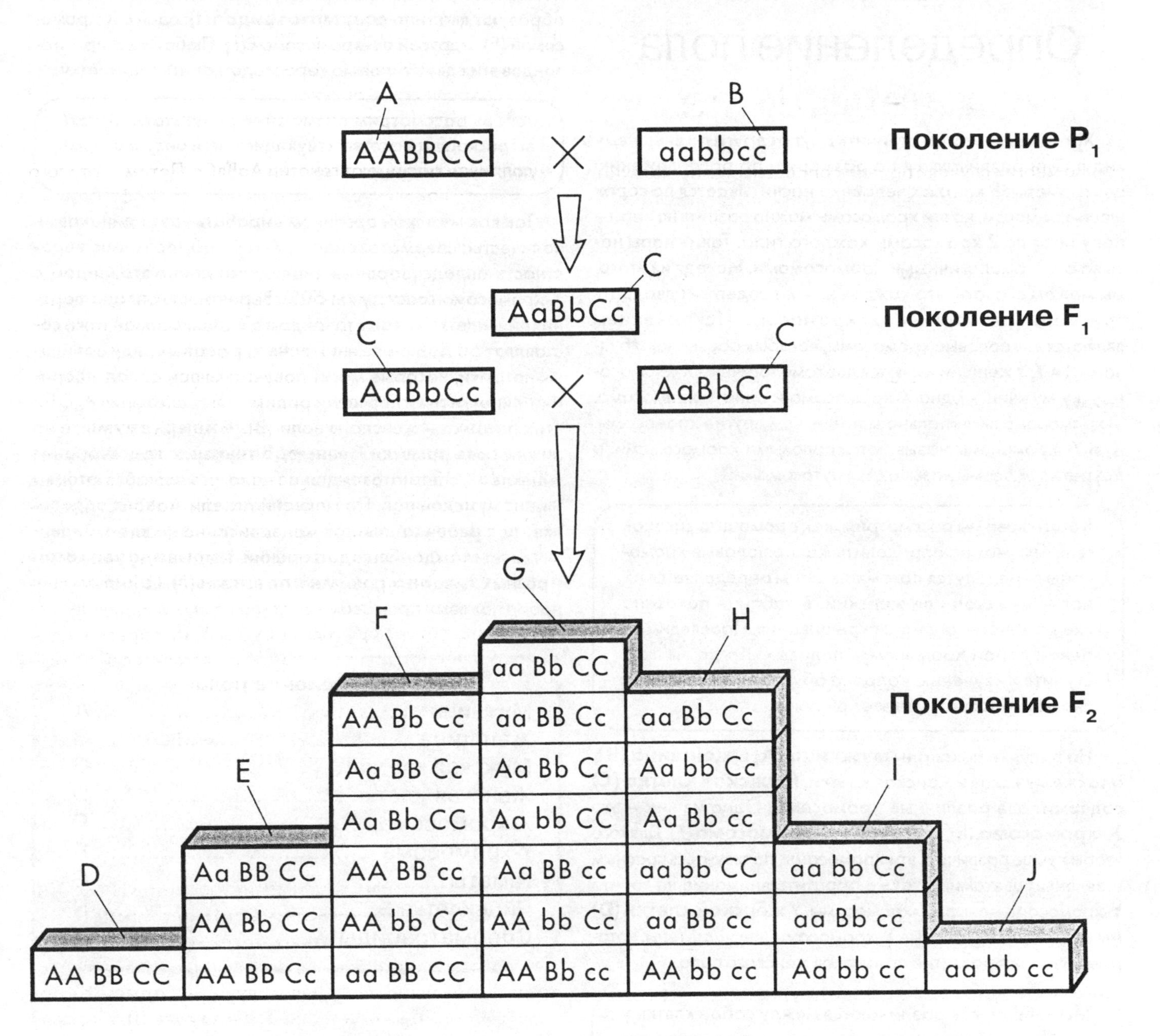

Полигенное наследование

Индивидуум, гомозиготный по доминантным аллелям .... A
Гомозиготный по рецессивным аллелям ... B
Гетерозиготный C

Индивидуум с шестью доминантными аллелями .... D
С пятью доминантными аллелями .... E
С четырьмя доминантными аллелями .... F
С тремя доминантными аллелями .... G

С двумя доминантными аллелями .... H
С одной доминантной аллелью I
Без доминантных аллелей .... J

Глава 3-8: Определение пола

Хромосомы можно отличить друг от друга по внешнему виду. Они различаются по размеру и по расположению центромеры. В клетках человека насчитывается по сорок шесть хромосом, но эти хромосомы можно разбить на пары – получится по 2 хромосомы каждого типа. Такие пары называются гомологичными хромосомами. Исходя из этого, мы можем сказать, что каждая клетка содержит двадцать три пары гомологичных хромосом. Исключением являются две половые хромосомы, которых обозначают буквами X и Y. У женщин имеются две гомологичные X-хромосомы, а у мужчин – одна X-хромосома и одна Y-хромосома. Y-хромосома значительно меньше, чем другие хромосомы. X- и Y- хромосомы называются половыми хромосомами, а другие хромосомы называются аутосомами.

> В этой главе мы рассмотрим, как с помощью законов генетики можно определить, какие половые хромосомы передадутся потомкам. Этим определяется их пол – мужской или женский. В таблице показана схема моногибридного скрещивания. Проследим за одной парой хромосом – половых. Когда вы приступите к изучению вопроса об определении пола, сначала рассмотрите этот рисунок.

На рисунке показаны **мужчина (A)** и **женщина (B)**, а также мужская и женская клетки. **Мужская клетка (C)** содержит две различные хромосомы. Одна из них – это **X-хромосома (E)**, а **другая – Y-хромосома (F)**. Для того чтобы лучше различать эти хромосомы, пользуйтесь красным и зеленым цветами, а также обратите внимание на то, что Y-хромосома меньше X-хромосомы. У **женской клетки (D)** мы видим две идентичные X-хромосомы, несущие гены, которые вызывают развитие признаков женского пола.

> Мы узнали, как различаются между собой клетки у мужчин и женщин в зависимости от содержащихся в клетках половых хромосом. Теперь проследим характер наследования половых хромосом. Когда раскрасите соответствующие элементы рисунка, продолжайте читать дальше.

В процессе размножения женская клетка претерпевает мейоз в яичнике матери и образует ряд **гамет (G)**, выделенных на рисунке скобкой. Раскрасьте эту скобку темным цветом. Обратите внимание на то, что обе **яйцеклетки (H)** идентичны и содержат X-хромосому. Поскольку гамета получает одну хромосому из пары хромосом, все материнские яйцеклетки будут иметь X-хромосому.

А теперь посмотрите на левую половину таблицы. Половые клетки отца претерпевают мейоз в семенниках и образуют два типа **сперматозоидов (I)**: один с X-хромосомой (E), а другой с Y-хромосомой (F). Любой из сперматозоидов этих двух типов может оплодотворить яйцеклетку.

> Теперь рассмотрим возможные результаты. Когда вы раскрасите соответствующие части рисунка, продолжайте читать дальше.

Так как мужской организм вырабатывает одинаковые количества сперматозоидов с X- и Y-хромосомами, вероятность оплодотворения яйцеклетки сперматозоидом с X-хромосомой составляет 50%. Вероятность оплодотворения яйцеклетки сперматозоидом с Y-хромосомой тоже составляет 50%. В решетке Пеннета в первом ряду записаны потомки, которые могут получиться при оплодотворении яйцеклетки сперматозоидом с X-хромосомой. Оба этих потомка – женского пола (B). А теперь взгляните на нижний ряд решетки Пеннета. В случае оплодотворения яйцеклетки сперматозоидом с Y-хромосомой оба потомка имеют мужской пол. По существу, сперматозоид определяет пол ребенка, так как женские половые клетки идентичны при каждом оплодотворении. Количество хромосом у разных животных различно, но все животные имеют один набор половых хромосом.

Определение пола

Мужчина .... A
Женщина .... B
Мужская клетка C
Женская клетка .... D
X-хромосома .... E
Y-хромосома .... F
Гаметы .... G
Яйцеклетка .... H
Сперматозоиды I

ОПРЕДЕЛЕНИЕ ПОЛА

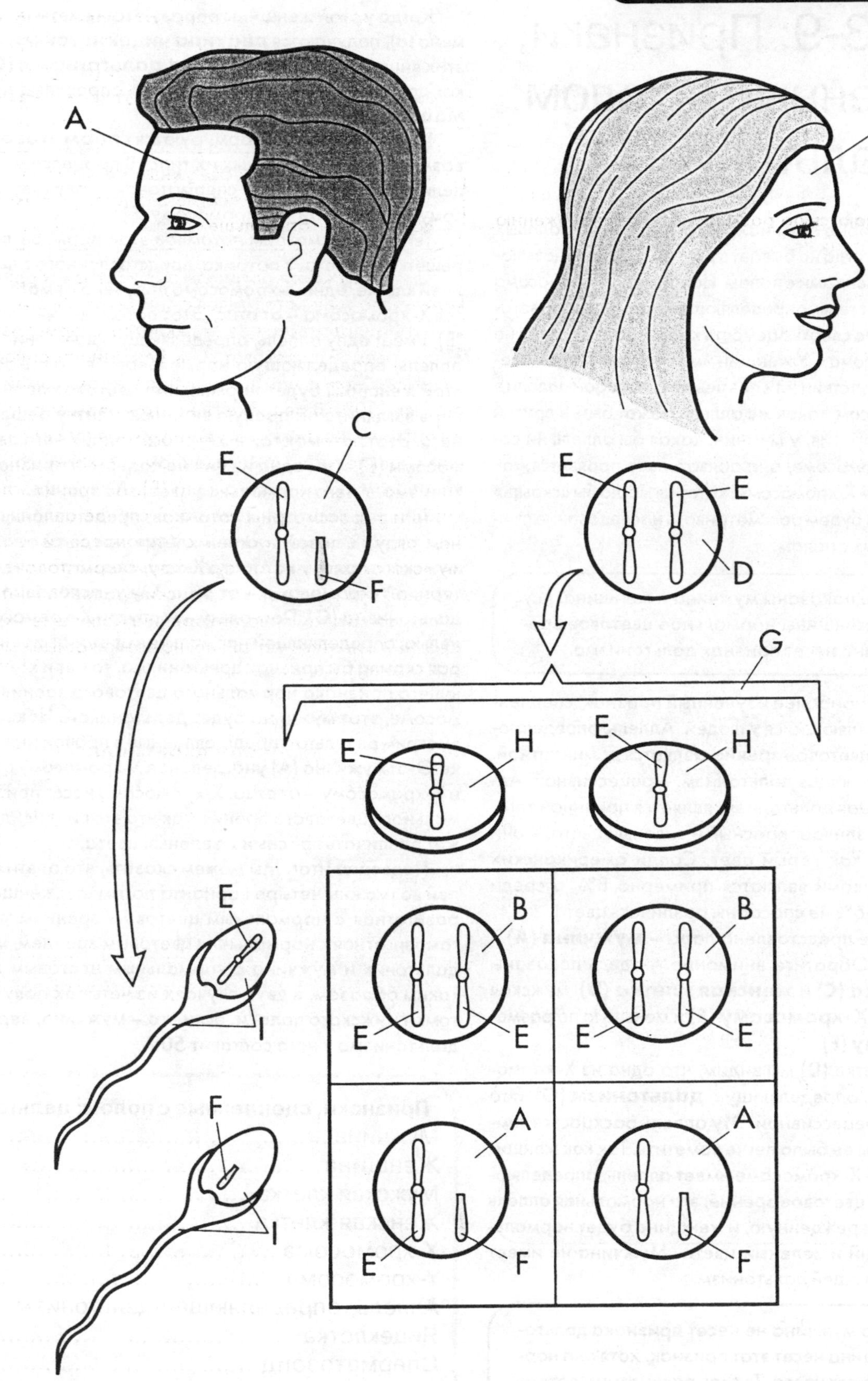

Глава 3-9: Признаки, сцепленные с полом: дальтонизм

У людей некоторые гены находятся в одной из половых хромосом, и их никогда не бывает в другой. Эти гены называются генами, сцепленными с полом. Например, Х-хромосома человека содержит гены, определяющие нормальное цветовое зрение, а также свертываемость крови, но этих генов не бывает в Y-хромосомах. У женщин имеются две Х-хромосомы, так что при отсутствии или повреждении любой аллели в одной из Х-хромосом, такая же аллель может быть в другой Х-хромосоме. Напротив, у мужчин, какая бы аллель ни содержалась в Х-хромосоме, она обязательно проявится, так как у них нет другой Х-хромосомы, которая могла бы «скрыть» ее. В этой главе мы будем рассматривать наследование признаков, сцепленных с полом.

В этой таблице показаны мужчина и женщина. И у мужчины, и у женщины нормальное цветовое зрение, но женщина несет признак дальтонизма.

Дальтонизм – наиболее изученный признак, сцепленный с полом, проявляющийся у людей. Аллель, определяющая нормальное цветовое зрение, является доминантной, а аллель, определяющая дальтонизм, – рецессивной. Аллель, определяющая дальтонизм, является причиной того, что человек не различает красный и зеленый цвета, – они воспринимаются как серый цвет. Среди американских мужчин дальтониками являются примерно 8%, а среди женщин только 0,6% не способны различать цвета.

В этой таблице представлена пара – **мужчина (A)** и **женщина (B)**. Обратите внимание – здесь показаны **мужская клетка (C)** и **женская клетка (D)**, мужская клетка содержит **Х-хромосому (E)** и меньшую по размеру **Y-хромосому (F)**.

В женской клетке (D) мы видим, что одна из Х-хромосом несет аллель, определяющую **дальтонизм (G)**. Эта аллель является рецессивной. Эту аллель раскрасьте темным цветом, чтобы ее было легче заметить. Так как женщина в другой своей Х-хромосоме имеет аллель, определяющую нормальное цветовое зрение, эта нормальная аллель компенсирует поврежденную, и женщина будет нормально видеть красный и зеленый цвета. Мужчина не имеет аллели, определяющей дальтонизм.

Мы видим, что мужчина не несет признака дальтонизма, а женщина несет этот признак, хотя она нормально различает цвета. Теперь рассмотрим потомков этой пары, чтобы выяснить, как проявляется признак дальтонизма.

Когда у этой женщины образуются гаметы (в процессе мейоза), получаются **два типа яйцеклеток (H)**. Одна из этих яйцеклеток несет **признак дальтонизма (G)**, тогда как другая яйцеклетка имеет аллель, определяющую **нормальное цветовое зрение (J)**.

Когда у мужчины формируются **сперматозоиды (I)**, возможны два различных их типа. В процессе мейоза аллели расходятся, и один сперматозоид получает Х-хромосому (E), а другой – Y-хромосому (F).

Теперь рассмотрим потомков этой пары. Взгляните на решетку Пеннета. У потомка, представленного в левой верхней клетке, одна Х-хромосома получена от матери, а другая Х-хромосома – от отца. Этот потомок – женского пола (B), имеет одну аллель, определяющую дальтонизм, и одну аллель, определяющую нормальное цветовое зрение. У этой женщины будет нормальное цветовое зрение. А теперь взгляните на правую верхнюю клетку решетки Пеннета. Этот потомок тоже женского пола. У него две Х-хромосомы (E), и ни одна из них не содержит признака дальтонизма. У него нормальное цветовое зрение.

Теперь рассмотрим потомков, представленных в нижнем ряду. В левой нижней клетке представлен потомок мужского пола, у которого Х-хромосома получена от матери, а Y-хромосома – от отца. Он унаследовал признак дальтонизма (G). Поскольку нет другой Х-хромосомы с аллелью, определяющей нормальное цветовое зрение, которая скрыла бы признак дальтонизма, то нет и компенсирующего признака нормального цветового зрения в Y-хромосоме, этот мужчина будет дальтоником. Наконец, рассмотрим результат, представленный в правой нижней клетке. Этот мужчина (A) унаследовал Х-хромосому от матери, и Y-хромосому – от отца. Х-хромосома несет признак нормального цветового зрения, так что этот индивидуум сможет различать красный и зеленый цвета.

Подведем итог. Мы можем сказать, что от этих родителей возможны четыре варианта потомков: женщина гетерозиготная с нормальным цветовым зрением, женщина гомозиготная с нормальным цветовым зрением, мужчина-дальтоник и мужчина с нормальным цветовым зрением. Таким образом, в двух случаях из четырех получатся потомки мужского пола, и, если это – мужчина, вероятность дальтонизма у него составит 50%.

Признаки, сцепленные с полом: дальтонизм

Мужчина .... A
Женщина .... B
Мужская клетка C
Женская клетка .... D
Х-хромосома .... E
Y-хромосома .... F
Аллель, определяющая дальтонизм .. G
Яйцеклетка .... H
Сперматозоид I
Аллель, определяющая нормальное цветовое зрение .... J

ПРИЗНАКИ, СЦЕПЛЕННЫЕ С ПОЛОМ: ДАЛЬТОНИЗМ

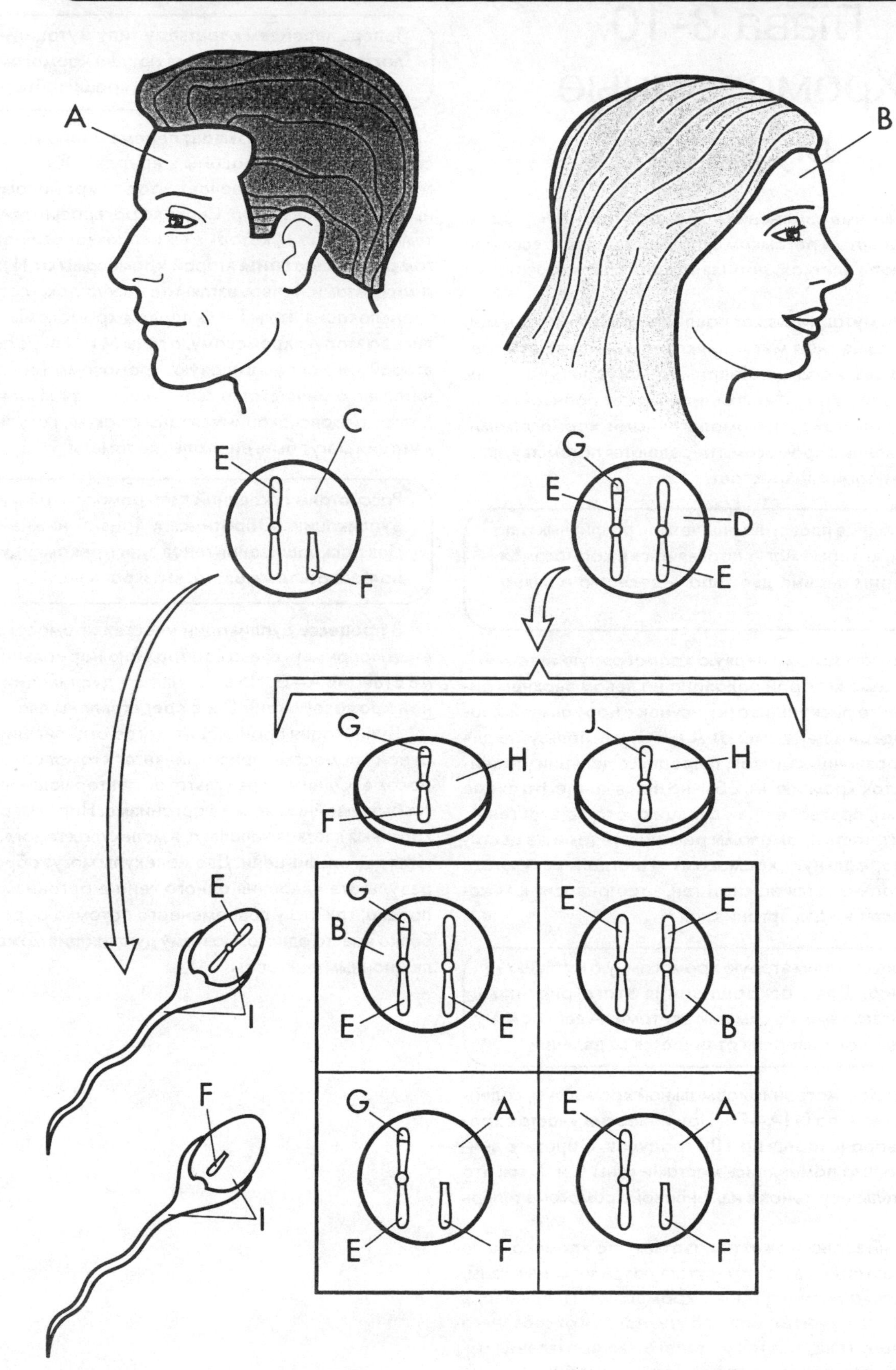

Глава 3-10: Хромосомные мутации

Перманентные изменения в хромосомах, или мутации, могут передаваться потомкам супружеской пары, если они присутствуют в клетках, производящих сперматозоиды и яйцеклетки.

Один тип мутации может повлиять только на один ген, но бывают такие типы мутаций, которые вызывают изменения в нескольких генах. Например, могут быть утрачены некоторые участки хромосом, или может произойти обмен участками между негомологичными хромосомами. Когда измененные хромосомы передаются потомству, способность к мутации возрастает.

В этой таблице представлены четыре различных типа мутаций, которые могут проявляться в хромосомах. Рассмотрим первые два типа – делецию и инверсию.

Сначала рассмотрим первую хромосомную мутацию – делецию, схема которой показана на левом верхнем рисунке. Начните раскрашивать рисунок с нормальной хромосомы, содержащей **гены от A до G**, и используйте для этого семь различных цветов. В процессе делеции утрачивается участок хромосомы, обычно на ее конце. На схеме у хромосомы, претерпевшей делецию, отсутствует ген A. Оставшуюся часть хромосомы раскрасьте теми же цветами, что и нормальную хромосому. Иногда в результате делеции утрачивается важный ген, что приводит к тяжелым последствиям для организма.

Теперь рассмотрим вторую хромосомную мутацию – инверсию. Для раскрашивания этого рисунка пользуйтесь теми же самыми цветами. А сейчас мы объясним, чем инверсия отличается от делеции.

Начнем с рассмотрения нормальной хромосомы, содержащей гены от A до G (A—G). При инверсии участок хромосомы поворачивается на 180 градусов. Обратите внимание на то, что поменялись местами гены C и D, так что последовательность генов в измененной хромосоме теперь другая.

На первый взгляд может показаться, что хромосома не повреждена, так как в ней присутствуют те же самые гены, но очень важна позиция гена в хромосоме. Например, в результате инверсии ген может быть отделен от соседнего регуляторного гена, поэтому степень его проявления изменяется или он прекращает проявляться вообще. Ученые считают, что хромосомная инверсия может стать фактором развития раковых клеток.

Теперь перейдем к третьему типу мутации – транслокации, в которой участвуют две хромосомы. Продолжайте читать дальше и раскрашивайте рисунок.

Транслокация вызывает перемещение участка хромосомы из одной хромосомы в другую. Обе хромосомы не гомологичны. Это означает, что эти хромосомы – из разных хромосомных пар. Сначала раскрасьте гены от A до G теми же цветами, которые вы использовали раньше, а потом раскрасьте **гены** второй хромосомы **от H до N** – другими цветами. Теперь взгляните на участок, где произошла транслокация. Гены F и G первой хромосомы переместились во вторую хромосому, а гены M и N переместились из второй хромосомы в первую. Хромосомы 1 и 2 теперь значительно отличаются от своего первоначального вида. Некоторые транслокации связаны с раком. Результатом этой мутации могут быть аномальные гаметы.

Рассмотрим последний тип хромосомной мутации – дупликацию. Обратимся к правой нижней схеме. Для раскрашивания генов здесь рекомендуется использовать те же цвета, что и раньше.

В процессе дупликации участок хромосомы удваивается. Например, слева изображена нормальная хромосома с генами A—G. Но в результате дупликации в аномальной хромосоме гены D и E представлены дважды.

Дупликация происходит, когда отделившийся участок одной хромосомы присоединяется к гомологичной ей хромосоме. Одним из результатов повторяющихся генов могут быть двойные белки в организме. Например, в красных кровяных клетках человека, в молекулах гемоглобина, имеются две альфа-цепи. Две молекулы могут образоваться в результате удвоения одного гена в организме далекого предка, так что у современного потомка образуются два белка вместо одного. Поэтому дупликация может стать эволюционным фактором.

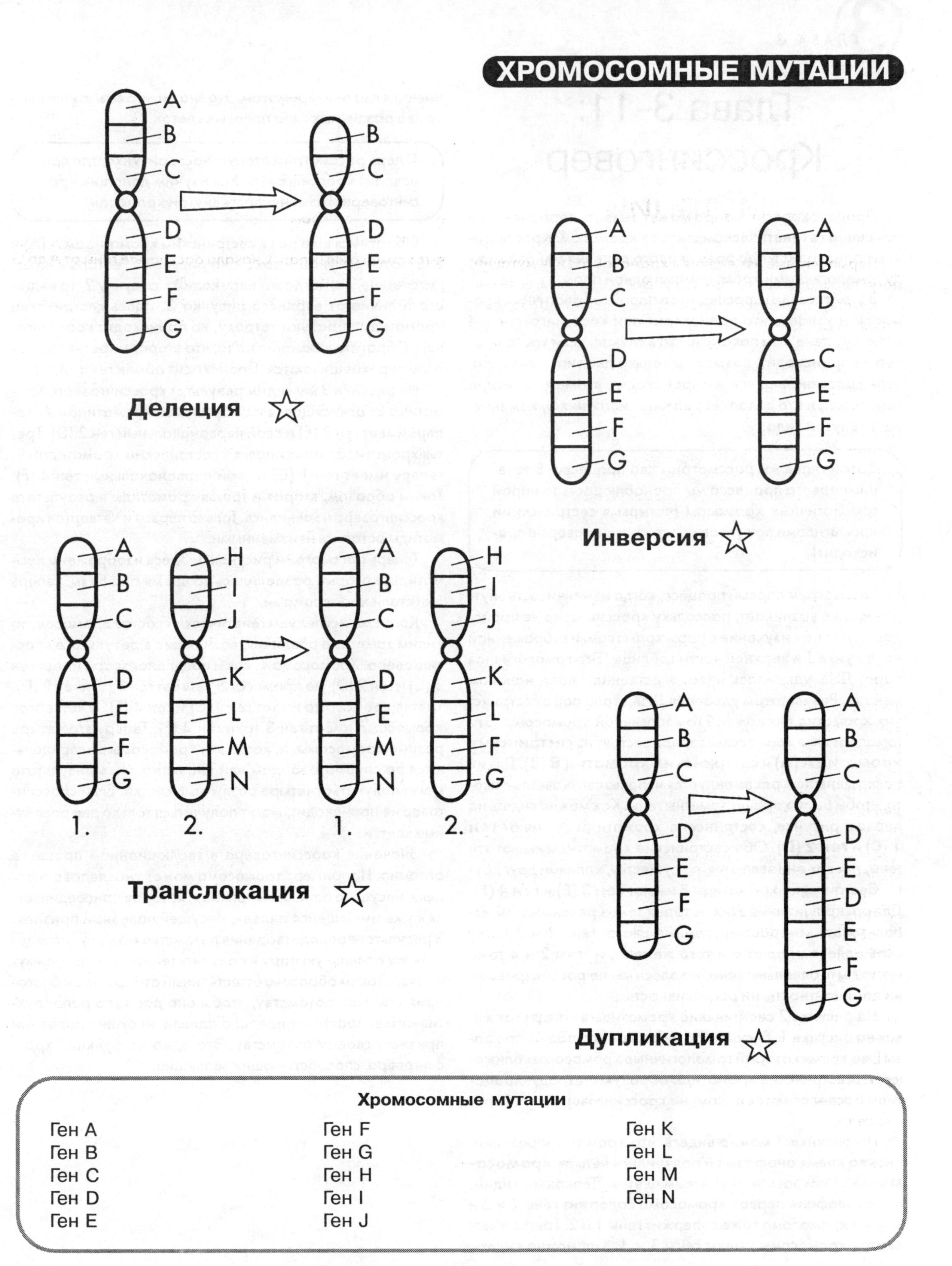
ХРОМОСОМНЫЕ МУТАЦИИ
A B C D E F G
B C D E F G
Делеция
A B C D E F G
A B D C E F G
Инверсия
A B C D E F G
H I J K L M N
A B C D E F G
H I J K L M N
1.
2.
1.
2.
Транслокация
A B C D E F G
A B C D E B C D E F G
Дупликация
Хромосомные мутации
Ген A
Ген B
Ген C
Ген D
Ген E
Ген F
Ген G
Ген H
Ген I
Ген J
Ген K
Ген L
Ген M
Ген N

Глава 3-11: Кроссинговер

Процесс кроссинговера может вызвать перманентные изменения в генетическом составе хромосом. Кроссинговер происходит в профазе первого деления мейоза между гомологичными хромосомами одной пары.

В этой главе мы проследим за парой гомологичных хромосом и узнаем, что происходит при кроссинговере и в его отсутствие. Мы покажем, что в случае, если кроссинговер не происходит, возможны только два типа гамет. Но, если кроссинговер все же происходит, возможны четыре типа гамет, и это делает его важным источником изменчивости внутри вида.

В этой главе мы рассмотрим два процесса. В течение первого процесса мы пронаблюдаем за парой гомологичных хромосом (четырьмя сестринскими хроматидами при условии, что кроссинговер не происходит).

Рассмотрим первый процесс, когда изменчивость внутри вида не возникает, поскольку кроссинговер не происходит. Начнем изучение с пары хромосом, изображенной на рисунке 1 в верхней части таблицы. Это гомологичная пара. ДНК удвоилась непосредственно перед началом мейоза. Результатом удвоения ДНК стала пара сестринских хроматид для каждой гомологичной хромосомы. Эти гомологичные хромосомы теперь состоят из **сестринских хроматид А (А)** и **сестринских хроматид В (В)**. Для их раскрашивания рекомендуется использовать светлые цвета, чтобы были хорошо заметны гены. Как можно видеть на первом рисунке, сестринские хроматиды А имеют **ген 1 (С)** и **ген 2 (D)**. Обе сестринские хроматиды имеют эти гены, так как они являются, по существу, копиями друг друга. Сестринские хроматиды В имеют **ген 3 (Е)** и **ген 4 (F)**. Для раскрашивания этих четырех генов рекомендуем использовать контрастные темные цвета. Гены 1 и 3 могут быть аллелями одного и того же гена, и гены 2 и 4 тоже могут быть аллелями гена, но здесь мы не рассматриваем ни доминантность, ни рецессивность.

На рисунке 2 сестринские хроматиды выглядят так же, как на рисунке 1. Рисунок 2 отображает ту стадию профазы I, во время которой гомологичные хромосомы сближаются и сестринские хроматиды образуют тетраду. Хроматиды располагаются рядом, но кроссинговер еще не произошел.

На рисунке 3 можно видеть, что хроматиды разделились во время анафазы I и получились четыре **хромосомы (G)**. Раскрасьте их светлым цветом. Теперь мы видим, что в телофазе первая хромосома содержит гены 1 и 2 и вторая хромосома тоже содержит гены 1 и 2. Третья и четвертая хромосомы имеют гены 3 и 4. Как можно видеть, имеются два типа хромосом. Это значит, что возможны только два различных типа половых клеток.

Теперь рассмотрим вторую часть рисунка, где происходит кроссинговер. Мы изучим действие кроссинговера и изменчивость внутри хромосом.

Обратимся еще раз к сестринским хроматидам А (А) и В (В). Этот рисунок 1 похож на рисунок 1, который находится выше, но, когда мы переходим к рисунку 2, то видим его отличие от верхнего рисунка 2. Здесь сестринские хроматиды образуют тетраду, но происходит кроссинговер. Обратите внимание на то, что вторая и третья хроматиды перекрещиваются. Происходит обмен генами.

На рисунке 3 мы видим результат кроссинговера. Хроматида 2, относящаяся к сестринским хроматидам А, теперь имеет ген 3 (Е) и свой первоначальный ген 2 (D). Третья хроматида, относящаяся к сестринским хроматидам В, теперь имеет ген 1 (С) и свой первоначальный ген 4 (F). Таким образом, вторая и третья хроматиды в результате кроссинговера изменились. Только первая и четвертая хроматиды остались неизменными.

Теперь рассмотрим рисунок 4. Здесь изображены хроматиды, которые разделились во время анафазы. Теперь они стали хромосомами.

Когда мы исследуем генетический состав хромосом, то видим заметные различия, возникшие в результате кроссинговера. Хромосома 1, как и предполагалось, имеет ген 1 (С) и ген 2 (D), но хромосома 2 имеет ген 3 (Е) и ген 2 (D). Третья хромосома имеет ген 1(С) и ген 4 (F), а четвертая хромосома имеет ген 3 (Е) и ген 4 (F). Теперь это четыре разные хромосомы, и, когда эти хромосомы распределяются по сперматозоидам или яйцеклеткам, в результате могут получиться четыре различные клетки. Если кроссинговер не происходит, могут получиться только две различные клетки.

Значение кроссинговера в эволюционном процессе огромно. Например, хромосома может унаследовать аллель, несущую полезный признак, которая присоединяется к уже имеющейся аллели, несущей полезный признак. В результате оплодотворения потомство может унаследовать эту аллельную пару и получить генетическое преимущество. Таким образом, естественный отбор мог бы благоприятствовать потомству, чтобы оно достигло репродуктивного возраста и передало аллели, несущие полезный признак, своему потомству. Это одна из функций кроссинговера, способствующих эволюции.

Кроссинговер не происходит

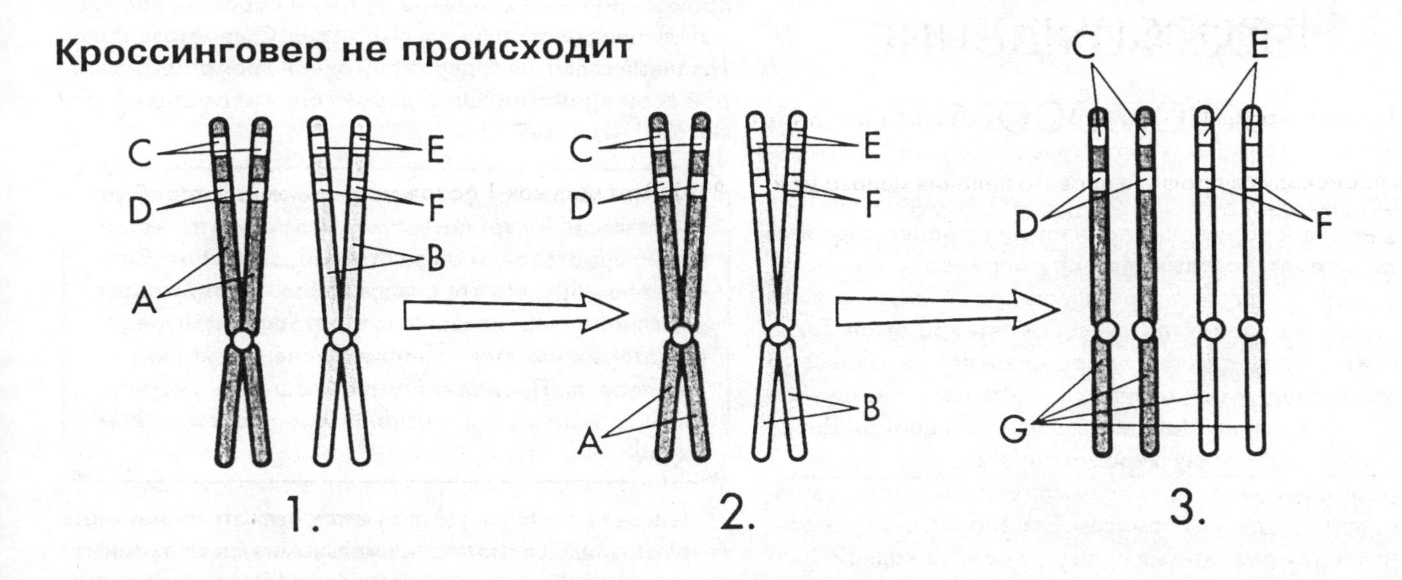

Кроссинговер происходит

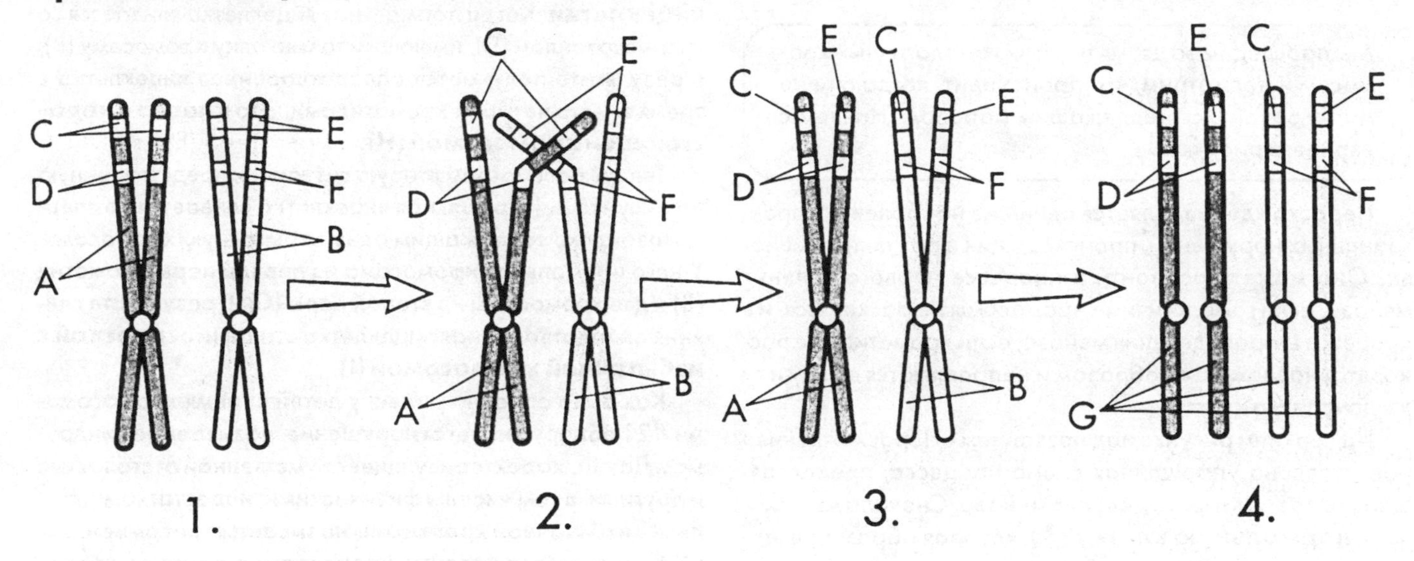

Кроссинговер

Сестринские хроматиды А .... A	Ген 1 C	Ген 4 .... F
Сестринские хроматиды В .... B	Ген 2 .... D	Хромосомы .... G
	Ген 3 .... E	

Глава 3-12: Нерасхождение хромосом

Нарушение числа хромосом может передаться потомству, если эти нарушения произошли в процессе формирования гамет (половых клеток). Например, клетки человека в норме содержат сорок шесть хромосом, но они могут содержать сорок семь или сорок пять хромосом. Такие случаи несоответствия числа хромосом норме называется анеуплоидией, и они могут оказывать на индивидуумов различное влияние. Например, люди с синдромом Дауна имеют одну избыточную хромосому #21.

Нарушение числа хромосом может произойти в результате нерасхождения хромосом. Это значит, что хромосомы не смогли разойтись в процессе мейоза надлежащим образом. В результате нерасхождения одна гамета получает слишком малое число хромосом. В этой главе мы рассмотрим, что представляет собой нерасхождение и как оно может влиять на индивидуумов.

Мы проследим за двумя парами гомологичных хромосом и посмотрим, что происходит, когда они не могут разойтись надлежащим образом. Начнем с верхнего рисунка.

Нерасхождение является одним из наиболее распространенных нарушений, происходящих в результате мейоза. Оно может произойти в процессе первого деления мейоза, если гомологичные хромосомы не расходятся, и в процессе второго деления мейоза, если хроматиды не расходятся надлежащим образом и направляются в одну и ту же дочернюю клетку.

На верхнем рисунке под названием «Нерасхождение» представлена упрощенная схема процесса, происходящего во время второго деления мейоза. Сначала мы показали **нормальную клетку (A)**, которая образует сперматозоиды в семенниках. В этой клетке мы для большей наглядности представили только две пары хроматид, и в этом случае **первые хроматиды (B)** крупнее, чем **вторые (C)**. Раскрасьте эти две пары хроматид контрастными цветами.

Стрелки, идущие от клетки, схематически изображают процесс второго деления мейоза, во время которого хромосомы расходятся и формируются сперматозоиды. Здесь показаны только **два сперматозоида (D)** из четырех. (Мы показали только ту клетку, у которой произошло нерасхождение. Другие клетки, образовавшиеся в процессе первого деления мейоза, у которых деление проходит нормально и формируются нормальные гаметы, мы не показываем.) Мы видим, что первая пара хроматид (B) расходится нормально и в каждый сперматозоид попадает по одной хроматиде из этой пары. Но у второй пары хроматид происходит нерасхождение, и, таким образом, обе хроматиды попадают в один сперматозоид. Сперматозоид, показанный слева, не содержит ни одной хроматиды из второй пары хроматид. Он содержит одну хроматиду (хромосому) из первой пары.

Мы показали, как формируются аномальные сперматозоиды. Теперь посмотрим, что получится, когда эти сперматозоиды сливаются с яйцеклетками. Следует помнить, что в процессе мейоза формируются миллионы сперматозоидов, так что сперматозоиды, в которых имеется нерасхождение, могут никуда не попасть. Продолжайте раскрашивать рисунок, изучая нарушения, вызванные нерасхождением хромосом.

Теперь посмотрим, что получится, если эти аномальные сперматозоиды сольются с нормальными яйцеклетками. На рисунке 1 изображена **яйцеклетка (E)**, которая содержит по одной хроматиде от каждой из двух пар хроматид, принадлежащих женщине. Здесь можно видеть **первую хроматиду (F) яйцеклетки** и **вторую хроматиду (G) яйцеклетки**. Когда нормальная яйцеклетка сливается со сперматозоидом (D), имеющим только одну хромосому (B), в результате получается оплодотворенная яйцеклетка с тремя вместо четырех хроматидами. Это **клетка с недостающей хромосомой (H)**.

Теперь рассмотрим вторую ситуацию, представленную на рисунке 2. Нормальная яйцеклетка сливается со сперматозоидом, содержащим одну избыточную хромосому. У него нормальная хромосома из первой пары хроматид (B) и две хромосомы из второй пары (C). В результате слияния оплодотворенная яйцеклетка становится **клеткой с избыточной хромосомой (I)**.

Как было описано ранее, у детей с тремя хромосомами #21 обнаруживается нарушение, называемое синдромом Дауна, характеризующееся умственной отсталостью и другими, в том числе и физическими, недостатками. Наличие избыточной хромосомы называется трисомией.

Когда нерасхождение происходит в половых хромосомах, может появиться избыточная половая хромосома или одной половой хромосомы может не хватать. Например, индивидуум с комбинацией хромосом XXY имеет синдром Клайнфелтера. Это мужчина с выраженными женскими чертами. Если индивидуум имеет только одну X-хромосому, у него синдром Тернера – это женщина с выраженными мужскими чертами.

Нерасхождение хромосом

☆

Нерасхождение хромосом

Нормальная клетка........ A	Яйцеклетка .... E	Клетка с недостающей хромосомой .... H
Первые хроматиды .... B	Первая хроматида яйцеклетки .... F	Клетка с избыточной хромосомой I
Вторые хроматиды........ C	Вторая хроматида яйцеклетки .... G	
Сперматозоид .... D		

Результаты нерасхождения хромосом

☆

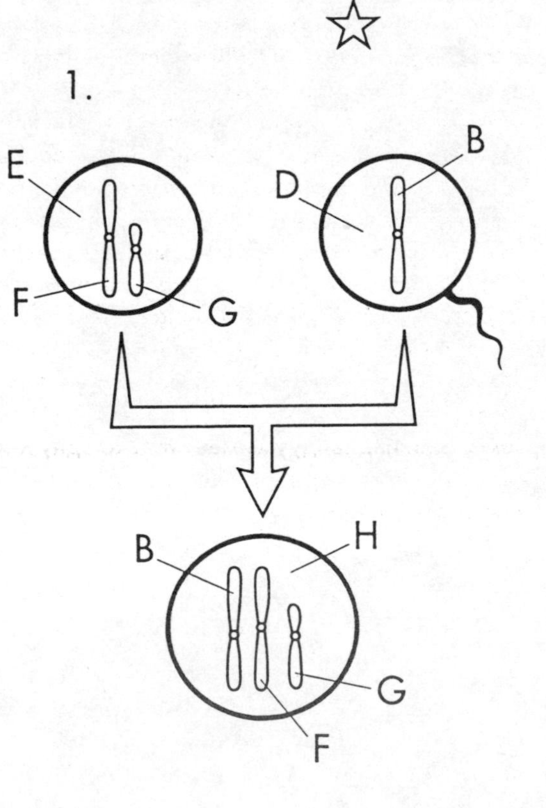

2.

ДНК и проявление генов

Глава 4-1: Структура ДНК

Существуют два типа нуклеиновых кислот: дезоксирибонуклеиновая кислота (ДНК) и рибонуклеиновая кислота (РНК). ДНК является генетическим материалом организмов, тогда как РНК используется при синтезе белков. По этой таблице мы рассмотрим структуру ДНК. Строение РНК рассматривается в отдельной таблице этой главы.

> В этой таблице показаны компоненты молекулы ДНК. Буквы соответствуют названиям некоторых из компонентов; в большинстве учебников используются подобные сокращения. Светлыми цветами, например серым и желтым, раскрашивайте первую часть этой таблицы.

ДНК имеется в ядре эукариотической клетки и в цитоплазме прокариотической клетки. Молекула ДНК составлена из повторяющихся единиц, называемых нуклеотидами. Каждый нуклеотид состоит из трех частей, это дезоксирибоза, фосфатная группа и азотистое основание. В верхней части этой таблицы показаны два нуклеотида. Левый нуклеотид состоит из **фосфатной группы (P)**, **дезоксирибозы (D)** и азотистого основания и называется **аденином (А)**. Для того чтобы не затенять отдельные атомы, раскрасьте эти три составные части нуклеотида светлыми цветами.

Дезоксирибоза содержит углеводное кольцо из пяти атомов углерода и соединена с фосфатной группой в месте ее CH_2-группы. С другого конца дезоксирибоза соединяется с молекулой аденина. Аденин содержит пять атомов азота и называется поэтому азотистым основанием.

Второй нуклеотид показан справа. Он содержит азотистое основание, называемое **тимином (T)**, связанное с дезоксирибозой (D), которая здесь перевернута. Дезоксирибоза, в свою очередь, соединяется с фосфатной группой (P). Раскрасьте три части этого нуклеотида теми же светлыми цветами.

Нуклеотиды аденин и тимин соединяются друг с другом двумя **водородными связями (H)**, которые показаны стрелкой, ее нужно раскрасить темным цветом. Водородные связи – слабые химические связи, образуемые между водородом и соседними атомами с отрицательным зарядом. В ДНК имеются две водородные связи между А и Т и три водородные связи между G и C.

> Теперь рассмотрим, как нуклеотиды связываются друг с другом, образуя ДНК. Продолжайте чтение, раскрашивая молекулу ДНК теми же цветами.

В состав ДНК входят четыре азотистых основания: тимин, аденин, **цитозин (C)** и **гуанин (G)**. Посмотрите на двойную спираль ДНК.

Начнем с верхней части молекулы – обратите внимание на то, что первый нуклеотид содержит аденин (А), присоединенный к дезоксирибозе (D). Дезоксирибоза соединяется с фосфатной группой (P), которая, в свою очередь, соединяется с другой дезоксирибозой. Последняя соединяется с цитозином (C), а также с другой фосфатной группой (P). Далее следует дезоксирибоза, соединенная с аденином (А). Такая модель повторяется с чередованием дезоксирибозы и фосфатных групп, образуя лестницу, скрученную спиралью. Каждая молекула дезоксирибозы соединяется с одним из четырех азотистых оснований.

Теперь перейдем к правой части молекулы и проследим образование ленты, начиная с правого верхнего угла. По мере движения сверху вниз обратите внимание, что она содержит дезоксирибозу, чередующуюся с фосфатными группами, и опять каждая молекула дезоксирибозы соединяется с одним из четырех азотистых оснований. Вторая нить ДНК очень похожа по строению на первую.

> Закончим изучение таблицы, обратив внимание на то, как две нити ДНК переплетаются, образуя молекулу в виде двойной спирали. Если вы не до конца раскрасили все части нитей ДНК, сделайте это сейчас. Продолжайте чтение.

В полной молекуле ДНК две отдельные закрученные ленты в форме лесенки располагаются так, что азотистые основания выстраиваются друг против друга в соответствии с принципом комплементарности. Аденин всегда оказывается против тимина, а цитозин – напротив гуанина. Как уже упоминалось, водородные связи удерживают эти основания вместе. Таким образом, азотистые основания образуют ступеньки этой лесенки.

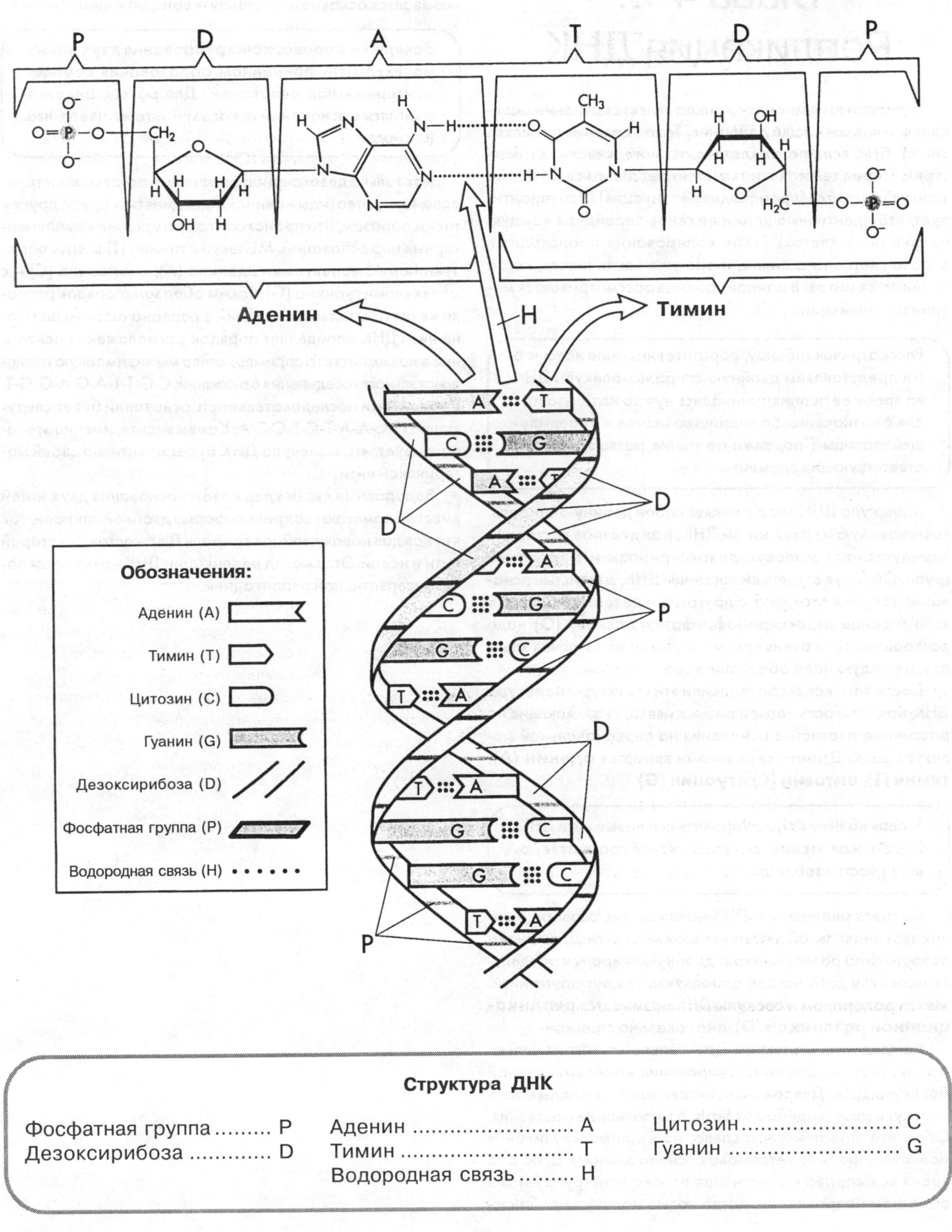

Структура ДНК

Фосфатная группа .... P	Аденин .... A	Цитозин C
Дезоксирибоза .... D	Тимин .... T	Гуанин .... G
	Водородная связь .... H	

Глава 4-2: Репликация ДНК

Результатом клеточного цикла является деление материнской клетки на две дочерние. Такое деление происходит почти во всех типах клеток растений, животных и бактерий. Перед тем как клетка начинает делиться, ДНК в ее ядре удваивается (происходит репликация). Это гарантирует, что идентичные копии ее генов перейдут в каждую из дочерних клеток. Такое копирование происходит в S-фазе клеточного цикла, и оно уже закончилось, когда начинается митоз. В данной таблице рассматривается механизм репликации ДНК.

Рассматривая таблицу, обратите внимание на то, что мы представляем двойную спираль молекулы ДНК во время ее репликации. Здесь нужно использовать для обозначения большинство цветов из предыдущей таблицы. Продолжайте чтение, раскрашивая соответствующие элементы.

Молекула ДНК представляет собой двойную спираль, составленную из двух нитей ДНК. Каждая нить состоит из чередующихся молекул дезоксирибозы и фосфатных групп. Образуя ступеньки лестницы ДНК, азотистые основания соединяются друг с другом и с дезоксирибозой. В этой таблице дезоксирибофосфатную основу (O) надо раскрашивать не очень яркими цветами; таких основ здесь две, и каждую надо обозначить своим цветом.

После того как вы раскрасили эти структуры молекулы ДНК, надо выбрать четыре разных цвета, указывающие на различные азотистые основания на первоначальной молекуле ДНК. Этими основаниями являются **аденин (A)**, **тимин (T)**, **цитозин (C)** и **гуанин (G)**.

Теперь начнем конструировать две новые нити ДНК. Продолжая чтение, раскрашивайте соответствующие участки таблицы.

Процесс репликации ДНК начинается с разворачивания первоначальной двухленточной молекулы ДНК. Энзим особого типа разворачивает двойную спираль и разделяет молекулу ДНК на две дополняющие друг друга нити. Место разделения молекулы ДНК называется **репликационной развилкой (D)**, она показана стрелкой.

Каждая нить молекулы ДНК теперь служит моделью, или шаблоном, для конструирования комплементарной молекулы ДНК. Для такого конструирования нужны новые молекулы дезоксирибофосфата, а также новые основания. Обратите внимание, что слева, по мере раскручивания молекулы, формируется новая основа для нити ДНК, в то время как справа аналогичная основа конструируется в обратном направлении, когда новые молекулы добавляются к фрагментам, начиная снизу. Поэтому левая нить называется основной, а правая – дополняющей.

Завершим процесс конструирования двух новых молекул ДНК принципом образования комплементарных пар оснований. Для раскрашивания азотистых оснований используйте те же цвета, что и прежде.

Как только дезоксирибофосфатные основы сконструированы, нуклеотиды начинают соединяться друг с другом таким образом, что происходит образование комплементарных пар оснований. Молекулы тимина (T) всегда образуют пару с молекулами аденина (A), а цитозина (C) – с молекулами гуанина (G). Таким образом, порядок расположения азотистых оснований в первоначальном шаблоне нити ДНК определяет порядок расположения оснований в новых нитях. Например, слева мы видим такую последовательность соединения оснований: C-G-T-T-A-G-A-G-G-T. В новой нити последовательность оснований будет следующей: G-C-A-A-T-C-T-C-C-A. Как вы видите, именно это гарантирует, что молекула ДНК будет идентична своей материнской нити.

Водородные связи удерживают основания двух нитей вместе и помогают сохранять форму двойной спирали, так что каждая новая двойная спираль ДНК состоит из старой нити и новой. Этот метод репликации ДНК называется полуконсервативной репликацией.

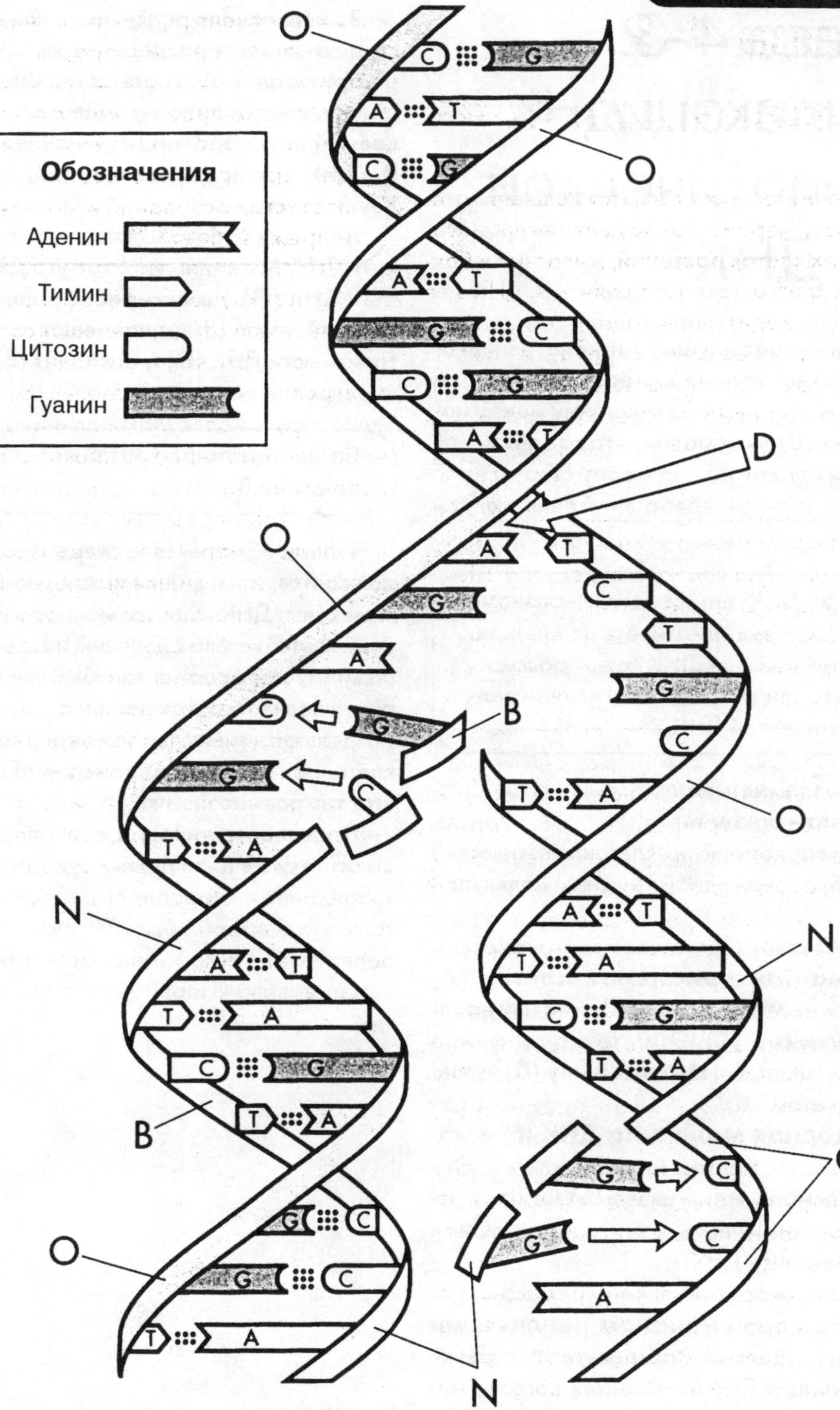

Репликация ДНК

Дезоксирибофосфатная основа (старая) .... O
Дезоксирибофосфатная основа (новая) .... N
Аденин .... A
Тимин .... T
Цитозин C
Гуанин .... G
Репликационная развилка .... D

Глава 4-3: Репликация прокариотической ДНК

Как было показано в предыдущей таблице, репликация ДНК означает раскручивание материнских нитей и образование комплементарных пар онований между новыми и старыми нитями таким образом, что каждая новая молекула ДНК содержит одну новую и одну старую нить. Эта модель называется полуконсервативной репликацией ДНК.

Процесс репликации ДНК происходит по-разному в прокариотических и эукариотических клетках. Репликация эукариотической ДНК будет рассмотрена в следующей таблице, а здесь мы изучим репликацию прокариотической ДНК.

В этой таблице показаны четыре этапа репликации ДНК у типичного прокариота – бактерии.

В отличие от ДНК эукариотических клеток, генетический материал бактерии образован одной круговой молекулой ДНК.

Показанная здесь бактерия является относительно простой клеткой. **Стенка бактериальной клетки (A)** расположена снаружи ее **мембраны (B)**, и на ней находится несколько **жгутиков (C)**. Эти структуры можно раскрашивать темными цветами. **Цитоплазму (D)** нужно раскрасить светлым цветом.

Единственная **исходная молекула ДНК (E)** находится внутри цитоплазмы бактериальной клетки. Эту молекулу надо раскрасить светлым цветом. Азотистые основания показаны короткими черточками, соединяющими внутреннюю и внешнюю нити ДНК.

Репликация ДНК в прокариотической хромосоме начинается в месте, называемом **началом репликации (O)**, которое показано стрелкой. Раскрасьте эту стрелку темным цветом. Репликация ДНК начинается, когда энзим разрывает водородные связи между двумя нитями ДНК в начале репликации; при этом создается развилка репликации.

В месте начала репликации пары оснований расходятся, и начинается разделение нитей двойной спирали. Их раскручивание облегчается энзимом, который является частью репликационного комплекса. Затем **энзим (F)**, называемый полимеразой ДНК, начинает синтез новых молекул ДНК. Это происходит путем добавления нуклеотидов друг к другу.

На схеме 2 показано начало продуцирования новой нити ДНК. Мы видим **исходную ДНК (E)** и несколько **новых ДНК (G)**. На схеме показано, как энзим (F), синтезирующий новую ДНК, перемещается по исходной нити ДНК. Новая нить ДНК (G) и исходная (E) должны быть раскрашены разными цветами.

Продолжайте рассматривать процесс репликации по схеме 3.

Теперь обратимся к схеме 3. Здесь репликация продолжается, и мы видим исходную (E), а также новую (G) молекулы ДНК. Как только образовались две молекулы ДНК, клетка готова к делению на две дочерние клетки. Единственная хромосома присоединяется к мембране бактерии, и после того, как репликация завершилась, две копии разделяются между собой перед самым началом деления клетки. В главе под названием «Бактерии» обсуждается этот тип размножения.

Процесс репликации прокариотической ДНК происходит также в цитоплазме эукариотических клеток: в митохондриях и хлоропластах. Это служит доказательством того, что бактерии были источником митохондрий и хлоропластов в эукариотических клетках, о чем мы будем говорить в главе «Первые эукариотические клетки».

Репликация прокариотической ДНК

Клеточная стенка бактерии .... A
Мембрана бактериальной клетки .... B
Жгутики C
Цитоплазма .... D
Исходная ДНК .... E
Энзим .... F
Новая ДНК .... G
Место начала репликации .... O

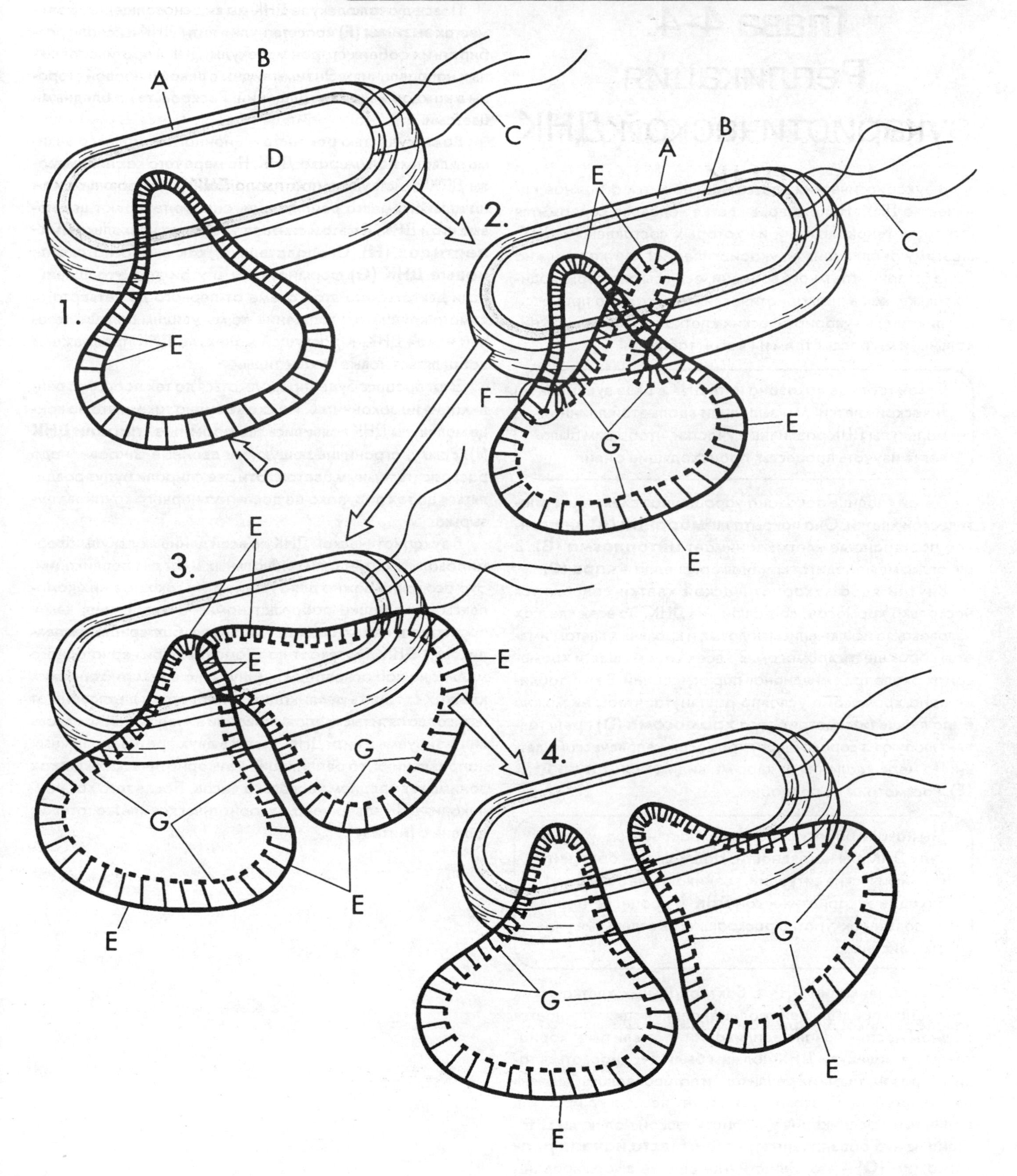
A
B
C
D
1.
E
2.
F
G
3.
4.

Глава 4-4: Репликация эукариотической ДНК

В эукариотических клетках содержится огромное количество ДНК. Например, в клетке человека содержится сто тысяч генов, каждый из которых составлен из ДНК. Поэтому репликация в эукариотических клетках должна была бы занимать много времени, если бы она происходила так же, как в прокариотических клетках. Но процессы репликации в эукариотических клетках совершенно уникальны, и мы рассмотрим их в этой таблице.

В этой таблице показана нить ДНК в ряде эукариотической клетки. Мы выделили вдоль этой длинной молекулы ДНК различные участки, чтобы вам было легче изучать процессы, происходящие с ней.

В этой таблице показана упрощенная схема эукариотической клетки. Она покрыта **мембраной (A)**, внутреннее пространство клетки занимает **цитоплазма (B)**. В цитоплазме находится крупная органелла – **ядро (C)**.

Внутри ядра эукариотической клетки содержится несколько хромосом, состоящих из ДНК. Во всех клетках человека, за исключением половых и кровяных клеток, имеется сорок шесть хромосом. Во всех сорока шести хромосомах около трех миллионов пар оснований. В этой таблице одна хромосома условно растянута, чтобы ее можно было лучше рассмотреть; эта **хромосома (D)** представляет любую из сорока шести хромосом человеческой клетки. По мере удаления от ядра мы видим **исходную ДНК (E)**. Рассмотрим ее подробно.

Мы начали работу с таблицей, растянув одну молекулу ДНК для наглядности. Наша цель – объяснить специфические ситуации, возникающие в ходе репликации эукариотической ДНК. В процессе чтения вы должны аккуратно раскрашивать отдельные участки рисунка.

При репликации ДНК в бактериальных клетках (как показано в предыдущей таблице) репликация начинается в одном месте – начале репликации. Но если бы эукариотические молекулы ДНК должны были дублироваться таким образом, то для их репликации потребовалось бы очень много времени. Поэтому существует несколько мест, где начинается репликация эукариотической молекулы ДНК. Одно из них обозначено стрелкой. **Места начала репликации (O)** – это области, где еще не сформированы репликационные развилки.

Повсюду на молекуле ДНК мы видим утолщения. В этих местах **энзимы (F)** «расстегнули» нити ДНК и начали разбирать их с обеих сторон молекулы ДНК в противоположных направлениях. Энзимы видны с левой и правой стороны в каждом из этих утолщений. Раскрасьте их бледными цветами.

Важной частью реконструкционного комплекса энзима является полимераза ДНК. По мере того как полимеразы ДНК действуют в противоположных направлениях от начального места репликации, они синтезируют две новые нити ДНК, и в этом синтезе участвует несколько **нуклеотидов (H)**. Следовательно, как видно на схеме, **новые ДНК (G)** формируются внутри этих утолщений. Если двигаться по этой схеме от первого до четвертого, самого крупного, утолщения, то мы увидим больше деталей новой ДНК. К растущей молекуле ДНК продолжают добавляться новые нуклеотиды.

Этот процесс будет продолжаться до тех пор, пока репликация не закончится. На схеме видно также, что на конце молекулы ДНК появились две **двойные спирали ДНК (I)**. Рамку, ограничивающую эти двойные спирали, надо раскрасить темным цветом. Эти две спирали будут разделяться до тех пор, пока не достигнут первого крупного пузырька.

В эукариотической ДНК по всей длине молекулы сформировались сотни таких начальных мест для репликации. Это особенно важно для эукариотов, так как в них комплексы репликации работают намного медленнее, чем в прокариотических клетках. Например, бактериальная репликация ДНК протекает со скоростью примерно одного миллиона пар оснований в минуту, но в эукариотических клетках скорость репликации колеблется в диапазоне от пятисот до пяти тысяч пар оснований в минуту. Так как вновь синтезируемые нити ДНК растут в двух противоположных направлениях, то репликация в эукариотических клетках занимает в среднем несколько часов. После того как репликация ДНК завершена, эукариотическая клетка готова к делению (митозу).

РЕПЛИКАЦИЯ ЭУКАРИОТИЧЕСКОЙ ДНК

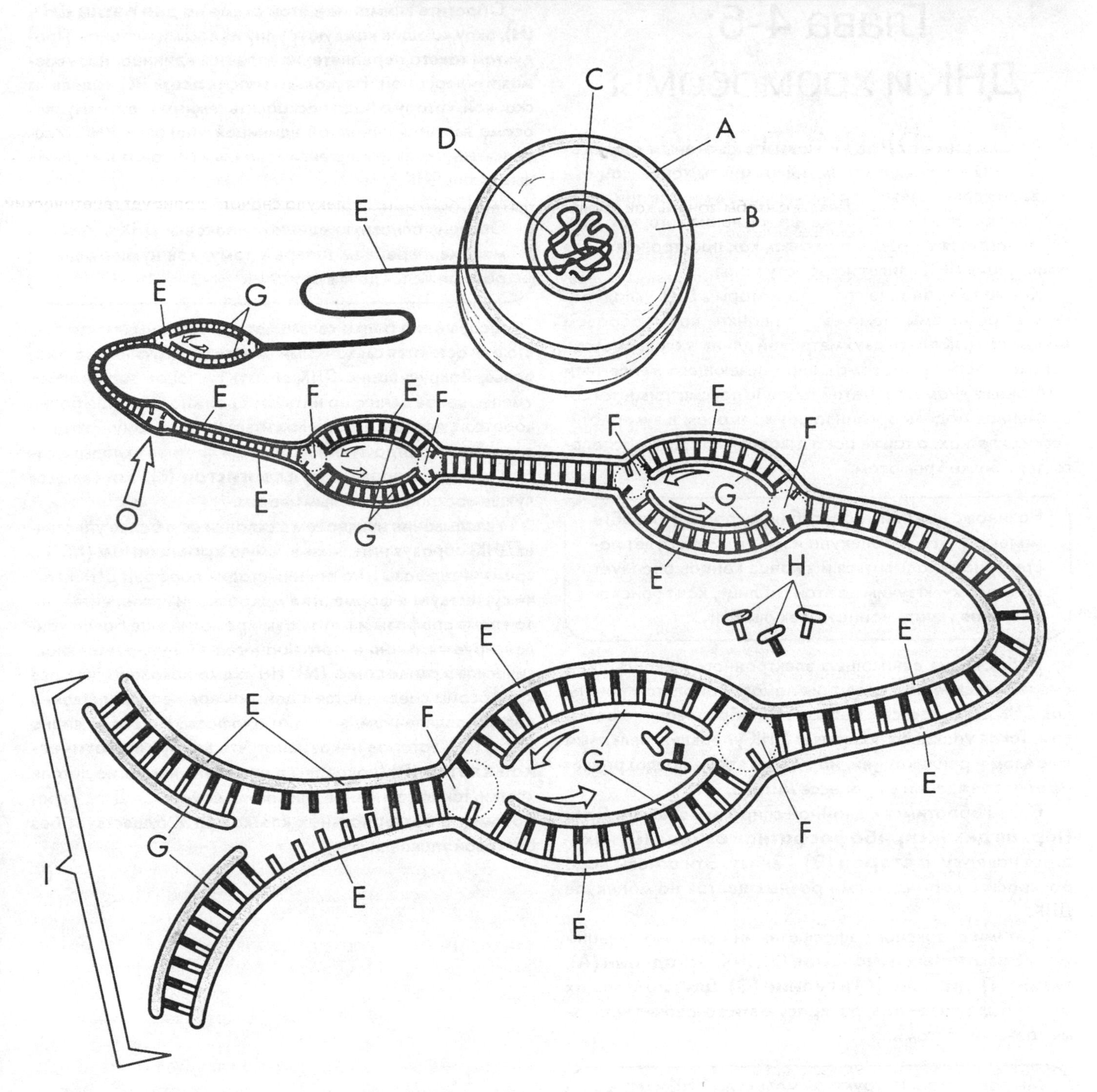

Репликация эукариотической ДНК

Мембрана эукариотической клетки .... A

Цитоплазма эукариотической клетки .... B

Ядро C

Хромосома .... D

Исходная ДНК .... E

Энзим .... F

Новая ДНК .... G

Место начала репликации .... O

Нуклеотиды .... H

Двойные спирали ДНК I

Глава 4-5: ДНК и хромосомы

Рассмотрим, как ДНК упаковывается в гены и хромосомы, так как это поможет вам понять циклы конденсации и высвобождения связей, происходящие в митозе при делении клетки. Это важно также для уяснения того, как ДНК располагается в хромосомах, так как пространственная ориентация ДНК влияет на работу генов.

Кроме того, знание способа, которым ДНК укладываются в хромосомы, поможет вам понять, каким образом молекула ДНК почти двухметровой длины укладывается в сорока шести хромосомах ядра, имеющего менее пяти микронов в диаметре. В этой таблице рассматривается современная модель организации хромосом в эукариотических клетках, а также показывается, как ДНК располагается в белке хромосом.

Начиная с нижней части таблицы, рассматривайте молекулу ДНК. Молекула из двух нитей будет постепенно складываться и в конце концов образует хромосому. Изучим по этой таблице, как происходит такое укладывание молекулы ДНК.

Наблюдения с помощью электронного микроскопа и биохимические исследования помогли биологам понять, как ДНК связывается с белком при образовании хромосом. Такая упаковка позволяет ДНК управлять белковым синтезом и репликацией, но в то же время предохраняет ее от повреждений в процессе митоза.

Снова обратимся к двойной спирали молекулы ДНК. **Первая дезоксирибофосфатная основа (D)** находится наверху, а **вторая (B)** – внизу. Эти основы надо раскрасить карандашами разных цветов на молекуле ДНК.

С этими дезоксирибофосфатными основами связаны четыре **азотистых основания (E)** ДНК. Это **аденин (A)**, **тимин (T)**, **цитозин (C)** и **гуанин (G)**. Для того чтобы их можно было различать, раскрасьте эти основания четырьмя разными цветами.

Мы рассмотрели структуру молекулы ДНК и теперь обсудим ее связь с белком гистоном, результатом которой является образование нуклеосомы. Продолжайте чтение, раскрашивая таблицу.

В эукариотических клетках хромосомы связаны с белками, называемыми гистонами. **Белки гистоны (I)** появляются в виде пучков из восьми молекул, как показано в таблице. Эти гистоны – небольшие белки, облегчающие упаковку ДНК. Сначала эти восемь белков гистонов показаны отдельно, а потом, для простоты, мы покажем их вместе как **конденсированные гистоны (J)**.

Обратите внимание в этой схеме на **две петли ДНК (H)**, окружающие каждую группу из восьми гистонов. Продуктом такого переплетения является единица, называемая нуклеосомой. Несколько **нуклеосом (K)** выделены скобкой, которую надо раскрасить темным цветом. Нуклеосома является основной единицей упаковки ДНК. Раскрасьте несколько конденсированных гистонов и их двойные петли ДНК.

Обсудив основную единицу упаковки ДНК в хромосоме, перейдем теперь к тому, как нуклеотиды объединяются друг с другом.

Особый тип белка связывает нуклеосомы вместе так, что они остаются связанными вместе, как бусинки на ожерелье. Закручивание ДНК вокруг гистонов значительно уменьшает ее длину, но нить ДНК должна быть еще более короткой, для того чтобы уложиться в хромосому. Эта цель достигается, когда нуклеосомы еще плотнее укладываются в толстые складки – **нуклеогистон (L)**. Эти складки лучше раскрасить светлым цветом.

Укладывание нуклеосом в складки еще более уплотняет ДНК, образуя нить, называемую **хроматином (M)**. Во время интерфазы и на ранней стадии профазы ДНК клетки существует в форме этих микроскопических нитей, но во время профазы и метафазы хроматин еще более конденсируется. В конце этого процесса продуцируется классическая **хромосома (N)**. На схеме показано, как две хромосомы соединяются в центромере непосредственно перед разделением, в стадии анафазы. На схеме видно **ядро (O)**, которое показывает, что это **эукариотическая клетка (P)** (показаны лишь очень немногие детали клетки, так как основное внимание мы уделяем ДНК и хромосоме). В бактериальных клетках ДНК существует без белковой упаковки.

ДНК И ХРОМОСОМЫ

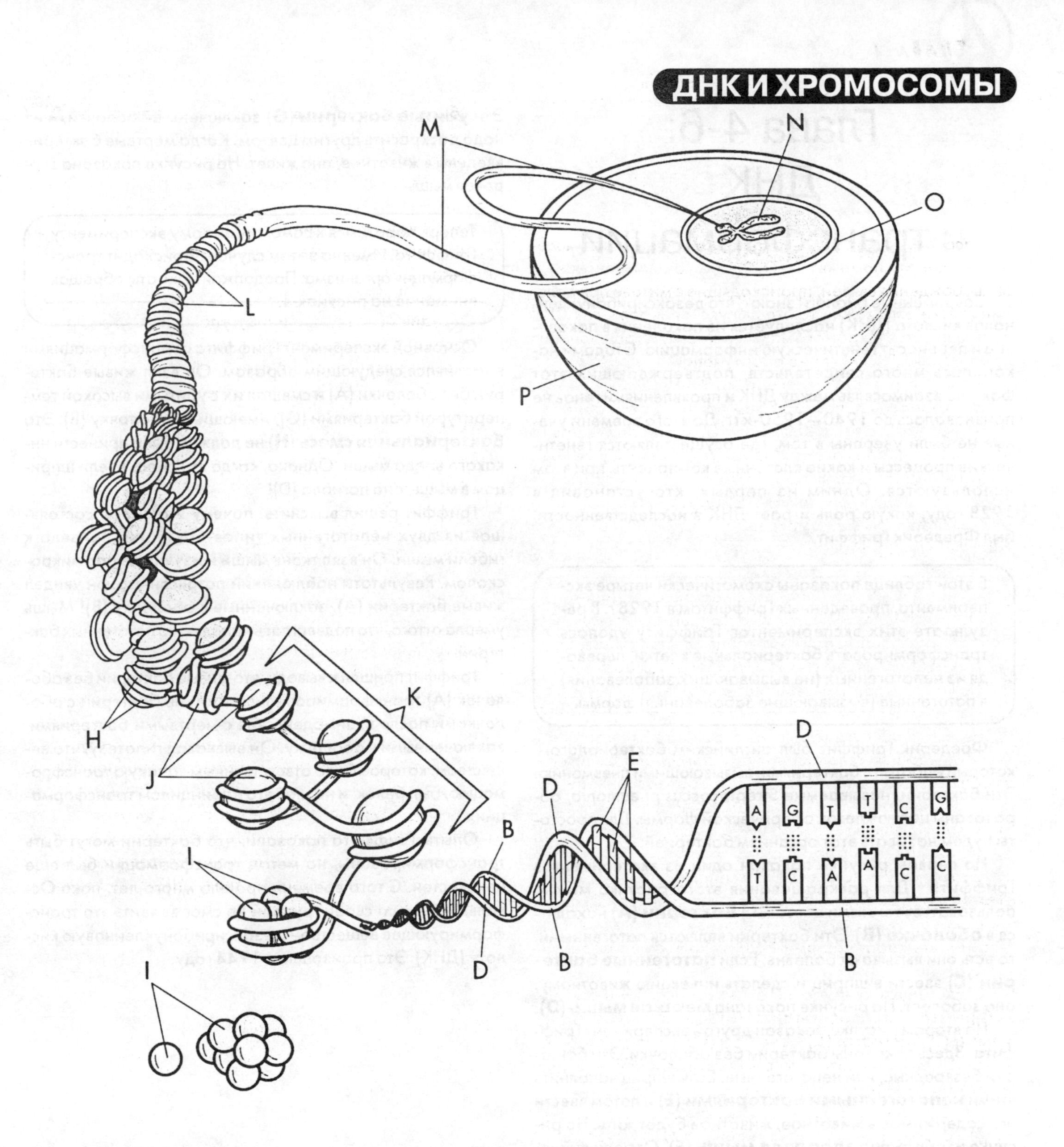

ДНК и хромосомы

Первая дезоксирибофосфатная основа .... D
Вторая дезоксирибофосфатная основа .... B
Аденин .... A
Тимин .... T
Цитозин........................... C

Гуанин .... G
Азотистые основания ... E
Две петли ДНК............. H
Белки гистоны I
Конденсированные гистоны .... J
Нуклеосомы .... K

Нуклеогистон L
Хроматин........................ M
Хромосома .... N
Ядро .... O
Эукариотическая клетка .... P

Глава 4-6: ДНК и трансформации

Современные биологи знают, что дезоксирибонуклеиновая кислота (ДНК) наследуется из поколения в поколение и переносит генетическую информацию. С годами накопилось много свидетельств, подтверждающих этот факт, но взаимосвязь между ДНК и проявлениями генов не признавалась до 1940—1950-х гг. До этого времени ученые не были уверены в том, где осуществляются генетические процессы и какие клеточные компоненты при этом используются. Одним из первых, кто установил в 1928 году, какую роль играет ДНК в наследственности, был Фредерик Гриффит.

В этой таблице показаны схематически четыре эксперимента, проведенных Гриффитом в 1928 г. В результате этих экспериментов Гриффиту удалось трансформировать бактериальные клетки, переводя из непатогенных (не вызывающих заболевания) в патогенные (вызывающие заболевания) формы.

Фредерик Гриффит был английским бактериологом, который работал с бактериями, вызывающими пневмонию. Эти бактерии, называемые Streptococcus pneumonia, образованы цепью клеток сферической формы. Для простоты будем называть этот организм бактерией.

На первом рисунке показан один из экспериментов Гриффита. (Для раскрашивания этого рисунка можно пользоваться темными цветами.) **Бактерии (A)** находятся в **оболочке (B)**. Эти бактерии являются патогенными, то есть они вызывают болезнь. Если **патогенные бактерии (C)** ввести в шприц и сделать инъекцию животному, оно заболеет. На рисунке показана **мертвая мышь (D)**.

На втором рисунке показан другой эксперимент Гриффита. Здесь показаны бактерии без оболочки. Эти бактерии безвредные, или непатогенные. Если шприц наполнить этими **непатогенными бактериями (E)** и потом ввести его содержимое в животное, животное будет жить. На рисунке изображена **здоровая мышь (F)**. Отсюда видно, что оболочка бактерии является ключом к ее патогенности; без оболочки бактерии безвредны.

Мы знаем теперь, что наличие оболочки является основным различием между патогенными и непатогенными бактериями. Продолжим рассмотрение экспериментов Гриффита и перейдем к рисунку 3.

Третий эксперимент Гриффита показан на рисунке 3. В этом случае бактерии были убиты высокой температурой. Эти **убитые бактерии (G)** заключены в оболочки, и их надо раскрасить другим цветом. Когда мертвые бактерии введены в животное, оно живет. На рисунке показана здоровая мышь.

Теперь обратимся к самому важному эксперименту Гриффита. Именно в этом случае происходит трансформация организма. Продолжайте читать, обращая внимание на рисунок 4.

Основной эксперимент Гриффита с трансформациями выполнялся следующим образом. Он взял живые бактерии без оболочки (A) и смешал их с убитыми высокой температурой бактериями (G), имеющими оболочку (B). Эта **бактериальная смесь (H)** не должна была принести никакого вреда мыши. Однако, когда эту смесь ввели шприцом в мышь, она погибла (D)!

Гриффит решил выяснить, почему эта смесь, состоявшая из двух непатогенных типов бактерий, привела к гибели мыши. Он взял ткань мыши и изучил ее под микроскопом. Результаты наблюдений потрясли его: он увидел живые бактерии (A), заключенные в оболочку (B)! Мышь умерла оттого, что подверглась нападению патогенных бактерий.

Гриффит пришел к выводу, что живые бактерии без оболочек (A) трансформировались в живые бактерии с оболочками после взаимодействия с мертвыми бактериями, заключенными в оболочку. Он высказал гипотезу, что веществом, которое было ответственным за такую трансформацию, был белок, и назвал это «принципом трансформации».

Опыты Гриффита показали, что бактерии могут быть трансформированы, но метод трансформации был еще неизвестен. С того времени прошло много лет, пока Освальд Авери со своей группой не смог выявить это трансформирующее вещество – дезоксирибонуклеиновую кислоту (ДНК). Это произошло в 1944 году.

ДНК И ТРАНСФОРМАЦИИ

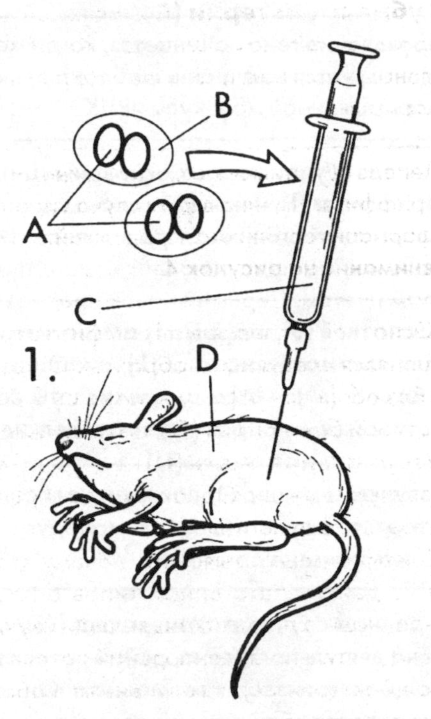

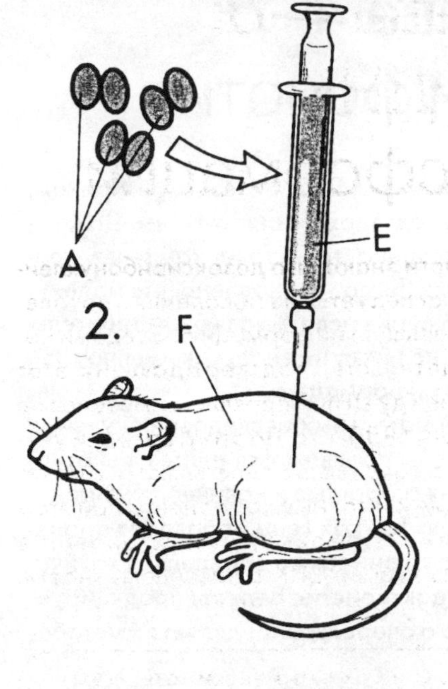

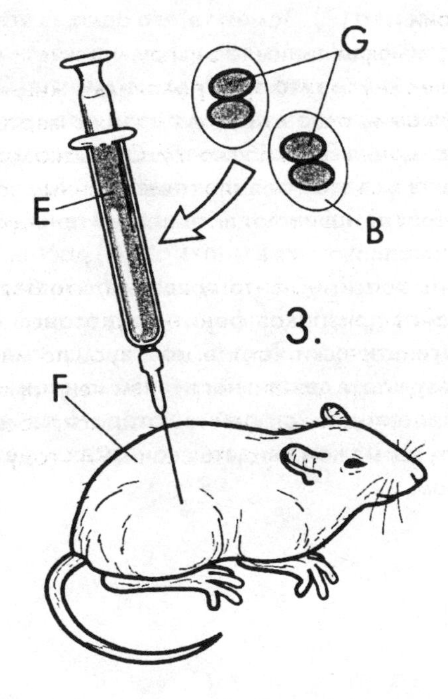

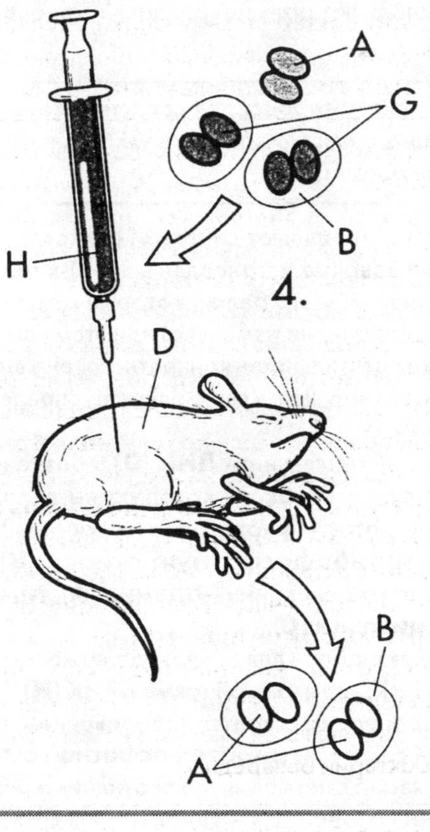

ДНК и трансформации

Бактерия .... A
Оболочка бактерии .... B
Патогенные бактерии C
Мертвая мышь .... D
Непатогенные бактерии .... E
Здоровая мышь .... F
Бактерии, убитые высокой температурой .... G
Смесь бактерий .... H

Глава 4-7: ДНК и фенотип

После открытия структуры ДНК Уотсоном и Криком, ученые стали находить подтверждения тому, что ДНК является основой наследственности, источником генетической информации в клетке. Было установлено, что молекулы дезоксирибонуклеиновой кислоты являются строительным материалом генов, но никто не знал, как именно ДНК передает генетическую информацию.

Спустя десятилетия тщательных исследований ученые пришли к выводу, что гены проявляются (через фенотип) посредством управления скоростью и количеством продуцируемых полипептидов. Так как гены управляют производством полипептидов, то они также определяют количество и идентичность характеристик белков, продуцируемых в клетках, что, в свою очередь, определяет их метаболическую активность.

В этой таблице мы рассмотрим взаимосвязь между ДНК и фенотипом, или проявлением генов, и посмотрим, каким образом белки выполняют роль посредников в процессе проявления генов.

> В этой таблице показан процесс, посредством которого информация, содержащаяся в генах, проявляется в фенотипе организма.

Тот факт, что гены управляют синтезом белков, в том числе энзимов, был впервые установлен в 1940-х годах. Если вы помните, энзимы – это белки, которые катализируют химические реакции, не изменяясь при этом сами, и здесь мы увидим, как деятельность конкретного гена влияет на производство энзима, что, в свою очередь, определяет фенотип растения.

Этот процесс начинается с нити **ДНК (D)**, обозначенной на нашем рисунке скобкой, которую вы должны раскрасить темным цветом – фиолетовым или синим. Раскрасьте ее **дезоксирибофосфатную основу (B)**, а потом четыре азотистых основания – **аденин (A)**, **тимин (T)**, **гуанин (G)** и **цитозин (C)**.

ДНК работает как шаблон для производства молекулы информационной РНК, называемой также **иРНК (H)**. Как вы помните, этот процесс называется копированием. Информационная РНК состоит из **рибозофосфатной основы (E)**, которая связана с четырьмя нуклеотидными основаниями. Из этих оснований три – те же, что и в ДНК, но вместо тимина – **урацил (U)**. Раскрасьте эти четыре типа оснований, обращая внимание на то, что в иРНК урацил образует пару с аденином.

> Проявление гена начинается, когда молекула ДНК используется в качестве шаблона для создания информационной молекулы иРНК.

Каждая группа из трех оснований нити иРНК называется **кодоном (I)**, и каждый кодон кодирует информацию для конкретной аминокислоты в полипептидной цепи. Прямоугольник, представляющий кодон, нужно раскрасить светлым цветом. Первый значок предназначен для **аминокислоты 1 (J)**, второй для **аминокислоты 2 (K)**, третий для **аминокислоты 3 (L)**, а четвертый для **аминокислоты 4 (M)**. Когда аминокислоты соединяются пептидными связями, образуется полипептид.

> Результатом «перевода» является полипептид, и то, как этот полипептид функционирует, будет определять фенотип организма.

В данном случае **полипептид (N)**, образованный в ответ на деятельность гена, действует как **энзим (O)**, участвующий в производстве пигмента. Он катализирует реакцию, в которой участвует молекула – предшественник **пигмента (P)**. Заметьте, что одна из этих молекул связана с энзимом; энзим трансформирует эти молекулы — предшественники в **молекулы пигмента (Q)**. Помните о том, что энзим, участвующий в этом процессе, является полипептидом, а ДНК обусловливала последовательность аминокислот в этом полипептиде.

Теперь начинают проявляться гены. Молекулы пигмента накапливаются в **цветках (R)** растения. Молекулы пигмента красные, поэтому цветы становятся красными, и это один из признаков фенотипа, который был предопределен генетически. Так как молекулы пигмента производятся в результате деятельности энзима и так как энзим является полипептидом, строение которого записано в ДНК, то в этом мы можем увидеть взаимосвязь между ДНК и фенотипом.

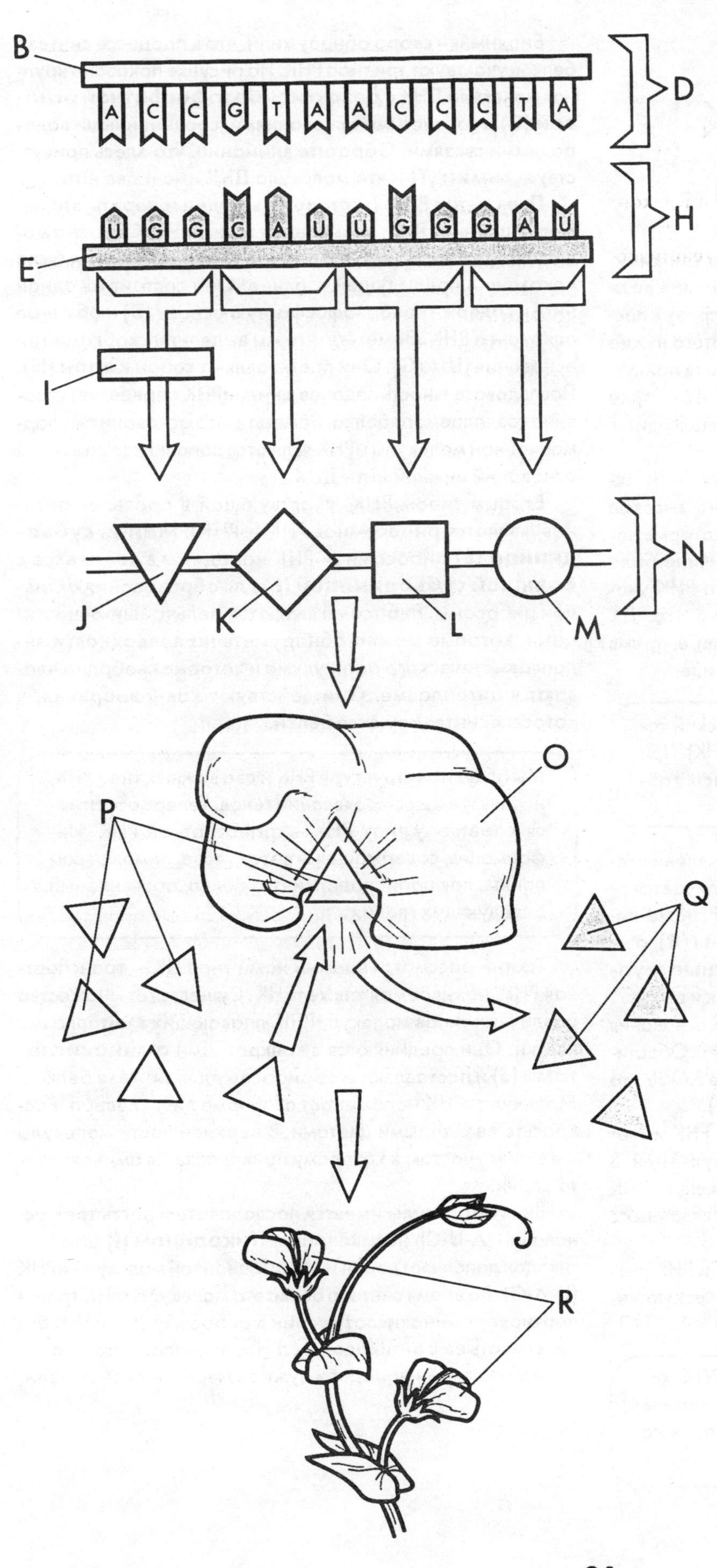

ДНК и фенотип

ДНК .... D
Дезоксирибофосфатная основа .... B
Рибозофосфатная основа .... E
Аденин .... A
Цитозин C
Гуанин .... G
Тимин .... T
Урацил .... U
иРНК.............................. H
Кодон I
Аминокислота 1 .... J
Аминокислота 2 .... K
Аминокислота 3 L
Аминокислота 4 .... M
Полипептид .... N
Энзим .... O
Молекула — предшественник пигмента .... P
Молекулы пигмента ...... Q
Цветки растения .... R

Глава 4-8: Структура РНК и физиология

Для того чтобы понять, как проявляются гены, биохимикам нужно знать, переходит ли информация, содержащаяся в дезоксирибонуклеиновой кислоте (ДНК), сразу в последовательность аминокислот в белке или для этого нужно промежуточное вещество. Одним из свидетельств присутствия в этом процессе посредника являлось то, что сборка аминокислот происходит в цитоплазме, а ДНК находится в ядре клетки.

В 1940-х годах биохимики установили, что клетки, активно синтезирующие белок, имеют необычно высокое содержание рибонуклеиновых кислот (РНК), которые находятся в тесном родстве с ДНК. По этой причине было высказано теоретическое предположение, что РНК участвует в производстве белков. Теперь мы знаем, что РНК участвует в проявлении генов, по крайней мере, тремя важными способами, как показано в этой таблице.

> В данной таблице рассматривается химический состав и функции рибонуклеиновой кислоты (РНК). При чтении обратите внимание на верхнюю часть таблицы.

РНК – важный посредник в процессе проявления генов. Очень похожая на ДНК, молекула РНК отличается от нее тремя признаками. На схеме структуры РНК мы видим, что ее углеводная часть состоит из **рибозы (R)**, а не из дезоксирибозы, как в случае с ДНК. **Фосфатные группы (P)** связывают молекулы рибозы так же, как и в ДНК.

Вторым важным отличием является наличие основания **урацила (U)**. В ДНК вместо урацила входит тимин. Обратите внимание, что остальные основания в РНК те же самые, что и в ДНК: **аденин (A)**, **гуанин (G)** и **цитозин (C)**.

Третьим важным отличием является то, что РНК имеет одну нить, тогда как ДНК обычно состоит из двух нитей. В правой части верхней схемы мы видим одну молекулу РНК с **рибозофосфатной основой (D)** и четыре связанных с ней основания.

Благодаря большому сходству между ДНК и РНК ученые считали, что РНК получает от ДНК генетическую информацию, используемую для синтеза белков.

> Теперь перейдем к трем различным типам РНК, которые участвуют в проявлении генов и в синтезе белка. Продолжайте читать, обращая внимание на центральную и нижнюю части таблицы.

Биохимики скоро обнаружили, что в процессе синтеза белков участвуют три типа РНК. На рисунке показана крупная молекула ДНК с **дезоксирибозофосфатной основой (B)** и азотистыми основаниями, соединенными водородными связями. Обратите внимание, что здесь присутствует **тимин (T)** и что молекула ДНК имеет две нити.

Первый тип РНК, о котором мы будем говорить, это информационная РНК, называемая также **иРНК (K)**. Эта молекула сначала копирует генетический код ДНК, как было показано в предыдущей таблице. Она состоит из одной нити и содержит рибозофосфатную основу (D) и обычные основания РНК. Заметьте, что мы выделили скобками три основания (U-A-G). Они представляют собой **кодон (H)**. Последовательность кодонов в нити иРНК определяет строение создаваемого белка. Заметьте, что основания информационной молекулы иРНК являются дополнительными для оснований нижней нити ДНК.

Вторым типом РНК, участвующей в проявлении генов, является рибосомная РНК (рРНК). **Малая субъединица (E)** рибосомной РНК находится в комплексе с **большой субъединицей (F)** для образования активной рибосомы. Рибосомы являются мельчайшими частицами, которые можно обнаружить на поверхности эндоплазматического ретикулума и которые свободно плавают в цитоплазме. Они действуют как «фабрики», в которых синтезируются белки.

> Мы обсудили структуру РНК и два важных типа РНК, используемых в проявлении генов. Теперь обратимся к третьему типу РНК – транспортной РНК. Информация, содержащаяся в этой главе, поможет вам понять, как происходит синтез белка, объясняемый в следующих главах.

Третий рассматриваемый нами тип РНК – транспортная РНК, называемая также тРНК. Существует множество различных типов молекул тРНК, плавающих в цитоплазме клетки. Они соединяются с конкретными **аминокислотами (J)** и поставляют их в рибосому для синтеза белков. Молекула тРНК напоминает по форме лист клевера. Раскрасьте ее светлыми цветами. В верхней части молекулы мы видим участок, к которому прикрепляется аминокислота серин.

Внизу молекулы имеется последовательность трех оснований (A-U-C), называемая **антикодоном (I)**. Этот антикодон дополняет кодон информационной молекулы иРНК (U-A-G). Во время синтеза белка эта молекула тРНК транспортирует аминокислоту серин в рибосому, где иРНК будет сличать ее с антикодоном тРНК. Благодаря этому аминокислота серин попадет в нужное место белковой цепи.

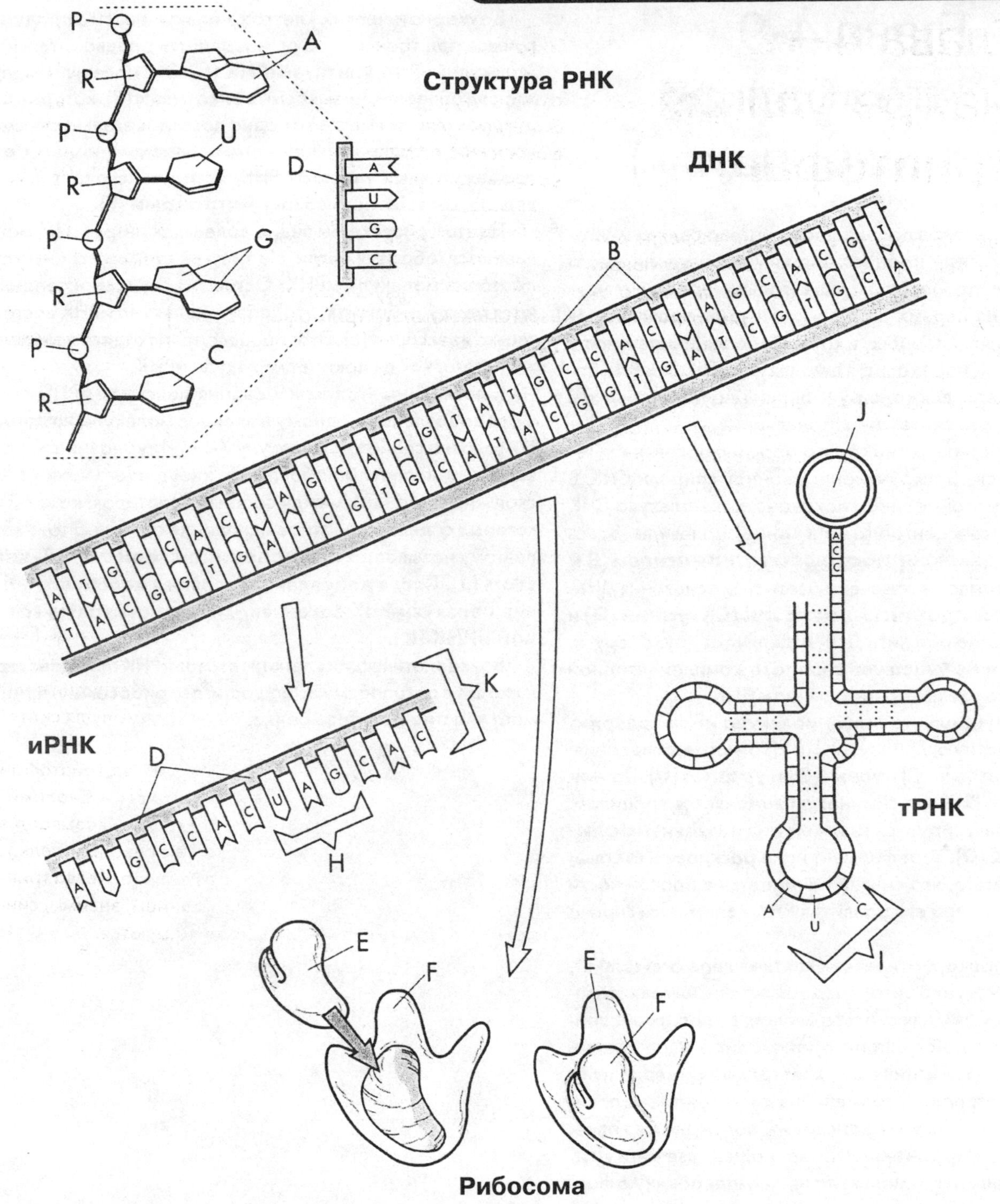

Рибосома

Структура РНК и физиология

Рибоза ... R	Тимин ... T	Кодон ... H
Фосфатная группа ... P	Дезоксирибозофосфатная основа ... B	Малая субъединица ... E
Урацил ... U	Молекула иРНК ... K	Большая субъединица .. F
Аденин ... A	Рибозофосфатная основа ... D	Антикодон ... I
Гуанин ... G		Аминокислота ... J
Цитозин ... C		

Глава 4-9: Синтез белков («транскрипция»)

Проявление генов посредством синтеза белков многоэтапный и сложный процесс. Биохимики открыли много деталей этого процесса, но еще больше предстоит изучить. Одним из первых шагов в синтезе белков является «транскрипция» – процесс, в котором последовательность оснований ДНК переносится в молекулу РНК. Эта РНК затем используется для конструирования молекулы белка в следующей фазе синтеза – «трансляции».

Биохимики теперь знают, что процесс проявления генов начинается с раскручивания двойной спирали ДНК. В верхней части этой таблицы показано, как молекула ДНК раскручивается в центре (а не в конце) молекулы. Здесь же показана **дезоксирибозофосфатная основа (B и B_1)** обоих спиралей и отмечены азотистые основания ДНК. К ним относятся **аденин (A)**, **цитозин (C)**, **гуанин (G)** и **тимин (T)**. Когда обе нити ДНК отделяются друг от друга, только одна нить участвует в синтезе комплементарной нити иРНК. На схеме это нижняя нить ДНК.

Как было упомянуто выше, молекула иРНК содержит рибозофосфатную основу (B_2) и азотистые основания: аденин (A), цитозин (C), гуанин (G) и **урацил (U)**. Помните о том, что в РНК нет тимина; он заменяется урацилом. Синтез РНК регулируется энзимом под названием **полимераза РНК (D)**. Этот фермент надо раскрасить светлым цветом. Заметьте, что синтез начинается в правой части молекулы и по мере его развития РНК копируется справа налево.

Так как в прокариотических клетках ядро отсутствует, то иРНК существует в цитоплазме вместе с аминокислотами, используемыми для синтеза белков. В клетках-эукариотах процесс транскрипции происходит в ядре клетки. Кроме того, в эукариотических клетках, например, у человека иРНК претерпевает изменения до того, как она покинет ядро клетки. Как это происходит, обсуждается далее.

После того как синтез иРНК завершен, две нити ДНК снова объединяются, и молекула принимает обычную форму двойной спирали.

> Мы изучили процесс «транскрипции», в котором молекула РНК «копирует» последовательность азотистых оснований одной нити молекулы ДНК. В эукариотических клетках эта молекула иРНК должна пройти дальнейшую обработку, перед тем как она отправится в цитоплазму. Далее мы увидим, как это происходит. Соответствующие участки рисунка надо раскрашивать темными цветами, так как здесь нет мелких деталей.

В эукариотических клетках молекула иРНК, продуцируемая при транскрипции, называется предварительной молекулой иРНК, или **пре-иРНК (H)**. Эта молекула содержит ряд областей, называемых **эксонами (E)**, которые будут проявляться вместе как одна последовательность аминокислот в белке. Между этими областями имеется ряд промежуточных участков РНК, которые не будут проявляться и которые называются **интронами (F)**.

На этом рисунке мы видим далее, как интроны (F) скручиваются, образуя петли. На третьей схеме интроны удаляются из молекулы иРНК. Оставшиеся участки соединяются между собой так, что теперь молекула иРНК состоит только из эксонов (E). Этот процесс происходит в ядре клетки до того, как ее покинет молекула иРНК.

К последним этапам изменения молекулы иРНК относится добавление к одному из концов молекулы **головки (I)**. Головка содержит молекулу 7-метилгуанозина. С правого края молекулы добавляется хвост, состоящий из нескольких связанных между собой нуклеотидов, каждый из которых содержит азотное основание аденин. Этот хвост поэтому называется **полиаденином, или полиА-хвостом (J)**. После добавления головки и хвоста построение молекулы РНК закончено, и она называется **готовой иРНК (K)**.

В эукариотических клетках готовая иРНК покидает ядро и входит в цитоплазму. Она достигает рибосомы и принимает участие в синтезе белка.

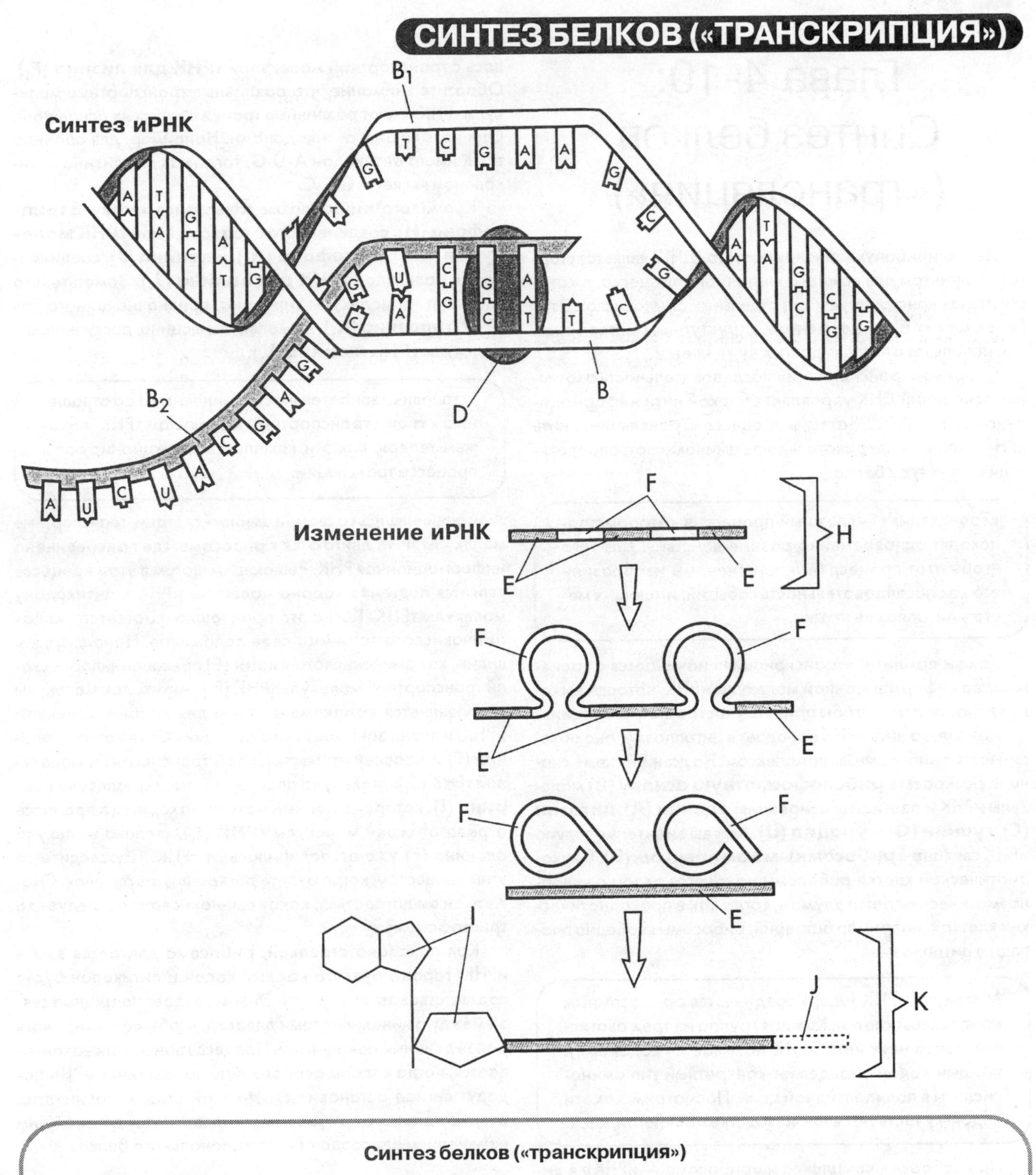

Синтез белков («транскрипция»)

Дезоксирибозофосфатная основа .... B_1
Рибозофосфатная основа .... B_2
Аденин .... A
Цитозин.......................... C
Гуанин .... G
Тимин .... T
Урацил.......................... U
Полимераза РНК .... D
Экзон .... E
Интрон .... F
Предварительная молекула иРНК.......................... H
Головка I
Полиадениновый хвост .... J
Готовая молекула иРНК.......................... K

Глава 4-10: Синтез белков («трансляция»)

Дезоксирибонуклеиновая кислота (ДНК) является стартовым пунктом для важного клеточного процесса, в котором белок конструируется из отдельных аминокислот. Этот белок может быть ферментом, структурным материалом или использоваться для других нужд клетки.

Во время «транскрипции» последовательность азотистых оснований ДНК управляет сборкой нити информационной РНК (иРНК). Затем, в процессе «трансляции», нить иРНК задает последовательность аминокислот, определяющих структуру белка.

«Трансляция» – сложный процесс, в котором происходят одновременно разные действия. Для того чтобы этот процесс был понятнее, мы изобразили его как последовательность событий, имеющих место в цитоплазме клетки.

Как вы помните, «транскрипция» начинается с производства информационной молекулы иРНК, которая выходит в цитоплазму, чтобы принять участие в «трансляции».

Как только нить иРНК попадает в цитоплазму, она объединяется с рибосомным комплексом. На данной схеме сначала раскрасьте **рибозофосфатную основу (B)** молекулы иРНК и азотистые основания: **аденин (A)**, **цитозин (C)**, **гуанин (G)** и **урацил (U)**. Как вы видите, молекула иРНК связана с **рибосомным комплексом (D)**. В эукариотической клетке рибосомы находятся рядом с эндоплазматическим ретикулумом, тогда как в прокариотических клетках, например бактерий, рибосомы свободно плавают в цитоплазме.

Молекула иРНК теперь соединяется с рибосомным комплексом клетки. Каждая группа из трех азотистых оснований нити иРНК называется кодоном, и каждый кодон определяет конкретный тип аминокислоты в полипептидной цепи. Посмотрим, как эти кодоны участвуют в производстве полипептидов.

При «сборке» комплекса и «рибосома — иРНК» в цитоплазме происходят многие другие события. Например, компоненты тРНК (транспортная РНК) свободно связываются с определенными аминокислотами в процессе, требующем для своего осуществления энергии.

Вы можете видеть на этой схеме, например, что аминокислота **аланин (E)** объединилась с **транспортной молекулой для аланина (E_1)**, а одна молекула **лизина (F)** свободно плавает, тогда как другая молекула соединилась с транспортной молекулой **тРНК для лизина (F_1)**. Обратите внимание, что различные транспортные молекулы тРНК имеют различные тройки азотистых оснований. Они называются антикодонами. Например, для аланина тРНК имеет антикодон A-U-G, тогда как для лизина антикодоном является C-C-C.

Кроме того, в цитоплазме содержится молекула **триптофана (H)**, соединенного с транспортной **тРНК молекулой для триптофана (H_1)**, и **валина (J)**, соединенного с молекулой **тРНК для валина (J_1)**. Заметьте, что здесь нет ни молекулы тирозина, предназначенного для **тРНК тирозина (K_1)**, ни молекулы люцина, доступной для молекулы **тРНК люцина (L_1)**.

Установив избирательность аминокислот по отношению к своим транспортным молекулам тРНК, покажем теперь, как эти комплексы функционируют в процессе трансляции.

Соединившись со своими аминокислотами, транспортные молекулы тРНК двигаются к рибосоме, где присоединена информационная РНК. Решающим шагом в этом процессе является подгонка кодона молекулы иРНК к антикодону молекулы тРНК. Когда это произошло, соответствующая аминокислота занимает свое положение. Например, мы видим, как аминокислота **лизин (F)** присоединилась к своей транспортной молекуле тРНК (F_1). Антикодон молекулы тРНК является комплементарным для кодона молекулы иРНК, и лизин занимает свою позицию. Слева от него аланин (E) доставлен на место своей транспортной молекулой тРНК (E_1). Молекула аланина связана с молекулой **серина (I)**, которая в данный момент находится в процессе отрыва от своей молекулы **тРНК (I_1)**, а слева молекула аланина (E) уже отсоединилась от тРНК. Проследите за этим процессом, когда будете раскрашивать рисунок. Сможете ли вы догадаться, какая аминокислота последует за триптофаном?

Как показано стрелкой, рибосома двигается вдоль иРНК, гарантируя, что каждый кодон и антикодон будут соответствовать друг другу. Энзим создает пептидные связи между аминокислотами для того, чтобы сформировать более длинный полипептид. Процесс трансляции заканчивается, когда кодоны особого типа на молекуле иРНК подадут сигнал остановиться. На этой стадии полипептид освобождается от рибосомы и подвергается дальнейшим изменениям для создания функционального белка.

СИНТЕЗ БЕЛКОВ («ТРАНСЛЯЦИЯ»)

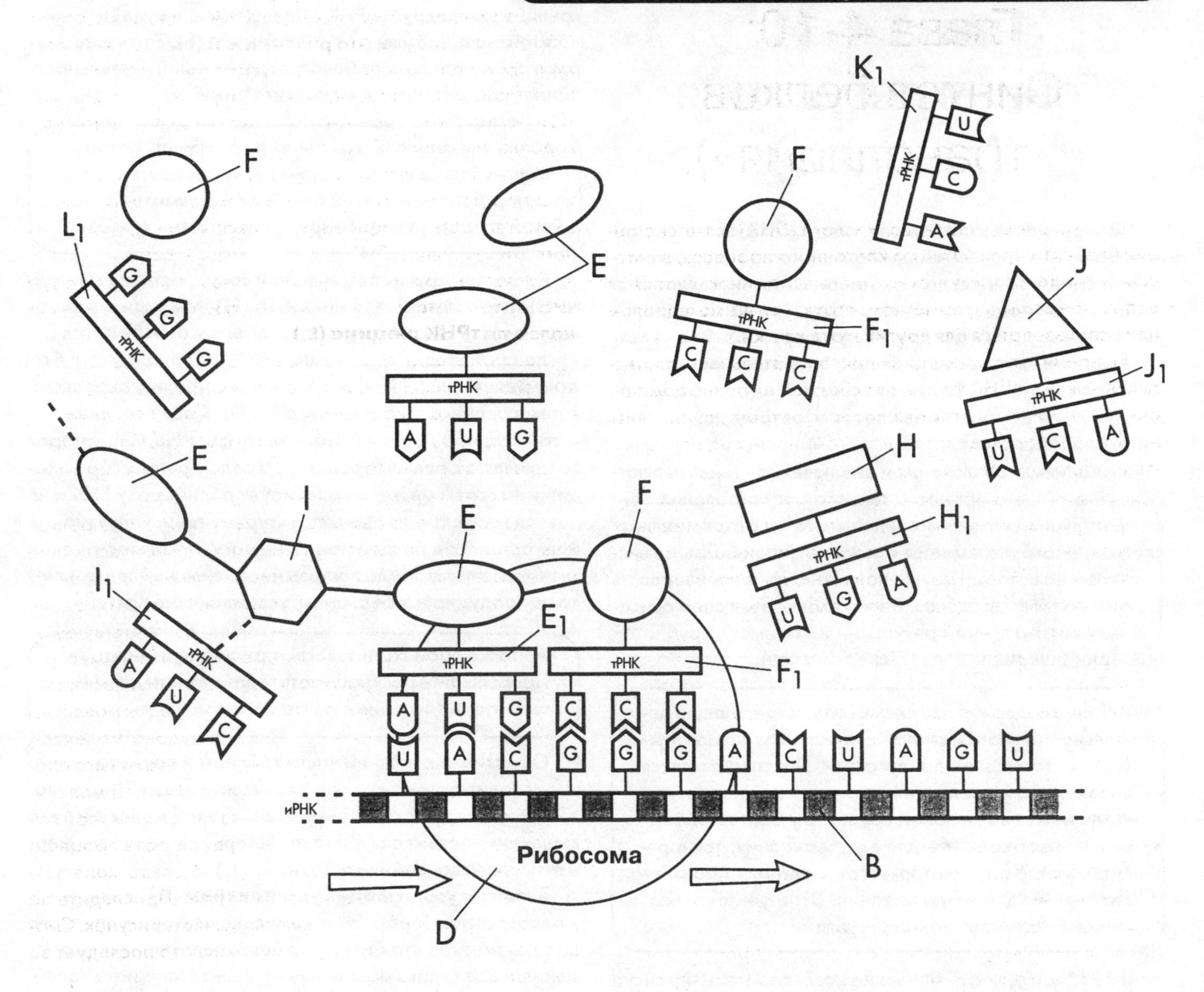

Синтез белков («трансляция»)

Рибозофосфатная основа	B	Аланин	E	Серин	I
Аденин	A	тРНК для аланина	E_1	тРНК для серина	I_1
Цитозин	C	Лизин	F	Валин	J
Гуанин	G	тРНК для лизина	F_1	тРНК для валина	J_1
Урацил	U	Триптофан	H	тРНК для тирозина	K_1
Рибосомный комплекс	D	тРНК для триптофана	H_1	тРНК для люцина	L_1

Глава 4-11: Генная регуляция (лактоза)

Человеческая клетка содержит около ста тысяч генов. Большую часть времени большинство генов остаются в бездействии, тогда как небольшое их количество участвует в процессе транскрипции, что в итоге приводит к производству белков. Например, мышечная клетка будет продуцировать белки, необходимые для ее метаболизма, и эти белки отличаются от белков, необходимых для других типов клеток. Поэтому другие гены у нее бездейст-вуют.

Механизмы «включения и выключения» генов являются частью общего процесса генного регулирования. Генная регуляция широко исследовалась на бактериальных клетках, в которых имеется относительно небольшое число генов и на которых можно подробно проанализировать биохимию этого процесса. В этой таблице мы даем описание механизма генной регуляции на примере трубчатой бактерии Эшерихия коли (Escherichia coli).

Таблица содержит две схемы, иллюстрирующие деятельность генов сначала в отсутствие углевода лактозы, а затем в ее присутствии. Лактоза является дисахаридом, состоящим из глюкозы и галактозы, и когда ее нет во внешней среде, то у бактерии ферменты, необходимые для ее усваивания, тоже отсутствуют. Когда она имеется, бактерия производит энзимы для ее усваивания. Этот феномен возможен благодаря генной регуляции.

В 1940-х годах французские исследователи Франсуа Жакоб и Жак Моно исследовали генную регуляцию у бактерии и описали оперон – пучок генов, который работал во время синтеза белков. Оперон, который они описали первым, называется лак-опероном и часто изучается как модель генной регуляции.

Для того чтобы усваивать лактозу, клетка должна производить три энзима. Посмотрите на первую схему. Эти энзимы расшифровываются **структурным геном А (А)**, **структурным геном В (В)** и **структурным геном С (С)**. За этими тремя структурными генами на хромосоме имеется область, называемая **областью оператора (D)**. Эта область включает и выключает процесс транскрипции данных структурных генов, а это, в свою очередь, определяет, какие будут продуцированы энзимы.

За областью оператора ДНК следует **область промотора (Е)**. Эта область является участком оперона, с которым соединяется полимераза РНК. (Вспомним, что полимераза РНК является энзимом, который во время транскрипции синтезирует иРНК.) Далее, на молекуле ДНК имеется ген, называемый **регуляторным (F)**. Эта часть оперона расшифровывает белок, подавляющий деятельность структурного гена, как вы увидите ниже.

Итак, мы описали компоненты оперона, который включает в себя структурные гены, оператор, промотор и регуляторный ген. Теперь посмотрим, как этот оперон функционирует в отсутствие лактозы.

Когда лактозы нет во внешней среде, с регуляторного гена (F) «считывается» нить **иРНК (H)**. Мы видим, что молекула иРНК связана с **рибосомным комплексом (I)**. Когда происходит трансляция иРНК, продуцируется **белок-репрессор (J)**. Как показывает стрелка, репрессор затем соединяется с оператором (D). Сразу же слева от него находится молекула **полимеразы РНК (G)**, которая соединяется с промотором. Когда белок-репрессор находится на своем месте, он блокирует полимеразу РНК и не дает энзиму активировать структурные гены. Структурные гены остаются в бездействии и не могут производить свои энзимы, поэтому, когда лактозы нет во внешней среде, клетка не продуцирует ферменты, усваивающие лактозу.

А что же происходит, когда присутствует лактоза? Продолжайте раскрашивать таблицу и при дальнейшем чтении вы поймете, что при этом изменится.

Обратимся к нижней части таблицы и посмотрим, что происходит, когда в среде появляется лактоза. Предположим, к примеру, что человек выпил стакан молока и в его кишечнике появилась лактоза. Теперь клетке нужны ферменты для усваивания лактозы.

В этой ситуации **молекула лактозы (K)** соединяется с репрессором и образует комплекс лактоза-репрессор (J, K). Заметьте, что структура белкового репрессора изменилась от такого объединения, и она становится такой, что он не может уже связываться промотором. Следовательно, полимераза РНК (G) освободилась, и стрелкой показано, как она сдвигается по хромосоме и активирует структурные гены. В результате структурные гены продуцируют молекулы иРНК для этих трех энзимов. Нить иРНК для **энзимов 1, 2 и 3 (L, M и N)** «транслируется», и результатом являются три энзима для усваивания лактозы: **энзимы 1, 2 и 3 (L_1, L_2 и L_3)**.

Лак-оперон служит примером того, как происходит генная регуляция. Его деятельность демонстрирует также удивительную биохимическую эффективность клетки.

ГЕННАЯ РЕГУЛЯЦИЯ (ЛАКТОЗА)

а. Без лактозы

F E D A B C
H G J I J

б. С лактозой

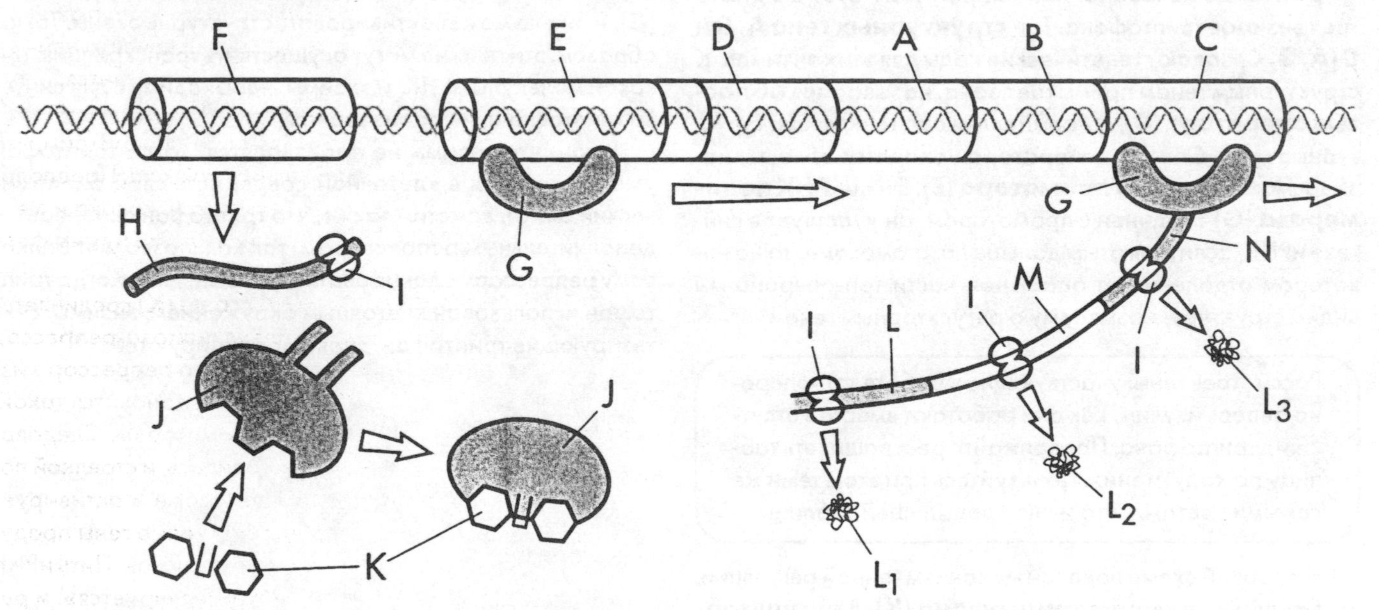

Генная регуляция (лактоза)

Структурный ген A .... A	Полимераза РНК .... G	иРНК для энзима 1 L
Структурный ген B .... B	иРНК для репрессора ... H	иРНК для энзима 2 .... M
Структурный ген C C	Рибосомный комплекс .. I	иРНК для энзима 3 .... N
Область оператора .... D	Белок-репрессор .... J	Энзим 1 .... L_1
Область промотора .... E	Молекула лактозы .... K	Энзим 2 .... L_2
Регуляторный ген .... F		Энзим 3 .... L_3

Глава 4-12: Генная регуляция (триптофан)

В предыдущей главе обсуждалась деятельность лак-оперона, который является группой генов, участвующих вместе в генной регуляции. Здесь мы изучим оперон, который управляет синтезом аминокислоты триптофана. Этот оперон называется трп-опероном.

Рассматривая эту таблицу, вы узнаете, как продуцируются энзимы, участвующие в синтезе триптофана, когда он нужен, но которые исчезают, когда триптофан уже имеется.

Ешерихия коли (Eschericia coli) – бактерия, которая синтезирует триптофан, важную аминокислоту. Эта бактерия использует в производстве триптофана пять энзимов. Рассмотрим сначала регуляцию синтеза тремя из них.

В таблице показано, как оперон участвует в синтезе трех энзимов триптофана. Три **структурных гена А, В и С (А, В, С)** задают генетические коды для этих энзимов. К структурным генам примыкает зона, называемая **областью оператора (D)**, который включает и выключает структурные гены. Слева от оператора находится область, называемая **областью промотора (Е)**. Энзим **РНК полимераза (G)** соединен с промотором, он участвует в синтезе иРНК. Если двигаться дальше по хромосоме, то на некотором отдалении от остальной части трп-оперона мы видим структуру, называемую регуляторным геном.

Рассмотрев гены, участвующие в работе трп-оперона, теперь изучим, как они работают вместе в отсутствие триптофана. Продолжайте раскрашивать таблицу по ходу чтения. Пользуйтесь при этом теми же самыми цветами, что и для предыдущей таблицы.

На первой схеме показан механизм генной регуляции, когда клетке не хватает **триптофана (К)**. В **регуляторном гене (F)** происходит транскрипция и продуцируется **нить иРНК (Н)**. Мы видим, что эта нить образует комплекс со своей **рибосомой (I)**. Результатом трансляции этой нити является **белок-репрессор (J)**.

Репрессор не оказывает воздействия на гены оперона, так как он не может соединяться с ними. Следовательно, полимераза РНК (G) может передвигаться за оператор (D) и активировать структурные гены. Эти гены подвергаются транскрипции, что приводит в результате к транскрипции нитей **иРНК** для синтеза **энзимов 1, 2 и 3 (L, M и N)**. Эти молекулы иРНК транслируются, и бактерия получает **энзимы**, необходимые для синтеза триптофана (**L_1, M_1, N_1**).

Как мы уже упоминали, эти три энзима входят в число пяти энзимов, используемых в синтезе триптофана (К). Заметьте, что в этом механизме трп-оперон активируется в отсутствие триптофана, тогда как активация лак-оперона происходит при наличии лактозы.

Теперь перейдем к нижней половине таблицы и изучим генную регуляцию при наличии триптофана. Вы видите, что синтез энзима прекращается, когда присутствует триптофан. Генная регуляция предотвращает ненужное продуцирование энзимов.

В нижней части таблицы мы снова видим структурные гены А, В и С, оператор (D), промотор (Е) и регуляторный ген (F). Как и прежде, регуляторный ген выполняет транскрипцию молекулы иРНК (Н) в рибосоме (I), и при этом продуцируется репрессор (J).

Но в этом случае ситуация несколько изменяется. Молекула триптофана (К) соединяется с репрессором (J), что позволяет комплексу «триптофан — репрессор» (J — К) изменить свою структуру и примкнуть к оператору (D). Этот комплекс блокирует прохождение энзима полимеразы РНК (G), и она не может активировать структурные гены. Таким образом, эти гены не могут осуществить транскрипцию никакой молекулы иРНК, и энзимы, необходимые для синтеза триптофана, не производятся.

В том, что энзимы не производятся, когда триптофан уже содержится в клеточной среде, есть свой биохимический смысл, заметим также, что триптофан оказывается дополнительным репрессором, так как позволяет белковому репрессору блокировать синтез энзима. Когда триптофан использован клеточным окружением, энзимы, синтезирующие триптофан, снова продуцируются.

а. Без триптофана

б. С триптофаном

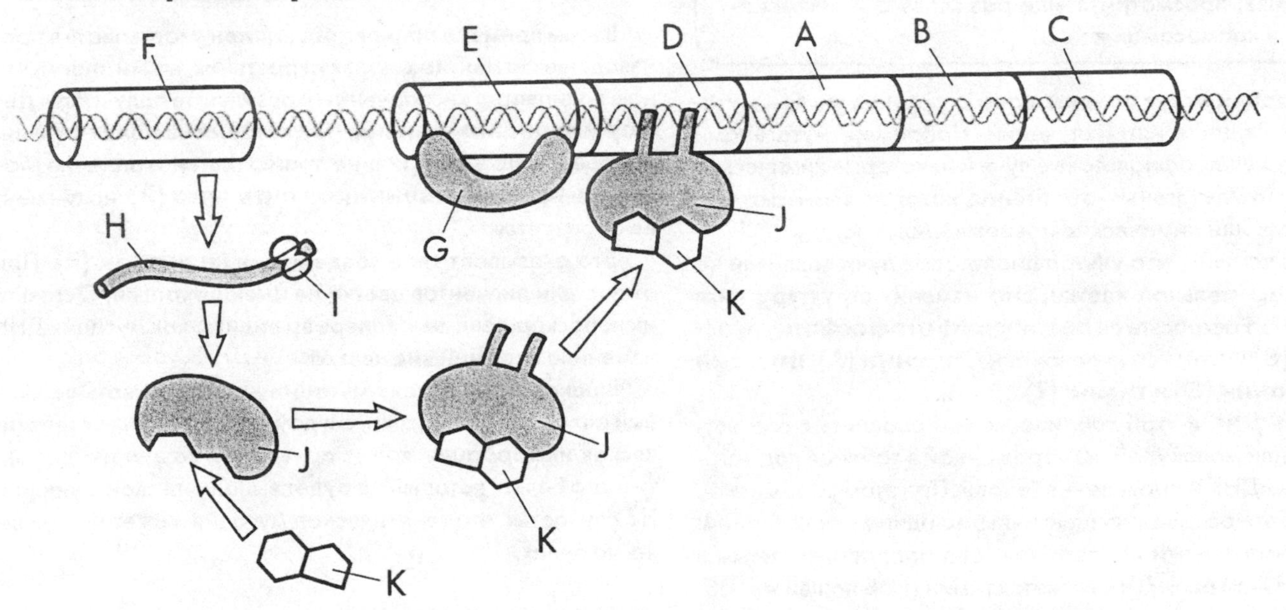

Генная регуляция (триптофан)

Структурный ген A .... A
Структурный ген B .... B
Структурный ген C C
Область оператора .... D
Область промотора .... E
Регуляторный ген .... F
РНК полимераза .... G
иРНК для репрессора ... H
Рибосома I
Белок-репрессор .... J
Триптофан .... K
иРНК для энзима 1 L
иРНК для энзима 2 .... M
иРНК для энзима 3 .... N
Энзим 1 .... L_1
Энзим 2 .... M_1
Энзим 3 .... N_1

Глава 4-13: Мутация и проявление генов

Мутации – это нерегулируемые изменения ДНК, которые могут влиять на фенотип живого организма. Протеины, синтезированные по этим мутированным генам, могут быть сильно изменены и при этом оказаться недееспособными. В этой таблице мы показываем, как мутация в молекуле ДНК влияет на продуцирование белка и в итоге на фенотип растения. В этой таблице показан тот же самый ген, что и в главе «ДНК и фенотип», но уже не подвергшийся мутации.

Проследим за цепью событий, начинающихся с процессов в молекуле ДНК и заканчивающихся внешним видом растения. Вы видите, что эта мутация приводит к изменению фенотипа растения. Если вы захотите освежить свои знания о генетических мутациях, просмотрите еще раз главу 3 – «Изменения в хромосомах».

Мутации могут быть вызваны огромным числом мутагенных веществ или излучений. Например, мутагенами являются ультрафиолетовые лучи и некоторые химические вещества. Мутагены – это агенты, которые вызывают физические или химические повреждения гена.

Представим, что ультрафиолетовые лучи повлияли на ДНК растительной клетки. Это изменит структуру нити **ДНК (D)**. Раскрасьте ее **дезоксирибозофосфатную основу (B)** и азотистые основания: **аденин (A)**, **цитозин (C)**, **гуанин (G)** и **тимин (T)**.

Нить ДНК в этой таблице можно сравнить с соответствующей молекулой, изображенной в таблице под заголовком «ДНК и проявление генов». При этом вы заметите, что все эти основания идентичны, за одним исключением: если «читать» эти основания слева направо, то пятым в нормальной цепи ДНК является тимин (T). В нашей же таблице ультрафиолетовые лучи вызвали мутацию и тимин оказался замененным цитозином (C). Эта мутация повлияла только на одно основание.

Теперь мы готовы к тому, чтобы перейти к изучению последствий мутации ДНК. Продолжайте читать и раскрашивайте рисунки.

Когда происходит транскрипция нити ДНК, образуется молекула информационнсй РНК (иРНК). Эта молекула **иРНК (H)** выделена скобкой, которую надо раскрасить темным цветом. Потом раскрасьте **рибозофосфатную основу (E)** РНК и заметьте, что нить иРНК почти идентична нити нормальной иРНК, но между ними все-таки имеется одно существенное различие. Если идти слева направо, то пятым основанием должен быть аденин (A), но вместо него на этом месте находится гуанин (G), так как произошла мутация ДНК.

Как говорилось ранее, три группы азотистых оснований иРНК составляют **кодон (I)**, и рамку, ограничивающую кодон, надо раскрасить. Первый кодон (U-G-G) является нормальным. Он кодирует **нормальную аминокислоту 1 (J)**. Мутация произошла в следующем кодоне, и при этом кодируется **неправильная аминокислота (K)**, которая встраивается в полипептид. Конечно, следствием этого будет то, что в полипептиде размещается **ошибочная аминокислота (K)**. Третий кодон не изменился, и **аминокислота 3 (L)** занимает нужное место, так же как и **аминокислота 4 (M)**. Следовательно, **полипептид (N)** содержит в этой последовательности только одну неправильную аминокислоту.

Мы заметили, что изменение в коде основания ДНК выражается в образовавшемся полипептиде. Чтобы посмотреть, каким образом происходят изменения в фенотипе, продолжаем читать эту главу.

В этом примере полипептид должен участвовать в производстве пигментных молекул растения, но мы знаем, что наш полипептид «испорчен» и в результате получается **деформированный энзим (O)**, который не может функционировать. По этой причине происходит накопление **молекул-предшественников пигмента (P)**, но пигмент не образуется.

Это оказывает свое воздействие на **цветок (R)**. При отсутствии пигментов цветки не имеют окраски. Оставьте их нераскрашенными. Теперь вы видите, как мутация ДНК изменила внешний вид цветка.

В некоторых случаях мутации могут вызывать летальный исход для организма, а в других испорченная генетическая информация может привести к созданию дефективного белка, который не будет выполнять свои функции. Но случается, что генетическая мутация может не повлиять на белок.

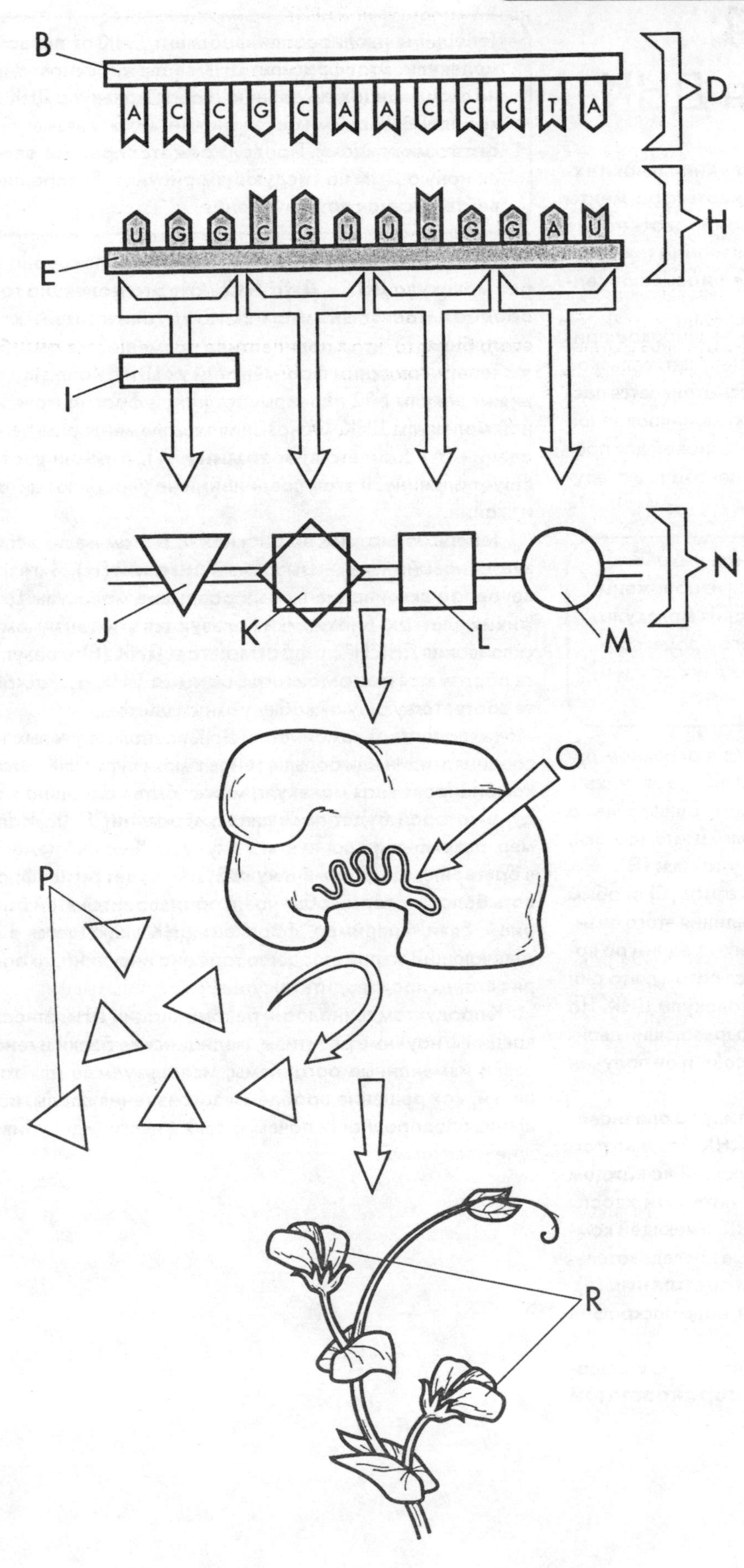

Мутация и проявление генов

ДНК .... D
Дезоксирибозофосфатная основа .... B
Рибозофосфатная основа .... E
Аденин .... A
Цитозин C
Гуанин .... G
Тимин .... T
иРНК .... H
Кодон I
Аминокислота 1 .... J
Неправильная аминокислота .... K
Аминокислота 3 L
Аминокислота 4 .... M
Полипептид .... N
Деформированный энзим .... O
Молекулы-предшественники пигментов .... P
Цветки .... R

Глава 4-14: Рекомбинация ДНК

В 1970-х годах была разработана уникальная технология, позволяющая ученым сращивать фрагменты ДНК от разных организмов и затем клонировать новые молекулы. Эта технология получила название технологии рекомбинации ДНК. По-другому ее называют генной инженерией.

Технология рекомбинации ДНК нашла широкое применение в таких отраслях, как фармацевтика, сельское хозяйство и селекция. В этой таблице рассматривается последовательный ряд синтеза молекулы рекомбинированной ДНК. Рекомбинированная ДНК является основой для производства различных белков, как будет показано в следующей главе.

Рассматривая эту таблицу, вы заметите, что она содержит четыре рисунка, на которых изображены последовательные этапы формирования молекулы рекомбинированной ДНК. Цель этого процесса – синтезировать одну молекулу ДНК из двух различных молекул ДНК.

Рекомбинированная ДНК образуется в основном путем введения в молекулу ДНК «чужой» ДНК. На рисунке 1 показана **молекула ДНК №1 (A)**. Обратите внимание на среднюю часть рисунка и раскрасьте светлым цветом скобки, ограничивающие **«опознавательные» участки (B)**.

На этих участках **энзимы ограничения (C)** особым образом разрезают нить ДНК. Для выделения этого энзима на этом рисунке можно раскрасить его средним по яркости цветом. Эти энзимы так называются потому, что они действуют на ограниченных участках молекулы ДНК. На рисунке 1 показан энзим ограничения, разрезающий двойную нить ДНК. Этот энзим называется EcoRi, и он получен из бактерии *Escherichia coli*.

На рисунке 2 видно, что EcoRi разметил два опознавательных участка и разрезает молекулу ДНК. Результатом этого является **фрагмент ДНК (E)**, имеющий на каждом конце два хвоста, состоящих из одной нити. Эти хвосты могут соединяться с нитями молекулы ДНК, имеющей комплементарные хвосты, и поэтому непарные последовательности оснований называются **концами сцепления (F)**. Скобки, обозначающие концы сцепления, надо раскрасить темным цветом, чтобы выделить их.

Теперь мы изолировали один фрагмент ДНК. Оставшаяся часть молекулы ДНК называется **забракованной ДНК (D)**.

Теперь мы изолировали фрагмент ДНК от первой молекулы. Этот фрагмент ДНК содержит основания на своих концах сцепления. Любая молекула ДНК с комплементарными основаниями может связываться с этими концами. Продолжаем этот процесс, вводя новую ДНК на следующем рисунке. Раскрашивайте рисунок по ходу чтения.

Теперь изучим рисунок 3, на котором показана вторая молекула ДНК – **ДНК №2 (G)**. Эта молекула также обрабатывается энзимом EcoRi и также имеет конец сцепления (F).

Теперь соединим фрагменты двух ДНК. Конец сцепления молекулы №2 перекрывает конец фрагмента исходной молекулы ДНК. Основания комплементарны, то есть аденин (A) соответствует **тимину (T)**, а тимин соответствует аденину. В этом соединении не участвуют цитозин и гуанин.

Теперь посмотрим на рисунок 4. В этом месте используется новый энзим, называемый **лигазой (H)**. Лигаза отвечает за склеивание любых разрывов молекулы ДНК в живых клетках. Биохимики пользуются этим энзимом для склеивания ДНК №2 **с фрагментом ДНК (E)**; в результате образуется **рекомбинированная ДНК (I)**. Раскрасьте соответствующую скобку темным цветом.

Технология рекомбинации ДНК позволяет ученым присоединять один или больше генов к молекуле ДНК. Эта рекомбинированная молекула может быть помещена в среду, в которой будет проявляться фрагмент ДНК. Например, рекомбинированную молекулу ДНК можно поместить в бактерию, где фрагмент чужой ДНК будет расшифровывать белок, который обычно не производится этой бактерией. Если, например, фрагмент ДНК включается в ген, отвечающий за производство гормона инсулина, то бактерия станет производить инсулин.

К продуктам технологии рекомбинации ДНК относятся вакцины, научные реактивы, медицинские белки и генетически измененные организмы, используемые для таких целей, как решение проблемы загрязнения среды, повышения плодородности почвы, а также пестициды, убивающие насекомых.

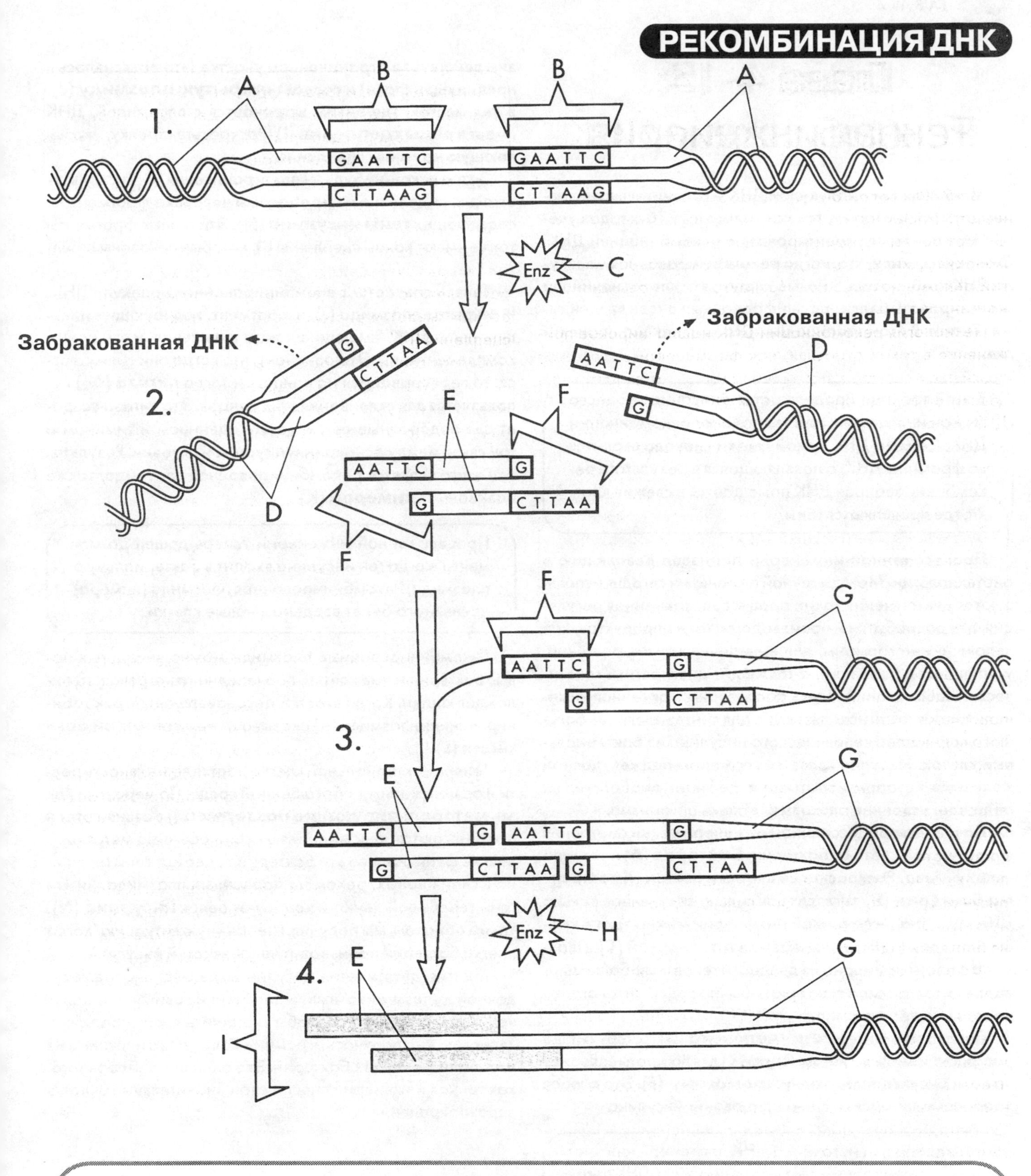

Рекомбинация ДНК

ДНК №1 .... A	Забракованная ДНК ...... D	ДНК №2 .... G
Опознавательные участки .... B	Фрагмент ДНК .... E	Энзим лигаза .... H
Энзим ограничения C	Концы сцепления .... F	Рекомбинированная ДНК I

Глава 4-15: Генная инженерия

Манипуляции с молекулой ДНК – сравнительно недавнее достижение науки, так как только в 1970-х годах ученые начали экспериментировать с рекомбинацией ДНК. Они обнаружили, что, когда рекомбинированная молекула ДНК помещалась в новые клетки, эти клетки начинали синтезировать белки, расшифрованные вновь введенными генами. В этой таблице мы покажем, как это происходит.

В этой таблице продолжается описание процесса генной инженерии, или технологии рекомбинации ДНК. Сегмент ДНК чужой клетки сначала вводится во фрагмент ДНК, а появляющаяся в результате рекомбинированная ДНК помещается в свежие клетки, где проявляются гены.

Процесс генной инженерии произвел революцию в биотехнологии. Методы генной инженерии сегодня используются для изучения таких процессов, как генная регуляция, для разработки и производства таких продуктов, как человеческие гормоны, для выведения сортов растений, устойчивых к болезням, а также для диагностики генетических заболеваний. Здесь рассмотрим, как генная инженерия может быть использована для синтезирования большого количества человеческого инсулина из бактериальных клеток. Инсулин является гормоном поджелудочной железы, в котором испытывают дефицит диабетики; он облегчает усвоение глюкозы клетками организма.

Начинаем процесс генной инженерии с рассмотрения человеческой клетки и бактерии. **Бактерия (A)** показана вверху слева. Раскрасьте ее светлым цветом. **Хромосома бактерии (B)** выглядит как сильно скрученное кольцо ДНК. Для процесса генной инженерии нужно также крошечное кольцо ДНК, называемое **плазмидой (C)**. Плазмида состоит примерно из двадцати генов и свободно плавает в цитоплазме; в бактерии обычно содержится огромное количество плазмид.

Справа вы видите **клетку человека (D)**, которую надо раскрасить светлым цветом. **Ядро (E)** для простоты содержит на этом рисунке только одну **хромосому (F)**. Эта особая хромосома является местом кодирования инсулина.

Мы задали два источника ДНК для генной инженерии. Бактерия поставляет в этом процессе ДНК плазмиды, а человеческая клетка – ДНК хромосомы.

Следующим шагом в этом процессе является продуцирование рекомбинированной ДНК. Сначала **энзим ограничения (G_1)** используется для разрывания плазмиды. Энзим действует в ограниченном участке (это объяснялось в предыдущей главе) и создает **открытую плазмиду (J)**. В тех местах, где энзим встречается с плазмидой, ДНК имеет **концы сцепления (I)**. Раскрасьте стрелку, указывающую на концы сцепления.

Затем какой-нибудь энзим ограничения (G_1) используется для выделения из хромосомы человека фрагментов, содержащих **гены инсулина (H)**. Эти генные фрагменты также имеют концы сцепления (I), которые показаны стрелкой.

Теперь создается рекомбинированная молекула ДНК. И открытая плазмида (J), и фрагмент, кодирующий инсулин, несут ДНК, имеющие концы сцепления, и эти концы комплементарны. Это означает, что когда они сближаются, то перекрываются на концах, и тогда **лигаза (G_2)** используется для склеивания этих концов. Эта лигаза создает две водородные связи между аденином и тимином и три связи между основаниями гуанин и цитозин. Результатом этого является рекомбинированная плазмида, также называемая **химерой (K)**.

Процесс генной инженерии теперь дошел до момента, когда ген инсулина входит в бактериальную плазмиду. Рекомбинированная плазмида (химера) после этого будет введена в новые клетки.

Рекомбинированные плазмиды можно внедрять в новые бактериальные клетки, поочередно то нагревая, то охлаждая клетки. Когда этот процесс завершается, рекомбинированная плазмида (K) оказывается внутри **новой бактерии (L)**.

Теперь бактериальной клетке дается возможность расти и размножаться в обогащенной среде. По мере того как эти **метаболизирующие бактерии (M)** развиваются и размножаются, они выполняют свои обычные метаболические функции. Все эти бактерии содержат гены инсулина в своих новых, рекомбинированных плазмидах, и эти гены теперь действуют и кодируют белок **инсулина (N)**. Таким образом, мы получили необычную ситуацию, когда клетка бактерии производит человеческий инсулин!

Многие десятилетия инсулин выделялся из поджелудочной железы животных, и диабетики зависели от получения этого инсулина, чтобы облегчить свои страдания. Теперь можно получать огромные количества инсулина из метаболизирующих бактерий. Это один из примеров того, как генная инженерия внесла свой значительный вклад в здравоохранение.

Генная инженерия

Бактерия .... A
Бактериальная хромосома .... B
Плазмида C
Клетка человека .... D
Ядро .... E
Хромосома человека ..... F
Энзим ограничения ...... G_1
Лигаза .... G_2
Гены инсулина .... H
Концы сцепления I
Открытая плазмида .... J
Рекомбинированная плазмида (химера) .... K
Новая бактерия L
Метаболизирующая бактерия .... M
Инсулин .... N

Глава 4-16: Генные зонды

Многие из методов генной инженерии включают в себя то, что называется генным зондом. Генный зонд – это относительно небольшая молекула ДНК с одной нитью, которая может распознавать и соединяться с комплементарной нитью более крупной молекулы ДНК.

Генные зонды стали важным средством исследования в биотехнологии. В этой таблице мы сначала покажем, как генный зонд используется для распознавания гена инсулина.

В этой таблице два рисунка: в верхней части генный зонд используется для выяснения, имеется ли соответствующий ген в нити ДНК. В нижней части таблицы три разных генных зонда используются для распознавания бактерии. Это два примера использования генных зондов в научном исследовании.

Генный зонд – это молекула ДНК с одной нитью, которая может особым образом соединяться (гибридизация) с определенной молекулой ДНК. Такой процесс соединения генного зонда с целевой молекулой служит сигналом того, что объект распознан.

На первом шаге в создании генного зонда выделяется белок, который кодирован специфическим геном. Затем выявляется последовательность аминокислот в кодоне, и, как только последовательность оснований известна, молекула ДНК с одной нитью может быть реконструирована.

На первой схеме мы видим несколько копий семи различных молекул ДНК. Эти молекулы получены из ядра клеток поджелудочной железы, и мы хотим узнать, нет ли среди них гена для гормона инсулин.

Будем называть эти семь молекул, в которых может содержаться ген инсулина, **неизвестными молекулами ДНК от 1 до 7 (от A до G)**. Для того чтобы различать их, раскрасьте их семью разными цветами. Каждая из семи неизвестных молекул ДНК имеет различные последовательности оснований, и все эти фрагменты ДНК имеют одну нить.

Теперь посмотрим на **генный зонд (H)**. Этот фрагмент ДНК тоже имеет определенную последовательность оснований и был специально приготовлен для гена инсулина. Этот генный зонд подсоединен к **радиоактивному сигналу (H_1)**.

Вопрос: какая из неизвестных молекул ДНК имеет последовательность оснований, являющаяся комплементарной для последовательности оснований генного зонда? Для того чтобы ответить на этот вопрос, вы должны исследовать последовательность генного зонда и последовательности неизвестных молекул и определить, какая из них является комплементарной для генного зонда. Когда две нити совпадают, радиоактивная метка позволяет идентифицировать данную молекулу как содержащую ген инсулина.

Изучив, как работает генный зонд, теперь перейдем к случаю, когда для выявления неизвестной бактерии используются три различных генных зонда. Продолжайте чтение и раскрашивайте фрагменты гена.

Другим возможным применением генного зонда является идентификация неизвестной бактерии. Например, если бактерии загрязняют воду, то полезно их выявить, чтобы потом их уничтожить. В этом случае используется метод генного зондирования.

В верхней части схемы 2 вы видите **ДНК неизвестной бактерии (I)**. Это может быть бактерия толстой кишки Escherichia coli, стафилококк, отравляющий пищу, или бактерия сальмонелла. Для того чтобы определить это, мы используем три различных генных зонда: первый – это **генный зонд для E.coli (J)**. Он прикреплен к радиоактивному изотопу, который дает **красный сигнал (J_1)** при связывании с бактерией. Для идентификации стафилококка мы используем генный зонд для **S. aureus (K)**, который подает **синий сигнал (K_1)**. Третьим является **генный зонд для сальмонеллы (L)**, подающий **зеленый сигнал (L_1)** при связывании с молекулой ДНК. Заметьте, что все эти три генных зонда имеют различные последовательности оснований.

Для того чтобы идентифицировать неизвестную ДНК, мы должны выяснить, какой из генных зондов имеет последовательность оснований, комплементарную с последовательностью в ДНК неизвестной бактерии. Последовательность оснований может быть комплементарной для любой последовательности вдоль нити ДНК. Вы должны изучить эти три генных зонда и определить, какой из них является комплементарным для неизвестной ДНК. Какая бактерия здесь присутствует и какого цвета будет сигнал, когда произойдет связывание зонда и молекулы ДНК?

ГЕННЫЕ ЗОНДЫ

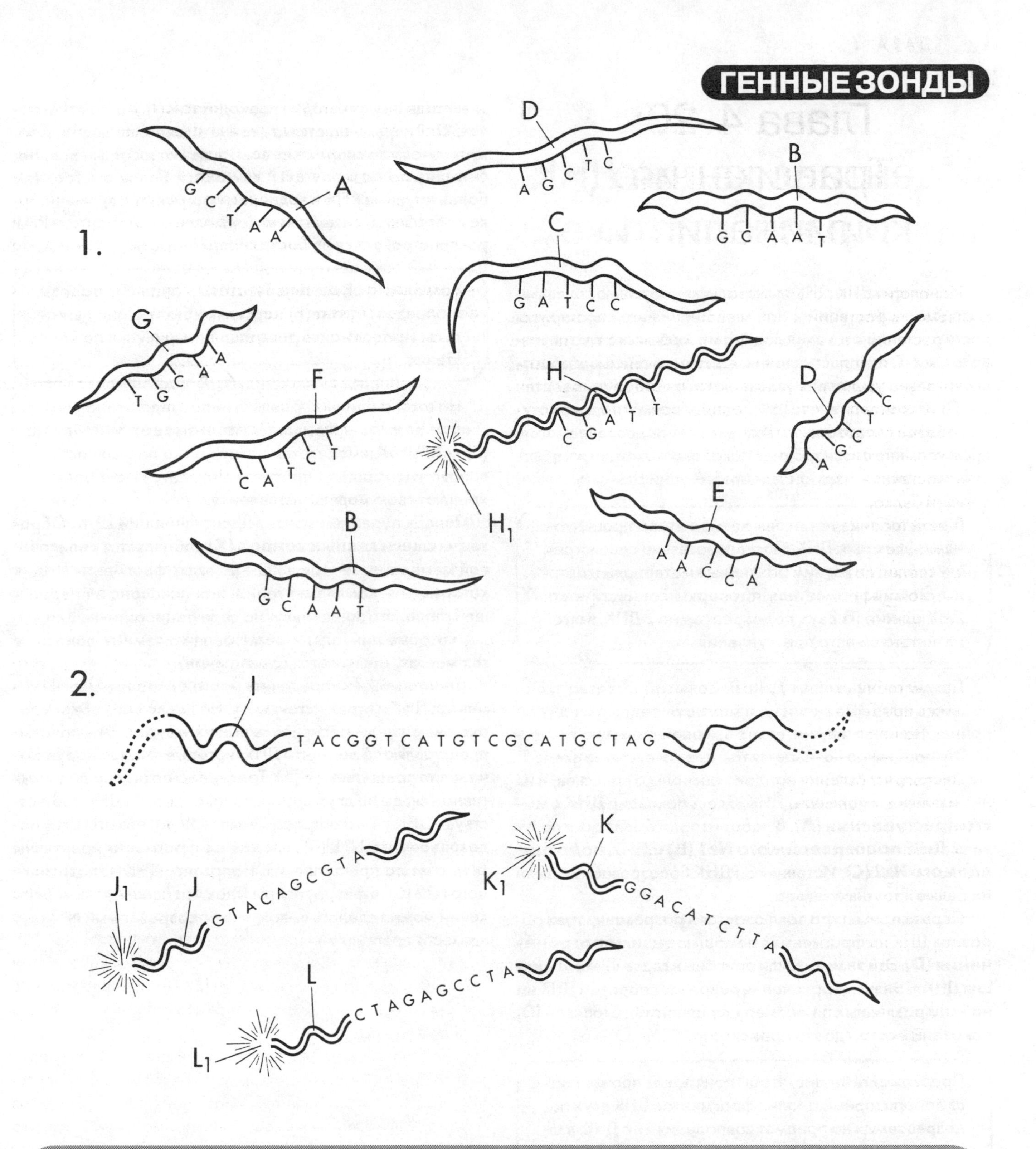

Генные зонды

Неизвестная ДНК №1 ... A
Неизвестная ДНК №2 ... B
Неизвестная ДНК №3 ... C
Неизвестная ДНК №4 ... D
Неизвестная ДНК №5 ... E
Неизвестная ДНК №6 ... F

Неизвестная ДНК №7 ... G
Генный зонд .... H
Радиоактивный сигнал........................... H_1
ДНК неизвестной бактерии I
Генный зонд для E.coli ... J

Красный сигнал .... J_1
Генный зонд для S. aureus........................ K
Синий сигнал .... K_1
Генный зонд для сальмонеллы L
Зеленый сигнал .... L_1

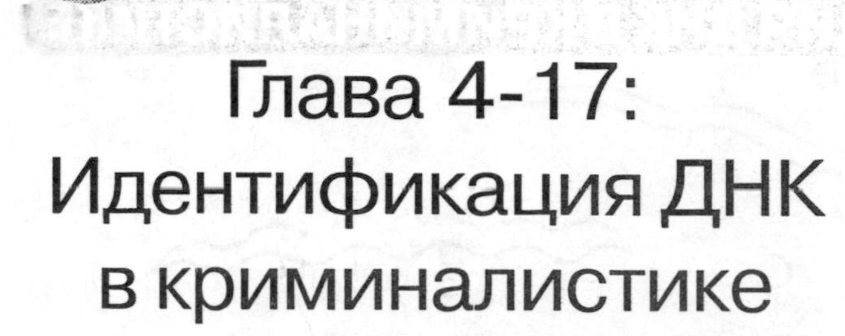

Глава 4-17: Идентификация ДНК в криминалистике

Идентификация ДНК является исключительно полезным методом исследования. Для выполнения этой процедуры достаточно одной капельки крови, несколько клеток или волосок с места преступления. Из таких маленьких образцов биохимики могут извлечь полный набор генов. Если эта ДНК соответствует ДНК подозреваемого, то это служит важным доказательством участия подозреваемого в преступлении. В этой таблице показано, какой должна быть биохимическая база для идентификации ДНК.

В этой таблице показаны четыре этапа процедуры идентификации ДНК. Последовательно рассмотрим эту таблицу и изучим различные материалы и методы, используемые для проверки совместимости ДНК одного из двух подозреваемых с ДНК, взятой из волоса с места преступления.

При идентификации ДНК небольшой образец ткани подвергается ДНК-анализу, и можно определить, кому он принадлежит с исключительно высокой степенью точности. Эта процедура начинается так, как показано на схеме 1. На месте преступления найдено несколько волосков, и из них извлечены молекулы ДНК. Здесь показана **ДНК с места преступления (A)**. В лаборатории были также получены **ДНК подозреваемого №1 (B)** и **ДНК подозреваемого №2 (C)**. Источником ДНК подозреваемых были их белые кровяные тельца.

Первая процедура заключается в разрезании трех образцов ДНК на фрагменты с помощью **энзимов ограничения (D)**. Эти энзимы были описаны в главе «Рекомбинация ДНК». Энзим ограничения разрезает образцы ДНК на наборы различных по размеру фрагментов. Стрелкой (D) показаны места, где это происходит.

Продолжайте чтение, чтобы понять, как производится лабораторный анализ фрагментов ДНК двух подозреваемых на предмет совпадения их с ДНК, взятой с места преступления.

Фрагменты ДНК, полученные в результате действия энзима ограничения, называются полиморфизмами длины ограничения фрагмента, RFLP. RFLP анализируются гелевым электрофорезом. У нас есть **RFLP с места преступления (E)**, **RFLP подозреваемого №1 (F)** и **RFLP подозреваемого №2 (G)**. Они все размещаются на желатиновом листе материала, называемом **агарозой (H)**. На противоположных краях этого листа из агарозы имеются электроды, через которые проходит **ток (I)**. Когда ток включен, RFLP перемещаются от отрицательного полюса к положительному со скоростью, зависящей от их размеров. Небольшие по размеру RFLP двигаются более быстро, чем более крупные RFLP в заданный промежуток времени. Таким образом, гель действует как молекулярное сито, и RFLP распространяются по поверхности агарозы.

Разделив RFLP, мы теперь готовы к анализу агарозы и определению того, насколько быстро они двигались. Продолжайте раскрашивать рисунки по ходу чтения.

На этой стадии RFLP нельзя непосредственно увидеть. Лист из агарозы накрывается **нейлоновой мембраной (J)**, и RFLP перемещаются с агарозы на поверхность нейлоновой мембраны. Они прилипают к этой мембране и сохраняют свою модель разделения.

Теперь перейдем к этапу идентификации ДНК. Образец из **смеси генных зондов (K)** добавляется к нейлоновой мембране. Генные зонды находят фрагменты ДНК, к которым они комплементарны, как показано в предыдущей главе. Эти зонды несут на себе радиоактивные сигналы, которые приводят к образованию темных полосок в тех местах, где имеется совмещение.

Теперь можно определить место расположения фрагментов ДНК из трех источников. На первой полосе радиоактивные следы проявились в двух местах. Эти полоски представляют фрагменты ДНК, которые были обнаружены на месте преступления (A). Теперь посмотрим на радиоактивные следы на двух других полосах. Какая ДНК соответствует ДНК с места преступления? Ясно, что это ДНК подозреваемого №1 (B), так как ее фрагменты идентичны ДНК с места преступления. Напротив, ДНК подозреваемого №2 (C) имеет другой рисунок. На основе этих наблюдений можно сделать вывод, что подозреваемый №1 был на месте преступления.

ИДЕНТИФИКАЦИЯ ДНК В КРИМИНАЛИСТИКЕ

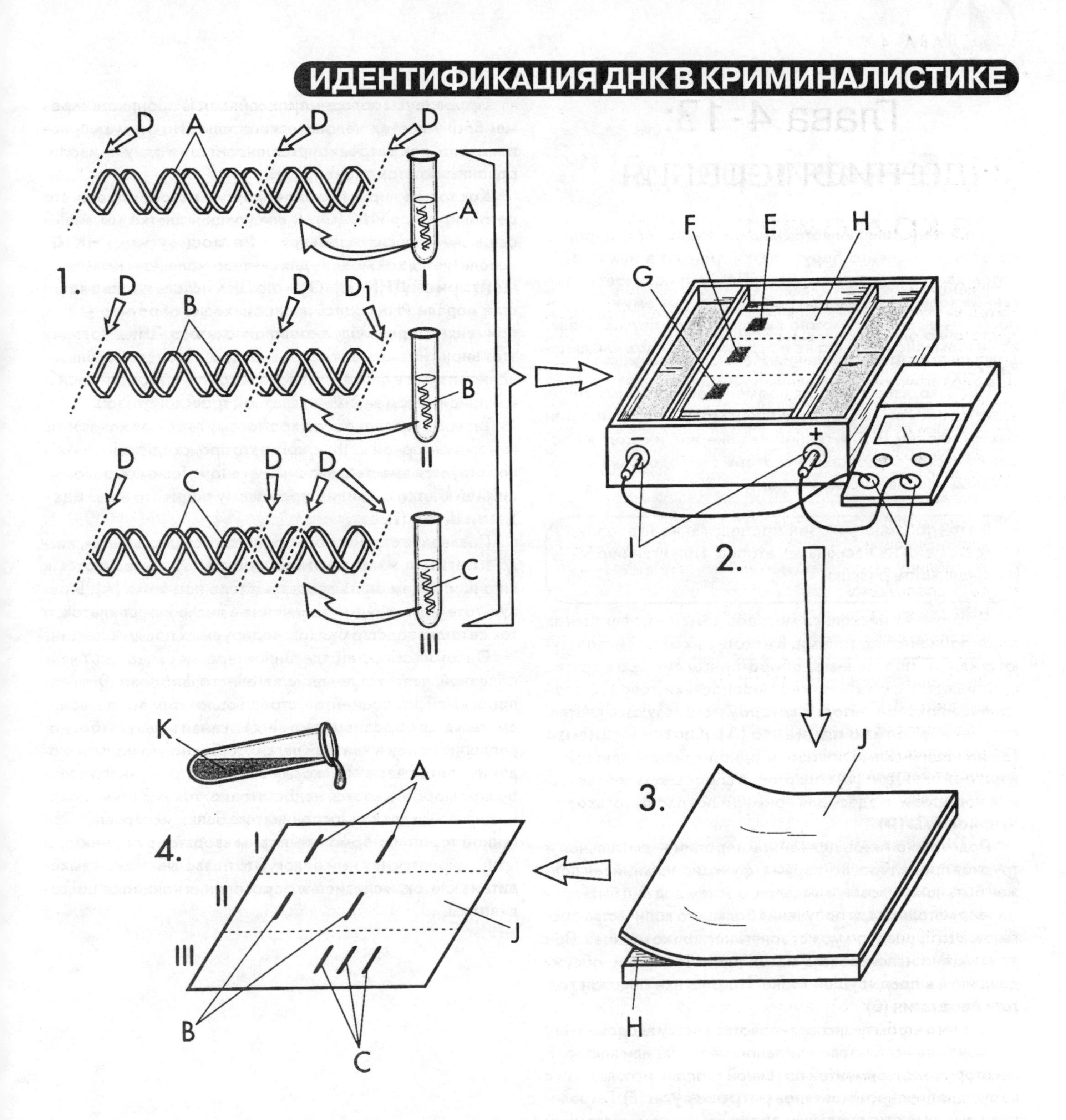

Идентификация ДНК в криминалистике

ДНК с места преступления .... A	RFLP с места преступления .... E	Электрические полюса и ток I
ДНК подозреваемого №1 .... B	RFLP подозреваемого №1 .... F	Нейлоновая мембрана .... J
ДНК подозреваемого №2 C	RFLP подозреваемого №2 .... G	Смесь генных зондов .... K
Энзим ограничения ...... D	Агароза .... H	

Глава 4-18: Генная терапия

Генная терапия является медицинской процедурой, в которой у пациента берут клетки, меняют в них гены, а потом клетки вводятся обратно. Пациент получает новые генные коды для белка или белков, которых ему не хватало. Генную терапию можно выполнять на клетках крови, кожи или кишечника, но не на сперматозоидах или яйцеклетках.

Производство генов для замены дефективных генов является практическим усовершенствованием технологии рекомбинации ДНК и генной инженерии, и сегодня продолжаются исследования некоторых методов по переносу генов в человеческие клетки.

В этой таблице показан процесс генной терапии, состоящий из нескольких этапов. При чтении раскрашивайте рисунки.

Существует несколько методов замены дефективных генов пациента здоровыми. В некоторых из них используются клетки, полученные лабораторным путем, а в других применяются синтетические переносчики генов. В этой таблице показан метод, в котором используются клетки, полученные из **тела пациента (A)**. **Клетки пациента (B)** на нашей схеме показаны одной крупной клеткой. В **клеточном ядре (C)** содержится сорок шесть человеческих хромосом, а здесь для примера показаны только три **хромосомы (D)**.

Подготовка генов для генной терапии – длительная и трудная процедура. Во-первых, функциональный ген должен быть локализован и выделен, а затем должна быть применена методика для получения большого количества этих генов. Эта процедура может занять несколько месяцев. При этом можно использовать метод идентификации, обсуждавшийся в предыдущей главе. На рисунке показан **ген для введения (E)**.

Для того чтобы транспортировать в клетку здоровый ген, должен быть использован переносчик генов, или вектор. В некоторых экспериментах по генной терапии используются в качестве переносчиков генов **ретровирусы (F)**. Ретровирусы имеют икосаэдральную оболочку и геном, состоящий из РНК. (Вирусы обсуждаются в отдельной главе этой книги.)

Как можно видеть на схеме, процесс генной терапии начинается с того, что от пациента берутся клетки. На этой стадии должен быть выделен функциональный ген и должен быть выбран подходящий вектор для его транспортировки в клетку. Продолжайте раскрашивать рисунки по ходу чтения. Лучше использовать при этом светлые цвета, так как здесь много мелких деталей.

Ретровирусы обладают способностью проникать через мембрану клеток человеческого тела. На этом рисунке показано, как ретровирус переносит ген в одну из изолированных клеток пациента (B).

Как только вирус проник в клетку, высвобождается его ретровирусная РНК (G). В следующей клетке мы видим оставшийся капсид ретровируса. **Ретровирусная РНК (G)** используется как модель для синтеза молекулы **комплементарной ДНК (H)**. Обычно ДНК используется в качестве модели РНК. Здесь же происходит обратное – РНК применяется для моделирования синтеза ДНК. Поэтому этот вирус называется ретровирусом. Процесс использования энзима в синтезе ДНК называется обратной транскрипцией, а сам энзим – обратной транскриптазой.

Теперь в человеческую хромосому вводится новая нить комплементарной ДНК, и, когда это происходит, она транспортируется вместе с вводимым геном. Таким образом, в нижней клетке мы видим хромосому пациента плюс **введенный ген (I)**.

Последняя стадия этого процесса осуществляется, когда **клетки с измененным геном (J)** помещаются в шприц, а затем опять вводятся в тело пациента (A). В результате мы получим увеличение в числе и рост клеток, а также производство белков, кодируемых новыми генами.

Одной из областей, где генная терапия оказалась очень полезной, является лечение легочного фиброза. Главной проблемой для пациентов, страдающих этим заболеванием, является образование в легких слизи в результате накопления ионов в клетках легких. Обычно эти ионы выходят из клеток через белковый канал, но у больного этого белка вырабатывается недостаточно, так как гены, предназначенные для кодирования этого белка, испорчены. При генной терапии нормальные гены вводятся в пациента, и продуцируется нужный белок. Это позволяет ионам выходить из клеток, и слизистые образования начинают рассасываться.

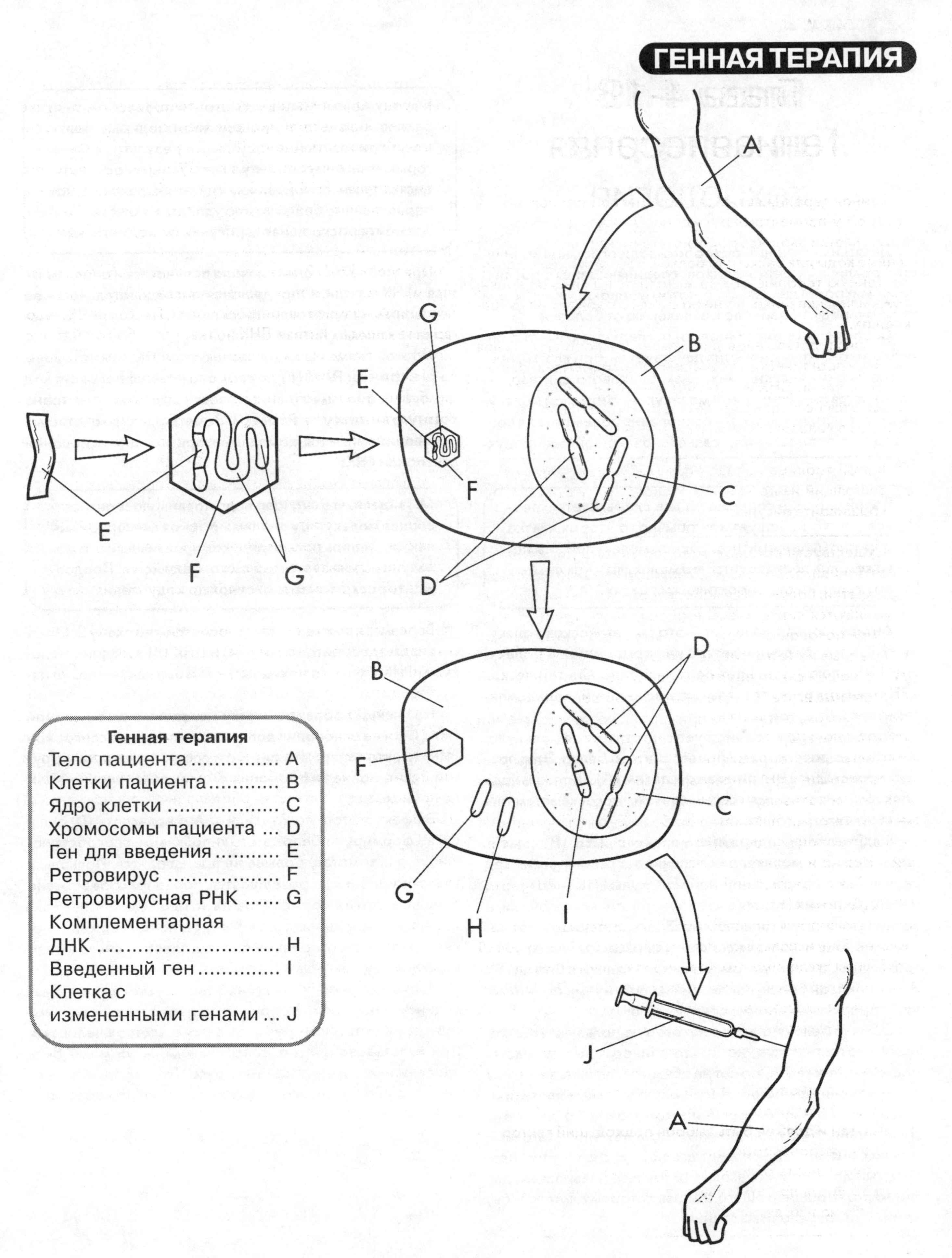
A
B
C
D
E
F
G
H
I
J
Генная терапия
Тело пациента .... A
Клетки пациента .... B
Ядро клетки C
Хромосомы пациента ... D
Ген для введения .... E
Ретровирус .... F
Ретровирусная РНК ...... G
Комплементарная
ДНК .... H
Введенный ген I
Клетка с
измененными генами ... J

Глава 4-19: Антисенсорная технология

Десятки лет ученые разрабатывали огромное количество различных антибиотиков, соединяющихся с различными микроорганизмами, а потом убивающих их, что, в свою очередь, приводило к излечению от болезни.

Современные биотехнологи исследуют новый тип антибиотика. Этот антибиотик действует внутри клетки, прерывая биохимический механизм белкового синтеза; он называется антисенсорной молекулой. Нити этой молекулы можно использовать для ослабления болезни и для производства определенных сельскохозяйственных продуктов.

В этой таблице содержатся две схемы клетки; первая клетка действует как обычно, а вторая клетка обрабатывается антисенсорной молекулой. Мы покажем, как производится эта молекула и как ее можно использовать в практических целях.

Антисенсорная молекула – это синтетическая молекула РНК, которая соединяется с информационной молекулой РНК клетки и лишает ее активности. Синтетическая иРНК имеет последовательность оснований, комплементарную к иРНК этой клетки.

Чтобы понять, как действует синтетическая молекула, мы коротко рассмотрим процесс синтеза белка. Этот процесс происходит в **цитоплазме клетки (А)**. Цитозоль надо раскрасить светлым или серым цветом, чтобы не затемнить эти структуры цитоплазмы.

В ядре клетки содержится молекула **ДНК (В)** с двойной нитью. Эта молекула обеспечивает генетический код для синтеза информационной молекулы РНК (иРНК). Эта **иРНК (С)** производится в ядре эукариотической клетки, а затем проникает в цитоплазму. Здесь она поставляет кодоны, необходимые для связывания **аминокислот (D)** в трансляции, а результатом трансляции является **белок (Е)**. Здесь показан белок, состоящий из различных аминокислот, образующих согласованную цепочку.

Обычно белок приносит некоторую пользу клетке, которая его производит, но то, что приносит пользу такому растению, как томат, может не обязательно быть выгодным с точки зрения фермера. Например, отдельные белки приводят к быстрому созреванию томатов; в то же время энзим полигалактуроназа поглощает пектин в клеточных стенках растения и ускоряет его порчу. Этот энзим, безвредный для растения, может оказаться невыгодным для фермера, выращивающего томаты, которому хотелось бы, чтобы они созревали медленно.

К этому моменту мы рассмотрели процесс синтеза белков и заметили, что все производимые белки могут приносить нежелательный результат в некоторых практических ситуациях. Теперь воспользуемся антисенсорной технологий, чтобы показать, как определенные белки можно удалить из клетки. Продолжайте раскрашивать рисунки по ходу чтения.

При этой технологии сначала получается и анализируется иРНК клетки. Определяется последовательность ее оснований, и подготавливается синтетическая иРНК, имеющая комплементарные основания.

На этой схеме мы видим молекулу иРНК. Мы называем ее **сенсорной РНК (F)**, так как она расшифровывает код для белка. Биохимики синтетически выделяют **антисенсорную молекулу РНК (G)**. Заметьте, что ее азотистые основания являются комплементарными для оснований сенсорной РНК.

Мы видели, что сначала подготавливалась антисенсорная молекула, комплементарная сенсорной молекуле. Теперь посмотрим, как практически эта молекула используется в сельском хозяйстве. Продолжайте раскрашивать рисунок по ходу чтения.

Вернемся к клетке томата и посмотрим на схему 2. Опять мы видим здесь цитоплазму (А) и ДНК (В). Создана молекула иРНК (F), и она покидает ядро и выходит в цито-плазму.

Но ученый добавил в клетку молекулу антисенсорной РНК (G), и ее основания дополняют основания сенсорной РНК, так что теперь эти две нити соединяются друг с другом и считывание информации с молекулы сенсорной РНК не происходит.

Эффект от этого легко увидеть. Аминокислоты (D) больше не формируют белок этого типа; энзим, способствующий порче томатов, больше не производится. Поскольку клеточная стенка не разрушается, порча томатов заметно замедляется и их можно оставить на грядке для более длительного созревания. Более того, он не подвержен гниению при транспортировке и будет оставаться спелым раза в два дольше, чем обычный томат.

Антисенсорная технология используется также в медицинской практике. Например, вирус человеческого иммунодефицита (ВИЧ) размножается в клетках человека. При использовании антисенсорных молекул могут быть удалены некоторые частицы вируса. Так как при этом количество иРНК уменьшается, симптомы ВИЧ ослабевают.

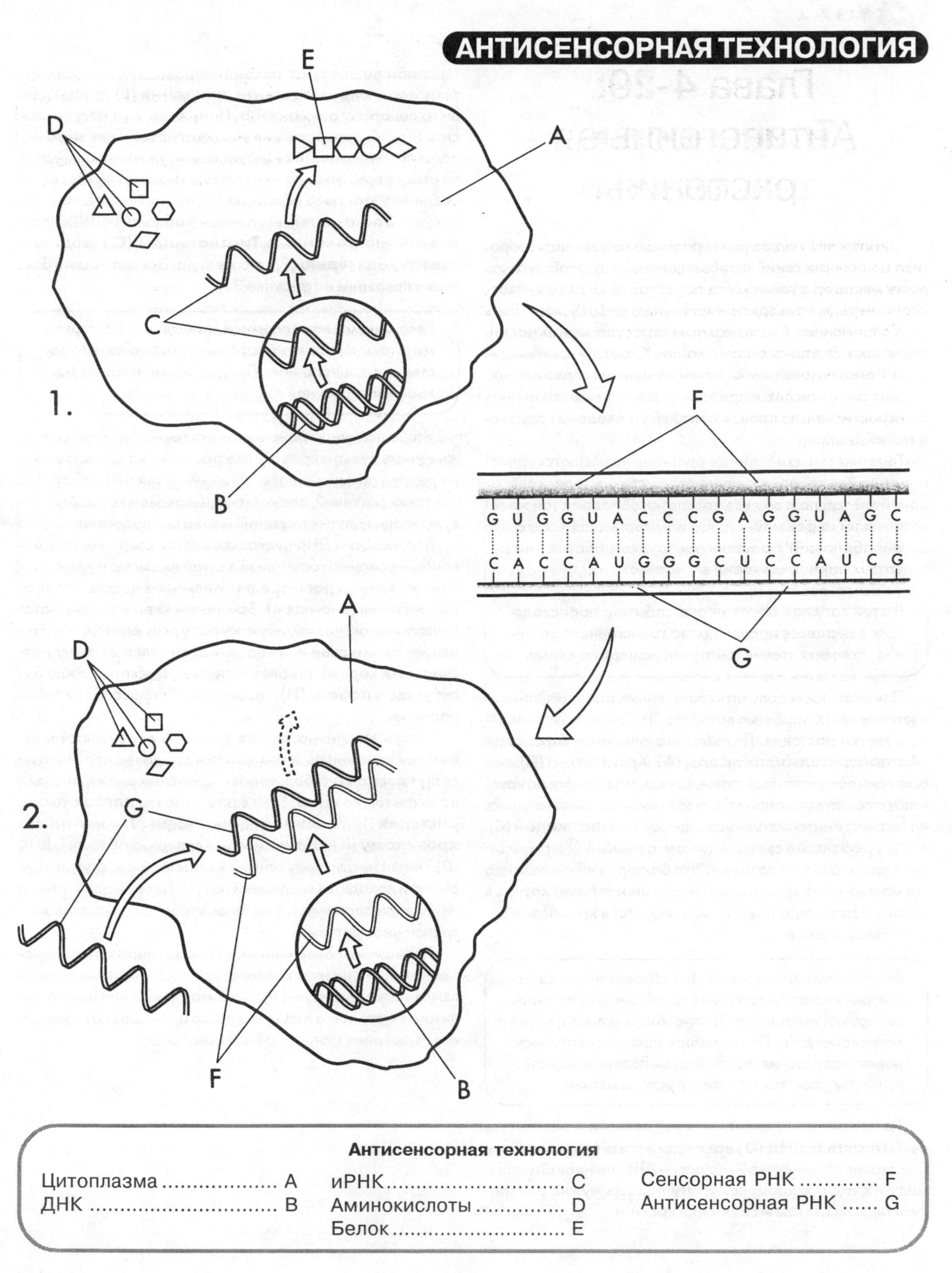

Антисенсорная технология

Цитоплазма .... A
ДНК .... B
иРНК C
Аминокислоты .... D
Белок .... E
Сенсорная РНК .... F
Антисенсорная РНК ...... G

Глава 4-20: Трансгенные растения

Технология ДНК позволяет радикально повышать сопротивляемость растений к заболеваниям и способствовать росту растений в таких условиях, которые казались невозможными. С использованием технологии ДНК могут быть значительно увеличены размеры таких съедобных частей растения, как зерна, плоды и корни. Кроме того, они могут стать более питательными путем изменения содержащихся в них аминокислот, и при этом стало возможно изменять сами растения – из производителей углеводов в производителей белка.

Генетически измененные растения называются трансгенными. Все клетки трансгенного растения происходят от одной клетки, поэтому все эти клетки обладают той же генетической информацией, что и материнская клетка. По многим причинам с растениями трудно работать, но результаты генной инженерии впечатляют.

В этой таблице показан ряд событий, происходящих в процессе производства трансгенного растения. Начиная чтение, смотрите на первую схему.

Для того чтобы получить трансгенные растения, применяется метод, с помощью которого ДНК может быть введена в клетки растения. Для этого используется **бактерия** (***Agrobacterium fumefaciens***) **(A)**. **Хромосома (B)** этой бактерии показана на рисунке. Так как эта хромосома крупная и с ней трудно работать, биохимики сосредоточились на плазмиде цитоплазмы, называемой **Ти-плазмидой (C)**. Клетку раскрасьте светлым цветом, а темным цветом выделите хромосому и плазмиду. Эта бактерия и Ти-плазмида совместно образуют так называемые наплывы, которые развиваются, когда Ти-плазмиды вводятся в хромосому растительной клетки.

Ти-плазмида бактерии *A. fumefaciens* является основным вектором для генов трансгенных растений. Теперь мы увидим, как Ти-плазмида используется в технологии ДНК. Продолжайте раскрашивать рисунок по ходу чтения. Рекомендуем пользоваться светлыми цветами, так как эти структуры мелкие.

Ти-плазмида (C) выделяется из бактерии – раскрасьте ее. **Область Т-ДНК (D)** надо раскрасить другим цветом. Показанная на рисунке 2 область Т-ДНК покидает Ти-плазмиду и входит в хромосому. Эту область нужно раскрасить темным цветом – синим или красным.

Чтобы подготовить рекомбинированную хромосому, технологи получают **ген для введения (E)** из подходящего донорского организма. Например, они могут повысить способность растения усваивать азот и для этого используют ген, который кодирует энзим, улавливающий азот из атмосферы. Затем они могут биохимическим способом соединить этот ген с областью Т-ДНК на Ти-плазмиде. На рисунке 3 показан ген, введенный в область Т-ДНК. Затем **рекомбинированные Ти-плазмиды (C_1)** вводятся в **свежую бактерию (F)** того же вида. Эти плазмиды в бактерии показаны на рисунке 3.

Рекомбинировав плазмиды и введя их в бактерию, мы готовы теперь к трансформированию нашего растения в трансгенное. Продолжайте читать и раскрашивать рисунок 4.

Чтобы получить трансгенное растение, биохимики должны уметь культивировать все растение из единственной не репродуктивной клетки. Ученые научились делать это для таких растений, как кабачки, морковь и картофель, но культивация других растений менее разработана.

В технологии ДНК несколько клеток соединяются с рекомбинированной бактерией в стерильном, тщательно сбалансированном растворе питательных веществ и гормонов растения (рисунок 4). Вскоре эти клетки развиваются в массу клеток, называемую **культурой клеток (G)**. Через несколько дней или недель на этих клетках появляются зачатки корней, стеблей и листьев, и вскоре можно будет увидеть **побеги (H)**. На рисунке 5 показаны три таких растения.

Теперь эти миниатюрные растения переносятся в отдельные контейнеры и содержатся там до тех пор, пока не станут достаточно большими и крепкими для их посадки на открытом воздухе. Если взять образец **клеток** такого **растения (I)**, то можно выделить **ядро (J)** и изучить его **хромосому (K)**. Эта хромосома содержит область Т-ДНК (D) Ти-плазмиды, полученной из бактерии, и внутри этой области находится введенный ген (E). Произошло удачное изменение растения, и оно теперь трансформировалось в трансгенное растение.

Повышение содержания азота в растениях и их сопротивляемости к низкой температуре и насекомым-вредителям, а также получение новых биотехнических продуктов питания – это всего лишь несколько примеров возможного использования этого типа биотехнологии.

ТРАНСГЕННЫЕ РАСТЕНИЯ

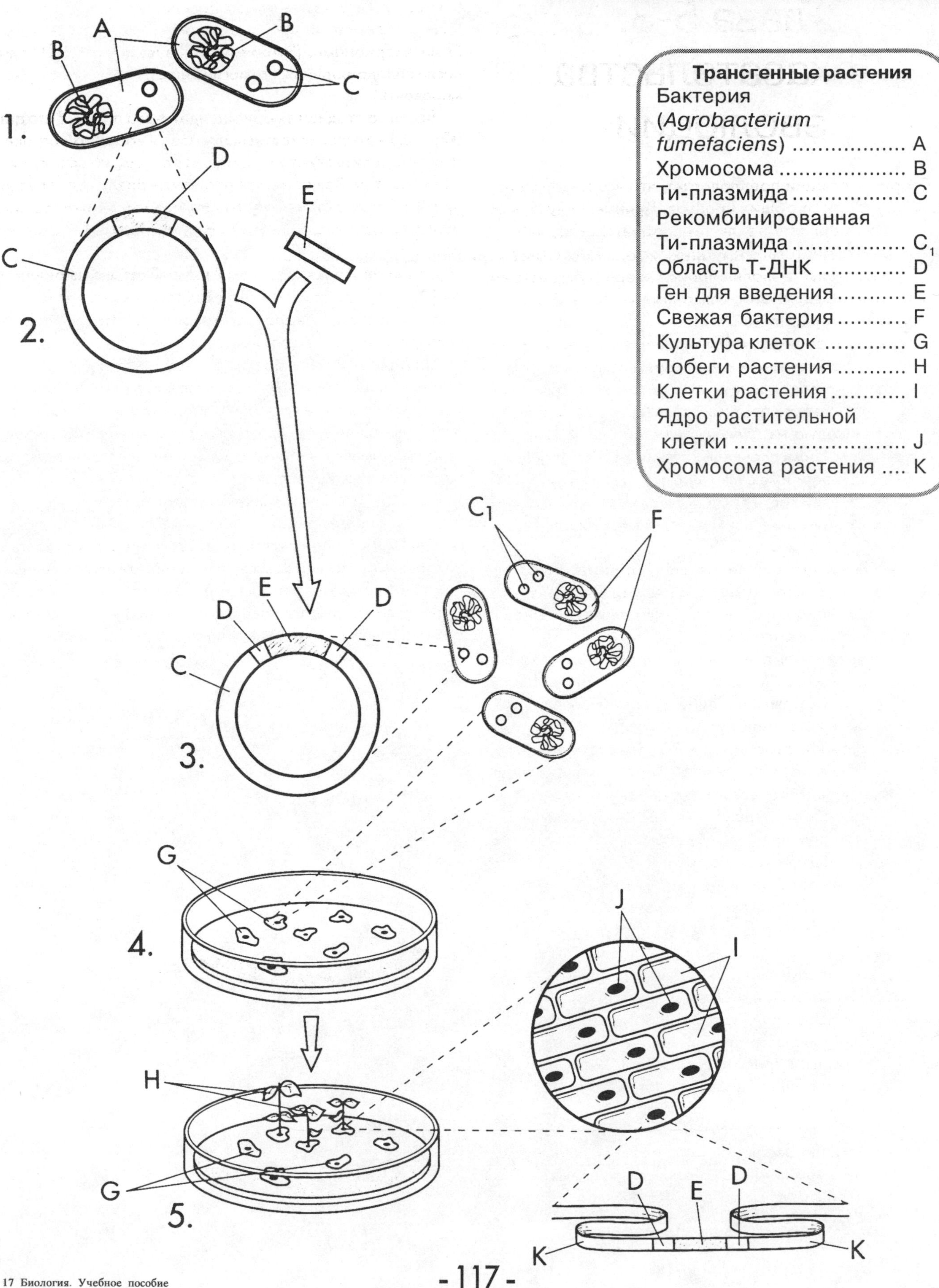

Трансгенные растения

Бактерия (*Agrobacterium fumefaciens*) .... A
Хромосома .... B
Ти-плазмида C
Рекомбинированная Ти-плазмида .... C_1
Область Т-ДНК .... D
Ген для введения .... E
Свежая бактерия .... F
Культура клеток .... G
Побеги растения .... H
Клетки растения I
Ядро растительной клетки .... J
Хромосома растения .... K

ГЛАВА 5

Основы эволюции

Глава 5-1: Введение в эволюцию

Труды Альфреда Уоллеса и *Чарльза Дарвина* привели к созданию эволюционной теории, которая является одной из основ современной биологии. Эволюция – это изменения, происходящие за длительные периоды времени в характеристиках и особенностях биологических организмов. Одной из движущих сил эволюции является процесс естественного отбора.

В этой таблице содержатся две схемы, представляющие две теории эволюции: теорию наследования благоприобретенных признаков и теорию естественного отбора. В обоих случаях на рисунках показаны изменения, происходящие в популяции жирафов. Вы можете раскрашивать эти рисунки темными или светлыми цветами, в зависимости от того, какие детали жирафов вы хотите закрасить.

Понятие эволюции употреблялось еще древнегреческими философами, и с тех пор идея о развитии видов во времени не раз возникала в исторических и биологических трудах. В середине XVIII века шведский ботаник Карл Линней составил каталог нескольких тысяч видов растений и животных. Сам Линней считал, что виды неизменны и существуют от Сотворения мира, но созданная этим исследователем система природы легла в основу всех последующих эволюционных теорий.

В 1809 году французский ученый Жан Батист Ламарк пришел к выводу, что сложные организмы происходят от более простых. Он выдвинул идею о том, что живые существа в течение жизни приобретают качества, помогающие им приспособиться к окружающей среде. Его теория, дискредитированная в наше время, получила название теории наследования благоприобретенных признаков. Новые полезные признаки, по гипотезе Ламарка, передаются из поколения в поколение и являются результатом изменений, происходящих в каждом поколении.

Ламарк предположил, что жирафы развили свои длинные шеи в течение жизни для того, чтобы было удобнее добывать себе пищу. Верхний рисунок иллюстрирует его теорию: сначала у жирафов были **короткие шеи (А)** и эти животные могли дотянуться только до **нижних ветвей деревьев (В)**. Однако, когда листья на нижних ветвях кончались, жирафы **вытягивали свои шеи (C_1)** чтобы дотянуться до более высоких ветвей. Так как листья кончались и на этих ветвях, жирафы еще **больше вытягивали шеи (C_2)**. Затем длинные шеи наследовало и их потомство.

Современные ученые не верят в то, что теория наследования благоприобретенных признаков является подходящим объяснением эволюции. Например, если у мыши отрубить хвост, то у родившейся от нее мыши хвост будет целым, то есть приобретенные признаки не переходят к потомству. Кроме того, теория Ламарка предполагает, что живые организмы развивают у себя те качества, которые им необходимы, однако современные исследования это не подтверждают.

Теперь обратимся к теории естественного отбора. Эта теория, предложенная Дарвиным и Уоллесом, сегодня признается многими учеными. Глядя на рисунки, продолжайте чтение и раскрашивайте соответствующие участки таблицы.

Чарльз Дарвин и *Альфред Уоллес* путешествовали по всему миру, проводя наблюдения над животными и растениями в природе. Независимо друг от друга эти ученые разработали теорию эволюции, основываясь на собственных наблюдениях, и заложили основу концепции естественного отбора. *Уоллес изучал Южную Америку и Индонезию*. Вышедшая в 1859 году книга *Дарвина «Происхождение видов»* до сих пор остается авторитетным описанием эволюции.

Концепция эволюции *Дарвина-Уоллеса* говорит об изменениях, происходящих с живыми организмами за продолжительные периоды времени. В ее основе лежит представление о том, что все существующие в наши дни виды живых существ развились в течение медленного, постепенного процесса из более примитивных видов. Основным ключом к пониманию этого процесса в книге *«Происхождение видов»* является теория естественного отбора. Дарвин отметил, что в пределах вида особи не одинаковы и что выживают и размножаются только те, которые лучше приспособлены к условиям среды. Таким образом удачные признаки переходят из поколения в поколение, а признаки, мешающие выживанию, отсеиваются.

Теория естественного отбора проиллюстрирована на втором рисунке. Здесь мы видим сначала популяцию жирафов. Некоторые особи **невысокие (E)**, а другие – **высокие (F)**. Высокие жирафы достают до листьев, растущих высоко на деревьях, и у них достаточно пищи для выживания. Жирафы невысокого роста голодают и умирают, так как их короткие шеи не позволяют им добывать себе достаточно еды. Высокие жирафы воспроизводят себе подобных.

Таким образом происходит естественный отбор наиболее приспособленных особей. Естественный отбор является одним из самых важных факторов эволюции. В последующих главах мы подробнее изучим доказательства эволюции и рассмотрим другие процессы, благодаря которым она протекает.

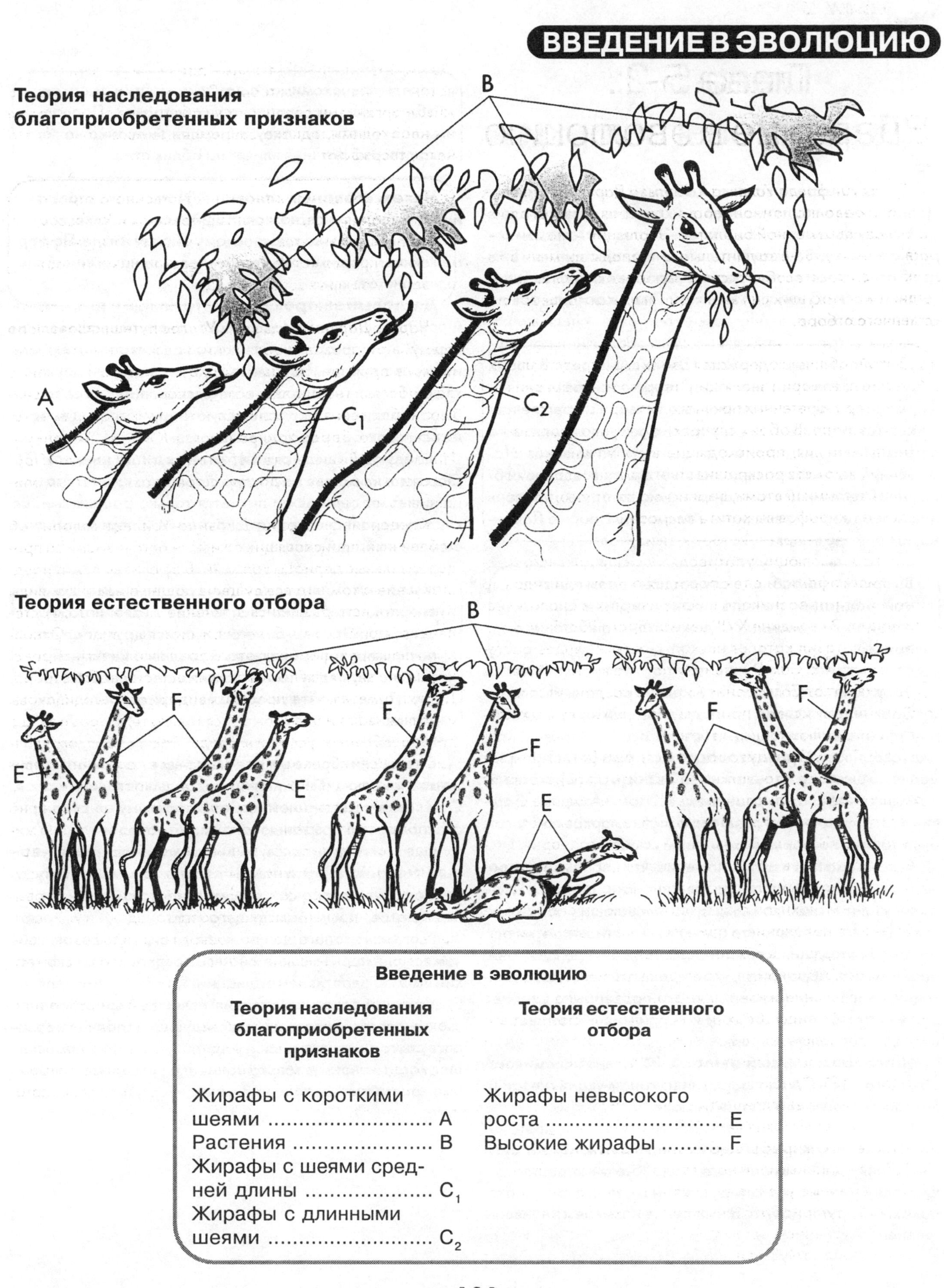
Теория наследования благоприобретенных признаков
B
A
C1
C2
Теория естественного отбора
B
E
F
F
E
F
F
E
F
F
Введение в эволюцию
Теория наследования благоприобретенных признаков
Жирафы с короткими шеями .... A
Растения .... B
Жирафы с шеями средней длины C1
Жирафы с длинными шеями C2
Теория естественного отбора
Жирафы невысокого роста .... E
Высокие жирафы .... F

Глава 5-2: Дарвиновы вьюрки

Пожалуй, самым важным событием в жизни *Чарльза Дарвина* было его путешествие в качестве натуралиста в 1831 году на *английском научно-исследовательском корабле «Бигль»*. За свое пятилетнее путешествие на «Бигле» Дарвин посетил Австралию, несколько островов Тихого океана и Южную Америку. Этот корабль также останавливался у Галапагосских островов – цепи вулканических островов, находящихся на расстоянии примерно шестисот миль от берегов Южной Америки. В своих знаменитых записных книжках Дарвин записал много информации о растениях, животных, климате и повстречавшихся ему аборигенах. Он обратил особое внимание на островные популяции птиц, в частности на вьюрков. Наблюдения за вьюрками вдохновили его на создание собственной теории об изменении видов, которую мы теперь называем теорией эволюции. Рассмотрим теорию Дарвина на примере вьюрков, которых он изучал.

> Вьюрки в этой таблице служат примером адаптивной радиации, то есть происхождения разных специализированных видов от одного их общего предка.

Вьюрки не могут летать на большие расстояния, поэтому Дарвин был удивлен тем, что обнаружил тринадцать различных видов этих птиц на Галапагосских островах. Как уже говорилось, **Галапагосские острова (A)** лежат примерно на шестьсот миль западнее **Эквадора (B)**, который находится на западном побережье Южной Америки. Дарвин классифицировал различные виды вьюрков по способу питания и по форме и размерам клюва.

Было высказано предположение, что небольшое количество вьюрков добралось до Галапагосских островов много тысяч лет назад, возможно, на плавающих обломках деревьев. Может быть, это были первые птицы на этих островах, поэтому не встретив большой конкуренции, они расплодились, образовав крупную популяцию. В ходе адаптации к жизни на островах вьюрки подверглись воздействию естественного отбора, и среди них образовались несколько различных видов.

Щеголоподобный вьюрок (C) очень напоминает обычного щегла, но по форме яиц, конструкции гнезда и поведению он ближе к другим вьюркам.

На Галапагоссах не было настоящих щеглов, поэтому их экологическая ниша была свободна и вьюрки в отсутствии конкуренции смогли ее занять. Животные, занимающие одну и ту же экологическую нишу, часто становятся похожими друг на друга. Это явление называется конвергенцией.

> Теперь познакомимся с другими видами вьюрков, обитающих на Галапагосских островах. Продолжайте читать эту главу, обращая внимание на то, как способ питания влияет на облик птиц.

Насекомоядный вьюрок (D) живет на деревьях и имеет большой клюв, позволяющий хватать насекомых. Его тело приспособлено к древесному образу жизни. По форме клюва и общими размерами тела он напоминает щеголовидного вьюрка.

Дятловый вьюрок (E) имеет длинный и тонкий клюв и при помощи него проделывает отверстия в древесной коре. У этого вьюрка нет языка, он извлекает насекомых из дерева при помощи шипа кактуса, который держит в клюве. Если бы на острове обитали обычные дятлы, то они бы занимали свою экологическую нишу и этот вид вьюрка на островах бы не сформировался.

Следующий вид – **растительноядный вьюрок (F)**. Обратите внимание на другую форму его клюва. Эта птица живет на деревьях и питается только растениями. Ее клюв предназначен для отщипывания и перемалывания стеблей и корней растений.

> Мы познакомились с четырьмя различными видами вьюрков, которые обитают только на Галапагосских островах. Эти пернатые отличаются друг от друга по размеру и форме клюва. В заключение познакомимся с двумя другими видами галапагосских вьюрков. Продолжайте раскрашивать рисунки по ходу чтения.

Один из наиболее интересных видов называется **земляной вьюрок (G)**. У этой птицы большая голова и клюв. Она питается зернами и орехами, поэтому ее клюв приспособлен к разгрызанию их твердой оболочки.

Еще один вид вьюрков, живущих на земле, – **кактусовый вьюрок (H)**. Эта птица питается семенами кактуса. Так как семена кактуса относительно мягкие, то и клюв у нее меньше, чем у предыдущего вида.

Всего на Галапагоссах обитает 13 видов вьюрков, причем все они произошли от общего предка. Это классический пример адаптивной радиации. Каждый вид приспособился к определенным условиям внешней среды и занял свою экологическую нишу. На следующей таблице вы увидите другой тип адаптивной радиации, который происходил, когда животные только начинали завоевывать огромные пространства суши на Земле.

ДАРВИНОВЫ ВЬЮРКИ

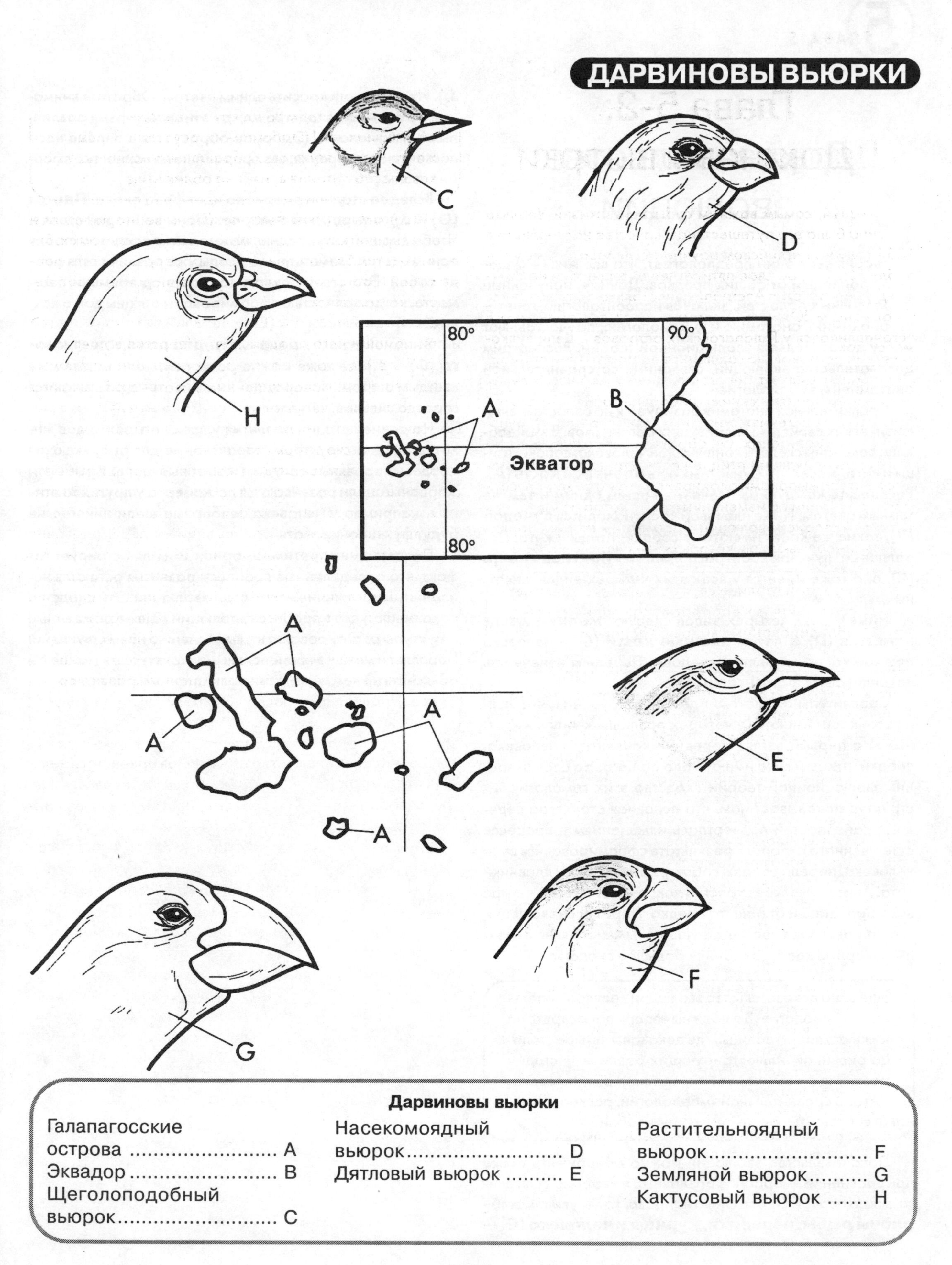

Дарвиновы вьюрки

Галапагосские острова .... A
Эквадор .... B
Щеголоподобный вьюрок........................ C
Насекомоядный вьюрок........................ D
Дятловый вьюрок .... E
Растительноядный вьюрок........................ F
Земляной вьюрок.......... G
Кактусовый вьюрок .... H

Глава 5-3: Доказательства эволюции

Теория эволюции предполагает, что все живые существа произошли от общих предков. Данные, полученные из различных областей, включая палеонтологию, генетику, биохимию, анатомию и эмбриологию, предоставляют массу доказательств эволюционной теории. Рассмотрим доказательства эволюции, связанные со сравнительной анатомией и эмбриологией.

Сравнительная анатомия базируется на сопоставлении физических свойств ныне живущих организмов. В этой таблице показаны скелеты конечностей человека, собаки, птицы и кита. У всех этих животных есть **плечевая кость (A)**. Раскрасьте каждую из плечевых костей одним и тем же темным цветом. Ниже плечевой кости находится **лучевая (B)**, такие же кости имеются у собаки, птицы и кита. Параллельно лучевой кости располагается **локтевая кость (C)**, она тоже имеется у всех этих четырех видов животных.

Ниже у всех четырех видов следуют **мелкие кости запястья (D)**, а потом **пястные кости (E)**. У человека пястные кости находятся в ладони. Передняя конечность заканчивается **фалангами (F)**.

Сравнительная анатомия демонстрирует нам, что одни и те же кости имеются у четырех различных видов животных. На первый взгляд передние конечности человека, собаки, птицы и кита имеют мало общего. Но с точки зрения эволюционной теории сходство этих гомологичных структур показывает нам, что основная структура передних конечностей подверглась изменениям в процессе естественного отбора. В результате сформировались руки человека, передние лапы собаки, крылья птиц и плавники кита. Анатомическое сходство доказывает, что эти четыре вида произошли от общего предка. В процессе эволюции скелет претерпел соответствующие изменения, но основные опорные кости сохранили большое сходство.

Еще одно доказательство эволюции дает сравнительная эмбриология. Вы должны теперь посмотреть на нижнюю часть таблицы, где показаны четыре столбца рисунков, иллюстрирующих различные стадии развития рыбы, черепахи, цыпленка и человека. Читая о сравнительной эмбриологии, раскрашивайте соответствующие структуры в таблице.

Доказательство эволюции можно обнаружить также при сравнении эмбрионов различных животных. Если двигаться по первой строке слева направо, то мы увидим **эмбрионы рыбы, черепахи, курицы и человека (G_1 — J_1)**. Их можно раскрасить одним цветом. Обратите внимание на большое сходство между этими четырьмя различными эмбрионами. (Эмбрион образуется в первые часы после оплодотворения, его органы еще не полностью сформированы.)

Вслед за стадией эмбриона идет фаза плода. **Плоды (G_2 — J_2)** четырех животных показаны во второй строке. Чтобы выделить эту стадию, можно раскрасить всю строку одним цветом. Заметьте, что плоды уже различаются между собой. Эта стадия охватывает период времени с момента, когда полностью сформированы органы до рождения.

В нижней строке мы видим **стадию новорожденного (G_3 — J_3)**. Ее тоже можно раскрасить одним и тем же светлым цветом. Новорожденные животные различаются гораздо сильнее, чем плоды.

На ранней стадии развития у всех четырех видов животных видны структуры, характерные для рыб, включая хордовые кровяные сосуды и жаберные щели. У рыбы эти жаберные щели развиваются до жабер, а у других животных, например у человека, жаберные щели никогда не будут функционировать.

Сходство между этими эмбрионами иллюстрирует тот факт, что определенные процессы развития остаются неизменными в течение всего хода эволюции. Эти сходства показывают, что в процессе эволюции еще не рожденные структуры адаптировались к выполнению новых функций. Параллели между эмбриональными структурами можно бы объяснить не чем иным, как эволюционным развитием.

ДОКАЗАТЕЛЬСТВА ЭВОЛЮЦИИ

Сравнительная анатомия

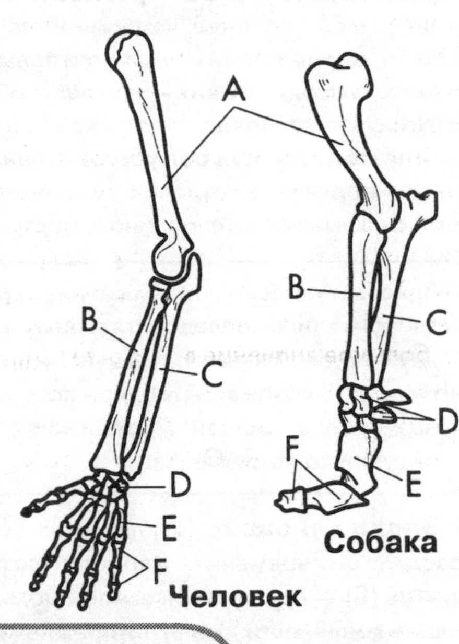

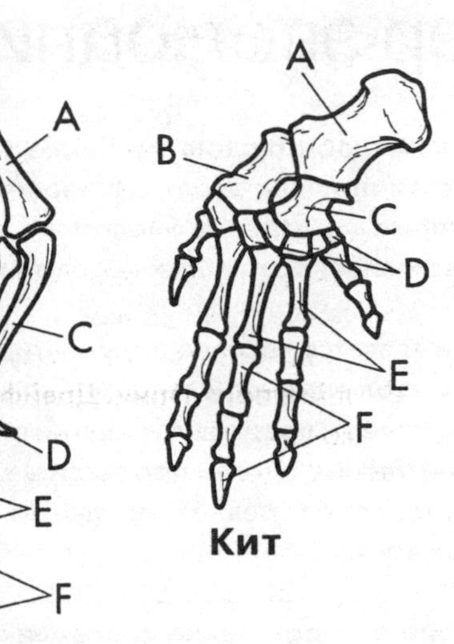

Доказательства эволюции

Сравнительная анатомия

Плечевая кость .... A
Лучевая кость .... B
Локтевая кость C
Запястье .... D
Пястные кости .... E
Фаланги .... F

Сравнительная эмбриология

Эмбрион рыбы на ранней стадии .... G_1
Эмбрион черепахи на ранней стадии .... H_1
Эмбрион курицы на ранней стадии .... I_1
Эмбрион человека на ранней стадии .... J_1
Эмбрион рыбы на поздней стадии .... G_2
Эмбрион черепахи на поздней стадии .... H_2
Эмбрион курицы на поздней стадии .... I_2
Плод человека .... J_2
Вылупившаяся из яйца рыба .... G_3
Вылупившаяся из яйца черепаха .... H_3
Цыпленок .... I_3
Новорожденный человек .... J_3

Сравнительная эмбриология

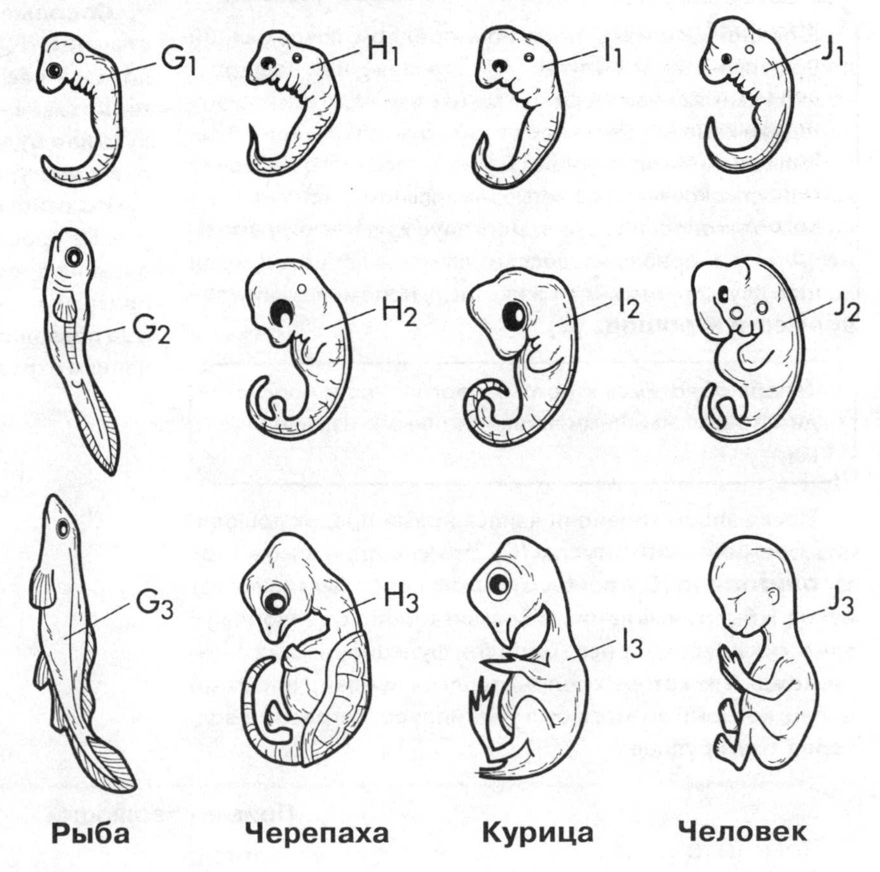

Глава 5-4: Пример эволюции

Все живые организмы, обитающие на Земле, имеют общего предка. По этой причине эволюционное учение является одним из основных разделов биологии. Оно задает основу для объединения различных видов в единую систему.

Эволюция лошади является хорошо документированным доказательством эволюционной теории. Сравнивая костные структуры и размеры предков лошади за различные периоды времени, ученые смогли проследить эволюцию современной лошади от ее древнего предка. Мы тоже проследим по таблице эту эволюцию.

В таблице показаны четыре предка современной лошади и она сама. Как вы видите, в ходе эволюции лошади увеличивались в размерах. Начнем наше изучение с нижней части таблицы и будем потом продвигаться вверх.

Древнейшим известным нам предком современной лошади является **эогиппус (A)**. Это животное надо раскрасить светлым цветом, и тем же цветом надо раскрасить передние конечности и череп этой лошади. Эогиппус был небольшим млекопитающим и жил в лесах. Его передние конечности оканчивались четырьмя пальцами, а ступня плоско располагалась на земле. Эогиппус жил в **эпоху эоцена (A_1)**, примерно шестьдесят миллионов лет назад, и дал начало двум другим видам животных, напоминающим **современную лошадь (B)**.

Теперь обратимся к потомку эогиппуса и проследим за дальнейшими эволюционными изменениями.

После эпохи эоцена появился новый предок лошади, называемый **миогиппусом (C)**. Это животное жило в **эпоху олигоцена (C_1)**, приблизительно сорок миллионов лет назад, и было лишь немного больше эогиппуса. Миогиппус тоже жил в лесах, и у него было три функциональных пальца, каждый из которых соприкасался с землей. Четвертый палец, который до этого был у эогиппуса, регрессировал, череп стал крупнее.

От миогиппуса произошел третий вид древней лошади – **меригиппус (D)**, живший в **миоцене (D_1)**. Череп у *меригиппуса* был крупнее, чем у миогиппуса. Это животное было размером с пони и имело три пальца, но функционировал только один из них – центральный. *Меригиппус* жил на лугах, а это означало, что он не мог прятаться от хищников и поэтому должен был убегать от них. Таким образом, эволюция привела к созданию вида, имеющего более длинные и сильные ноги и способного быстро бегать.

Здесь мы увидели, что изменения окружающей среды привели к последовательному возникновению двух видов древних лошадей: миогиппуса и меригиппуса. В конце этой таблицы показаны два остальных предка лошади. Продолжайте раскрашивать рисунки по ходу чтения.

Эпоха плиоцена (E_1) началась семь миллионов лет назад. К тому времени от меригиппуса произошел **плиогиппус (E)** — крупное животное с большим черепом. Передние конечности имели по-прежнему по одному копыту с двумя внешними пальцами, и эта лошадь быстро бегала по лугам, которые были основным местом ее обитания.

Современная лошадь (F) появилась в **эпоху плейстоцена (F_1)** – примерно два с половиной миллиона лет назад. У нее один большой центральный палец, который мы называем копытом. Однако передняя конечность сохранила рудименты двух других пальцев в виде пары не очень выступающих наружу костей.

На основе исследования этих ископаемых животных ученые проследили эволюцию современной лошади от ее древних предков до нашего времени. Естественный отбор привел к таким изменениям физического строения, которые позволили этому животному приспособиться к изменениям окружающей среды.

Пример эволюции

Эогиппус .... A
Эпоха эоцена .... A_1
Животные, похожие на лошадь .... B
Миогиппус C
Эпоха олигоцена .... C_1
Меригиппус .... D
Эпоха миоцена .... D_1
Плиогиппус .... E
Эпоха плиоцена .... E_1
Современная лошадь ... F
Эпоха плейстоцена .... F_1
Современная эпоха ...... G

ПРИМЕР ЭВОЛЮЦИИ

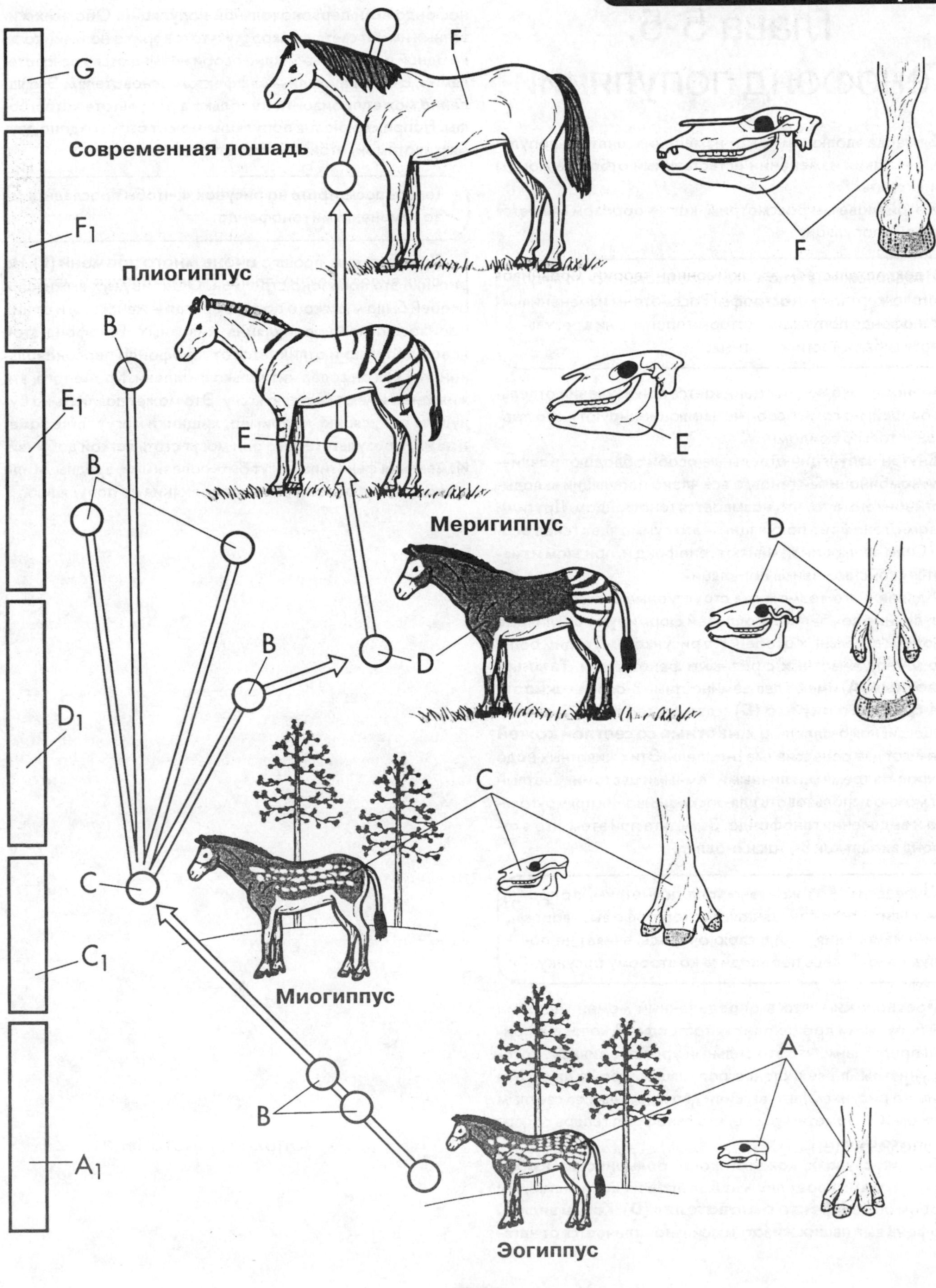

Глава 5-5: Генофонд популяции

В основе эволюции лежат изменения генетики популяций. Без таких изменений естественный отбор не мог бы происходить.

В этой главе мы рассмотрим, каким образом меняется генофонд популяций.

Предположим, стадо животных, пасущихся на лугу, стало жертвой катастрофы. Рассмотрим изменения генофонда популяции, которые произошли в результате гибели части животных.

Феномен эволюции оценивается при изучении отдельных особей, но сами особи не эволюционируют – это происходит только с видами.

Внутри популяции отдельные особи обладают различными комбинациями генов, а все члены популяции вкладывают свои гены в то, что называется генофондом. Другими словами, генофонд популяции – это сумма всех генов особей. Силы эволюции изменяют генофонд и, при этом изменяются свойства членов популяции.

Аллели – это возможные структурные состояния гена, и различные комбинации аллелей формируют различные фенотипы отдельных особей. На рисунке 1 мы видим большую группу животных с разными фенотипами. **Темные животные (A)** имеют две доминантные B-аллели, **животные среднего окраса (B)** – две доминантные B-аллели и рецессивная b-аллель, а **животные со светлой кожей (C)** имеют две рецессивные b-аллели. Этих животных надо раскрасить тремя различными темными цветами. Светлый цвет можно использовать для раскрашивания прямоугольника и выделения генофонда. Заметьте при этом, что в генофонд входят как B-, так и b-аллели.

Определив, что такое генофонд, посмотрим, что происходит, когда случившаяся катастрофа вызывает в нем изменения, что, в свою очередь, влияет на популяцию. Теперь переходите ко второму рисунку.

Предположим, что в определенный момент истории этой популяции происходит катастрофа. В качестве примера представим, что это сильный ураган с ливнем, который уничтожил всех членов популяции, кроме двух. Мы видим на рисунке 3, что выжили два животных со светлым окрасом (C). Заметим также, что генофонд теперь содержит только b-гены.

В таких случаях, как этот, когда большинство особей погибает, а выживает лишь небольшое их количество, мы говорим об **«эффекте основателя» (D)**. Как вы видите, генофонд выживших животных сильно отличается от генофонда всей первоначальной популяции. Оба этих животных имеют светлую окраску, что говорит о наличии только одной аллели. Выжившие особи называются «основателями», а сам феномен – «эффектом основателя». Это явление может произойти не только в результате катастрофы. Например, новая популяция может быть создана двумя животными, отбившимися от стада.

Теперь посмотрите на рисунок 4, чтобы проследить за изменениями генофонда.

Предположим, прошло **очень много времени (E)**. На рисунке это показано стрелкой. Одна из двух выживших особей была мужского пола, а другая – женского, и от них произошла новая популяция животных. Генофонд этой новой популяции отличается от генофонда первоначальной, так как он содержит только b-аллели. Кроме того, эти животные имеют светлую кожу. Это может повлиять на будущую популяцию, например, хищники могут легче заметить их, в результате чего они могут стать легкой добычей. Изменения фенотипа могут быть полезными, вредными или же вообще не оказать никакого влияния на популяцию.

Генофонд популяции

Животные темного окраса .... A
Животные промежуточного окраса .... B
Животные светлого окраса C
Эффект основателя ...... D
Длительный период времени .... E

Глава 5-6: Поток генов

Основная единица эволюции – популяция, то есть группа скрещивающихся между собой особей, живущих на одной территории. Суммарный набор генов в этой популяции называется генофондом. Генный поток – это добавление к генотипу популяции генов извне, приводящее к изменению частоты аллелей в популяции. По этой таблице мы рассмотрим, как поток генов приходит в популяцию рыб, и проследим за происходящими при этом изменениями.

> История этой популяции рыб показана на рисунках, расположенных в четыре строки. При раскрашивании рисунков пользуйтесь не очень яркими цветами и следите за стрелками, которые являются неотъемлемой частью этой таблицы.

Предположим, в озере живет **исходная популяция рыб (A)**. Они принадлежат к одному виду, поэтому их можно раскрасить одним, не очень ярким цветом. Генофонд этой популяции стабилен, и фенотипы всех рыб практически одинаковы.

Затем в результате климатических изменений центральная часть озера пересыхает. Когда это происходит, первоначальная популяция делится на **две (B)**. При раскрашивании рисунков используйте те же цвета, что и для рисунков предыдущей строки, так как гены, несмотря на разделение популяции, остаются при этом теми же самыми. Теперь одна группа географически изолирована от другой группы того же вида.

> Здесь мы увидели, что члены популяции могут стать географически изолированными друг от друга благодаря изменениям во внешней среде. Географическая изоляция возникает, когда две популяции не могут скрещиваться друг с другом. Заметьте, однако, что исходно обе группы обладают одинаковым генофондом. Теперь продолжим изучение истории этой популяции и исследуем поток генов.

Эти две популяции рыб продолжают жить по отдельности. В какой-то момент времени происходит **мутация (C_1)** в левой популяции, а затем в правой происходит **другая мутация (C_2)**. Рыб справа и слева надо раскрасить разными темными цветами, так как они теперь имеют различные генетические комбинации. Иными словами, генофонды этих двух популяций теперь отличаются друг от друга. Следует, однако, заметить, что при этом не появились новые виды рыб. Рыбы в обоих образовавшихся озерах попрежнему принадлежат к одному виду, так как все еще могут скрещиваться между собой.

> Установив, что популяции рыб отличаются друг от друга по генофонду, перейдем к изучению потока генов. Перейдите к четвертой строке рисунков, продолжая читать эту главу. Для раскрашивания этих рисунков используйте те же цвета, что и в предыдущей строке, так как генофонд не изменился.

Предположим, что климатические изменения привели к образованию канала между этими двумя озерами, так что рыбы теперь больше не изолированы географически. Вследствие этого рыба из второй популяции плывет к первой популяции – **первый обмен (F_1)**, а рыба из первой популяции плывет во вторую – **второй обмен (F_2)**. Добавление каждой рыбы-иммигранта привносит ее гены в другую популяцию, то есть происходит обмен генами между двумя популяциями. Когда такие иммигранты вносят изменения в популяцию, поток генов становится равносильным по своему воздействию мутации. Таким образом, в популяцию вносятся изменения, и при этом возникают новые комбинации генов в генотипе.

Влияние генного потока на эволюционные изменения зависит от темпов миграции и степени генетических различий между иммигрантами и принимающими их популяциями. Например, если темпы иммиграции низкие (как в нашем примере, когда только одна рыба входит в другую популяцию), ее влияние на генофонд невелико. Но, когда в популяцию проникает много иммигрантов, эффект может быть большим и влияние потока генов на эволюционные изменения будет существенным.

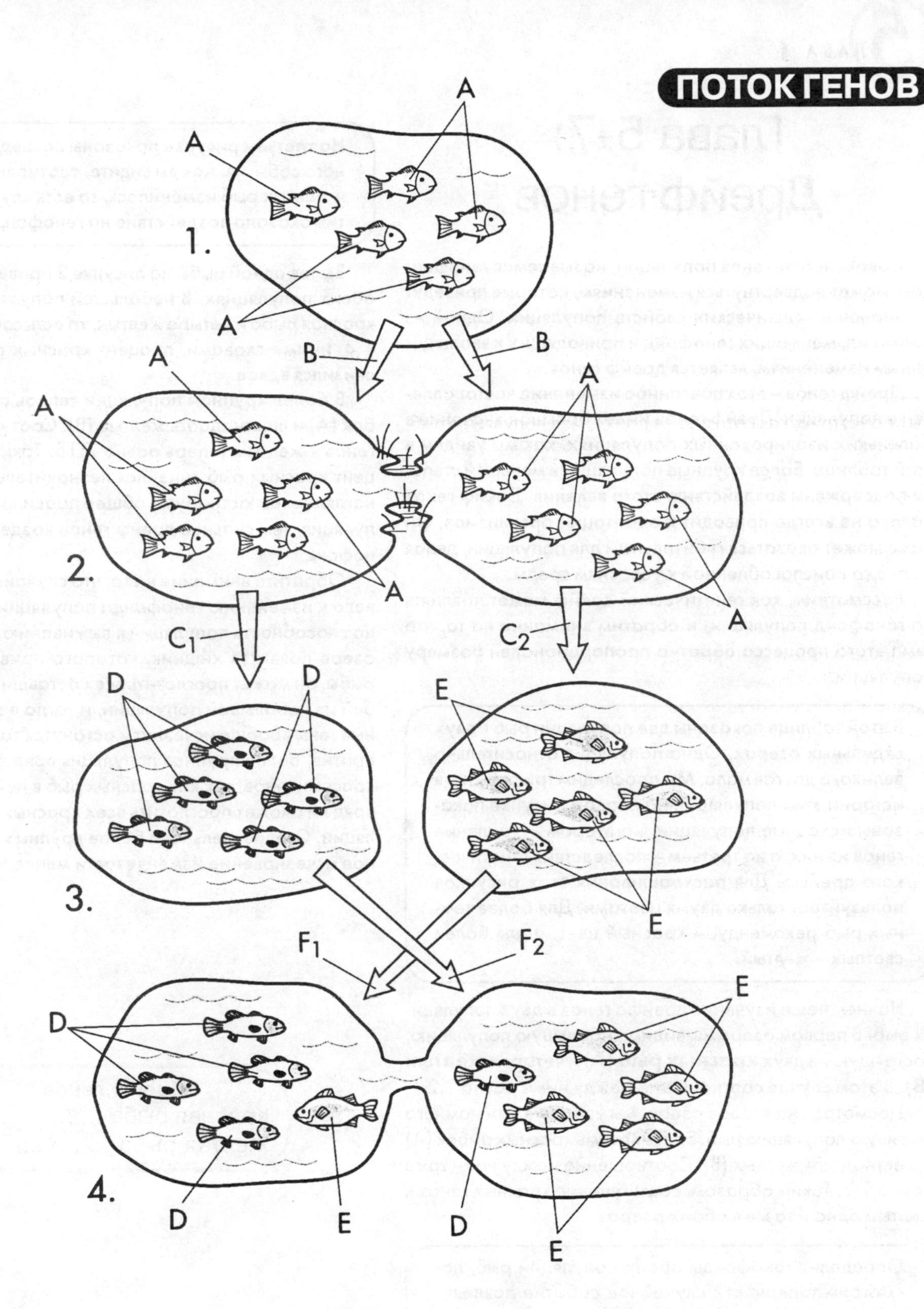

Поток генов

Первоначальная популяция рыб .... A	Первая мутация............ C_1	Вторая новая популяция .... E
Разделение популяции .... B	Вторая мутация .... C_2	Первый обмен.............. F_1
	Первая новая популяция .... D	Второй обмен .... F_2

Глава 5-7: Дрейф генов

Совокупность генов популяции, называемая генофондом, может подвергнуться изменениям, которые приведут к изменению физических свойств популяции. Одной из таких сил, меняющих генофонд и приводящих к эволюционным изменениям, является дрейф генов.

Дрейф генов – это спонтанное изменение частот аллелей в популяции. Дрейф генов имеет большое значение в маленьких изолированных популяциях, как мы увидим в этой таблице. Более крупные популяции в меньшей степени подвержены воздействию этого явления. Дрейф генов далеко не всегда приводит к адаптации организмов. Он даже может оказаться губительным для популяции, делая ее плохо приспособленной к условиям среды.

Рассмотрим, как генетический дрейф может повлиять на генофонд популяции, и обратим внимание на то, что темп этого процесса обратно пропорционален размеру популяции.

В этой таблице показаны две популяции рыб в двух отдельных озерах. Одна популяция относительно велика, а другая мала. Мы проследим три события в истории этих популяций: на первом рисунке показаны исходные популяции, на втором – удаление генов из них, а на третьем – последствия генетического дрейфа. Для раскрашивания этих рисунков пользуйтесь только двумя цветами. Для более темных рыб рекомендуем красный цвет, а для более светлых – желтый.

Начнем наше изучение дрейфа генов в двух популяциях рыб. В первом озере мы видим небольшую популяцию, состоящую из двух **красных рыб (А)** и четырех **желтых (В)**. В этом случае соотношение между ними равно 1:2.

Посмотрев на второе озеро, мы увидим в нем намного большую популяцию рыб. Здесь восемь красных рыбок (А) и шестнадцать желтых (В). Соотношение между ними тоже равно 1:2. Таким образом, соотношение красных генов к желтым одно и то же в обоих озерах.

Определив генофонды обеих популяций рыб, посмотрим теперь, как случайное событие повлияет на каждую из этих популяций. Это случайное событие удаляет определенное количество генов из каждой популяции. Посмотрите теперь на второй рисунок таблицы.

На втором рисунке мы видим рыбака, который из каждого озера вылавливает по одной красной рыбе (А). Это случайное событие изменяет генофонд каждого озера и может изменить направление эволюции этих популяций.

На третьем рисунке показаны последствия случайного события. Как вы видите, соотношение красных и желтых рыб изменилось, то есть случайное событие оказало воздействие на генофонд популяций.

Вылов одной рыбы на рисунке 2 привел к изменениям в обеих популяциях. В небольшой популяции теперь одна красная рыба и четыре желтых, то есть соотношение стало 1:4, иными словами, процент красных рыб в популяции снизился вдвое.

В более крупной популяции теперь семь красных рыбок (А) и шестнадцать желтых (В). Соотношение красных генов к желтым теперь равно 7:16. Таким образом, процент красных рыб снизился незначительно. Эти рисунки наглядно иллюстрируют общее правило: чем меньше популяция, тем сильнее дрейф генов воздействует на ее генофонд.

Обратите внимание на то, что случайное событие привело к изменению генофонда популяции, но не повлияло на способность популяции к выживанию. Конечно, если в озере появится хищник, которого привлекают красные рыбы, он может проглотить всех оставшихся красных особей из небольшой популяции, и тогда в этом озере красные гены вообще исчезнут и останутся только желтые. Напротив, более крупная популяция вряд ли лишится своих красных генов, так как красных рыб в ней много и хищник вряд ли сможет проглотить всех красных рыб в этой популяции. Следовательно, в более крупных популяциях полное исчезновение изменчивости менее вероятно.

Дрейф генов

Красная рыба .... A

Желтая рыба .... B

ДРЕЙФ ГЕНОВ

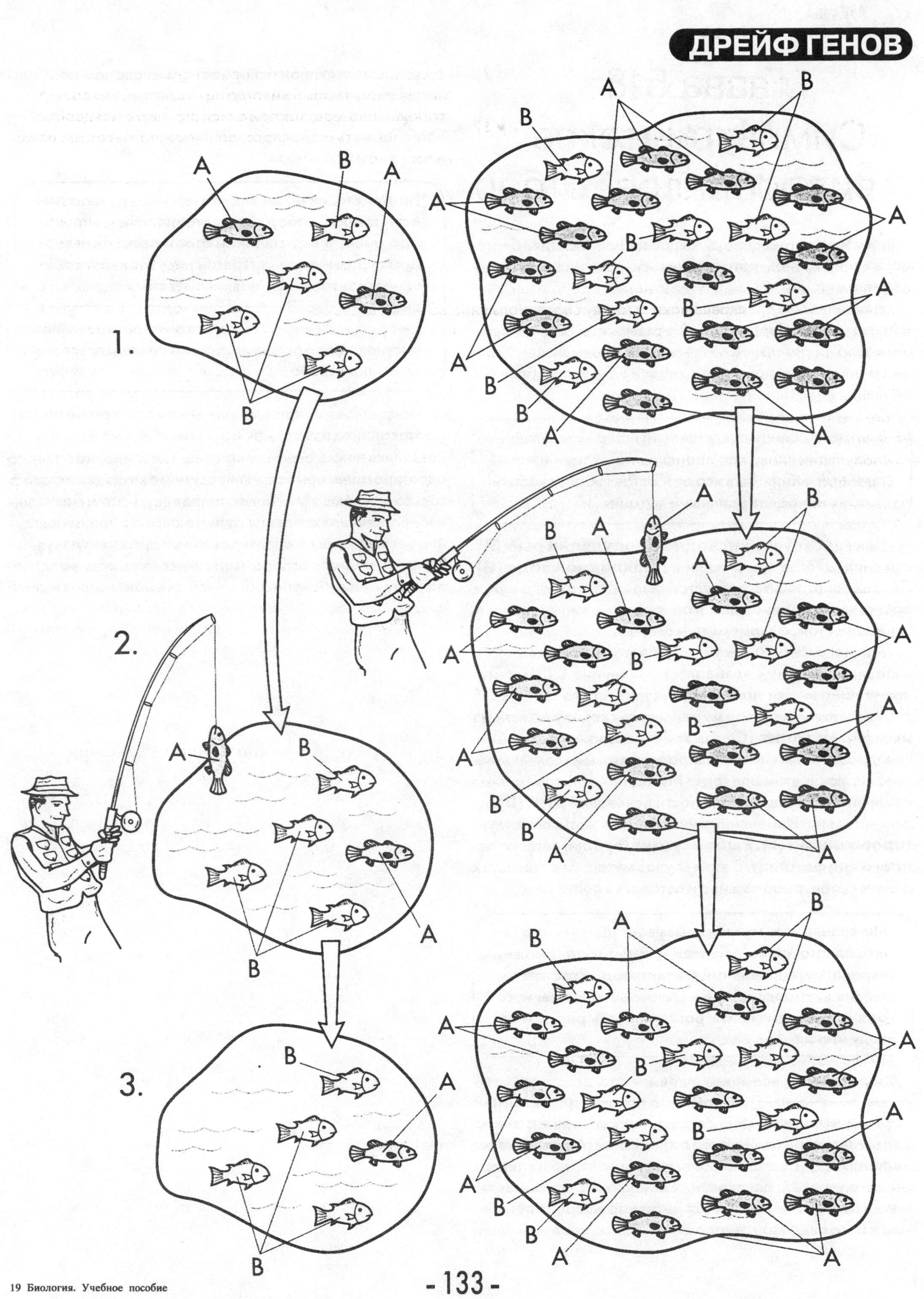

Глава 5-8: Мутация и естественный отбор

Изменения генофонда популяции происходят благодаря дрейфу генов, потоку генов и мутациям. Рассмотрим влияние мутаций.

Изменчивость организмов представляет материал для естественного отбора, который формирует эволюцию организмов. Избирательное давление со стороны внешней среды на популяцию приводит к гибели неприспособленных особей.

В данной таблице представлена история популяции рыб. Мы увидим, как происходят мутации и естественный отбор. Выживают и оставляют потомство особи с наиболее удачными мутациями.

Начнем с крупной **исходной популяции рыб (A)**. Эти рыбы долгое время жили в **прохладной воде (G)**. Популяция относительно устойчива, и все рыбы в ней, в общих чертах одинаковы. Этих рыбок можно раскрасить темным цветом, а термометр – светлым.

Как показано на рисунке 1, в популяции происходит мутация. Мутацией называется изменение в ДНК организма. Она может повлиять (или нет) на его свойства. В этом конкретном случае мутация происходит у **одной из рыб (B)**. **Мутация (C)** может быть вызвана различными факторами, в том числе и ультрафиолетовыми солнечными лучами, как в этом эпизоде. Мутации – это спонтанные изменения в последовательности оснований **ДНК (D)** отдельного гена. Измененные участки ДНК называются **мутированными (E)**. **Рыба-мутант (F)** отличается от остальных по фенотипу. В этом случае мутация не привела к гибели особи, рыба выжила и осталась в популяции.

Мы видели, что мутация вызывает изменения в генах одного члена популяции. Рыба-мутант может передать мутированный ген потомкам. Рассмотрим теперь взаимодействие мутаций ее естественного отбора. Продолжайте раскрашивать рисунки по ходу чтения.

Через длительное время на Земле произошли климатические изменения. Допустим, что прошел **длительный период времени (H)**. За этот период **температура воды повысилась (I)**. Рыба без мутации (A) откладывает **икринки (J)** и в этой, более горячей воде, но их теперь намного меньше, из-за этих температурных изменений. Тем временем мутированная рыба хорошо приспособилась к более высокой температуре. Благодаря такой адаптации она может производить в теплой воде намного больше икринок, чем рыба без мутации. Значит, она лучше приспособилась к окружающей среде, и естественный отбор благоприятствует распространению этой мутации в популяции рыб.

На этой стадии мы видим, что происходят мутация и естественный отбор. Эта мутация изменила свойства рыбы, а естественный отбор повысил способность к размножению. Третий рисунок внизу таблицы показывает, как повлиял на популяцию естественный отбор. Здесь мы видим, что состав популяции рыб изменился. Продолжайте раскрашивать рисунок и обратите внимание на последствия естественного отбора.

Предположим, прошло еще **немного времени (H)**. За этот период из икринок **адаптированной рыбы (K)** появились новые особи, и во внешней среде стало много адаптированных рыбок. Из исходной популяции осталась только одна рыба (A). Более теплая вода стала фактором избирательного давления окружающей среды, и появление большого числа адаптированных рыб стало результатом естественного отбора. Фактически эта мутация сделала рыбу лучше приспособленной к изменениям внешней среды.

МУТАЦИЯ И ЕСТЕСТВЕННЫЙ ОТБОР

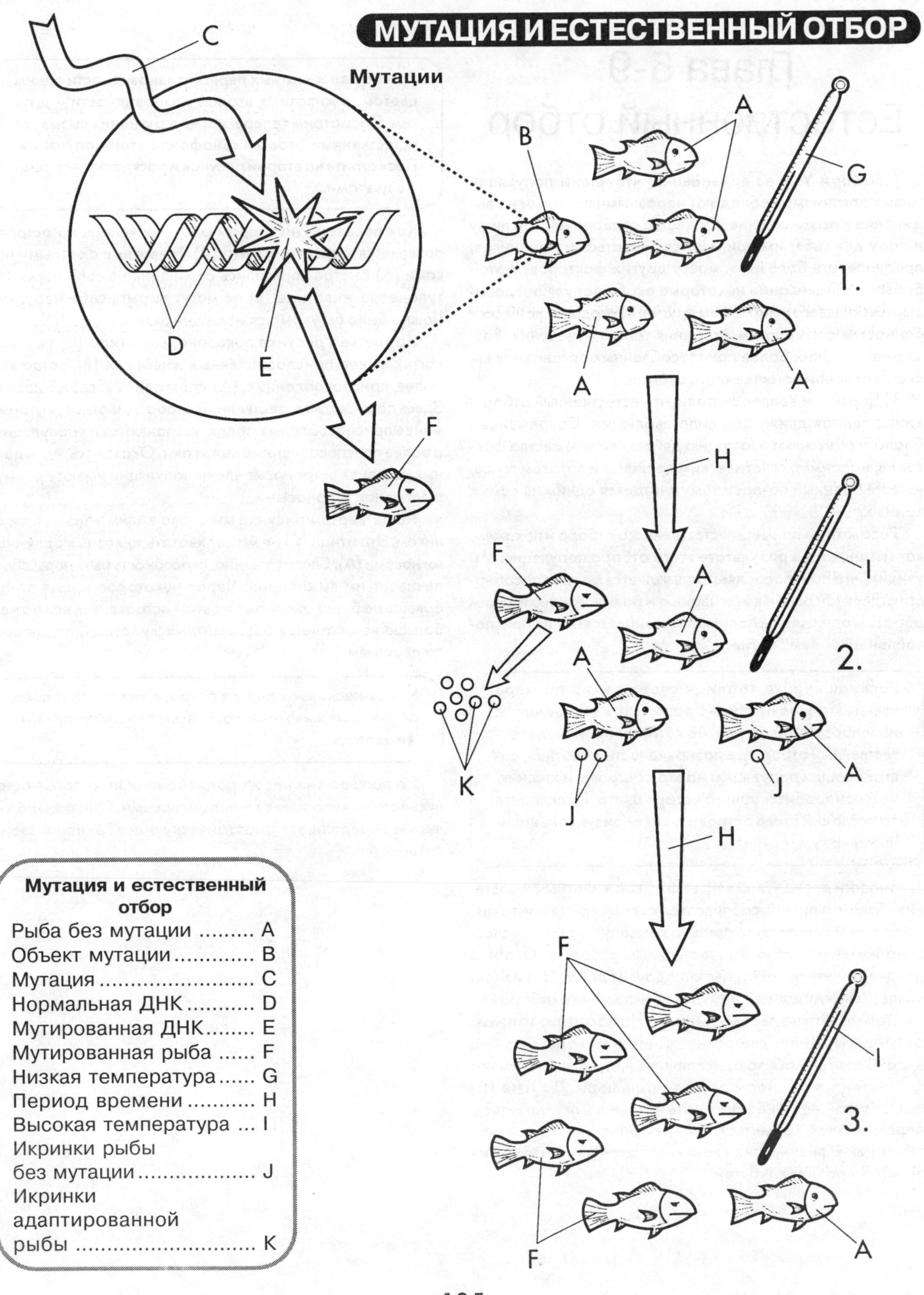

Мутация и естественный отбор

Рыба без мутации .... A
Объект мутации............. B
Мутация C
Нормальная ДНК........... D
Мутированная ДНК........ E
Мутированная рыба ...... F
Низкая температура...... G
Период времени .... H
Высокая температура ... I
Икринки рыбы без мутации.................... J
Икринки адаптированной рыбы .... K

Глава 5-9: Естественный отбор

Дарвин и Уоллес признавали, что члены популяции живых организмов обладают неравными шансами на выживание и размножение. Существа соперничают за пищу и пару для себя, им приходится спасаться от хищников, преодолевать болезни и массу других факторов. В этой борьбе за выживание некоторые особи популяции добиваются большего успеха, чем другие, благодаря своим особенностям физиологии, строения тела и поведения. Размножение таких более приспособленных организмов является основой естественного отбора.

И Дарвин, и Уоллес считали, что естественный отбор – единственная движущая сила эволюции. Современные биологи объясняют эволюцию действием множества факторов, например генетическим дрейфом и потоком генов, но естественный по-прежнему считается одним из самых важных.

Рассмотрим примеры естественного отбора и покажем, как изменяется в результате этого отбора популяция. Мы увидим, что приспособляемость является мерой способности отдельной особи к выживанию и размножению и каким образом одни члены популяции становятся более приспособленными, чем другие.

Раскрашивайте таблицу сверху вниз по мере чтения этой главы. Нужно раскрасить четыре части: изолированный остров, на котором происходит естественный отбор, две разновидности животных, составляющих популяцию на этом острове, и хищник. Вам понадобится только четыре цвета. Проследите за историей этого острова по пяти рисункам, начиная сверху.

Биологи давно удивлялись тому, как животным и растениям удается приспосабливаться к своей среде обитания, но лишь в XIX веке наука пришла к выводу, что это обусловлено изменчивостью и естественным отбором. Особи в пределах популяции отличаются друг от друга. Эта изменчивость служит материалом для естественного отбора.

Посмотрите на первый рисунок. На **изолированном острове (I)** живут две разновидности животных одного вида. **Одни (А)** обитают исключительно на земле, имеют длинный и тонкий нос и роют в земле норы. **Другие (В)** имеют тупой нос и не могут рыть норы, но могут лазить по деревьям и там кормиться. Таким образом, мы видим различия как в физических свойствах, так и в образе жизни этих двух разновидностей.

Раскрасьте животных первой разновидности одним цветом, а животных второй разновидности – другим. Посмотрим теперь, какие изменения вызывает естественный отбор в генофонде этой популяции. Посмотрите на второй рисунок и раскрасьте его теми же цветами.

Как показано на втором рисунке, теперь на острове появляется **хищная птица (С)**. Животные с острыми носами (А) быстро спрятались от хищника в свои норы. Но тупоносые животные (В) не могут вырыть себе нору, где можно было бы укрыться от хищника.

На третьем рисунке показано, как птицы (С) уносят в когтях менее приспособленных животных (В), тогда как более приспособленные (А) спрятались в своих норах. Здесь происходит естественный отбор: животные, которые менее приспособлены к среде, устраняются из популяции, а более приспособленные выживают. Оказалось, что в данных условиях остроносые члены популяции имеют преимущество над тупоносыми.

На четвертом рисунке мы снова видим эпизод с хищником. Эта птица (С) не может хватать животных с длинными носами (А). Следовательно, способность рыть норы обеспечивает им выживание. Через некоторое время птицы больше не будут охотиться на этом острове, так как на нем больше не останется беззащитных животных, лазающих по деревьям.

Через несколько лет на острове остались только остроносые животные. Раскрасьте этот рисунок теми же цветами.

По прошествии некоторого времени на острове остались только животные с длинными носами. Они размножились и передали эту анатомическую особенность своим потомкам.

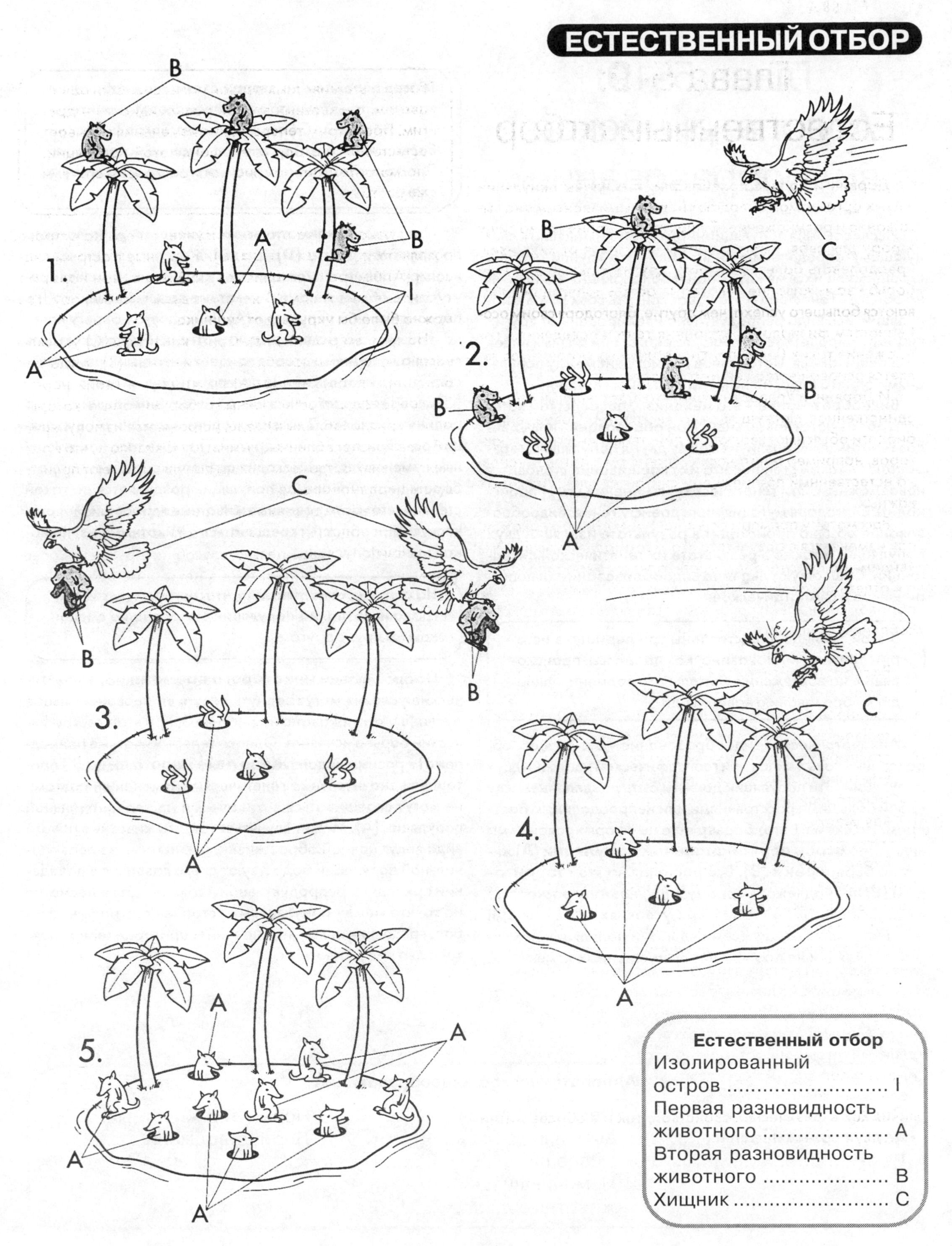

Естественный отбор

Изолированный остров I

Первая разновидность животного .... A

Вторая разновидность животного .... B

Хищник C

Глава 5-10: Аллопатрическое видообразование

Исследования популяционной генетики привели к следующему определению вида: вид – это группа особей, скрещивающихся между собой и обладающих единым генофондом. Генофонд – это совокупность всех генов в популяции. Все виды репродуктивно изолированы от других видов в природе, как правило, то есть особи разных видов не скрещиваются. Поток генов происходит между популяциями одного вида, но не между разными видами.

Видообразование – это механизм, посредством которого образуются новые виды. При образовании новых видов генетические различия между двумя популяциями возрастают в такой степени, что их скрещивание становится невозможным. Эти генетические изменения могут происходить благодаря мутациям или дрейфу генов. Видообразование обычно происходит в результате изоляции двух популяций, а также в результате их генетической дивергенции. Существуют два типа видообразования: аллопатрическое и симпатрическое.

В этой таблице представлены три периода в истории популяции. Показано, как процессы, происходящие на протяжении длительного времени, приводят к образованию нового вида.

Аллопатрическое видообразование – это процесс образования новых видов при географической изоляции двух популяций. Эти популяции должны быть разделены между собой большими расстояниями или непреодолимым барьером. На схеме 1 этот барьер еще не сформирован, и мы видим, что **особи первоначальной популяции (A)** живут на берегу **реки (B)**. Все растения на этой **территории (C)** принадлежат к одному виду, поэтому раскрасьте их одним цветом. В стабильных условиях обмен генами осуществляется между всеми членами популяции, и в самой популяции не происходит существенных изменений.

Теперь перейдем ко второй схеме этой таблицы и заметим при этом, что здесь происходят значительные перемены. Сформировался географический барьер, и это приводит к образованию нового вида. Продолжайте чтение, обращая внимание на вторую схему.

В результате климатических изменений река потекла по **другому руслу (D)**, разделив эту популяцию на две изолированные популяции, между которыми не может происходить обмен генами. Животные те же самые, что и в первоначальной популяции (A), но на другом берегу начинает развиваться **новый вид животных (E)**. Это может быть вызвано мутацией, которая придает животным новые качества. Этих животных нужно раскрасить другим цветом.

Слово «аллопатрический» означает «имеющий другую родину». На схеме 2 мы видим один из механизмов изоляции одной популяции от другой. По мере того как животные изменяются, происходит давление естественного отбора и первоначальная популяция разделяется до такой степени, что изолированные животные теряют физиологическую способность скрещиваться с животными из первоначальной популяции.

На третьей схеме показано, что географическая преграда исчезла, но популяции все равно не смешиваются друг с другом.

По прошествии **некоторого времени (G)** климатические условия могут вернуть реку в ее первоначальное русло (B), как показано на рисунке 3, при этом географический барьер исчезнет. Однако теперь животные принадлежат к разным видам. **Животные нового вида (F)** претерпели значительные генетические изменения, поэтому не могут скрещиваться с животными из первоначальной популяции (A). Может случиться так, что животные нового вида ведут ночной образ жизни, а животные из первоначальной популяции бодрствуют днем. Различия в поведении приводят к репродуктивной изоляции даже несмотря на то, что между популяциями устранен географический барьер. Возник новый вид, на этой территории теперь обитают два вида животных.

Аллопатрическое видообразование

Первоначальная популяция животных ..... A
Река ..... B
Первоначальная внешняя среда C
Новое русло реки ..... D
Изменившиеся животные ..... E
Новый вид животных ..... F
Период времени ..... G

АЛЛОПАТРИЧЕСКОЕ ВИДООБРАЗОВАНИЕ

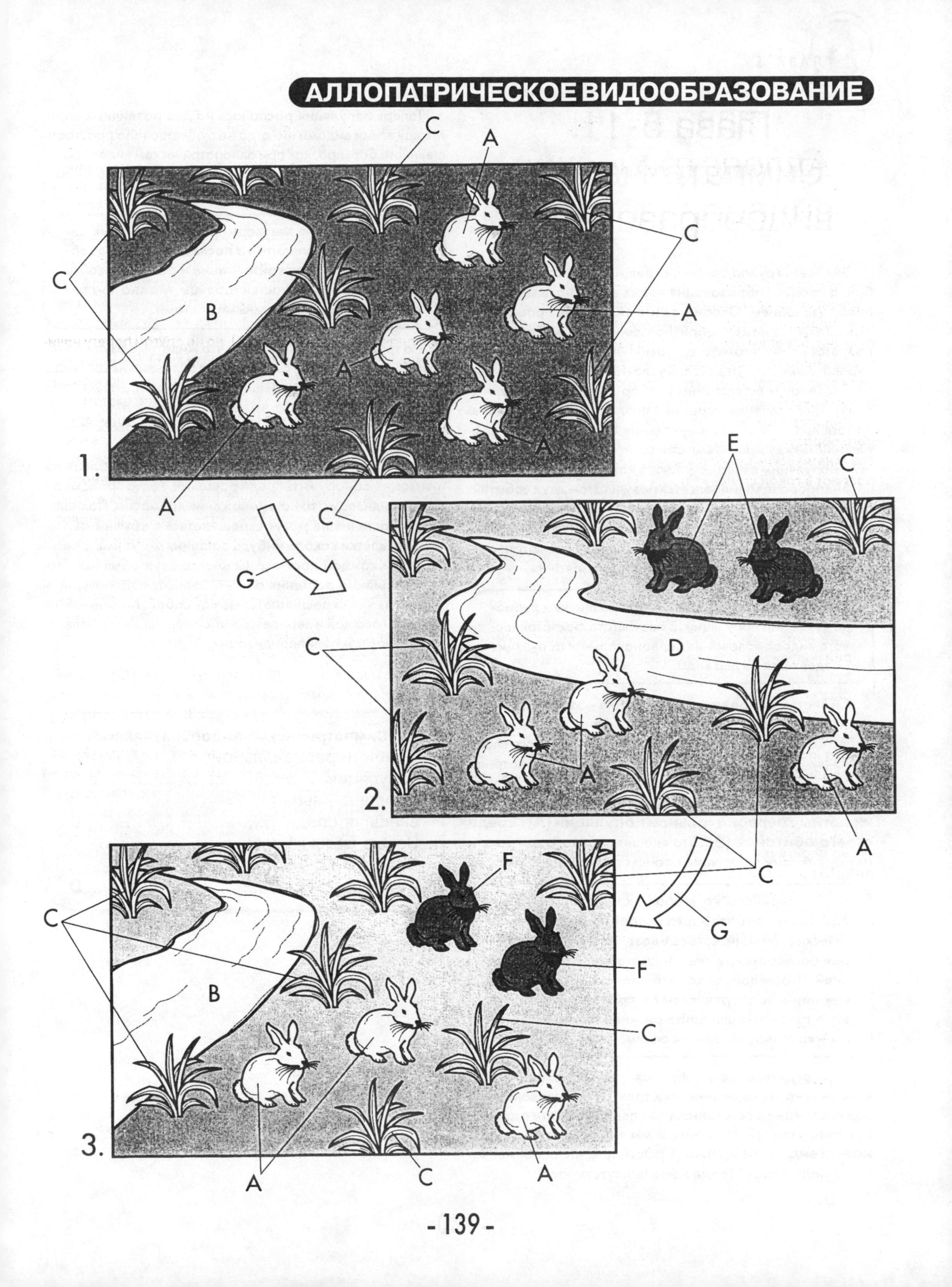

Глава 5-11: Симпатрическое видообразование

Вид – это группа особей, скрещивающихся между собой, а процесс образования новых видов называется видообразованием. Особи разных видов, как правило, не скрещиваются между собой. Большинство новых видов образуется в результате того, что популяции становятся изолированными друг от друга. В условиях изоляции мутации, дрейф генов и естественный отбор приводят к тому, что популяции с течением времени различаются все сильнее. В итоге возникают репродуктивные барьеры, то есть спаривание между животными становится невозможным, даже если популяции снова вступают в контакт.

Видообразование является результатом двух событий: разделения популяции и накопления генетических различий. Существуют два вида видообразования – аллопатрическое и симпатрическое. В этой таблице рассматривается механизм симпатрического видообразования.

В этой таблице представлены три различных периода в истории популяции. В результате симпатрического видообразования первоначальная популяция разделяется на два вида.

Симпатрическое видообразование – это процесс возникновения новых видов без географической изоляции. Слово «симпатрический» происходит от греческого слова «син» (syn), что означает «общая», и латинского «патриа» (patria) – «родина». Симпатрическое видообразование происходит внутри одной популяции. На схеме показаны **животные первоначальной популяции (A)** в **среде своего обитания (B)**. Эта внешняя среда устойчива, и между членами популяции происходит обмен генами.

Теперь перейдем ко второй схеме этой таблицы. Здесь мы видим, что у трех особей произошли генетические мутации, которые воздвигли репродуктивный барьер между ними и «материнской» популяцией. Чтобы понять, как это происходит, обратите внимание на вторую схему и продолжайте читать эту главу. Раскрашивайте рисунки темными цветами – красным, зеленым и синим.

Симпатрическое видообразование происходит, когда невозможно скрещивание этих трех членов первоначальной популяции с остальными ее членами в связи с хромосомной мутацией. На схеме 2 мы видим появление трех **новых видов животных (C)**. Заметьте, что особи первоначального вида (A) тоже здесь присутствуют.

Теперь популяция распалась на два различных вида. Между этими видами никогда не существовало пространственного барьера, как при аллопатрическом видообразовании, но, несмотря на это, одна группа животных изменилась в новых условиях.

На третьей схеме мы видим смесь двух новых видов. Чтобы проследить за последствиями видообразования, продолжайте чтение и раскрашивайте соответствующие участки таблицы. Можно по-прежнему пользоваться темными цветами.

На третьей схеме мы видим, что животные из первоначальной популяции (A) смешиваются с членами нового вида. Эти два вида не могут скрещиваться, а значит, дрейф генов и другие факторы могут вызвать дальнейшее расхождение их генофондов, даже несмотря на то, что особи обитают в одной среде.

Один яркий пример симпатрического видообразования можно обнаружить среди растений, когда происходит полиплоидизация, то есть умножение хромосом. Полиплоидные растения не могут скрещиваться с обычными. Например, клетки какого-нибудь растения могут иметь четыре копии каждой хромосомы вместо двух обычных. Эти тетраплоидные растения обычно являются здоровыми, и многие из них скрещиваются между собой. Многие обычные виды овощей и зерновых, например, пшеница являются результатом полиплоидизации.

Симпатрическое видообразование

Особи первоначальной популяции .... A
Первоначальная внешняя среда .... B
Новые виды животных C
Прошло какое-то время .... D

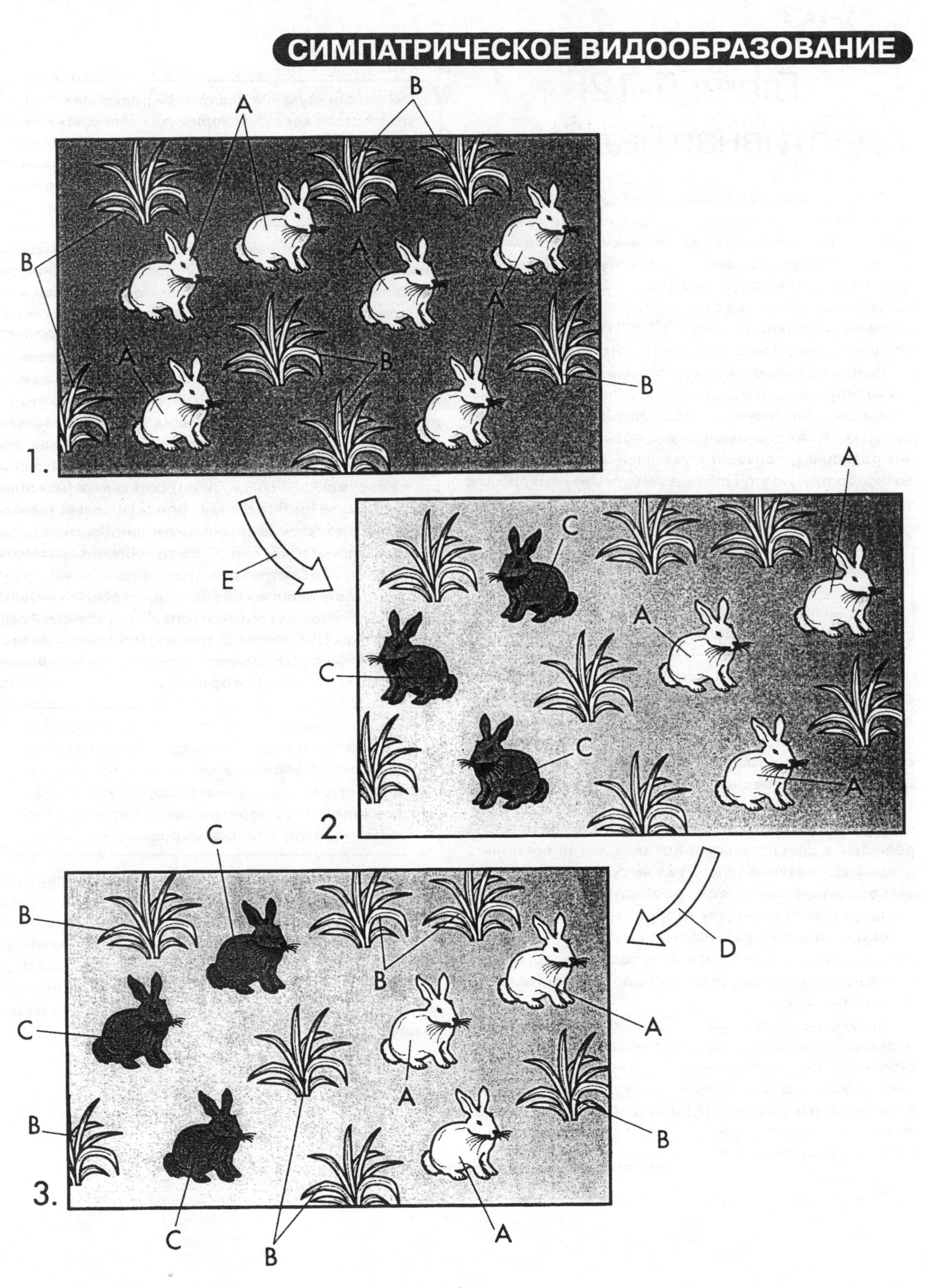
A
B
A
B
A
A
A
B
B
B
1.
E
A
C
A
C
C
A
2.
C
B
D
B
A
C
A
B
B
3.
C
B
A

Глава 5-12: Адаптивная радиация

Силы мутаций, естественного отбора, потока генов и других факторов действуют на нашей планете уже свыше трех миллиардов лет. Под их влиянием возникли миллионы разных видов. Изменения окружающей среды приводили к изменению фауны и флоры, и многие организмы оставили свидетельства своего существования в виде ископаемых останков. Изучая эти останки, ученые поняли, как шла эволюция многих из этих существ.

Ученые обнаружили, что организмы перемещаются на новые территории и осваивают их, используют новые источники питания и оказываются в новых географических областях. Эволюционный процесс, называемый «адаптивная радиация», приводит к увеличению биологического разнообразия. По этой таблице мы будем изучать процесс адаптивной радиации.

Обратите внимание, что здесь показаны как исчезнувшие, так и современные животные. Для раскрашивания этих рисунков пользуйтесь темными цветами, например красным, зеленым, синим и фиолетовым, так как эти фрагменты довольно велики.

Адаптивная радиация – это разветвление предкового ствола группы организмов в ходе приспособительной эволюции, связанное с развитием адаптации к разным условиям внешней среды и способами использования ее ресурсов (освоение различных местообитаний, убежищ, кормов, способов добывания пищи и т. п.). В результате адаптивной радиации происходит видообразование.

В этой таблице показано, как происходила адаптивная радиация в доисторические времена, когда появлялись новые виды, которые теперь уже не существуют. Эта модель развития начинается с **первобытной рептилии (A)**, а в противоположном углу изображено **первобытное млекопитающее (B)**. Таблица демонстрирует, как от первобытных рептилий и млекопитающих произошли похожие на них животные, существующие в аналогичных экологических нишах.

Адаптивная радиация (C) первобытной рептилии и первобытного млекопитающего показана изогнутыми стрелками. От доисторической рептилии произошли существа, успешно завоевавшие воздушное пространство, в частности **птерозавр (D_1)**. Когда птерозавр и его потомки вымерли, эта географическая ниша освободилась, и ее заняла первобытная **летучая мышь (D_2)**.

Мы начали изучение адаптивной радиации с того, что показали, как от доисторических рептилий и млекопитающих произошли животные, занявшие экологическую нишу летающих существ. Продолжим рассмотрение других примеров адаптивной радиации.

От древних рептилий и млекопитающих произошли животные, обитающие в море. От древней рептилии произошел **ихтиозавр (E_1)**. Когда ихтиозавры вымерли, и их ниша освободилась, от древнего млекопитающего произошла **морская свинья (E_2)**. К современным животным, занимающим эту нишу, относятся дельфины, акулы, тюлени, пингвины и рыбы. Все эти животные, приспособившиеся к жизни в океане, имеют сходные характеристики – развитие сходных качеств, позволяющих животным заселять одну и ту же внешнюю среду, называется конвергентной эволюцией. Так как они испытывали воздействие одной и той же окружающей среды, то морская свинья (млекопитающее), акула (рыба), пингвин (птица) и тюлень (млекопитающее) независимо друг от друга приобрели сходные формы. Например, все они обладают обтекаемым телом, что позволяет им быстрее двигаться в воде.

В результате адаптивной радиации от доисторической рептилии произошел **трицератопс (F_1)** – растительноядное животное. После того как трицератопс вымер, его экологическая ниша освободилась, и от первобытного млекопитающего произошел **носорог (F_2)**.

В этой главе мы показали, что адаптивная радиация приводит к развитию новых видов и что конвергентная эволюция формирует организмы, которые, несмотря на то что не родственны друг другу, обладают сходными характеристиками. Обратимся к последнему примеру адаптивной радиации.

От древних рептилий произошел всем известный динозавр – **тиранозавр (G_1)**. Примерно 65 млн лет назад, когда тиранозавры вымерли, их ниша освободилась. Адаптивная радиация в итоге привела к возникновению нового вида, занявшего нишу тиранозавров, – это был **лев (G_2)**. Заметьте, что в этом случае не произошло заметной конвергентной эволюции — лев отличается от тиранозавра размерами.

АДАПТИВНАЯ РАДИАЦИЯ

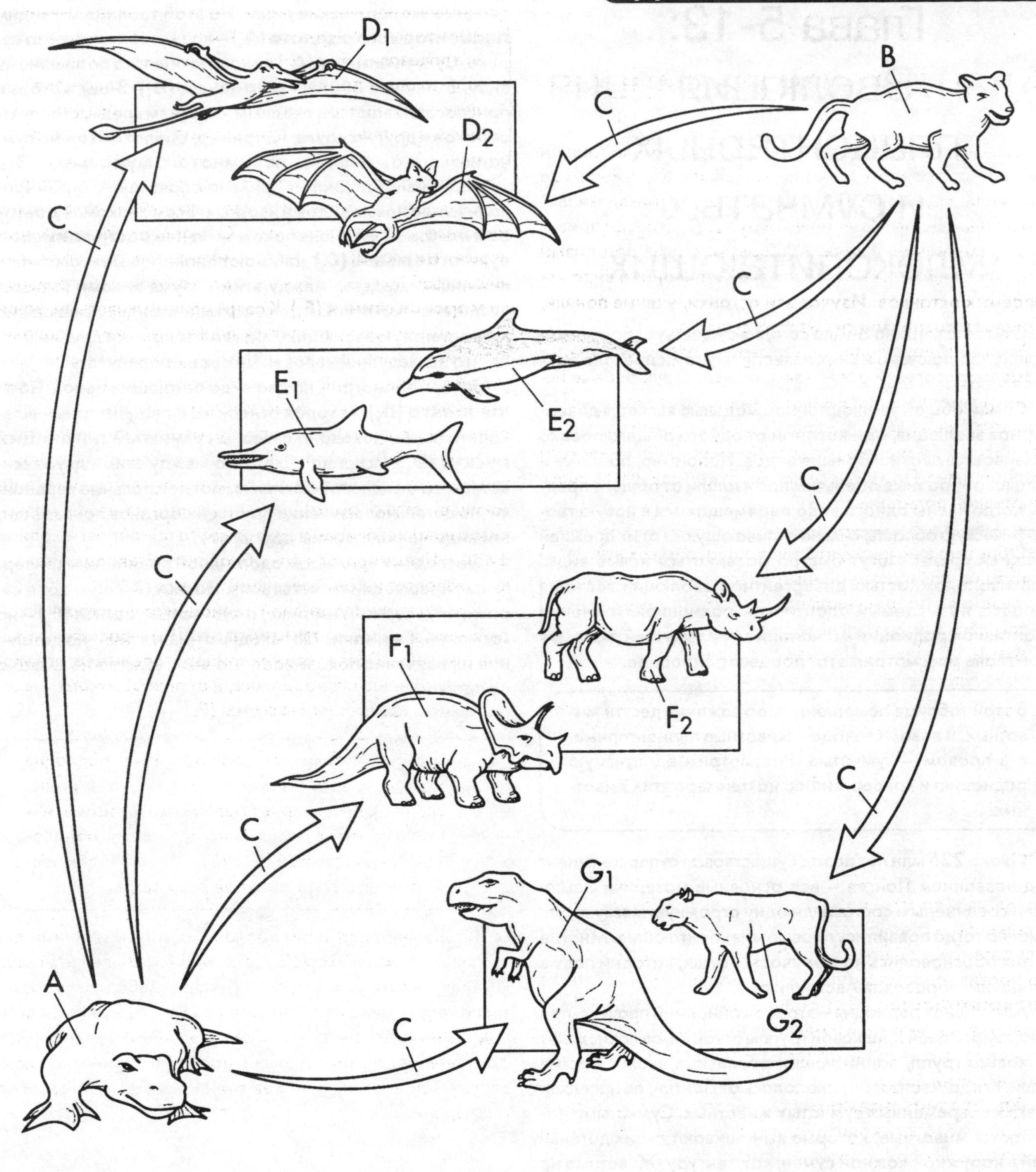

Адаптивная радиация

Древняя рептилия .... A
Древнее млекопитающее............ B
Адаптивная радиация.... C
Птерозавр .... D_1
Летучая мышь .... D_2
Ихтиозавр .... E_1
Морская свинья .... E_2
Трицератопс .... F_1
Носорог .... F_2
Тиранозавр .... G_1
Лев .... G_2

Глава 5-13: Эволюция плацентарных и сумчатых млекопитающих

Считается, что на Земле сегодня существует более пяти миллионов видов, но из них известны всего лишь около двух миллионов.

Самой общей эволюционной моделью является дивергентная эволюция, при которой от одного общего предка развивается два или больше видов. Например, обычные и человекообразные обезьяны произошли от общего предка. Когда члены одного вида перемещаются в новую географическую область, сильно отличающуюся от их прежней внешней среды, могут быстро развиваться новые виды. Противоположностью дивергентной эволюции является процесс, называемый адаптивной радиацией; изучение адаптивной радиации мы начали в предыдущей главе, а в этой главе рассмотрим этот процесс подробнее.

В этой таблице помещены изображения десяти животных. В левом столбце – животные плацентарные, а в правом – сумчатые. Рассмотрим адаптивную радиацию и конвергенцию на примере этих животных.

Около 225 млн лет назад существовал суперконтинент под названием Пангея – все основные материки Земли были соединены и составляли одну огромную массу суши. Именно тогда появились первые млекопитающие. Многие из них обосновались на том участке суши, который позже отделился, образовав Австралию.

Адаптивная радиация – это эволюционный процесс, при котором от одной предковой группы организмов происходит несколько групп, занимающих различные экологические ниши. Когда Австралия откололась от Пангеи, ее населяли предки современных сумчатых животных. Сумчатыми называются животные, которые вынашивают своих детенышей в наружной кожной сумке, как кенгуру. Животные на остальной части суши (Африка, Южная Америка, Северная Америка, Азия, Европа и Антарктида) развились в плацентарных млекопитающих, у которых развитие происходит в материнской матке.

В процессе эволюции животные приспосабливаются к различным экологическим нишам. Сумчатые животные в Австралии и плацентарные животные в остальной части мира развивались независимо друг от друга, но занимая сходные экологические ниши. На этой таблице мы видим **плацентарного оцелота (A_1)** – кошку, обитающую в Африке. **Сумчатый кот (A_2)** похож на оцелота по внешнему виду. В Африке обитает **муравьед (B_1)**. Виды, которые приспосабливаются к сходным условиям среды, становятся похожи друг на друга, например, оцелот похож на сумчатого кота, а муравьед – на **сумчатого муравьеда (B_2)**.

Адаптивная радиация привела к появлению огромного количества новых видов животных. Всем знакомая **домовая мышь (C_1)** и очень похожая на нее **австралийская сумчатая мышь (C_2)** занимают аналогичные экологические ниши; сходство между этими двумя видами является следствием конвергентной эволюции. Виды, прошедшие конвергентную эволюцию, иногда так похожи друг на друга, что несведущий человек может их перепутать.

Теперь посмотрим на два вида летающих белок. **Белка-летяга (D_1)**, которая относится к плацентарным млекопитающим, показана слева, а **сумчатый летающий кускус (D_2)** – справа. Сходство между этими двумя животными очевидно; обе белки имеют летательные перепонки, но детальное изучение других их органов показывает, эти виды не родственны друг другу.

Последним примером адаптивной радиации и конвергентной эволюции является волк. **Волки (E_1)** обитают в Евразии и Северной Америке, а **сумчатые волки (E_2)** – на Тасмании. Они занимают сходные ниши в лесу, но детальное их изучение показывает, что это сходство не связано с родством.

ЭВОЛЮЦИЯ ПЛАЦЕНТАРНЫХ И СУМЧАТЫХ МЛЕКОПИТАЮЩИХ

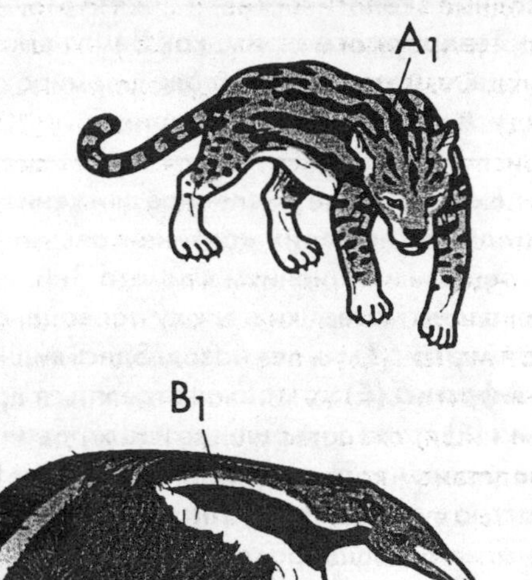

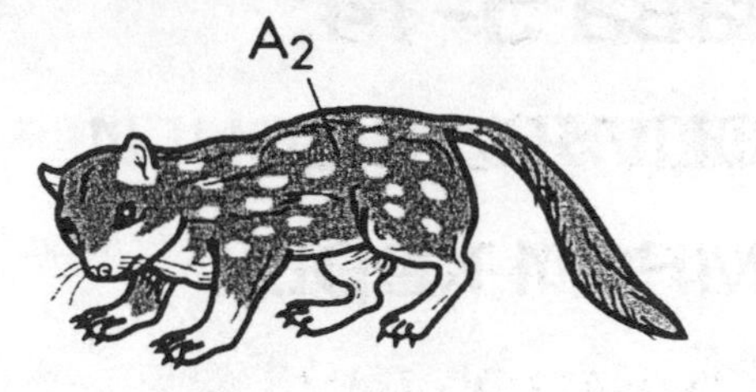

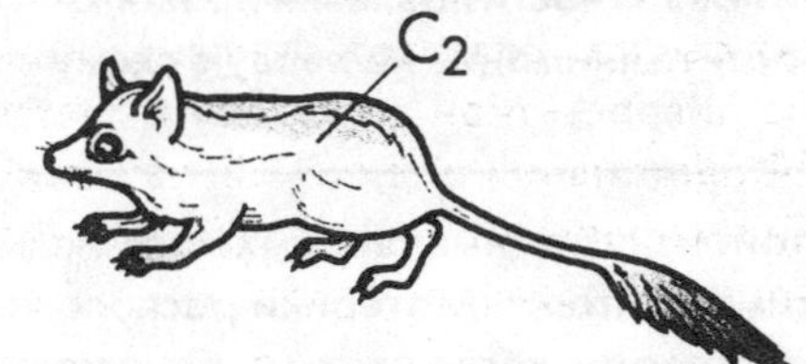

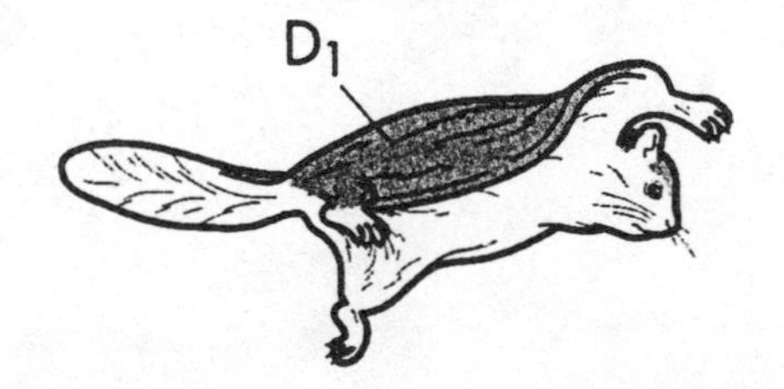

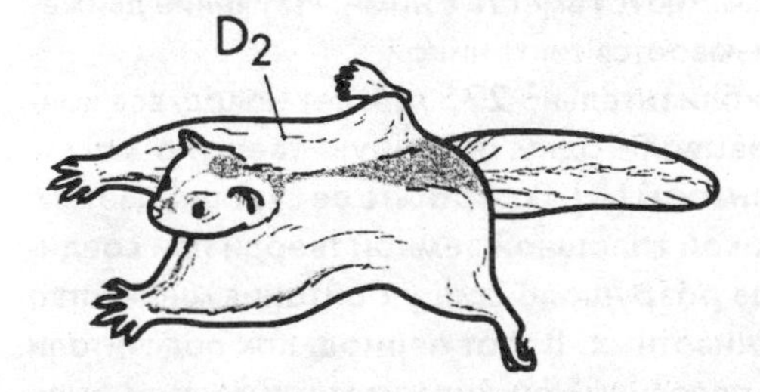

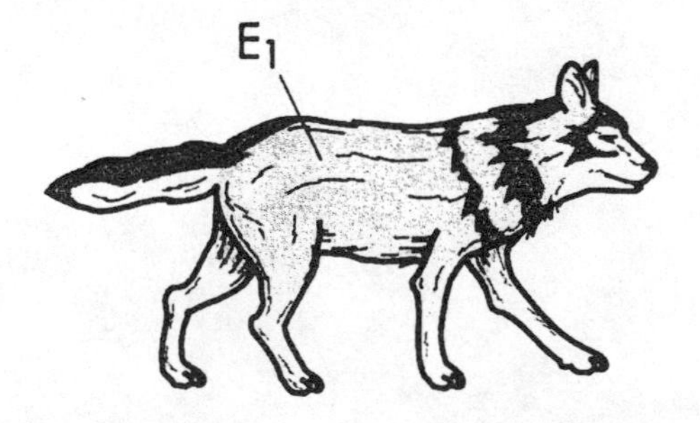

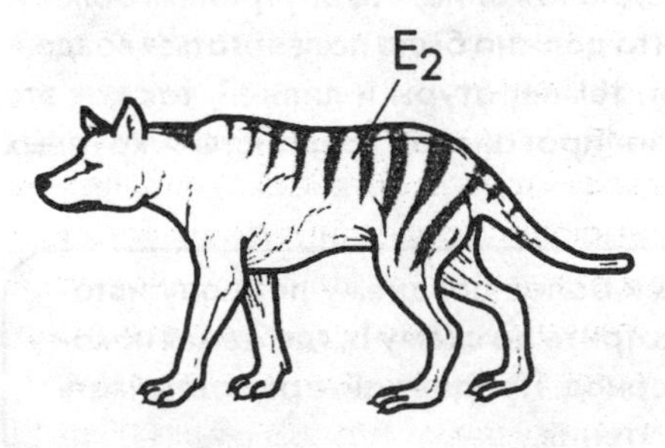

Эволюция плацентарных и сумчатых животных

Плацентарный оцелот .... A_1
Сумчатый кот .... A_2
Муравьед........................ B_1
Сумчатый муравьед ...... B_2
Мышь .... C_1
Сумчатая мышь .... C_2
Белка-летяга .... D_1
Сумчатый кускус .... D_2
Волк .... E_1
Сумчатый тасманский волк .... E_2

Глава 5-14: Эволюция и сдвиги земной коры

Чарльз Дарвин предполагал, что эволюция была постепенным процессом изменений, происходивших за огромные периоды времени. Он считал, что такие крупные изменения, как развитие крыльев у птиц, являются результатом накопления бесконечного числа мельчайших изменений.

Теперь известно, что в истории Земли чередовались периоды резких изменений и длительные стабильные периоды. Как мы увидим в этой главе, эволюция тесно связана с изменениями, происходившими на Земле.

На этом рисунке показаны четыре периода геологической истории Земли. Эта таблица показывает, как сдвиги земной поверхности повлияли на эволюцию. Сначала обратите внимание на первую схему Земли.

Земная кора состоит из огромных твердых масс, называемых тектоническими плитами. Материки расположены на этих пластинах, поэтому, когда плиты перемещаются, континенты двигаются вместе с ними. Изучение движения этих плит называется тектоникой.

В триасе, приблизительно 225 млн лет назад, все континенты образовывали одну огромную твердую массу, называемую **Пангеей (А)**. Раскрасьте ее светлым цветом. Образование такой сплошной земной тверди при соединении материков разрушало среду обитания множества морских видов животных. В этот период, как подсчитали биологи, больше половины морских животных исчезли. Было также высказано предположение, что внутренняя область этого суперконтинента должна была подвергаться воздействию очень высокой температуры и ливней, так как эта территория была изолирована от воздействия крупных водных масс.

Теперь перейдем к более позднему периоду истории Земли. Посмотрите на схему b, где Земля показана в меловой период. Продолжайте раскрашивать таблицу по ходу чтения.

Суперконтинент Пангея сохранял свою форму до начала мелового периода (около 135 млн лет назад). В эту эпоху Пангея разделилась на отдельные материки, которые начали медленно сдвигаться, географически изолируя виды животных друг от друга. Сначала Пангея распалась на **Лавразию (В)** и **Гондвану (С)**. Раскрасьте их разными цветами.

Теперь рассмотрим, как Земля выглядела в палеоцене. В этот период стала формироваться современная конфигурация материков.

Непрерывное медленное движение материков, расположенных на своих континентальных плитах, привело к коренным изменениям климата Земли. На третьей схеме показаны материки в эпоху палеоцена, который начался примерно 65 млн лет назад. Здесь видно, что **Евразия (D)** и **Африка (Е)** начинают отделяться друг от друга, а **Индия (F)** стала совершенно изолированным островом. Также видно, что **Мадагаскар (G)** является изолированной частью суши, а **Австралия (Н)** и **Антарктида (I)** разошлись на большое расстояние. **Северная Америка (J)** и **Южная Америка (К)** тоже находятся на большом расстоянии друг от друга. Такое разделение материков привело к географической изоляции, так что спустя миллионы лет, на каждом материке развилась своя собственная растительная и животная жизнь.

Наконец, обратимся к тому, как выглядит Земля сегодня. Посмотрите на рисунок, показывающий современную Землю. Для раскрашивания этого рисунка пользуйтесь теми же цветами, что и для предыдущего рисунка, и продолжайте читать главу.

В наши дни континенты выглядят почти так же, как в эпоху палеоцена. Есть лишь одно существенное различие: Индия (F) столкнулась с Азией, в результате чего образовались Гималаи. Таким образом, сдвиги земной коры в значительной степени повлияли на эволюцию видов.

ЭВОЛЮЦИЯ И СДВИГИ ЗЕМНОЙ КОРЫ

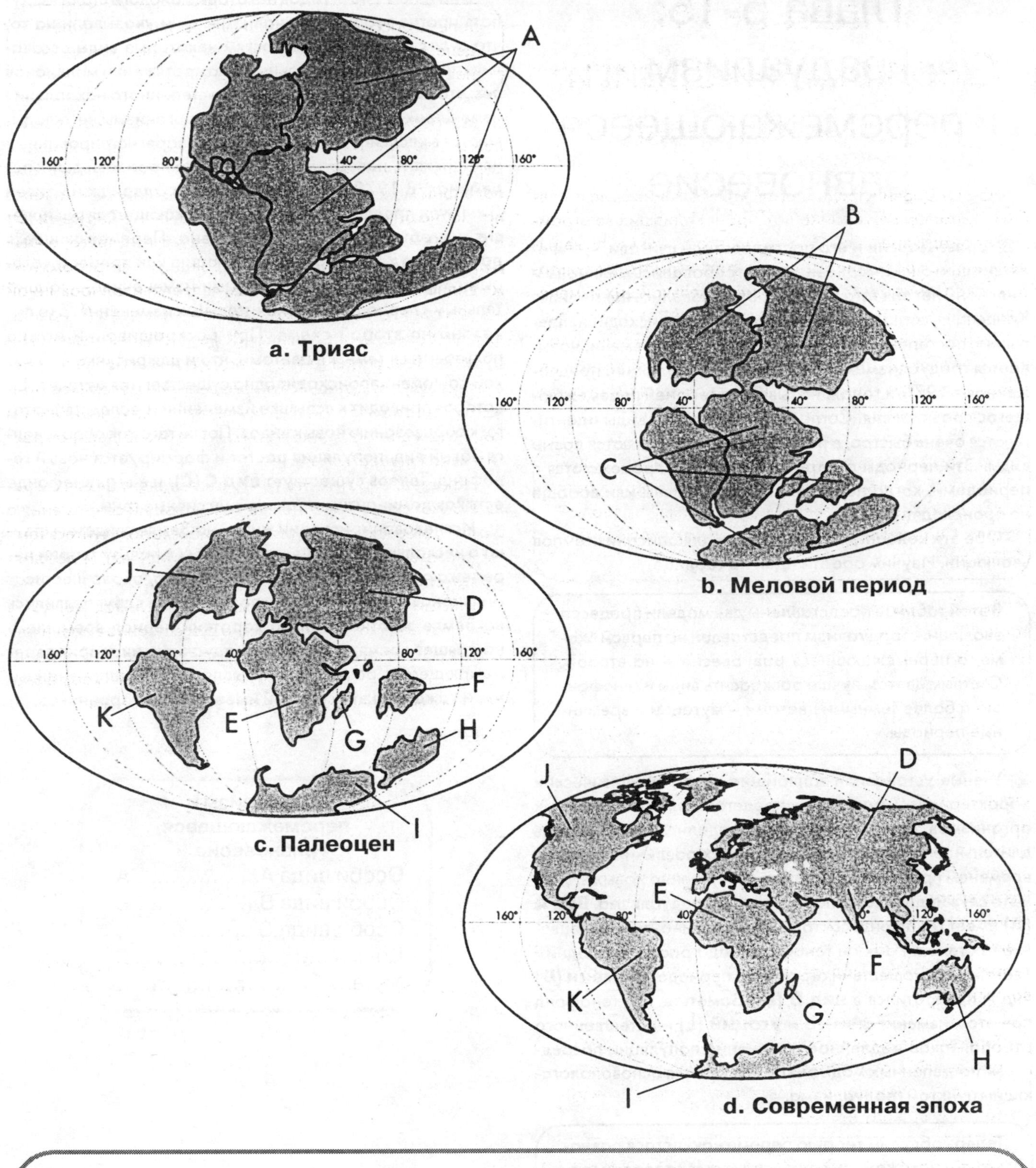

a. Триас

b. Меловой период

c. Палеоцен

d. Современная эпоха

Эволюция и сдвиги земной коры

Пангея .... A
Лавразия .... B
Гондвана C
Евразия .... D
Африка .... E
Индия .... F
Мадагаскар .... G
Австралия .... H
Антарктида I
Северная Америка .... J
Южная Америка .... K

Глава 5-15: Градуализм и перемежающееся равновесие

Чарльз Дарвин и его последователи считали, что эволюция шла очень медленно и что требовались миллионы и миллионы лет для того, чтобы сформировались новые виды. Концепция, согласно которой эволюция происходит непрерывно, постепенно и требует длительного времени, называется градуализмом. Другая модель эволюции, предложенная в 1970-х годах, называется теорией перемежающегося равновесия. Согласно этой теории, виды адаптируются очень быстро, в результате чего появляются новые виды. Эти периоды быстрой адаптации перемежаются с периодами, когда перемены незначительны или вообще не происходят.

Обе эти концепции предложены для описания темпов эволюции. Изучим обе эти идеи по таблице.

В этой таблице представлены две модели процесса эволюции. Градуализм представлен на первой схеме, а перемежающееся равновесие – на второй. Светлым цветом лучше раскрасить виды и генофонды, а более темными цветами – мутации и временные периоды.

Ученые установили тончайшие различия физических характеристик у различных представителей тех или иных организмов, останки которых находились в земле очень длительное время. Накопление таких различий могло со временем привести к развитию совершенно новых видов, и это служит доводом в пользу теории градуализма. **Вид А (A)** имеет генофонд, состоящий из доминантных и рецессивных генов. Рамку и генофонд надо раскрасить одним цветом. По прошествии огромного периода **времени (D)** вид А превратился в **вид В (B)**. Заметьте, что генофонд при этом изменился из-за **мутаций (E)** и естественного отбора. Такое медленное изменение популяции посредством постепенных модификаций является основополагающим пунктом градуализма.

Теперь обсудим теорию перемежающегося равновесия и покажем, чем она отличается от теории градуализма. Перейдите к рассмотрению второй схемы и продолжайте раскрашивать рисунки по ходу чтения.

В начале 1940-х годов некоторые биологи стали выступать против теории градуализма. Они указывали на то, что судя по ископаемым костям некоторые виды оставались практически неизменными на протяжении миллионов лет, что противоречило теории постепенного накопления изменений. Кроме того, некоторые организмы не укладываются в классификационную схему зарегистрированных ископаемых, наводя на мысль о резко произошедших переменах. В 1972 году биологи Нильс Элдридж и Стивен Дж. Гоулд предложили идею перемежающегося равновесия для объяснения этого феномена. Перемежающееся равновесие характеризует эволюцию как процесс, который сопровождается то быстрыми изменениями, то длительными периодами незначительных изменений. Это показано на второй схеме. При раскрашивании можно пользоваться теми же цветами, что и для рисунка 1. В какой-то момент происходит одна существенная мутация (E), которая приводит к вспышке изменений и, вследствие этого, к образованию новых видов. После того как образовался новый вид, популяция растет и формируется новый генофонд. Теперь существует **вид С (C)**, и в его генофонде есть как доминантные, так и рецессивные гены.

Исследования истории жизни на Земле свидетельствуют о нескольких событиях, говорящих в пользу теории перемежающегося равновесия. Например, около шестисот миллионов лет назад все беспозвоночные вдруг появились на Земле за относительно короткий период времени. В настоящее время, однако, ни градуализм, ни теория перемежающегося равновесия не являются общепризнанными, и каждая из этих теорий имеет своих сторонников.

Градуализм и перемежающееся равновесие

Особи вида А .... A
Особи вида В .... B
Особи вида С C
Время .... D
Мутация .... E

ГРАДУАЛИЗМ И ПЕРЕМЕЖАЮЩЕЕСЯ РАВНОВЕСИЕ

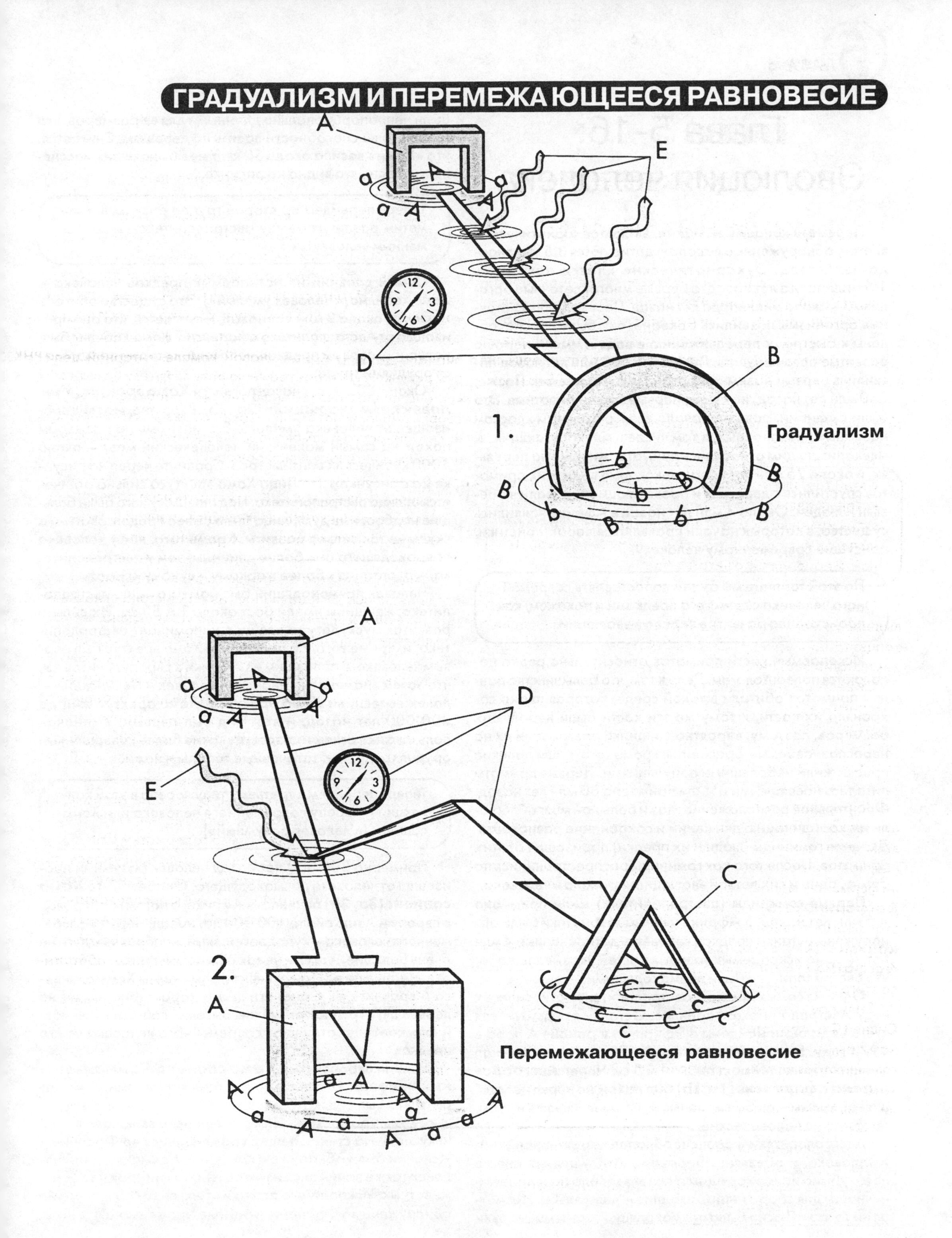

Глава 5-16: Эволюция человека

Первые ископаемые свидетельства прокариотических клеток, обнаруженные в скалах, датируются 3,5 миллиарда лет назад. Эукариотические клетки появились 1,5 миллиарда лет назад, а первые многоклеточные организмы – около миллиарда лет назад. Первые многоклеточные организмы появились в океане; они были приспособлены к быстрому передвижению в воде и имели хорошо развитые органы чувств. Примерно 500 млн лет назад появились первые наземные организмы – растения. Позже, 350 млн лет назад, на сушу впервые вышли животные. Это были амфибии, давшие начало всем остальным классам наземных позвоночных, в том числе и млекопитающим. К млекопитающим относились приматы, жившие на деревьях, и около 25 млн лет назад некоторые виды этих приматов спустились с деревьев и проэволюционировали в обезьян и людей. Около 4 млн лет назад в Африке появились существа, в которых начали проявляться характеристики, присущие современному человеку.

По этой таблице мы будем сопоставлять современного человека с двумя его предками и покажем, как происходило развитие черепа в эволюции.

Ископаемые кости приматов относительно редко попадаются палеонтологам. Дело в том, что большинство ранних приматов обитали в такой среде, которая плохо сохраняла их кости, к тому же эти кости были небольших размеров, поэтому, вероятно, хищники разгрызали их на нераспознаваемые фрагменты; кроме того, наши далекие предки жили небольшими популяциями. Первые приматы питались насекомыми и жили примерно 80 млн лет назад. Фронтальное расположение глаз и большой мозг облегчали им координацию движений и сохранение равновесия. Древние гоминиды (люди и их предки) произошли от этих приматов. После того как гоминиды распространились по Земле, одна из их ветвей эволюционировала в человека.

Первые гоминиды (австралопитеки) жили примерно 4,5 млн лет назад. В Африке ученым Мэри Лики были обнаружены останки предков человека, датированные 4 млн лет. Форма ископаемых тазовых костей указывала на то, что австралопитеки были прямоходящими.

Одни из самых древних австралопитеков относились к виду Австралопитек афаренсис. Останки представителя этого вида были найдены в Эфиопии, в районе Афара в 1974 году. Его скелет, названный «Люси», принадлежал женщине, имевшей рост около 1 м 5 см. Череп ***Австралопитека афаренсис* (1a,1b)** был похож на череп небольшой обезьяны – он был маленький, но имел челюсть и зубы, похожие на человеческие.

Австралопитек афаренсис обладал характеристиками и человека, и обезьяны. Вероятно, это существо жило в лесах, было прямоходящим и использовало передние конечности для сбора пищи, а задние – для ходьбы. Несмотря на то что «Люси» была прямоходящей, как и мы, ее руки были непропорционально длинными для ее размеров, что говорит о ее способности лазить по деревьям. Считается, что «Люси» весила около 30 кг. У нее была очень массивная челюсть, что видно на рисунке.

Теперь перейдем ко второй группе рисунков и отметим различия между австралопитеком и современным человеком.

Самый древний из ископаемых предков человека – *Хомо хабилис («Человек умелый»)*. Это существо обитало на Земле около 2 млн лет назад, и считается, что оно произошло от *Австралопитека афаренсиа. Хомо хабилис* был, наверное, первым предком человека, который пользовался орудиями труда.

Около 1,8 млн лет назад появился ***Хомо эректус* (*«Человек прямоходящий»*) (2a, 2b)**. Вероятно, этот вид произошел от человека умелого. Его мозг был по размерам похож на самый маленький человеческий мозг – около 1000 кубических сантиметров. Сравните череп на рисунке 2a с рисунком 1a. Лицо Хомо эректуса сильно отличается от лица австралопитека. Над глазами у него были большие надбровные дуги, лицо было более продолговатым, а скулы не так сильно развиты. Кроме того, нос у человека прямоходящего был более длинным, чем у австралопитека, – адаптация к более жаркому и сухому климату.

Человек прямоходящий был намного выше австралопитека; женщины имели рост около 1 м 50 см. Их сильно развитая мускулатура все еще напоминает австралопитека, и, кроме того, считается, что *Хомо эректус* был первым человеком, попавшим из Африки в Европу. Считается, что затем знаменитые *Яванский человек и Пекинский человек* вытеснили *Хомо эректуса. Хомо эректус* жил до 300 000 лет назад, и этот вид был первым, кто начал пользоваться огнем и создавать такие более совершенные орудия труда, как заточенные топоры и ножи.

Теперь перейдем к третьему типу черепа в этой коллекции – черепу современного человека или Хомо сапиенс («Человек разумный»).

Примерно 300 000 лет назад человек разумный произошел от человека прямоходящего. Считается, что ***Хомо сапиенс* (3a, 3b)** развился в Африке, а потом мигрировал в Европу и Азию около 100 000 лет назад. Череп у современного человека – куполообразный, надбровные дуги не очень большие, и скулы не так сильно выступают. Обратите внимание на эти три отличительные черты Хомо сапиенса и сравните их с аналогичными характеристиками на первых двух группах рисунков. Высокий лоб, большой мозг и плоское лицо отличают современного человека от его предков.

Ранний европейский ***Хомо сапиенс, Кроманьонский человек***, охотился на животных группами, и, может быть, это был вид, который первым стал пользоваться речью. Культура *кроманьонского человека* включала в себя искусство. На стенах пещер кроманьонцев во Франции и Испании были обнаружены рисунки. *Кроманьонский человек* также занимался изготовлением фигурок из костей животных. Ископаемые остатки этого вида были впервые обнаружены во Франции, в районе Кроманьона.

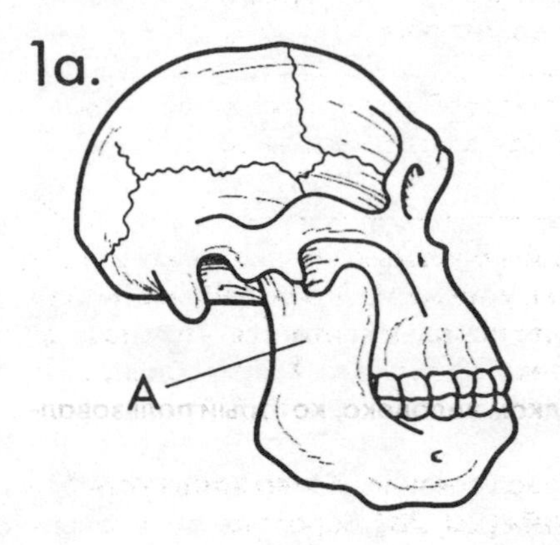

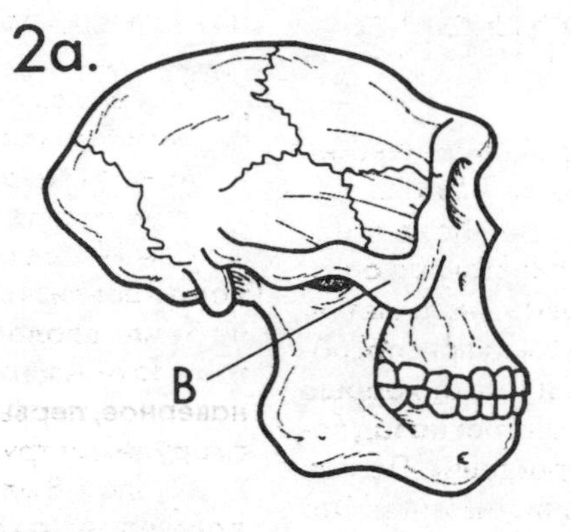

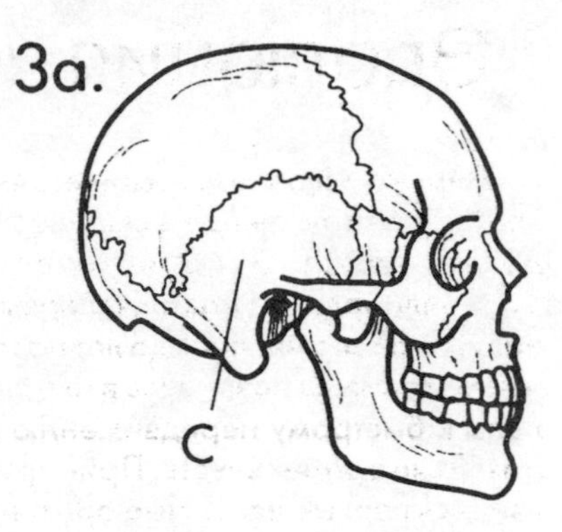

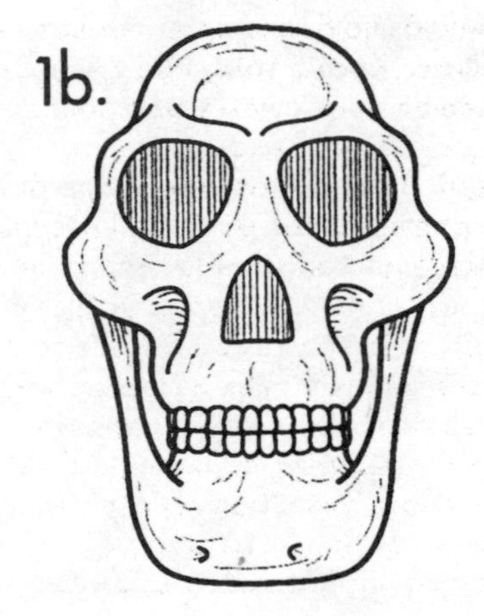

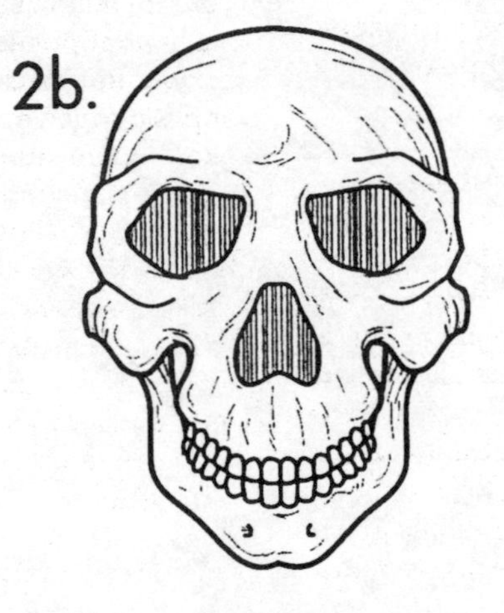

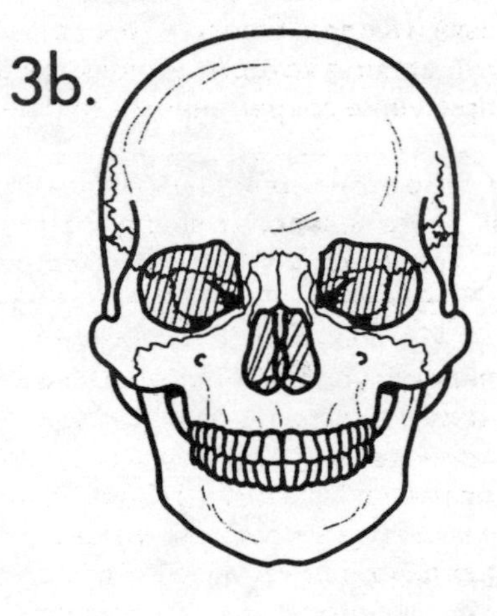

Эволюция человека

Австралопитек афаренсис 1a, 1b
Хомо эректус 2a, 2b
Хомо сапиенс 3a, 3b

ГЛАВА 6

Происхождение жизни и ее простейшие формы

Глава 6-1: Происхождение органических молекул

Современная теория, объясняющая происхождение жизни на Земле, базируется на представлении о «первичном облаке». Планеты Солнечной системы возникли из облака космической пыли и газов. Термоядерные реакции привели к уплотнению огромной массы в центре этой системы, в результате чего образовалось Солнце, а остатки рассеянной материи сформировали планеты. По прошествии длительного времени на первичной Земле появились органические молекулы, после чего стали возникать первые живые организмы. Эта таблица иллюстрирует одну из теорий происхождения органических молекул.

Данная таблица иллюстрирует теорию о происхождении органических молекул на Земле, предложенную в 1953 году. Здесь показан лабораторный эксперимент, моделирующий условия зарождения этих молекул на древней Земле.

Миллиарды лет назад из газов и пыли образовалась Земля. Сначала ее температура составляла несколько тысяч градусов. Затем планета стала остывать, и четыре миллиарда лет назад в результате вулканической деятельности стала формироваться первичная атмосфера. На этой таблице показан **вулкан (А)**; лаву вулкана раскрасьте ярко-красным цветом, а остальные части рисунка можно раскрасить светлее.

В 1953 году Стенли Миллер и Говард Ури из Чикагского университета задались вопросом: каким образом эти вулканические газы смогли трансформироваться в существующую ныне атмосферу? Они налили в колбу воду и поставили ее на **огонь (В)**. При повышении температуры **вода закипела (С)**. Вскоре **водяной пар (D)** заполнил пространство над колбой, моделируя образование первичной атмосферы.

В первичной атмосфере Земли содержались различные **атмосферные газы (Е)**. Раскрасьте облака светлым цветом. Миллер и Ури заполнили сосуд газами, которые, по их мнению, существовали в то время, – **метаном (F)**, **аммиаком (G)** и **водородом (Н)**.

Обратите внимание, что в то время на Земле не было свободного кислорода, поэтому он не мог принимать участие в образовании органических молекул. Продолжаем описание эксперимента Миллера и Ури. Раскрашивайте рисунки по ходу чтения.

Миллер и Ури поставили перед собой вопрос о том, каким образом метан, аммиак и водород могли быть преобразованы в органические молекулы. Они предположили, что источником энергии, запускающим химические реакции, могли быть ультрафиолетовые лучи, бомбардировавшие первичную Землю, или разряд **молнии (I)**. Чтобы смоделировать эти условия, Миллер и Ури подключили источник питания через **электроды (J)**. Электроды, дающие **электрический разряд (К)**, раскрасьте темным цветом.

Миллер и Ури хотели узнать, может ли электризация первичных газов привести к синтезу органических молекул. Они получили положительный ответ на этот вопрос, когда проанализировали продукты этой реакции.

Затем Миллер и Ури пропустили газовую смесь через **трубку конденсора (L)**. По внешней **полости (спирали) конденсора (М)** проходила холодная вода, что приводило к конденсации пара. Ученые пришли к выводу, что в ранней истории Земли над ее поверхностью шли непрерывные **дожди (N)** в течение многих лет, и это было смоделировано на лабораторном конденсоре.

Вода скапливалась на стенках конденсора, как и ожидали Миллер и Ури, и после проведенного анализа ученые обнаружили, что в этих водяных каплях содержалось несколько **органических молекул (О)**, в частности молекулы ацетоновой кислоты. Эти исследования показали, что органические молекулы, бесспорно, могли формироваться из простейших газов земной атмосферы после прохождения через них электрического разряда. Такие капли падали в море, и в морской воде накапливались **органические вещества (Р)**. Вероятно, первичные океаны были полны органических молекул, и именно там зародились первые живые организмы.

ПРОИСХОЖДЕНИЕ ОРГАНИЧЕСКИХ МОЛЕКУЛ

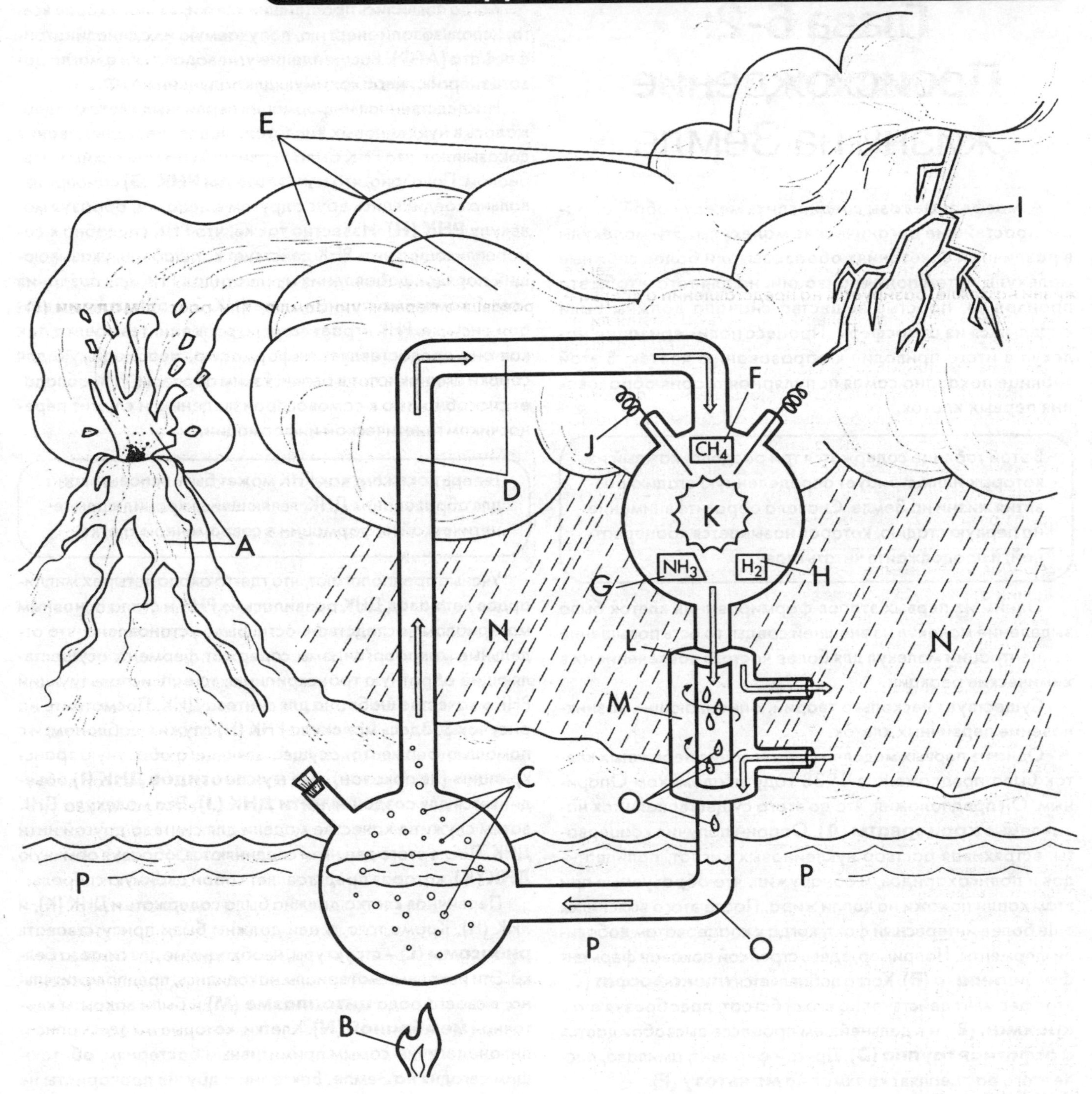

Происхождение органических молекул

Вулкан .... A	Метан .... F	Трубка конденсора L
Огонь.......................... B	Аммиак .... G	Спираль конденсора ..... M
Кипящая вода C	Водород .... H	Дождь .... N
Водяной пар .... D	Разряд молнии............. I	Органические молекулы .... O
Атмосферные газы .... E	Электроды.................... J	Морская вода .... P
	Электрический разряд ... K	

Глава 6-2: Происхождение жизни на Земле

Атмосферные газы соединялись между собой, образуя простейшие органические молекулы. Эти молекулы в различных сочетаниях образовывали более сложные молекулы путем полимеризации, но для того, чтобы это произошло, простые вещества сначала должны были выделиться из атмосферы. Процесс полимеризации молекул в итоге приводил к образованию клеток. В этой таблице показана самая популярная теория образования первых клеток.

В этой таблице содержатся три раздела, каждый из которых иллюстрирует определенную стадию развития жизни на Земле. Сначала обратите внимание на первую стадию, которая называется коацерватной, и продолжайте читать главу.

Одним из первых этапов формирования клеток было выделение молекул из внешней среды, то есть повышение концентрации молекул для более частого вовлечения их в химические реакции.

Существует несколько теорий, описывающих возникновение первичных клеток.

Одна из первых моделей образования первичных клеток была предложена в 1938 году академиком Опариным. Он предположил, что до этого существовали так называемые **коацерваты (A)**. Опарин получил коацерваты, встряхивая раствор нуклеиновых кислот, полипептидов и полисахаридов, и обнаружил, что образуемые при этом капли похожи на капли жира. После этого выяснился еще более интересный факт, когда к коацерватам добавили ферменты. Например, здесь стрелкой показан фермент **фосфорилаза (B)**. Когда добавляется **глюкофосфат (C)**, этот фермент действует на его субстрат, преобразуя его в **крахмал (E)**, и в дальнейшем процессе высвобождается **фосфатная группа (D)**. Другой фермент, амилаза, после этого расщепляет крахмал на **мальтозу (F)**.

Были предложены и другие методы синтеза. В 1959 году Сидней Фокс работал с небольшими белковыми сферами, называемыми протеноидными микросферами. В последние годы некоторые ученые предположили, что первичные клетки могли быть похожи на микроскопические липидные капли, называемые липосомами.

Теперь перейдем к изучению того, что считается, в некотором роде, первой сложной молекулой на Земле. Посмотрите на вторую схему под названием «Формирование РНК».

Когда появились простейшие клетки, то они, скорее всего, использовали энергию, получаемую из аденозинотрифосфата (АТФ). Расщепление углеводов также могло давать энергию, необходимую для получения АТФ.

Наследственная информация первичных клеток содержалась в нуклеиновых кислотах. Недавние исследования доказывают, что РНК была первичным генетическим материалом. Показано, что **нуклеотиды РНК (G)** самопроизвольно соединялись друг с другом в цепочку, образуя молекулу **РНК (H)**. Известно также, что РНК способна к саморепликации; нить РНК действует как шаблон, указывающий порядок добавления нуклеотидов РНК для создания новой, комплементарной, цепи РНК. Это показано на втором рисунке. РНК играет важную роль в синтезе белка, так как она предоставляет информацию, необходимую для сборки аминокислот в белки. Таким образом, РНК обладает способностью к самовоспроизведению и служит переносчиком генетической информации.

Теперь покажем, как РНК может быть использована для образования ДНК, являющейся хранилищем генетической информации в современной клетке.

Ученые предполагают, что где-то около четырех миллиардов лет назад ДНК развилась из РНК и стала основным материалом наследственности. Было установлено, что отдельные микроорганизмы содержат фермент, осуществляющий обратную транскрипцию, то есть использующий РНК в качестве шаблона для синтеза ДНК. Посмотрите на рисунок 3. Здесь молекула РНК (H) служит шаблоном, и с помощью фермента, осуществляющего обратную транскрипцию (не показан), ряд **нуклеотидов ДНК (I)** объединяется для создания **нити ДНК (J)**. Эта молекула ДНК затем служит в качестве модели для синтеза другой нити ДНК. После этого две нити соединяются, образуя обычную **ДНК (K)**, которая представляет собой двойную спираль.

Первичная клетка должна была содержать и ДНК (K), и РНК (H). Кроме того, в ней должны были присутствовать **рибосомы (L)** – структуры, необходимые для синтеза белка. Эти исходные материалы находились, предположительно, в своего рода **цитоплазме (M)** и были закрыты клеточной **мембраной (N)**. Клетки, которые мы здесь описали, аналогичны самым примитивным бактериям, обитающим сегодня на Земле. Бактерии и другие прокариоты не имеют ядер, но функционируют как полноценные клетки.

1. Коацерватная стадия

Глюкофосфат — P — C
A
B
D
P
Крахмал
E
Мальтоза
F

2. Формирование РНК

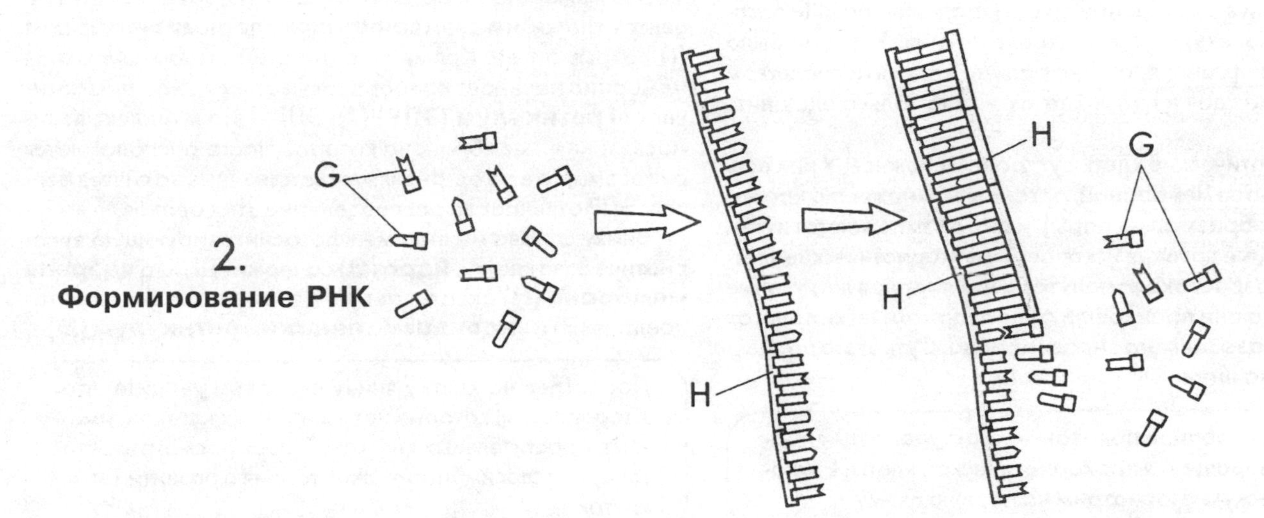

3. Образование ДНК

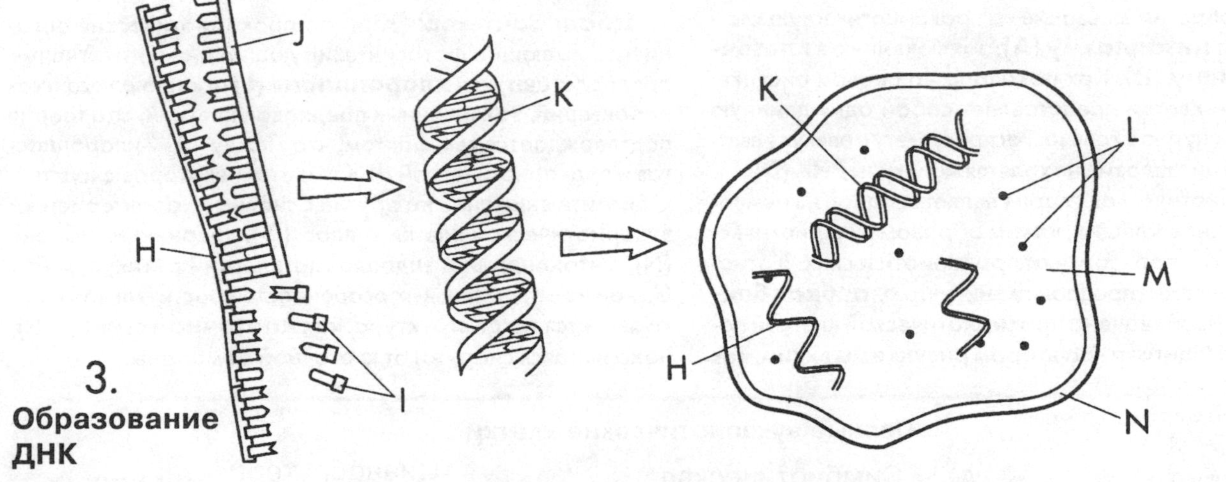

Происхождение жизни на Земле

Коацерваты	A	Мальтоза	F	ДНК	K
Фосфорилаза	B	Нуклеотиды РНК	G	Рибосомы	L
Глюкофосфат	C	РНК	H	Цитоплазма	M
Фосфатная группа	D	Нуклеотиды ДНК	I	Мембрана	N
Крахмал	E	Нити ДНК	J		

Глава 6-3: Первые эукариотические клетки

Первыми клетками, существовавшими на Земле, были очень простые прокариотические клетки, похожие на современных бактерий. Предположительно, они появились примерно 3,5 млрд лет назад и около двух миллиардов лет были единственными клетками на Земле. Эти существа обитали в анаэробной среде и ассимилировали органические молекулы из своего окружения. У них не было ни ядер, ни органелл, они не размножались посредством митоза, и каждая из этих клеток имела только одну нить ДНК.

Эукариотические клетки устроены сложнее. У них есть ядро, покрытое мембраной, органеллы, множество хромосом (часто образующих пары), и они размножаются путем митоза. Самые древние ископаемые эукариотические клетки имеют возраст около полутора миллиардов лет; ученые считают, что они произошли от прокариотических клеток путем так называемого эндосимбиоза. Суть этого процесса изложена ниже.

В данной таблице показан многоступенчатый процесс превращения прокариотической клетки в эукариотическую. Посмотрим на первую схему.

Сначала обратим внимание на прокариотическую клетку. Она имеет **цитоплазму (A)**, заключенную в **клеточную мембрану (B)**. Как показано на первом рисунке, **ДНК (C)** этой клетки представляет собой одну длинную молекулу, свернутую в кольцо. Раскрасьте эту молекулу светлым цветом. В цитоплазме находятся молекулы **РНК (D)**.

Эндосимбиотическая теория является одной из немногих теорий, описывающих, каким образом эукариотические клетки могли произойти от прокариотических. В основе этой теории лежит предположение, что **аэробная бактерия (E)** была захвачена прокариотической клеткой посредством фагоцитоза. На втором рисунке мы видим, как **впячивается клеточная мембрана (F)** и несколько бактерий захватываются клеткой, становясь **симбионтами (G)**. ДНК (C) сдвигается к центру клетки, а из впячиваний клеточной мембраны образуется ядерная мембрана.

Теперь перейдем к схеме 3. Здесь мы встречаемся с первыми органеллами развивающейся клетки. Продолжайте раскрашивать рисунки по ходу чтения.

На рисунке 3 вы видите, что симбиотические бактерии превратились в **митохондрии (H)**. Митохондрии – это органеллы, в которых происходит клеточное дыхание. Доказательством в пользу эндосимбиотической теории служит то, что генетический материал, содержащийся в митохондриях, очень похож на материал прокариотов.

На появляющейся эукариотической клетке видны также две мембранные органеллы. ДНК (C) группируется по центру клетки, и **развивающаяся ядерная мембрана (I)** покрывает ее. Кроме того, на этой стадии клеточная мембрана начинает преобразовываться в эндоплазматический **ретикулум (ЭПР) (J)**. ЭПР – это комплекс взаимосвязанных мембран, на котором часто располагаются рибосомы, то есть органеллы, ответственные за синтез белков. ЭПР отвечает за распределение этих белков.

Внизу справа мы видим нефотосинтезирующую эукариотическую клетку. **Ядро (O)** содержит ДНК, а **ядерная мембрана (N)** охватывает ее. В этой клетке видны митохондрия (H) и **эндоплазматический ретикулум (M)**.

Посмотрев на клетку внизу слева, вы увидите, что хлоропласты, которых нет в животных клетках, имеются в растительных клетках. Теперь посмотрим, что говорит эндосимбиотическая теория о развитии этих клеток.

Цианобактерии (K) – это прокариотические организмы, имеющие фотосинтезирующие пигменты. Ученые предполагают, что **хлоропласты (L)** произошли от цианобактерий, захваченных предковой клеткой. Эта теория подтверждается тем фактом, что между ДНК хлоропластов и прокариотической ДНК имеется некоторое сходство. Обратите внимание на другие основные характеристики эукариотической клетки – ядро (O), ядерную мембрану (N), митохондрии и эндоплазматический ретикулум (H). Одной из отличительных особенностей растительной клетки является такая структура, как **клеточная стенка (P)**, находящаяся снаружи от клеточной мембраны.

Первые эукариотические клетки

Цитоплазма .... A
Клеточная мембрана .... B
ДНК C
РНК............................ D
Аэробная бактерия .... E
Впячивание клеточной мембраны .... F
Симбиотическая бактерия .... G
Митохондрия .... H
Развивающаяся ядерная мембрана I
Развивающийся эндоплазматический ретикулум .... J
Цианобактерия .... K
Хлоропласты L
Эндоплазматический ретикулум .... M
Ядерная мембрана .... N
Ядро .... O
Стенка клетки .... P

ПЕРВЫЕ ЭУКАРИОТИЧЕСКИЕ КЛЕТКИ

1. Прокариотическая клетка

2. Зарождающаяся эукариотическая клетка

3. Зарождающаяся эукариотическая клетка

4. Фотосинтезирующая эукариотическая клетка

5. Нефотосинтезирующая эукариотическая клетка

Глава 6-4: История жизни на Земле

Жизнь на Земле началась с момента появления первых органических молекул, в результате дальнейшего развития образовались клетки. За многие миллионы лет на нашей планете появлялись и исчезали различные формы жизни и происходили великие географические перемены.

Земля существует уже 4,6 миллиарда лет. Геологи делят ее историю на четыре эры. Эти эры подразделяются на периоды, начало и конец которых знаменуются крупными событиями, например массовым вымиранием животных. Самая современная эра подразделяется на четыре эпохи, каждая из которых занимает несколько миллионов лет. По этой таблице мы будем изучать историю жизни на Земле от самых ранних известных нам периодов до наших дней.

В этой таблице показаны различные периоды в истории Земли, а также основные происходившие в эти периоды события.

Первый период – докембрий, начался с момента возникновения Земли – примерно 4,5 миллиарда лет назад, и закончился около 570 млн лет назад. Именно тогда появились первые эукариотические клетки и многоклеточные организмы. В эту эру преобладали бактерии, начался фотосинтез, а в атмосфере появился кислород. В это же время появились морские водоросли, а также беспозвоночные морские животные. Докембрийский период также называется протерозоем.

Начнем изучение истории жизни на Земле с **эры палеозоя (A)**, которая началась 570 и окончилась 245 млн лет назад. Раскрасьте темным цветом раздел, обозначенный (A). В начале этой эры развивались и процветали **беспозвоночные морские животные (B)**. Затем, в период ордовик, появились первые позвоночные – **рыбы (C)**. Они доминировали в океанской среде вместе с моллюсками. В следующем, силлурийском, периоде появились первые растения. В девонском периоде широко распространились папоротники, а в морях появились первые **амфибии (D)**.

Затем наступил каменноугольный период. Тогда преобладали амфибии и **насекомые (E)**. В пермском периоде появились хвойные деревья, амфибий стало еще больше, а также появились первые **рептилии (F)**. В конце пермского периода (примерно 245 млн лет назад) произошло массовое вымирание животных.

Продолжим наше изучение истории жизни на Земле на примере следующей эры – мезозоя. Обратите внимание на то, что массовое вымирание животных закончилось в предыдущую эпоху, и отметьте начало следующей эры.

Мезозойская эра (G) делится на три периода. Во время триассового периода появились первые динозавры и млекопитающие; моллюски доминировали в морях, а в лесах преобладали папоротники. Следующим периодом этой эры был юрский, называемый также эпохой динозавров. В конце этого периода появились первые птицы (произошедшие от рептилий), а также некоторые виды млекопитающих. Во время мелового периода появились плацентарные **млекопитающие (I)** и продолжали развиваться различные группы насекомых. Всю Землю покрывали цветковые растения, а вместе с ними продолжали процветать и динозавры.

В конце мелового периода (около 65 млн лет назад) произошло еще одно массовое вымирание животных и исчезли динозавры.

Закончим наш экскурс в историю жизни Земли рассмотрением третьей, последней, эры – кайнозоя. Кайнозой охватывает период от 65 млн лет назад до наших дней. Продолжайте раскрашивать рисунки по ходу чтения.

Кайнозойская эра (J) началась примерно 65 млн лет назад. В начале этой эры исчезли динозавры, а на суше стали доминировать млекопитающие (I). В кайнозое доминируют млекопитающие и насекомые. В третичном периоде было очень мало птиц, а растения бурно распространялись во многих частях света. Материки приняли современную конфигурацию, и климат стал похож на современный. К концу третичного периода площадь лесов сократилась, а площадь лугов увеличилась; в морях стали преобладать позвоночные животные, и в это же время начали существовать все предки современных млекопитающих. Окончание третичного периода ознаменовалось также началом эволюции гоминид на Земле.

Самый последний период – четвертичный. Это **эра людей (K)**, появившихся в эту эпоху в своем современном виде. Продолжали процветать всевозможные виды растений. Многие из древних гигантских млекопитающих вымерли, а климатические условия стали похожи на современные.

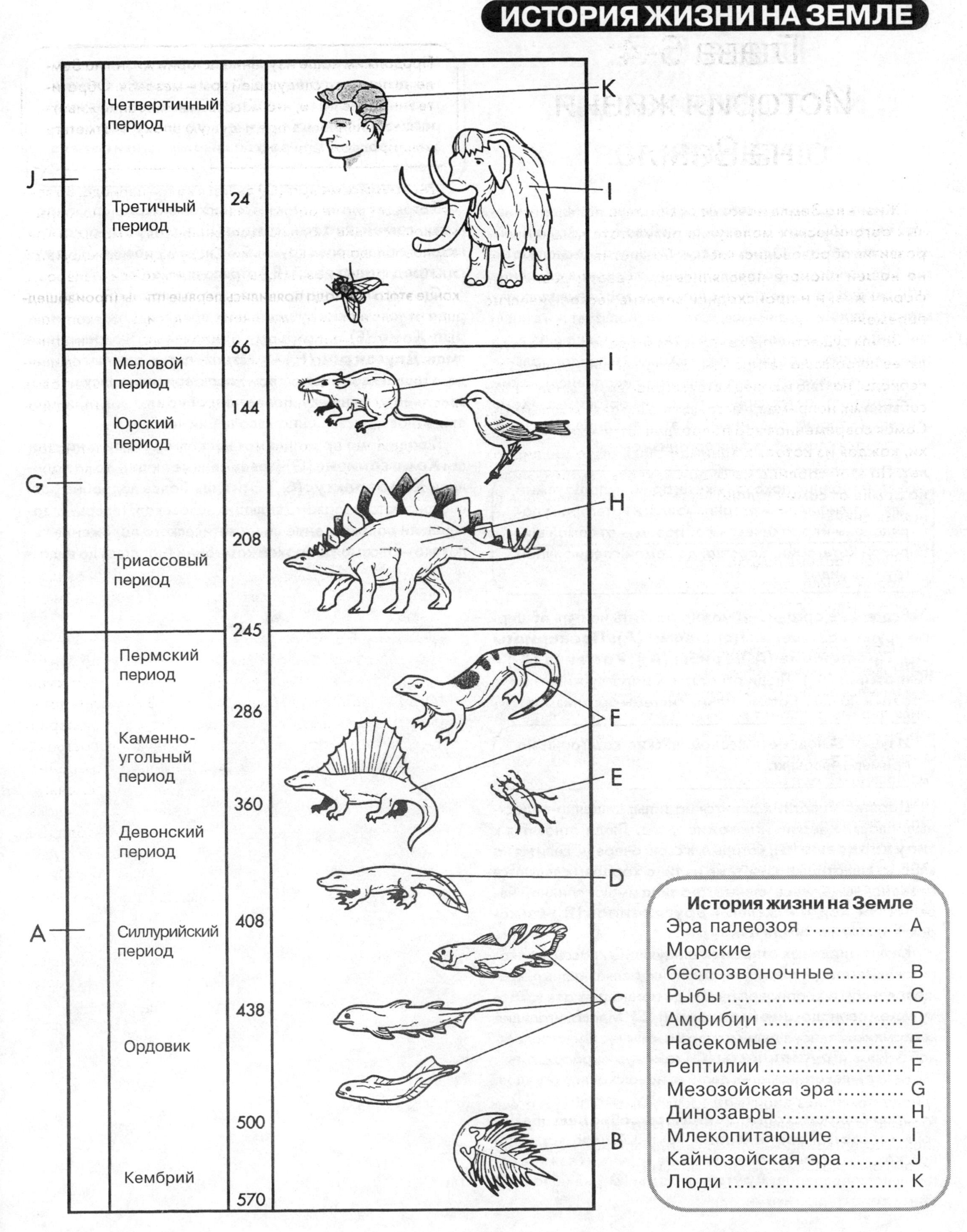

История жизни на Земле

Эра палеозоя .... A
Морские беспозвоночные .... B
Рыбы C
Амфибии .... D
Насекомые .... E
Рептилии .... F
Мезозойская эра .... G
Динозавры .... H
Млекопитающие I
Кайнозойская эра .... J
Люди .... K

Глава 6-5: Классификация организмов

Науке известны миллионы различных видов организмов. Классификация организмов называется таксономией, или систематикой. Одним из самых известных систематиков был шведский ботаник Линней, живший в середине XVIII века. В течение многих лет он разрабатывал схему классификации организмов, которая используется и в наши дни. Видам присваиваются названия, состоящие из двух слов: названия рода (например, «*Хомо*») и прилагательного, характеризующего вид (например, «*сапиенс*»). Таким образом, получается двойное название организма – *Хомо сапиенс (Человек разумный)*. В этой таблице показано, как строится классификация организмов.

В этой таблице показаны категории, используемые для классификации организмов. Эти категории упорядочены иерархическим образом – от самой широкой категории, царства, до самой специфичной группы, видов.

Все живые организмы можно разбить на пять обширных групп, называемых **царствами (A): Прокариоты** (**A_1**), **Простейшие** (**A_2**), **Грибы** (**A_3**), **Растения** (**A_4**) и **Животные** (**A_5**). Люди относятся к царству животных, с него мы и начнем рассмотрение системы организмов.

Изучим основные таксономические категории на примере человека.

Царство животных делится на типы: кишечно-полостные, плоские черви, иглокожие и т. д. Люди относятся к **типу хордовые** (**B**), который, в свою очередь, делится на классы. Некоторые животные из типа хордовых являются позвоночными, и все члены этого типа имеют спинной нервный тяж, хорду и скелет. У **других типов** (**B_1**) эти характеристики отсутствуют.

К типу хордовых относятся следующие классы: млекопитающие, птицы, рептилии, амфибии, бесчелюстные, хрящевые рыбы и костные рыбы. Люди принадлежат к **классу млекопитающие (или звери)** (**C**). Млекопитающие вскармливают своих детей молоком и обычно имеют волосяной покров. **Другие классы** (**C_1**) тоже нужно раскрасить.

Класс млекопитающих делится на несколько отрядов. Например, мы принадлежим к **отряду приматов** (**D**), к которому относятся обычные и человекообразные обезьяны и человек. У этих животных крупный мозг, короткий нос, хорошо развитое бинокулярное зрение и сложное социальное поведение. **Другие отряды** (**D_1**) не обладают этими характеристиками.

Мы рассмотрели классификацию от царства животных до отряда приматов. Царства делятся на типы, типы – на классы. Теперь перейдем к дальнейшему рассмотрению систематического положения человека. Продолжайте раскрашивать рисунки по мере чтения.

В отряде приматов имеется несколько семейств, в частности, **семейство гоминиды** (**E**), к которому относятся люди. У людей более крупный мозг, чем у обезьян и у **других представителей** (**E_1**) отряда приматов.

Семейство гоминиды содержит, по крайней мере, два рода человеческих существ и их предков. Один из них – **род Хомо** (**F**), к которому принадлежат современные люди. **Другой род** (**F_1**) – *Австралопитек*, ранняя гоминида, обладающая множеством характеристик, присущих современному человеку. Более подробно этот род обсуждается в главе, посвященной эволюции человека.

К роду *Хомо* принадлежат несколько видов, в частности **Хомо сапиенс** (**G**) (современные люди), *Хомо хабилис* и **Хомо эректус** (**G_1**). Эти виды более подробно рассматриваются в главе «Эволюция человека». Теперь мы завершили рассмотрение систематического положения человека – от самой широкой категории (царство) до вида.

КЛАССИФИКАЦИЯ ОРГАНИЗМОВ

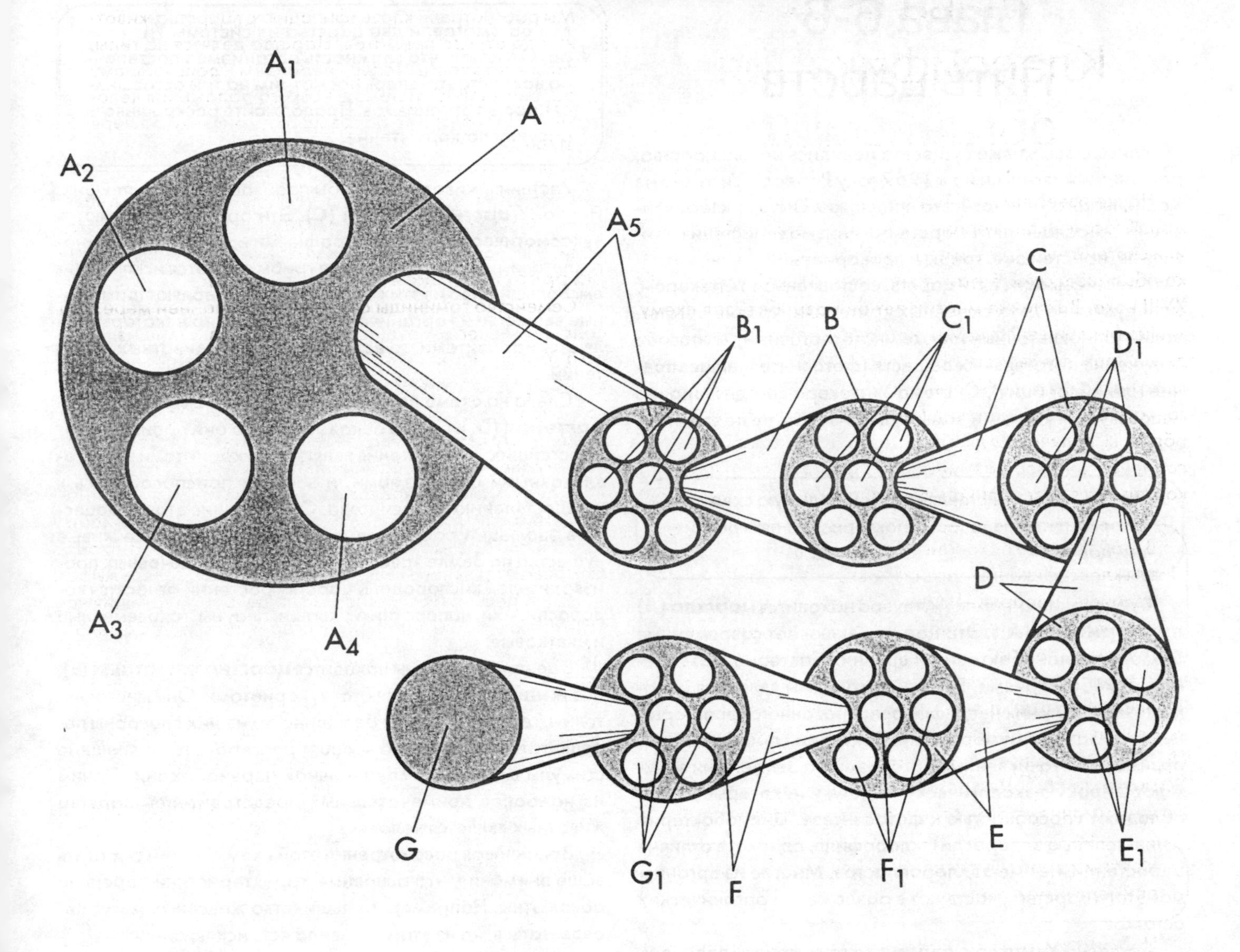

Классификация организмов
(основные таксономические категории)

Царства .... A
Прокариоты...................... A_1
Простейшие .... A_2
Грибы .... A_3
Растения .... A_4
Животные .... A_5

Тип хордовые .... B
Другие типы .... B_1
Класс
млекопитающие............. C
Другие классы .... C_1
Отряд приматы .... D
Другие отряды .... D_1

Семейство гоминиды ... E
Другие семейства .... E_1
Род Хомо .... F
Другие роды .... F_1
Вид Хомо сапиенс .... G
Другие виды .... G_1

Глава 6-6: Пять царств

Раньше все живые существа делились на два царства: растения и животные, но в 1969 году Роберт Г. Уиттекер из Корнельского университета предложил систему классификации на основе пяти царств организмов: растения, животные, простейшие, грибы и прокариоты.

Классификация пяти царств, составленная Уиттекером, базируется на двух основных критериях: уровне организации (одноклеточный или же многоклеточный), и способе получения питательных веществ (фотосинтез, пищеварение или абсорбция). Система Уиттекера сегодня широко используется учеными, и мы будем изучать ее по этой таблице.

Эта таблица представляет собой большую схему, на которой пять разделов характеризуют пять различных царств.

В основании системы Уиттекера находится **царство (A) прокариотов (A_1)**. Это царство включает современные бактерии, цианобактерии и древних бактерии, называемых архебактериями. Все эти организмы являются одноклеточными, и у них нет дифференцированного ядра и органелл, связанных мембранами. Бактерии самые разнообразные и многочисленные организмы на Земле. Они занимают широкую экологическую нишу, и некоторые из них обладают способностью к фотосинтезу. Цианобактерии (сине-зеленые водоросли), хлорофилл, однако, в отличие от растений, не имеют хлоропластов. Многие из организмов этого царства участвуют в разложении органических остатков.

Согласно Уиттекеру, от царства прокариоты произошло **царство (B) простейших (B_1)**. К простейшим относятся эукариотические организмы, у которых нет тканей. Большинство простейших одноклеточные. Клетки простейших содержат отдельные ядра и органеллы, связанные мембранами. В этом царстве существуют гетеротрофные и фотосинтезирующие организмы, некоторые из них обладают характеристиками растений, животных и грибов. Простейшие обитают в морской и пресной воде или ведут паразитический образ жизни.

Мы рассмотрели два царства из системы Уиттекера. Отметьте, что сложность организмов постепенно возрастает. Теперь посмотрим на три оставшихся царства организмов. Продолжайте раскрашивать рисунки по ходу чтения.

Растения, животные и грибы произошли от простейших. Первое **царство – грибы (C)**. Эти организмы являются эукариотическими, гетеротрофными и, как правило, многоклеточными; одноклеточные грибы являются исключением. Большинство из этих организмов потребляют питательные вещества из органических остатков, но некоторые являются паразитами, то есть живут за счет животных и растений.

Слева на схеме показано **четвертое царство (D) — растения (D_1)**. Схема показывает, что они произошли от простейших. Все растения являются эукариотами и многоклеточными организмами, и все они приспособились к осуществлению фотосинтеза. Становление этого процесса в эволюции рассмотрено в главе 7. Почти все живые существа на Земле зависят от растений как основных производителей кислорода. К царству растений относятся водоросли, мхи, папоротники, хвощи, плауны, голосеменные и цветковые.

В центре этой схемы находится **царство животных (E)**. Все **животные (E_1)** являются эукариотами. Они многоклеточны, гетеротрофны, и большинство из них способны передвигаться с помощью мышц и реагировать на внешние стимулы с помощью специальной нервной ткани. Одним из наиболее примечательных представителей царства животных является человек.

Заканчивая рассмотрение этой схемы, хотим обратить ваше внимание, что основные характеристики царств не абсолютны. Например, большинство животных могут передвигаться, но из этого правила есть исключения.

Пять царств

Царство прокариотов .... A
Прокариоты .... A_1
Царство простейших ..... B
Простейшие .... B_1
Царство грибов C
Грибы .... C_1
Царство растений .... D
Растения .... D_1
Царство животных .... E
Животные .... E_1

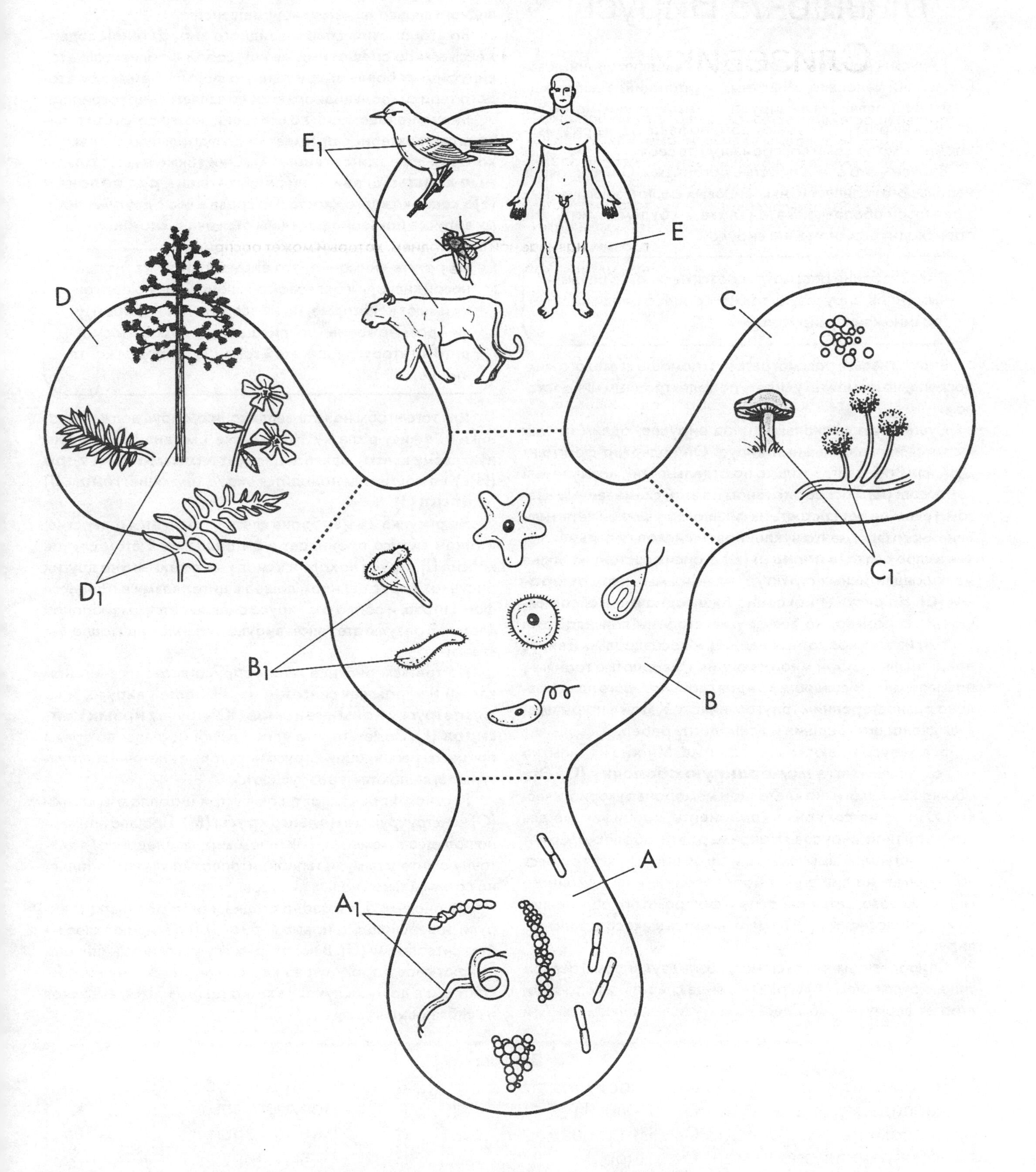
E₁
E
D
C
D₁
C₁
B₁
B
A
A₁

Глава 6-7: Вирусы

Вирусы – мельчайшие возбудители инфекционных заболеваний человека, животных и растений. Ученые еще не решили, являются ли вирусы живыми организмами, так как они не растут, не имеют обмена веществ, не развиваются и не могут сами воспроизводить себя.

Вирусы – это очень простые организмы. Они состоят из небольшого количества нуклеиновых кислот, заключенных в белковой оболочке. В этой главе мы будем изучать, как происходит размножение вирусов.

В этой таблице рассматривается несколько различных типов вирусов, а также процесс репликации (размножения) вирусов.

Вирусы нельзя рассмотреть при помощи светового микроскопа, но их можно увидеть под электронным микроскопом.

Существует несколько типов вирусов; одним из них является икосаэдральный вирус. Он содержит фрагмент ДНК или РНК (всегда только по отдельности), называемый **геномом (А)**. Раскрасьте геном на этой схеме темным цветом. Геном может состоять из сильно скрученной петли или линейного фрагмента нуклеиновой кислоты и быть заключен в слое белка **(капсиде) (В)**. Капсид состоит из более мелких идентичных структур, называемых **капсомерами (С)**. На рисунке показана лишь одна ячейка, состоящая из капсомер, но все другие стороны капсида тоже состоят из этих крохотных единиц. Икосаэдральный вирус представляет собой многогранник с двадцатью гранями, называемый икосаэдром, каждая грань которого представлена равносторонним треугольником. У этой фигуры имеется двенадцать вершин и двенадцать ребер.

Все вирусы имеют геном и капсид. Многие их типы, но не все, заключены в **мембранную оболочку (D)**. Эта оболочка аналогична клеточной мембране эукариотической клетки, но содержит компоненты, специфичные для каждого типа вирусов. Например, эта оболочка может иметь выступы, называемые шипами. Вирусы, являющиеся возбудителями лишайных заболеваний, инфекционного мононуклеоза, ветряной оспы и синдрома приобретенного иммунодефицита (СПИД), относятся к икосаэдральным вирусам.

Спиралевидные вирусы могут быть двух типов. В первом типе вируса геном (А) скручен в виде спирали и капсид повторяет форму генома. Здесь можно увидеть капсомеры (С) и оболочку (D) спиралевидного вируса. Примером спиралевидного вируса является вирус бешенства.

Во втором типе спиралевидного вируса геном содержится в виде смешанных между собой фрагментов; этот вирус имеет более закругленную форму. Примером второго типа спиралевидного вируса является вирус гриппа.

Вирус, нападающий на бактерий, называется бактериофагом. Бактериофаг имеет икосаэдральную головку, в которой содержится геном (А). Они также имеют **длинные хвосты (Е)** в виде свернутых колец и **ряд волокон (F)** в конце каждого хвоста. По сравнению с другими типами вирусов бактериофаги являются очень сложными.

Обратите внимание, что вирус состоит из нуклеиновой кислоты и белковой оболочки. Такую оболочку имеют некоторые, но не все, вирусы. Теперь изучим размножение (репликацию) вирусов. Посмотрите на вторую часть этой таблицы и продолжайте чтение.

Для того чтобы начать репликацию, вирус должен проникнуть в живую клетку. На рисунке 1 мы видим упрощенную схему клетки; здесь видна **цитоплазма (G)** и **ядро (Н)**. У ее мембраны находится вирус, имеющий **геном (I)** и **капсид (J)**.

На рисунке 2 в мембране клетки появляется отверстие, и геном вируса проникает в цитоплазму. В этом случае капсид (J) вируса находится снаружи клетки, но на других рисунках вирус целиком вошел в цитоплазму в процессе фагоцитоза, и оболочка вируса смешивается с мембраной клетки. В результате геном вируса оказался в цитоплазме клетки.

На третьем рисунке геном вируса встроился в геном клетки и управляет синтезом новых частей вируса, и вы видите группу **новых геномов (К)** и группу **новых капсидов (L)**. Заметьте, что ядро клетки исчезло; во время процесса репликации вируса некоторые клеточные структуры поглощаются и разрушаются.

Рисунок 4 показывает, как внутри цитоплазмы клетки (G) конструируются **новые вирусы (М)**. Прошло примерно полчаса с момента, как геном вируса внедрился в клеточную цитоплазму, и теперь цитоплазма клетки заполнена сотнями тысяч новых вирусов.

На рисунке 5 показана стадия, когда репликация вируса завершилась и новые вирусы (М) покидают клеточную цитоплазму (G). В некоторых случаях вирусы прокладывают себе дорогу через клеточную мембрану наружу клетки, а в других случаях клетка разрывается, выпуская из себя новые вирусы.

Вирусы

Геном .... A	Хвост .... E	Капсид вируса .... J
Капсид .... B	Волокна .... F	Новые геномы .... K
Капсомеры C	Цитоплазма .... G	Новые капсиды L
Мембранная оболочка .. D	Ядро .... H	Новые вирусы .... M
	Геном вируса I	

Типы вирусов

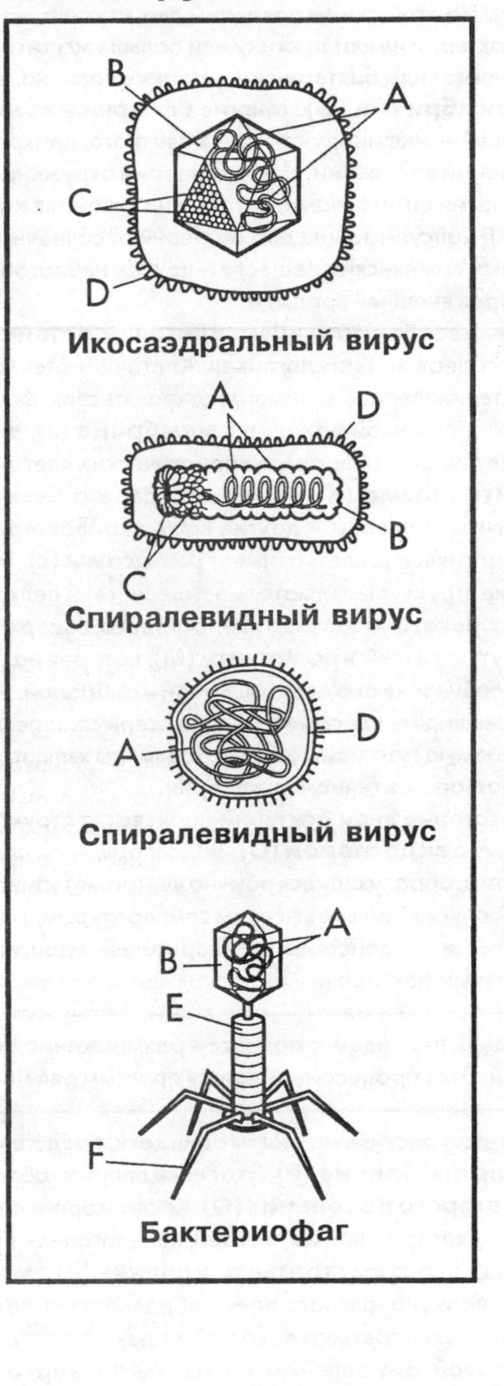

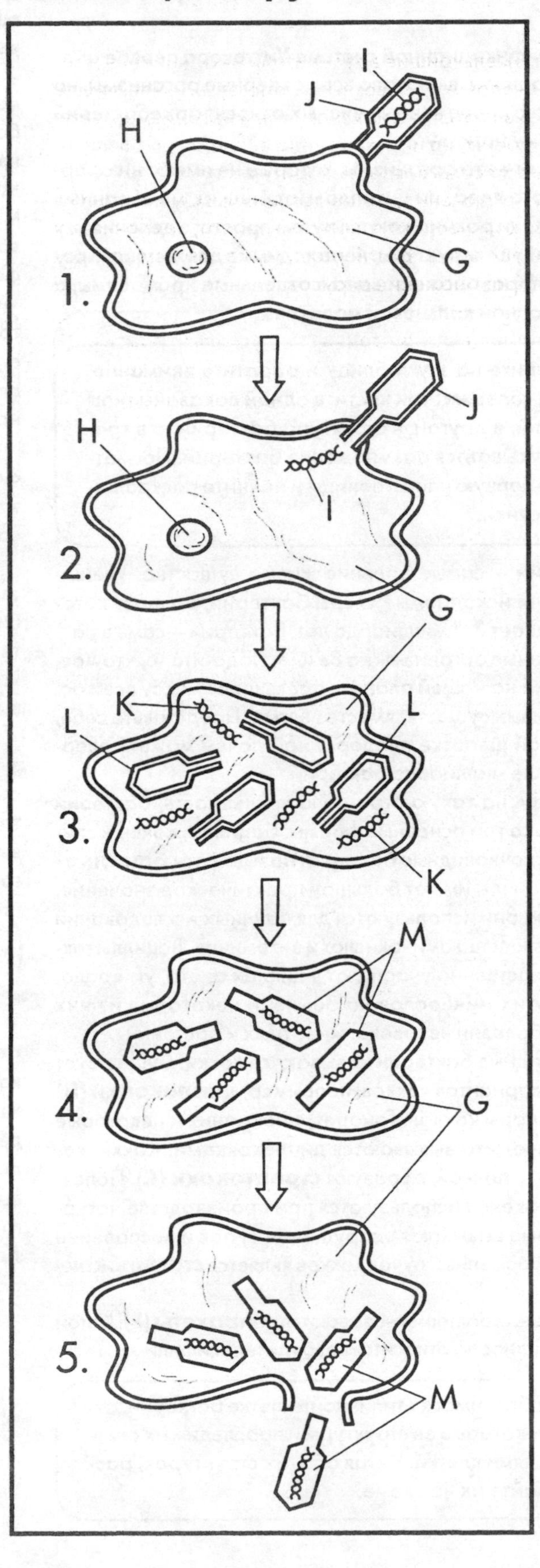

Глава 6-8: Бактерии

В классификационной системе Уиттекера первое царство, прокариоты, включало все доядерные организмы, но большинство современных ученых относят архебактерий к отдельному царству.

Бактерии – это организмы, которые не имеют ни сформированного ядра, ни цитоплазматических мембранных органелл. Они размножаются путем простого деления, и у них отсутствуют структуры, необходимые для митоза. Кроме того, ДНК не организована в отдельные хромосомы, а имеет вид одной кольцевой молекулы.

Посмотрите на эту таблицу и обратите внимание, что она содержит три части: в одной показаны типы бактерий, в другой – структура бактерии, а в третьей описывается размножение бактерий. Посмотрите на первую часть таблицы и начните раскрашивать рисунки.

Бактерии – самые древние живые существа. Ученые обнаружили ископаемые следы бактерий, возраст которых превышает 3,5 миллиарда лет. Бактерии – самые распространенные организмы на Земле. Подсчитано, что масса бактерий на нашей планете превышает массу всех остальных живых существ, вместе взятых. Представьте себе, в небольшой щепотке плодородной почвы может содержаться свыше миллиарда бактерий.

Несмотря на такую огромную численность, бактерии имеют только три основные формы: бациллы, кокки и спирохеты. Палочковидные бактерии называются **бациллами (A)**. Бациллы имеют большое практическое значение. В частности, они используются для научных исследований и для производства аминокислот и витаминов. Бациллы также непосредственно участвуют в циклах азота, углерода, серы и других минералов на Земле, и некоторые из них вызывают болезни человека, животных и растений.

Шаровидные бактерии называются кокки. Существует несколько вариантов кокков; например, **диплококки (B)** состоят из пары кокков. Гонорея, пневмония и некоторые формы менингита вызываются диплококками. Кокки, соединенные цепочкой, образуют **стрептококк (C)**. Полезные стрептококки используются при производстве йогурта, а вредные вызывают разрушение зубов и воспаление горла. Бесформенный пучок кокков является **стафилококком (D)**.

Спиральные бактерии называются **спирохеты (E)**. К этой группе, в частности, относится возбудитель сифилиса.

Теперь обратимся к «типичной» клетке бактерии, отметим некоторые ее структуры и проследим их связь с функциями клетки. Читая об этих структурах, раскрашивайте их на схеме.

Многие виды бактерий могут независимо передвигаться с помощью длинных структур, называемых **жгутиками (F)**. На этой схеме показаны два жгутика, но некоторые бактерии имеют дюжину или больше жгутиков.

Многие виды бактерий имеют также волокна, называемые **фимбриями (G)**. Многие бактерии – возбудители болезней — инфицируют ткань животного, прикрепляясь к ней своими волосками. Часто бактерии окружены полисахаридными структурами, которые называются **капсулами (H)**. Капсулы защищают бактерии от солнечных лучей, вредных химических веществ и других неблагоприятных факторов внешней среды.

Почти все бактерии имеют **клеточную стенку (I)**, которая содержит пептидогликан. Клеточная стенка придает бактерии твердость, помогая сохранять свою форму. Под клеточной стенкой находится **мембрана (J)**, аналогичная клеточной мембране эукариотических клеток.

Цитоплазма (K) бактерии содержит белки, жиры, ферменты, углеводы и другие вещества. Бактерия, как и эукариотическая клетка, имеет **рибосомы (L)**. Эти мельчайшие структуры являются местом синтеза белков.

Как показано на рисунке, бактерия содержит одну, свернутую петлей **хромосому (M)**, которая находится в цитоплазме и не окружена ядерной мембраной. Вы можете также видеть здесь небольшую свернутую петлю ДНК, называемую **плазмидой (N)**. Плазмиды являются ключевым фактором в генной инженерии.

Некоторые виды бактерий производят структуру, называемую **эндоспорой (O)**. Эндоспоры – это покоящиеся формы, образующиеся обычно внутри материнских клеток. Они устойчивы к высоким температурам, радиации, высушиванию, действию растворителей и других неблагоприятных факторов.

Теперь перейдем к процессу размножения бактерий. Этот процесс называется простым делением.

На этом рисунке мы видим один кокк, представляющий **первое поколение (P)**. Этот кокк делится, образуя два кокка **второго поколения (Q)**. Кокки второго поколения живут некоторое время, а затем подвергаются простому делению, производя **третье поколение (R)**. На этой стадии из первоначального кокка образовались четыре новых. Эти кокки третьего поколения живут, а потом подвергаются двойному делению, производя **четвертое поколение (S)**.

Типы бактерий

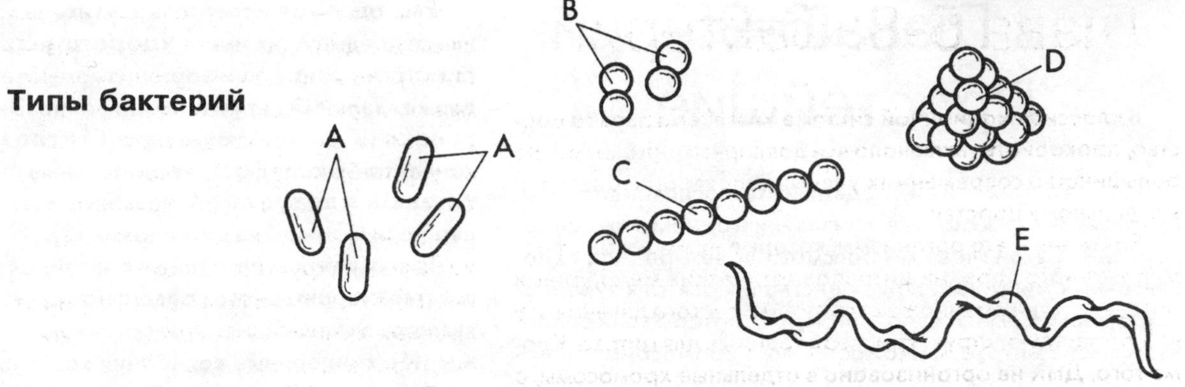

Структура бактерии

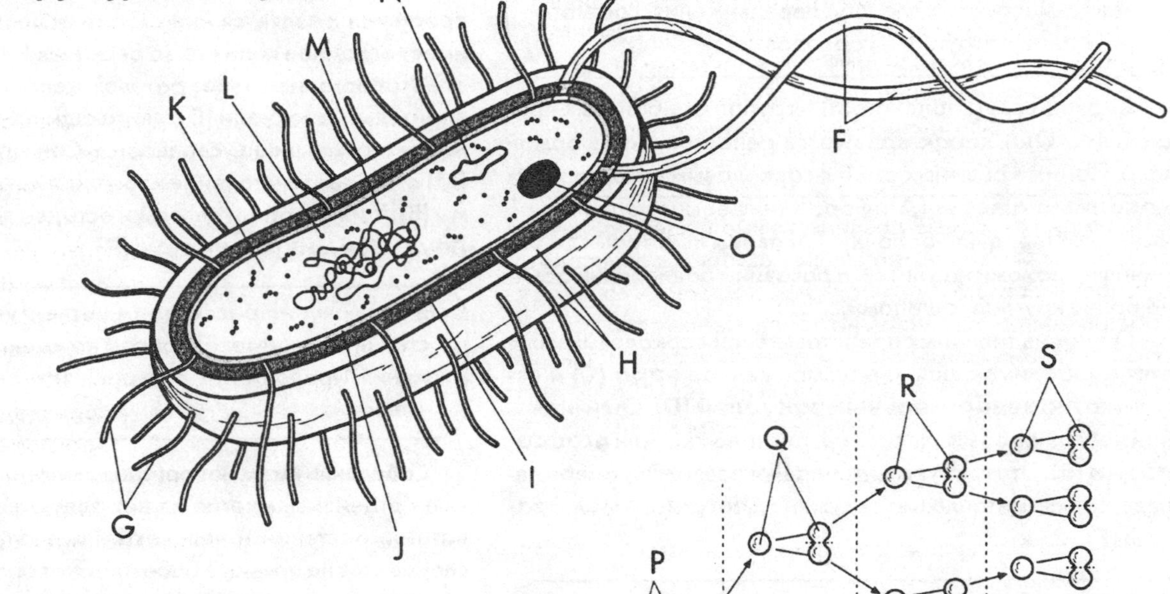

Размножение бактерий

Бактерии

Бациллы .... A
Диплококк .... B
Стрептококк C
Стафилококк .... D
Спирохета .... E

Строение бактерий

Жгутики .... F
Фимбрии .... G
Капсула .... H
Клеточная стенка I
Клеточная мембрана .... J
Цитоплазма .... K
Рибосома L
Хромосома .... M
Плазмида .... N
Эндоспора .... O

Размножение бактерий

Первое поколение .... P
Второе поколение .... Q
Третье поколение .... R
Четвертое поколение ... S

Глава 6-9: Простейшие

Царство простейших содержит три основные группы: одноклеточные животные, слизевики и одноклеточные водоросли. В этой главе мы рассмотрим четыре типа одноклеточных животных. Эти существа относятся к эукариотам, а значит, имеют ядро, органеллы, которые они репродуцируют в митозе, и множественные хромосомы.

В этой таблице показаны различные типы простейших организмов, разделенных на четыре группы в зависимости от их способа передвижения. Рассмотрите первую группу – саркодовые.

Саркодовые (корненожки) – группа амебоидных простейших. Они характеризуются непостоянной формой тела. Помимо обычных амеб к саркодовым относятся **раковинные амебы (A)**, *фораминиферы* и *радиолярии*, имеющие твердую оболочку. Раковины некоторых фораминифер похожи на улитку, а раковины радиолярий обычно более круглые, с шипами.

Одним из типичных представителей саркодовых является амеба, имеющая четко выраженное **ядро (C)** и несколько **пищеварительных вакуолей (D)**. Отличительной чертой амебы являются ее ложноножки, или **псевдоподии (E)**. Эти выступы цитоплазмы позволяют амебе передвигаться. Цитоплазма окружена **клеточной мембраной (F)**.

Теперь перейдем ко второй и третьей группам простейших и отметим два типа передвижений в этих группах. Продолжайте раскрашивать рисунки по ходу чтения.

Второй группой простейших являются жгутиконосцы; все эти организмы обладают жгутиками. Одним из типичных представителей жгутиконосцев является *трипаносома* (возбудитель сонной болезни). Вдоль тела этого удлиненного существа проходит **ундулирующая мембрана (G)**. Волны, проходящие по этой мембране, продвигают трипаносому вперед.

Другим представителем жгутиковых является *лямблия*. Здесь мы видим стандартные структуры простейших и множество **жгутиков (H)**. Этот организм отличается наличием двух ядер (C).

Третьим представителем жгутиконосцев является *трихомонада*. Здесь вы опять видите множество жгутиков (H), а также длинную, похожую на струну, органеллу, которая называется **аксостиль (I)**. Трихомонада вызывает заболевание, передаваемое половым путем и называемое трихомонадозом.

Еще один представитель жгутиковых, *эвглена*, в отличие от предыдущих имеет **хлоропласты (J)**. Она является фотосинтезирующим организмом, и ее хлоропласты содержат зеленый пигмент хлорофилла. Эвглена имеет **ядрышко (K)** внутри своего ядра (C) и **глазок (L)**, в котором концентрируются фоточувствительные пигменты. **Сократительная вакуоль (M)** позволяет этому организму удалять излишки воды из цитоплазмы (B).

Третьим типом простейших являются *инфузории*. Рассмотрим характерного представителя этого типа, которым является баллантидия. Этот организм покрыт **ресничками (N)**, синхронные колебания которых позволяют ему передвигаться. В этом организме имеется сократительная вакуоль и очень крупное ядро (C).

Пожалуй, самым известным представителем этой группы простейших является *инфузория-туфелька*. Парамециум имеет огромное количество ресничек (N), а пища попадает в этот организм через ротовой желобок, образуя пищеварительные вакуоли (D), двигающиеся по цитоплазме по мере того, как пища усваивается. Сократительная вакуоль (M) отвечает за удаление избытка жидкости из цитоплазмы (B). У инфузории-туфельки есть два ядра: **макронуклеус (O)** и **микронуклеус (P)**.

В заключение рассмотрим четвертую группу простейших. Члены этой группы не имеют органов движения. Продолжайте раскрашивать рисунки по ходу чтения.

Споровики не имеют органов движения. Это очень сложные организмы, многие из них являются паразитами животных, растений и человека. Рассмотрим особенности споровиков на примере бабезии. Этот организм существует в цитоплазме **красных кровяных клеток (Q)** и разрушает их, вызывая заболевание, похожее на малярию.

Организм, вызывающий малярию, называется плазмодием. Этот сложный организм имеет форму кольца, и его можно увидеть в красных кровяных тельцах (Q). Ядро этого организма (C) концентрируется ближе к одной стенке клетки, тогда как цитоплазма заполняет остальное пространство. Размножение плазмодиев приводит к разрушению клеток крови и вызывает анемию.

Еще один споровик – *токсоплазма*, имеет форму полумесяца и инфицирует клетки печени, белые кровяные тельца и клетки мозга. Токсоплазмоз приводит к разрушению печени, уменьшению количества кровяных клеток и заболеваниям мозга. Токсоплазмы проникают в организм человека в результате контактов с домашними кошками.

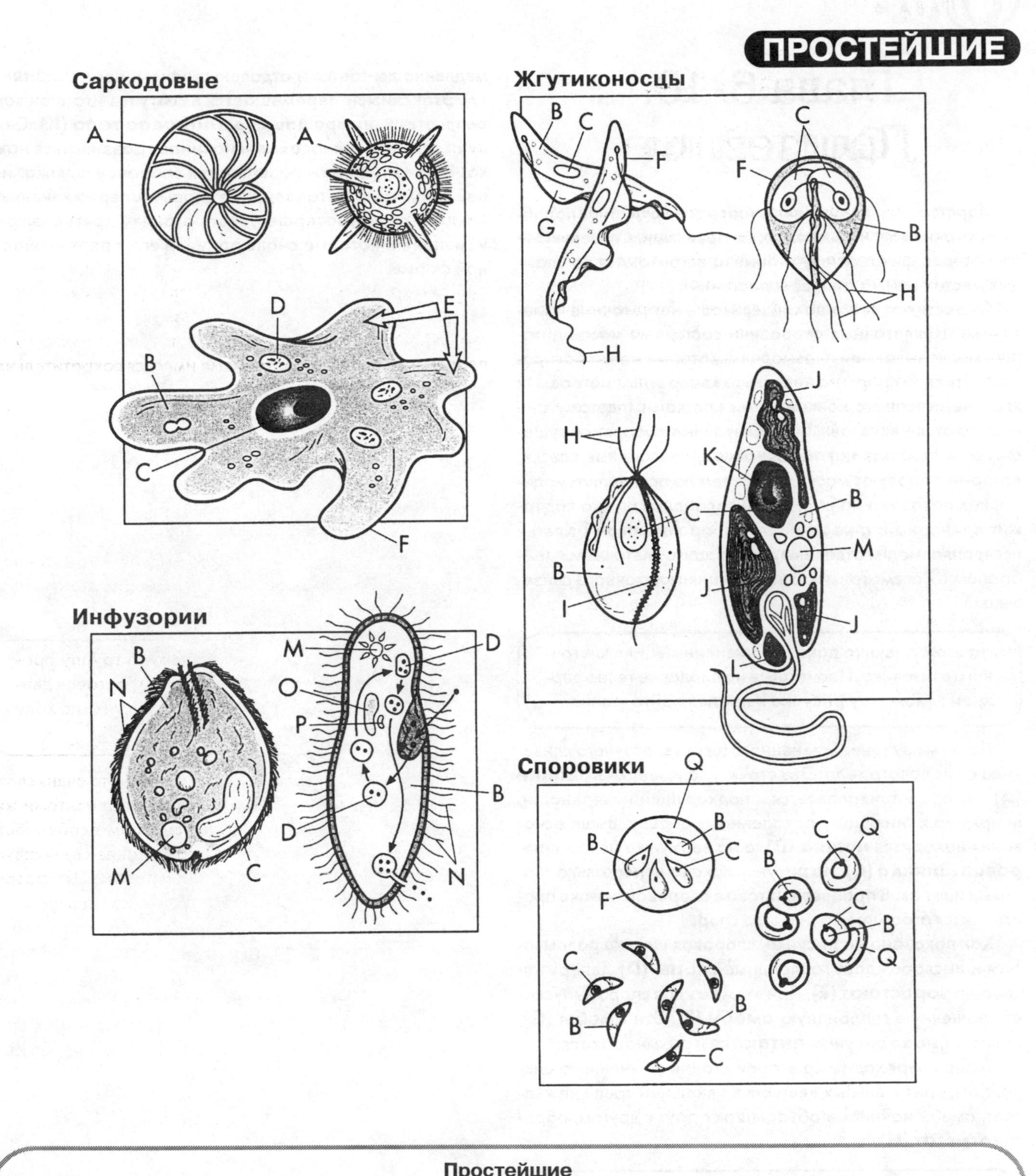

Простейшие

Раковинные амебы ... A	Клеточная мембрана ... F	Сократительная вакуоль ... M
Цитоплазма ... B	Ундулирующая мембрана ... G	Ресничка ... N
Ядро ... C	Жгутик ... H	Макронуклеус ... O
Пищеварительная вакуоль ... D	Аксостиль ... I	Микронуклеус ... P
Псевдоподия ... E	Хлоропласты ... J	Красная кровяная клетка ... Q
	Ядрышко ... K	
	Глазок ... L	

Глава 6-10: Слизевики

Царство простейших включает в себя ряд грибоподобных организмов, называемых слизевиками. Слизевики не способны к фотосинтезу и обычно встречаются во влажных местах или на гниющих растениях.

Существуют два типа слизевиков – неклеточные и клеточные. Неклеточные споровики состоят из массы цитоплазмы, называемой плазмодием, который может распространять свои споры на несколько квадратных метров. Их ядра не связаны с конкретными клетками (поэтому они называются неклеточными). Клеточные споровики существуют в природе как независимые, гаплоидные клетки, которые образуют массу, называемую псевдоплазмодием, как показано на рисунке. (Гаплоидная клетка содержит одинарный, а не двойной набор хромосом.) Клетки псевдоплазмодия отделены друг от друга клеточными мембранами. Рассмотрим жизненный цикл клеточного слизевика.

> На этом рисунке показан жизненный цикл клеточного слизевика. Посмотрите на плодовое тело в верхнем левом углу рисунка и продолжайте чтение.

Начнем изучение жизненного цикла клеточного слизевика с плодового тела. Эта структура имеет **основание (A)**, которое прикрепляется к подходящей поверхности, например к гниющему поваленному дереву. Выше основания находится **ножка (B)**, а на верхушке ножки **споровая шляпка (C)**. На рисунке показаны несколько споровых шляпок. В процессе митоза в споровой шляпке производится огромное количество спор.

Как показано на рисунке, споровая шляпка разрывается и высвобождает гаплоидные **споры (D)**. Теперь эти споры **прорастают (E)**. При этом каждая спора выпускает крошечную гаплоидную **амебу (F)**. Эти **амебы (G)**, показанные на рисунке, **питаются** и размножаются.

Теперь переходим ко второй стадии жизненного цикла. Когда питательных веществ во внешней среде не хватает, амебы начинают объединяться друг с другом, образуя **агрегат (H)**.

> Новая фаза жизненного цикла развивается в результате объединения амеб. Продолжайте чтение и раскрашивайте рисунки. Используйте при этом светлые цвета, чтобы не затенять детали.

Чувствуя недостаток питательных веществ, амебы объединяются в единую массу, которая называется **псевдоплазмодий (I)**. Псевдоплазмодий состоит из отдельных клеток, но ведет себя как многоклеточный организм. Он медленно двигается и отдаленно напоминает **слизняка (J)**. Этот слизняк перемещается к свету и в итоге он закрепляется и превращается в **плодовое тело (K)**. Снизу образуется основание и начинает развиваться ножка. На верху ножки развивается споровая шляпка, и в ней формируются гаплоидные споры. Теперь жизненный цикл слизевика завершен; этот организм претерпел ряд изменений, которые снова привели его к первоначальной форме.

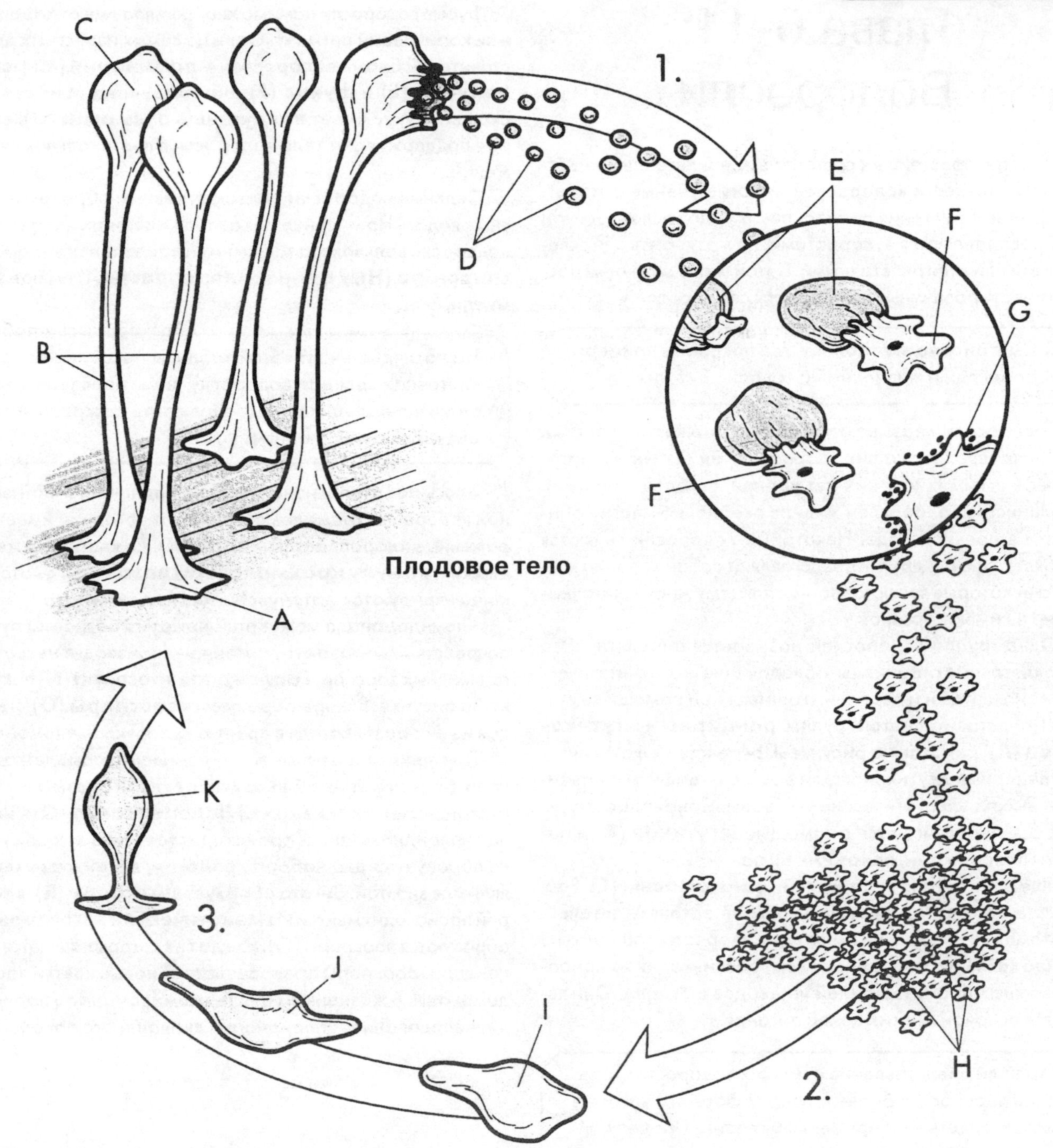

Слизевики

Основание .... A	Прорастание .... E	Псевдоплазмодий, похожий на слизняка ..... J
Ножка .... B	Амеба .... F	Развивающееся плодовое тело .... K
Споровая шляпка C	Питающаяся амеба .... G	
Споры .... D	Амебный агрегат .... H	
	Псевдоплазмодий I	

Глава 6-11: Водоросли

Царство простейших состоит из одноклеточных животных, слизевиков и водорослей. Многие ученые считают, что сложные растения произошли от водорослей. Все эти водоросли являются эукариотами, но могут быть одноклеточными или многоклеточными. В этой главе мы будем рассматривать различные виды простых водорослей.

Посмотрите на эту таблицу, где показаны примеры водорослей и жизненный цикл одной из них.

Водорослями называют огромное множество простых организмов, содержащих хлорофилл; они являются фотосинтетическими, но у них нет корней, стеблей и листьев. Большинство водорослей живут в океане, но многие обитают и в пресной воде. Некоторые водоросли являются одноклеточными, другие представляют собой колонии клеток, а некоторые являются по-настоящему многоклеточными, но не имеют органов.

Одна группа водорослей называется пирофиты. Это одноклеточные организмы, обладающие фотосинтетическими пигментами и передвигающиеся при помощи жгутиков. Представитель этой группы, **панцирный жгутиконосец (A)**, показан на рисунке. Посредством фотосинтеза панцирные жгутиконосцы и другие пирофиты синтезируют высокоэнергетические углеводы. Панцирные жгутиконосцы передвигаются с помощью **жгутиков (B)** и покрыты пластинками, похожими на панцирь.

Еще одна группа водорослей – **диатомовые (C)**. Раскрасьте ее светлым цветом, чтобы не затенять деталей. Диатомовые водоросли имеют двустворчатый панцирь из оксида кремния. Диатомовые водоросли – одни из наиболее важных производителей углеводов в океане. Они являются основой многих цепей питания.

Мы дали представление о мелких водорослях, а теперь перейдем к более крупным формам, которые можно видеть невооруженным глазом. Продолжайте чтение и раскрашивайте эти организмы.

Водоросль **хондра (D)** относится к красным водорослям, называемым также родофитами. Красные водоросли содержат красный пигмент, а также обычные синезеленые и зеленые пигменты. Все эти организмы, за редким исключением, обитают в море, они составляют основную часть подводных зарослей. Это по-настоящему многоклеточные организмы, и некоторые виды красных водорослей (кельпы) достигают пятидесяти метров в длину. Агар-агар, используемый для процессов брожения, производится из красных водорослей.

Бурые водоросли помимо хлорофилла имеют характерный коричневый пигмент. Одни из самых известных представителей бурых водорослей – **ламинария (морская капуста) (E)** и **фукус (F)**, обитающий на прибрежных скалах. Фукус имеет **воздушные пузырьки (G)**, которые поддерживают тело водоросли в вертикальном положении.

Зеленые водоросли обитают главным образом в пресных водах. На рисунке показана колониальная зеленая водоросль *вольвокс*, а также нитчатая зеленая водоросль **спирогира (H)**, у которой **хлоропласты (I)** имеют форму спирали.

На последней части этой таблицы показана одноклеточная зеленая водоросль, и мы проследим за ее жизненным циклом. Продолжайте раскрашивать рисунок по ходу чтения.

Здесь показан жизненный цикл одноклеточной зеленой водоросли *хламидомонады*. Этот организм имеет выраженные хлоропласт (I) и **ядро (K)**. Ее клетка также содержит **гранулу крахмала (L)** и **глазок (M)**, в котором концентрируются фоточувствительные пигменты.

Хламидомонада может размножаться бесполым путем; посредством митоза этот организм производит несколько гаплоидных зооспор. **Гаплоидная зооспора (N)** показана на рисунке. Вскоре образуются **зооспоры (O)**, и каждая из них развивается в зрелую клетку *хламидомонады*.

При половом размножении хламидомонады клетка сначала формирует несколько **гамет (P)**. (Гаметы являются гаплоидными организмами.) **Деление гамет (Q)** в начале диплоидной стадии происходит так, что в каждой клетке образуются два набора хромосом: в этой фазе клетка является зиготой. Зигота образует **зигоспору (R)**, в которой происходит мейоз. Из **мейотической зигоспоры (S)** образуются зооспоры (O), каждая из которых является гаплоидной. Зооспоры превращаются в новые клетки *хламидомонады*. В жизненном цикле *хламидомонады* происходит чередование гаплоидного и диплоидного поколений.

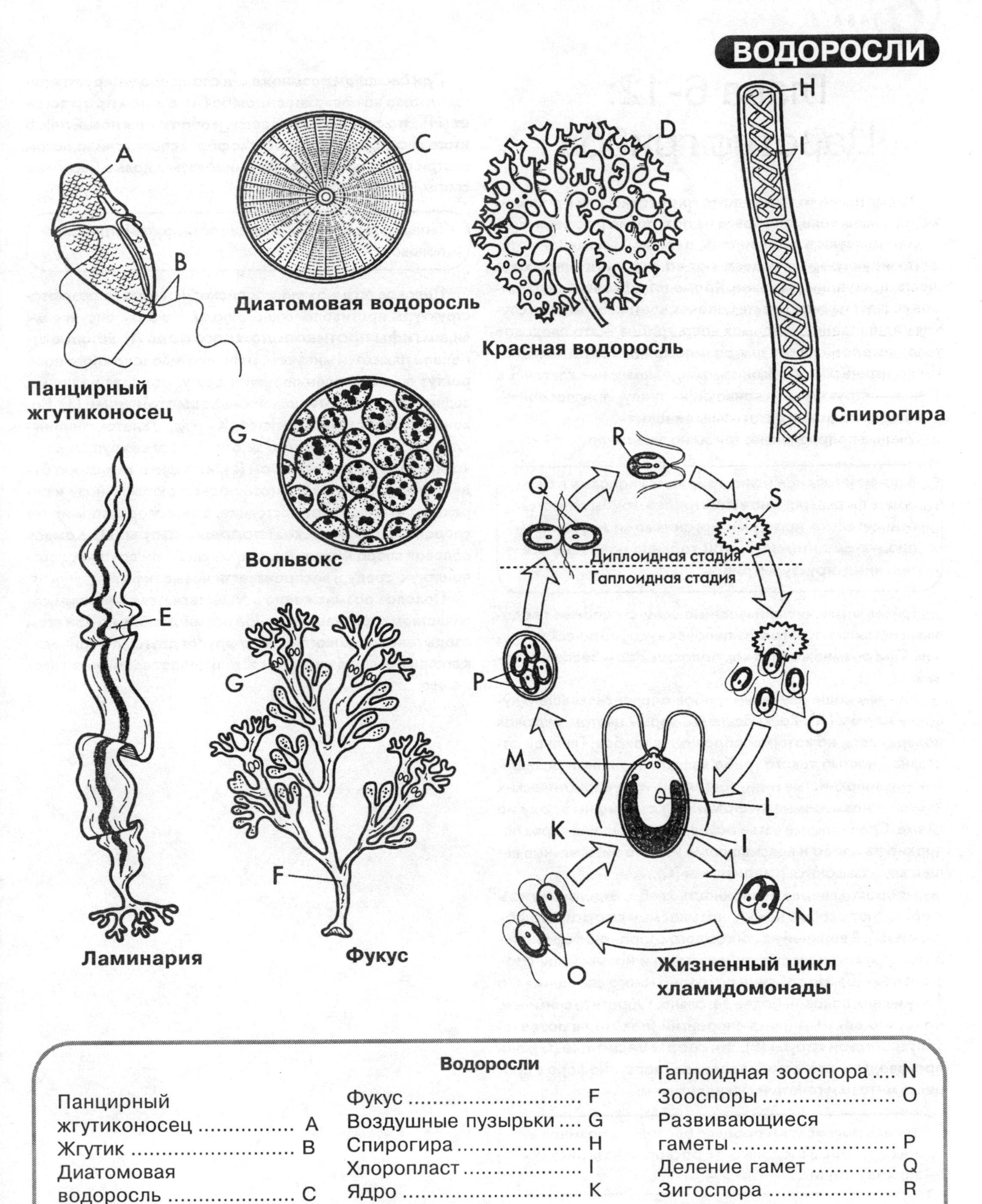

Водоросли

Панцирный жгутиконосец .... A	Фукус .... F	Гаплоидная зооспора .... N
Жгутик .... B	Воздушные пузырьки .... G	Зооспоры .... O
Диатомовая водоросль C	Спирогира .... H	Развивающиеся гаметы .... P
Хондра .... D	Хлоропласт I	Деление гамет .... Q
Ламинария .... E	Ядро .... K	Зигоспора .... R
	Гранула крахмала L	Мейотическая зигоспора .... S
	Глазок .... M	

Глава 6-12: Царство грибов

Несмотря на то что когда-то грибы относили к растениям, на самом деле, они вовсе не похожи на растения. Растения участвуют в фотосинтезе, а грибы не являются фотосинтезирующими и существуют за счет питательных веществ, поступающих извне. Кроме того, большинство грибов состоят из гиф, то есть цепочек клеток. Во многих случаях единственная видимая часть грибов – это плодовое тело, которое служит для размножения. Грибы являются эукариотическими организмами, имеющими клеточные стенки и структуры, усваивающие пищу, приспособленные для впитывания питательных веществ.

Ученые подразделяют грибы на пять групп.

В данной таблице иллюстрируются половые и бесполые формы размножения грибов. Грибы являются относительно простыми организмами и обычным продуктом питания. В этой таблице показаны все типичные структуры грибов.

Грибы, в том числе известные всем съедобные плодовые, состоят из гиф, то есть цепочек эукариотических клеток. Они размножаются как половым, так и бесполым путем.

Начнем наше изучение грибов с заплесневевшего кусочка **хлеба (A)**. Раскрасьте его серым цветом, включая поверхность, на которой образуется грибок. Главной составной частью такого гриба являются длинные разветвленные волокнистые нити, состоящие из эукариотических клеток и называемые **гифами (B)**; они видны всюду на схеме. Специальные ветви гифов, проникающие через поверхность хлеба и всасывающие из него питательные вещества, называются **ризоидами (C)**.

Прорастая через поверхность хлеба, отдельные гифы формируют особые ножки, называемые **спорангиофорами (D)**. В верхней части каждого спорангиофора находится структура, содержащая споры и называемая **спорангием (E)**. На таблице показано много спорангиев, а один из них показан более детально. Обратите внимание на то, что раскрывшийся спорангий (показан в разрезе) выпускает свои **споры (F)**. Эти **споры бесполые (G)**; они производятся клетками на головке спорангиофора в процессе митоза и генетически идентичны.

Теперь рассмотрим процесс бесполого размножения у грибов. Продолжайте раскрашивать рисунки по ходу чтения.

При бесполом размножении спора продуцируется путем митоза на поверхности хлеба (A), а затем **прорастает (H)**. Эта спора раскрывается, и образуется новый гиф. В итоге гиф образует спорангиофор и спорангий, а потом внутри спорангия будут формироваться новые бесполые споры, завершая этот цикл.

Теперь рассмотрим второй тип размножения грибов – половое.

Половое размножение происходит, когда встречаются структуры противоположного пола. На этом рисунке мы видим **гифы противоположного пола (I)**, которые отмечены плюсом и минусом. Гифы противоположного пола растут по направлению друг к другу, образуя мешочки, содержащие гаметы и называемые **гаметангиями (J)**. Наконец, **гаметангий делится (K)**, и ядра клеток соединяются, образуя диплоидную зиготу. Эта более крупная клетка, называется **зигоспорой (L)**, и позднее зигоспора будет **прорастать (M)**. Зиготы подвергаются мейозу и переходят в гаплоидное состояние, а зигоспора формирует спорангий (E) и выпускает **половые споры (N)**. Каждая половая спора может попасть на хлеб или другую благоприятную среду и воспроизвести новые гифы.

Половое размножение осуществляется с меньшим количеством спор, чем бесполое размножение, но при этом споры генетически отличаются друг от друга, что приводит к возникновению изменчивости и делает возможной эволюцию.

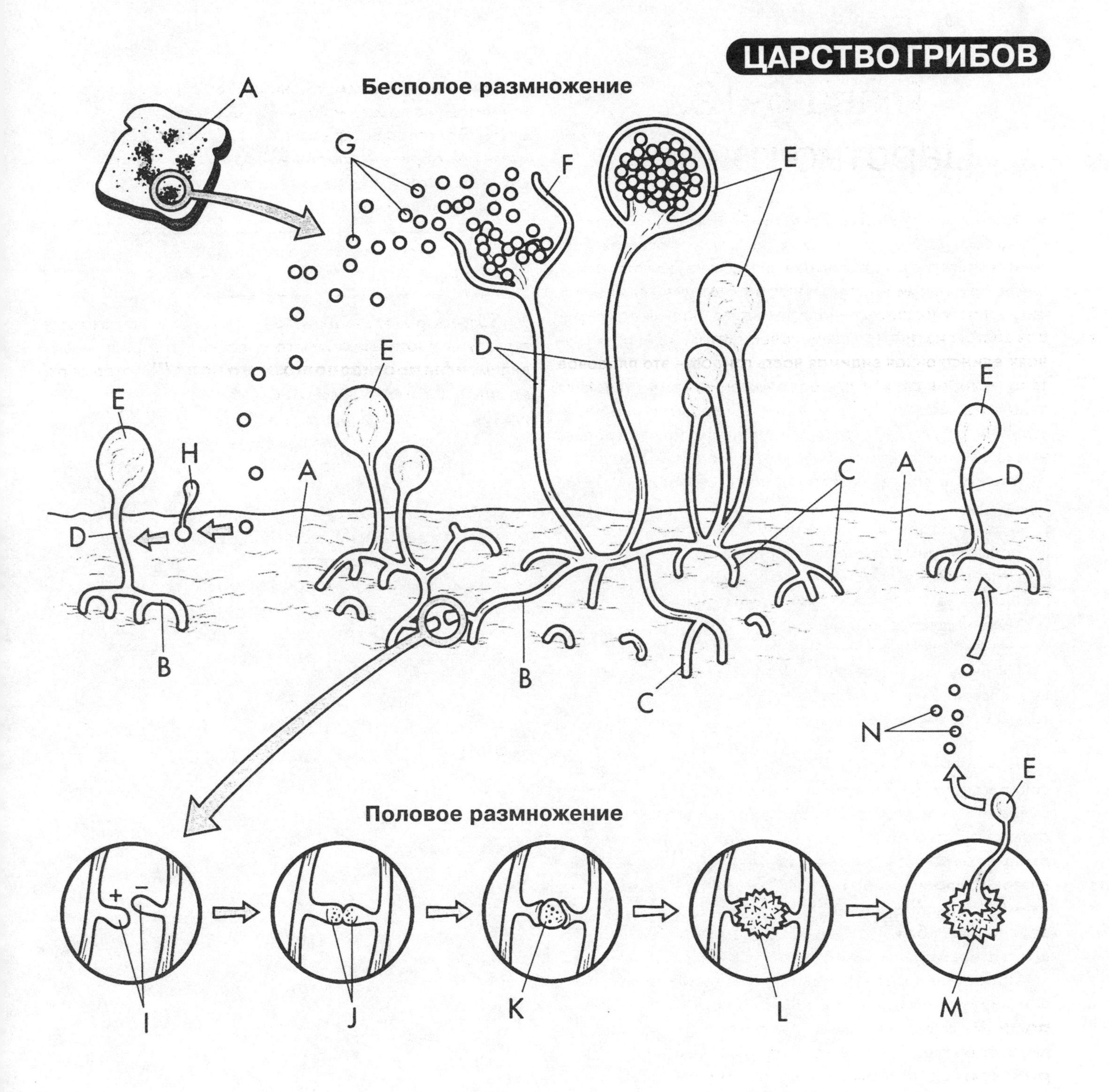

Царство грибов

Хлеб .... A
Гиф .... B
Ризоиды C
Спорангиофоры .... D
Спорангий .... E
Споры, выпускаемые из спорангия .... F
Бесполые споры .... G
Прорастающая спора .... H
Гифы противоположного пола I
Гаметангий .... J
Делящийся гаметангий .... K
Зигоспора L
Прорастающая зигоспора .... M
Половые споры .... N

ГЛАВА 7

Биология растений

Глава 7-1: Строение цветковых растений

Цветковые растения очень разнообразны по внешнему виду, внутреннему строению и экологическим потребностям. Они населяют всю Землю, и каждое имеет специфические приспособления к своему местообитанию. Однако все цветковые растения обладают некоторыми общими отличительными признаками, которые мы и рассмотрим в этой главе.

Посмотрите на таблицу. На этой обобщенной схеме показаны детали строения, имеющиеся практически у всех цветковых растений. Подробно рассмотрим эти структуры и их функции. Схему нужно раскрашивать темными цветами, например красным, зеленым, фиолетовым и оранжевым, так как она содержит много скобок, а изображенные детали достаточно крупные.

Тело любого цветкового растения имеет две основные части: побеги и корневую систему. **Побег (A)** выделен большой скобкой, которую надо раскрасить темным цветом. Эта часть цветкового растения возвышается над землей и состоит из нескольких органов.

Одним из важных органов побега является **стебель (B)**, часть которого выделена скобкой. Стебли – это ствол и ветки у деревьев и кустарников, лоза у винограда и ивы, а также стебли трав. Стебли поддерживают растение и располагают его листья так, чтобы они могли получать больше солнечного света. На стебле имеются **узлы (C)** – места прикрепления листьев, в пазухах которых находятся пазушные почки. Участки между узлами называются **междоузлиями (D)**.

Теперь перейдем к другому органу побега — **листу (E)**, который надо раскрасить зеленым цветом. Типичный лист состоит из тонкой плоской поверхности, **листовой пластинки (F)**, которая соединяется со стеблем **черешком (G)**. Проводящая ткань (ксилема и флоэма, или древесина и луб) проходит через черешок в пластинку листа, где она образует жилки. Жилки рассмотрены на следующей схеме.

Другим важным органом растения является **цветок (H)**, который фактически представляет из себя побег, видоизмененный для выполнения репродуктивных функций. Однодольные и двудольные растения различаются между собой по числу лепестков у цветка, что будет показано в следующей таблице.

Один из отличительных признаков цветкового растения — это то, что его семена находятся внутри **плода (I)**. Плод – это репродуктивный орган, в котором развиваются семена до тех пор, пока они не будут способны к выживанию во внешней среде. Плод возникает после оплодотворения из некоторых частей цветка.

Возвращаясь к побегу, найдем место чуть выше места прикрепления листа к стеблю, которое называется **пазушной почкой (J)**. Эта почка является зачатком нового побега, который впоследствии разовьется в новую ветвь с листьями. Верхняя часть побега, или главного стебля в нашем случае, называется **верхушкой побега (K)**. Это часть стебля, в которой продолжается рост растения.

Побеги многих растений растут вертикально вверх, а у некоторых, таких как земляника и Бермудская трава, располагаются горизонтально на почве. Подземные горизонтальные побеги называются корневищами. Корневища имеются у папоротников и картофеля.

Мы рассмотрели основные части побега цветкового растения, а теперь обратим наше внимание на корневую систему.

Заканчивая изучение строения растения, раскрасьте большую скобку, обозначающую **корневую систему (L)**. Главные функции корня – это закрепление побега и поглощение из почвы воды и питательных веществ. У некоторых растений, таких как свекла, морковь и репа, корни видоизменены и служат для запасания воды и питательных веществ.

После прорастания семени появляется первая часть корня, которая называется **главным корнем (M)**. Этот корень может отличаться от других корней размером или не отличаться от них, как мы увидим в следующих главах. По мере роста главного корня на нем появляются более мелкие **боковые корни (N)**. Боковые корни разветвляются во все стороны и обеспечивают растению опору и впитывание веществ из почвы, так образуется спутанная масса корней.

Строение цветков растений

Побег .... A	Листовая пластинка ...... F	Верхушка побега .... K
Стебель .... B	Черешок .... G	Корневая система L
Узел C	Цветок .... H	Главный корень .... M
Междоузлие .... D	Плод I	Боковой корень............ N
Лист .... E	Пазушная почка............ J	

СТРОЕНИЕ ЦВЕТКОВЫХ РАСТЕНИЙ

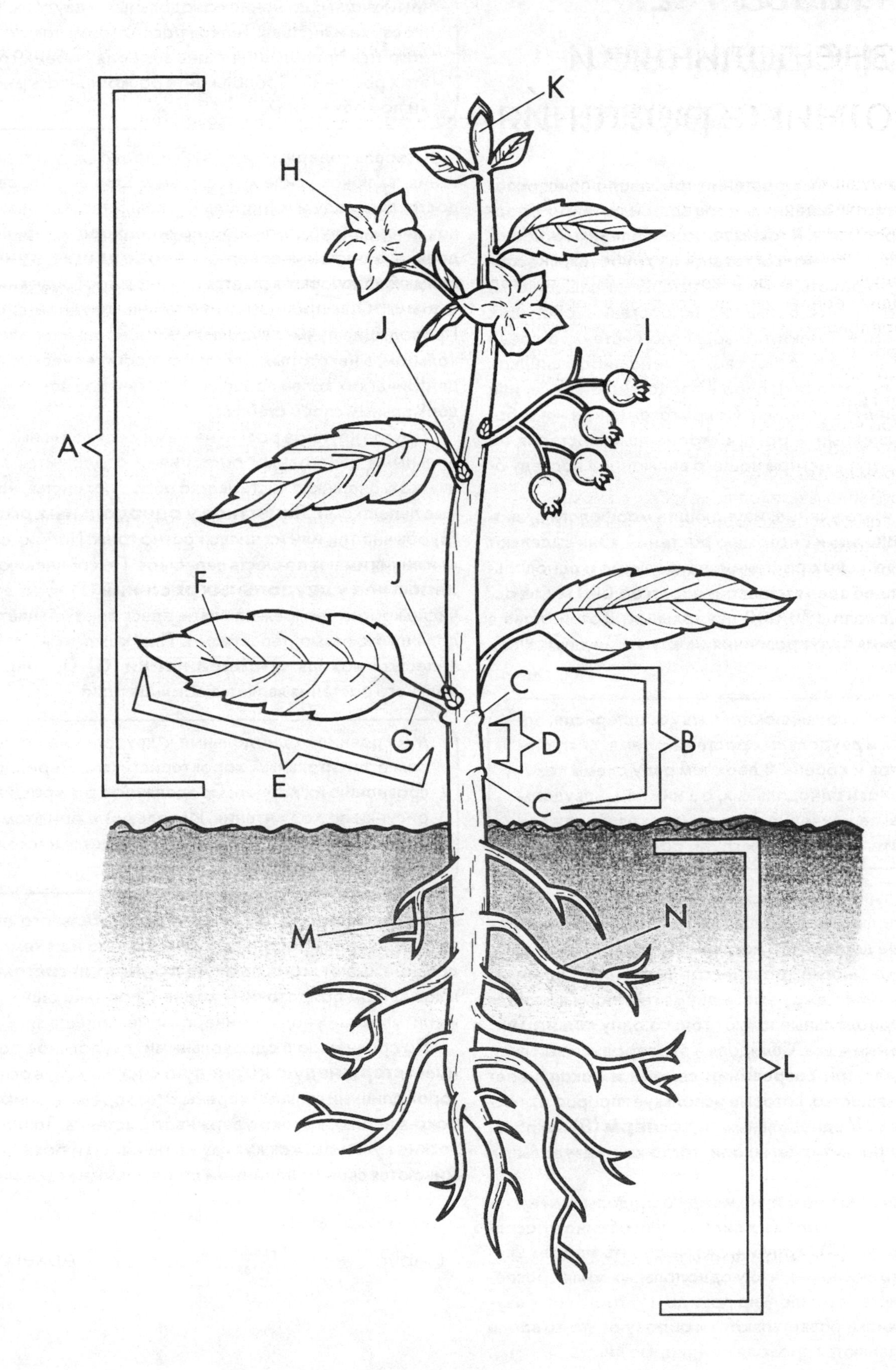

Глава 7-2: Однодольные и двудольные растения

Эволюция наземных растений требовала приспособления для предотвращения потерь воды и развития опорной системы растения. К таким приспособлениям относится проводящая система, состоящая из трубочек, способных транспортировать воду и питательные вещества ко всем частям растения. Большинство растений, растущих сегодня на Земле, имеют проводящую систему, а среди них большая часть образует свои семена либо в шишках (голосеменные растения), либо в плодах (цветковые, или покрытосеменные растения). Покрытосеменные – наиболее многочисленные и распространенные растения на Земле. Они будут в центре нашего внимания в последующих главах.

Ботаники – это ученые, изучающие морфологию, экологию, физиологию и анатомию растений. Они выделяют два класса цветковых растений: двудольные и однодольные. В настоящее время известно около 65 000 видов однодольных и около 170 000 двудольных. В этой главе в центре внимания будут различия между этими двумя классами.

В этой таблице сравниваются пять характеристик однодольных и двудольных растений: семя, лист, стебель, цветок и корень. В верхнем ряду схемы показаны признаки однодольных, а в нижнем – двудольных. Начните изучение этих признаков по каждой из пяти категорий данных групп растений.

К однодольным относятся такие растения, как злаки, лилейные и пальмовые деревья. К двудольным относятся наши обычные деревья (за исключением деревьев с шишками), а также многие травянистые растения. Одним из главных различий между этими двумя группами являются их семена. Однодольные имеют только одну **семядолю (A)**, а двудольные – две. Семядоля – это зародышевый лист, который растет при созревании семени и накапливает питательные вещества, которые использует проросток после прорастания. У однодольных **эндосперм (B)** сохраняется во время развития семядоли, тогда как у двудольных он высыхает.

Второе заметное различие между однодольными и двудольными можно увидеть в их листьях, и особенно в расположении **жилок (C)**. Жилки надо выделить темным цветом. Обратите внимание, что у однодольных жилки располагаются в листе параллельно друг другу, тогда как у двудольных эти жилки разветвляются и образуют что-то вроде сети. Жилки являются проводящей тканью листа.

Мы начали сравнение однодольных и двудольных с их семян и листьев. Теперь рассмотрим, как располагается проводящая ткань в стеблях обеих групп этих растений. Продолжайте раскрашивать рисунки по ходу чтения.

Стебель содержит опорную и проводящую ткани растения, включая ксилему и флоэму. Ксилема (древесина) доставляет воду и минеральные вещества из почвы, тогда как флоэма (луб) транспортирует сахара. Стебель однодольного растения содержит **проводящие пучки (D)**, каждый из которых является набором трубочек ксилемы и флоэмы. Они пронизывают стебель сложной системой. Проводящие пучки двудольного растения располагаются кольцом, в некоторых случаях существует несколько концентрических колец проводящей ткани под наружным эпидермальным слоем стебля.

Другое крупное различие между однодольными и двудольными цветковыми растениями содержится в самих цветках. Внешнюю часть цветка образуют листья, называемые лепестками. **Лепестков у однодольных растений (E)** обычно три или их число кратно трем. Например, ирис или лилия имеют по шесть лепестков. По сравнению с ними **лепестков у двудольных растений (F)** четыре, или их число кратно четырем или пяти, здесь показан цветок двудольного с пятью лепестками. Под каждым из этих пяти лепестков находятся **чашелистики (G)**. Примером двудольного растения является обычная роза.

Мы сравнили однодольные и двудольные по четырем отличительным характеристикам. Перейдем к сравнению их корней. Продолжайте раскрашивать рисунки по ходу чтения. Используйте при этом более темные цвета, так как здесь имеется несколько деталей, которые нужно выделить.

Последним пунктом нашего сравнительного анализа является корень растения. Как показано на схеме, однодольные имеют **мочковатую корневую систему (H)** с множеством придаточных корней, проникающих в почву и впитывающих воду и минеральные вещества.

По сравнению с однодольными, двудольное растение имеет **стержневую корневую систему (I)**, в основе которой длинный главный корень. Этот корень проникает глубоко в землю, крепко удерживая растение. Такие технические культуры, как кукуруза, пшеница и рожь, поддерживаются своими длинными стержневыми корнями.

ОДНОДОЛЬНЫЕ И ДВУДОЛЬНЫЕ РАСТЕНИЯ

Однодольные и двудольные растения

Семядоля	A
Эндосперм	B
Жилки	C
Проводящие пучки	D
Лепестки однодольного	E
Лепестки двудольного	F
Чашелистики	G
Мочковатая корневая система	H
Стержневая корневая система	I

Глава 7-3: Жизненный цикл цветкового растения

Ученые считают, что наземные растения произошли от многоклеточных зеленых водорослей, сохранив их модель чередования поколений. Чередование поколений – это цикл спорофитных и гаметофитных поколений. По мере того как растения приспосабливались к наземной среде обитания, гаметофитная стадия становилась короче и стала преобладать спорофитная стадия. Другой эволюционной тенденцией было развитие системы «корень-стебель-лист» с функциональными тканями, предназначенными для переноса воды и питательных веществ.

Третьей тенденцией в эволюции растений было развитие семян и плодов, содержащих их. Это отличительное свойство покрытосеменных, или цветковых, растений. Цветки и семена играют важную роль в жизненном цикле покрытосеменных, как мы увидим в этой главе.

В этой таблице показан жизненный цикл цветкового растения. Начиная с верхнего среднего рисунка, мы проследим за развитием спермиев и яйцеклеток растения.

Цветок покрытосеменного – орган семенного размножения. Первым развивающимся органом цветка являются **чашелистики (A)**, похожие на листья, находящиеся в цветочной почке. Когда чашелистики раскрываются, показываются **лепестки (B)**. Лепестки – самая привлекательная часть цветка и часто обладают яркой окраской и особой формой для привлечения опылителей: птиц и насекомых.

Вверху справа на этой таблице подробно показаны отдельные детали цветка. Мужскими репродуктивными органами являются **тычинки (C)**, выделенные на рисунке скобкой. Тычинки состоят из четырехдольного мешочка, называемого **пыльником (C_1)**, показанного на этом рисунке в правом верхнем углу. Пыльник держится на **тычинковая нити (C_2)**.

Женский репродуктивный орган растения называется **пестиком (D)** (выделен здесь скобкой). В верхней части пестика расположена липкая, покрытая волосиками поверхность, называемая **рыльцем (D_1)**, куда прилипает пыльца, ниже рыльца находится узкая ножка, называемая **столбиком (D_2)**. Внизу пестика находится расширенное основание – **завязь (D_3)**, которая показана на рисунке в разрезе, где в завязи видны **семязачатки (D_4)**.

Мы изучили основные репродуктивные структуры цветка и теперь перейдем к левой части таблицы, по которой рассмотрим развитие мужской репродуктивной клетки — пыльцевого зерна. Продолжайте чтение и раскрашивайте рисунки.

Посмотрите на верхнюю левую часть рисунка. В пыльнике (C_1) тычинки происходит мейоз и образуется несколько **микроспор (E)**. Как только эти микроспоры сформировались, они делятся путем митоза и превращаются в **пыльцевые зерна (F)**, которые являются мужскими гаметофитами. Пыльцевые зерна вступают в контакт с рыльцем и удерживаются там ее липким веществом (показано внизу слева). Пыльцевое зерно формирует **пыльцевую трубку (G)**, которая растет и продвигается внутрь рыльца и столбика. **Спермии (L)** пыльцевых зерен проникают в трубку и двигаются по направлению к семязачаткам.

Теперь посмотрим на правую часть таблицы, где мы видим развитие женского гаметофита — яйцеклетки. Здесь мы также увидим результат слияния спермия и яйцеклетки у цветкового растения. Продолжайте читать и раскрашивайте рисунки.

События, происходящие в завязи (D_3), приводят к развитию женской половой клетки. Семязачаток развивается, и одна крупная клетка путем мейоза продуцирует четыре **мегаспоры (H)**. Три из них дегенерируют, а выжившая мегаспора в процессе митоза производит несколько **женских гамет (I)**. Одна из них становится **яйцеклеткой (J)**, а другая – **центральной клеткой (K)**, остальные клетки отмирают. Теперь женская гамета готова к оплодотворению.

Пыльцевая трубка растет вниз к семязачаткам, и два спермия участвуют в двойном оплодотворении. Один спермий сливается с яйцеклеткой (J), образуя **зиготу (M)**, а второй спермий соединяется с двумя ядрами центральной **клетки (K)**, образуя клетку **эндосперма (N)**. Клетка эндосперма содержит три набора хромосом – триплоид (3N). И зигота, и эндосперм находятся внутри зародышевого мешка.

На этой стадии продолжается обычное развитие. Зигота становится **зародышем (O)**, который является в этот момент зачатком растения, т. е. молодым спорофитом. Клетка эндосперма становится **тканью эндосперма (P)**, которая обеспечивает питательными веществами зародыш. Вскоре наружный слой клеток семязачатка образует **семенную кожуру (Q)**, закрывающую эндосперм и зародыш. **Семя (R)** состоит из запасающей ткани (эндосперм), зародыша и семенной кожуры. Зародыш продолжает поглощать эндосперм, получая питательные вещества, необходимые для своего развития. Наконец семя прорастает и появляется новый **росток (S)**.

ЖИЗНЕННЫЙ ЦИКЛ ЦВЕТКОВОГО РАСТЕНИЯ

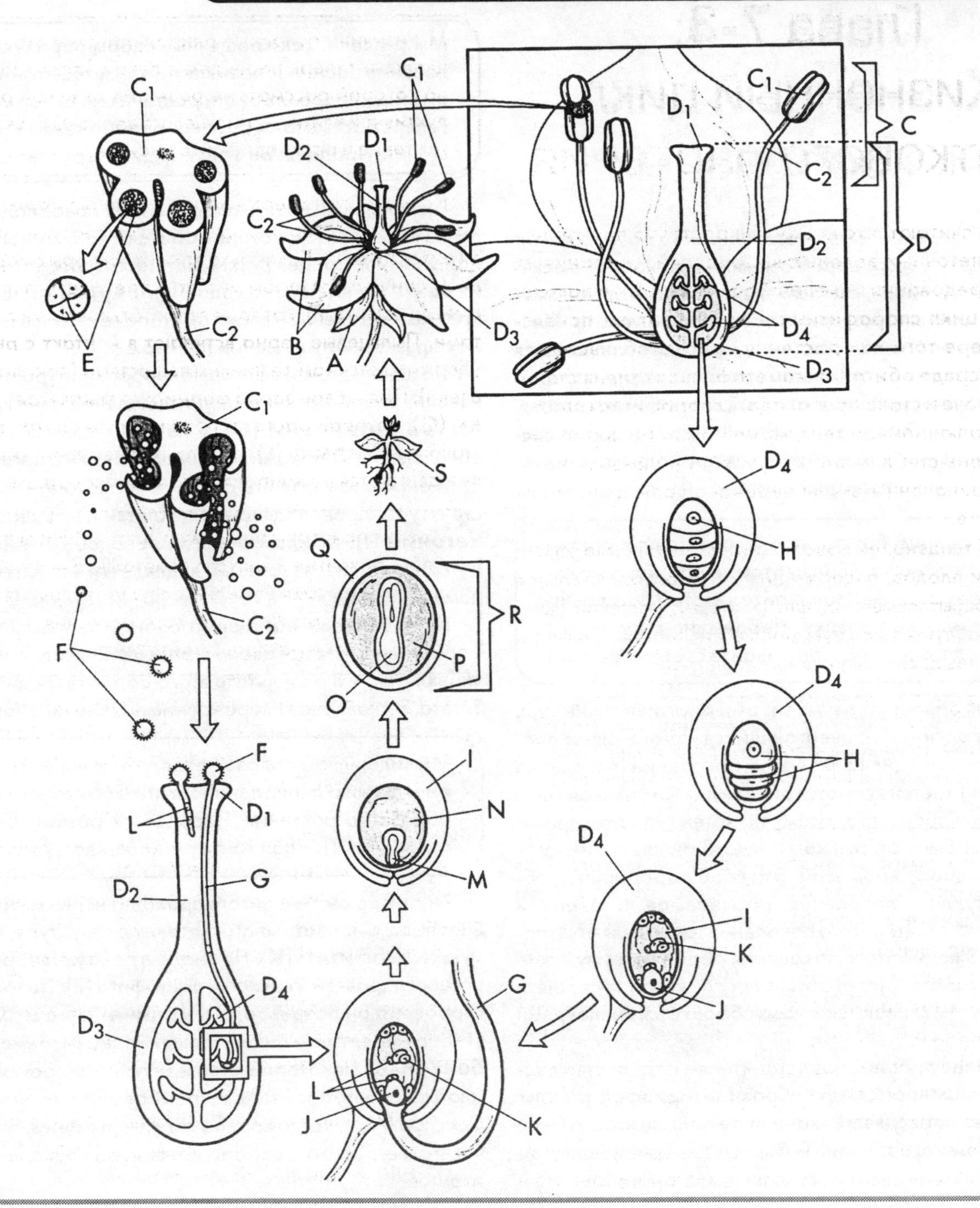

Жизненный цикл цветкового растения

Чашелистики	A	Завязь	D_3	Спермий	L
Лепестки	B	Семязачаток	D_4	Зигота	M
Тычинка	C	Микроспоры	E	Эндосперм	N
Пыльник	C_1	Пыльцевое зерно	F	Зародыш	O
Тычинковая нить	C_2	Пыльцевая трубка	G	Ткань эндосперма	P
Пестик	D	Мегаспоры	H	Семенная кожура	Q
Рыльце	D_1	Женская гамета	I	Семя	R
Столбик	D_2	Яйцеклетка	J	Проросток	S
		Центральная клетка	K		

Глава 7-4: Жизненный цикл мохообразных

Царство растений отличается широким разнообразием видов. Члены этого царства являются эукариотическими, многоклеточными, фотосинтезирующими организмами, клеточные стенки которых состоят из целлюлозы. Жизненный цикл растений содержит две стадии: гаплоидная стадия, в которой каждая клетка обладает одним набором хромосом, и диплоидная, в которой клетки имеют два набора хромосом. Этот жизненный цикл называется чередованием поколений, и мы увидим, как проходит такой цикл на примере жизненного цикла мха.

В этой таблице представлены различные стадии жизненного цикла, через которые проходит мохообразное растение. Начинайте читать и раскрашивать рисунки по порядку. Небольшие структуры с мелкими деталями раскрашивайте светлым цветом.

Растения обладают двумя типами многоклеточных тел в обоих поколениях, подвергающихся изменениям в процессе жизненного цикла. В первом поколении (поколение спорофитов) клетки являются диплоидными (каждая клетка имеет два набора хромосом), но затем растение производит гаплоидные споры, когда в каждой клетке имеется по одному набору хромосом. Эти споры прорастают, образуя следующее поколение, называемое поколением гаметофитов, и клетки этого поколения также являются гаплоидными. В конце этого поколения образуются мужские и женские гаметы (половые клетки), и когда мужские и женские гаметы сливаются, снова образуется диплоидный спорофит.

К наиболее простым представителям подцарства высших растений относятся мохообразные (бриофиты). У этих растений нет проводящей ткани, и считается, что это были первые наземные растения. Большинство бриофитов обитают рядом с водой, и к ним относятся, например, печеночники.

Начинаем изучение жизненного цикла мха с набора **спор (A)**. Раскрасьте точками эти гаплоидные клетки.

Первой стадией поколения гаметофитов является **протонема (B)**. Справа на схеме видно, как протонема появляется из споры и растет до тех пор, пока не начнет развиваться **почка гаметофита (C)**. Наконец, из этой почки появляются крупные, покрытые листьями растения. Некоторые из этих растений являются **мужскими гаметофитами (D)**, а другие – **женскими (E)**, но все их клетки являются гаплоидными. Несколько отростков, похожих на корни и называемых **ризоидами (F)**, закрепляют растение и впитывают из почвы воду и минеральные вещества.

Мы увидели, как крошечные споры образуют гаплоидные растения, называемые гаметофитами, и что ризоиды закрепляют эти растения на поверхности. Теперь рассмотрим процесс размножения этих растений. Продолжайте раскрашивать рисунки.

В жизненном цикле мохообразных преобладает поколение гаметофитов, которые обитают во влажной или водной внешней среде. У мхов нет настоящих корней, и для их размножения нужна вода. Поэтому они часто встречаются на затемненной влажной стороне стволов деревьев и на сырых тенистых лесных полянах.

Поколение гаметофитов мохообразного растения производит овальные спермопроизводящие структуры, называемые **антеридии (G)**, в которых содержатся сотни обладающих жгутиками подвижных **сперматозоидов (H)**.

Женские гаметофиты образуют похожие на бутылочки структуры, производящие яйцеклетки и называемые **архегонии (I)**. Каждый архегоний содержит **яйцеклетку (J)**. И сперматозоиды, и яйцеклетки являются гаплоидами.

При размножении сперматозоиды проплывают в воде к архегонию, как показано стрелкой. Они оплодотворяют яйцеклетки, и в результате этого образуется диплоидная зигота. Это означает зарождение поколения спорофитов.

Мы видели, что половое оплодотворение приводит к появлению диплоидной зиготы в архегонии мохообразного растения. Перейдем к развитию этого поколения. Продолжайте раскрашивать рисунки.

Внутри архегония зигота проходит через митоз и начинает продуцировать многоклеточную структуру, называемую **спорофитом (K)**. На рисунке показан спорофит, выросший из завязи женского гаметофита (E). По мере роста спорофита он развивается в **удлиненную ножку (M)**, которая имеет на конце утолщение, называемое **коробочкой (L)**. Некоторые клетки внутри коробочки подвергаются мейозу, производя огромное количество гаплоидных спор (A), и, когда коробочка раскрывается, споры разносятся ветром. Готово зародиться новое поколение гаметофитов.

ЖИЗНЕННЫЙ ЦИКЛ МОХООБРАЗНЫХ

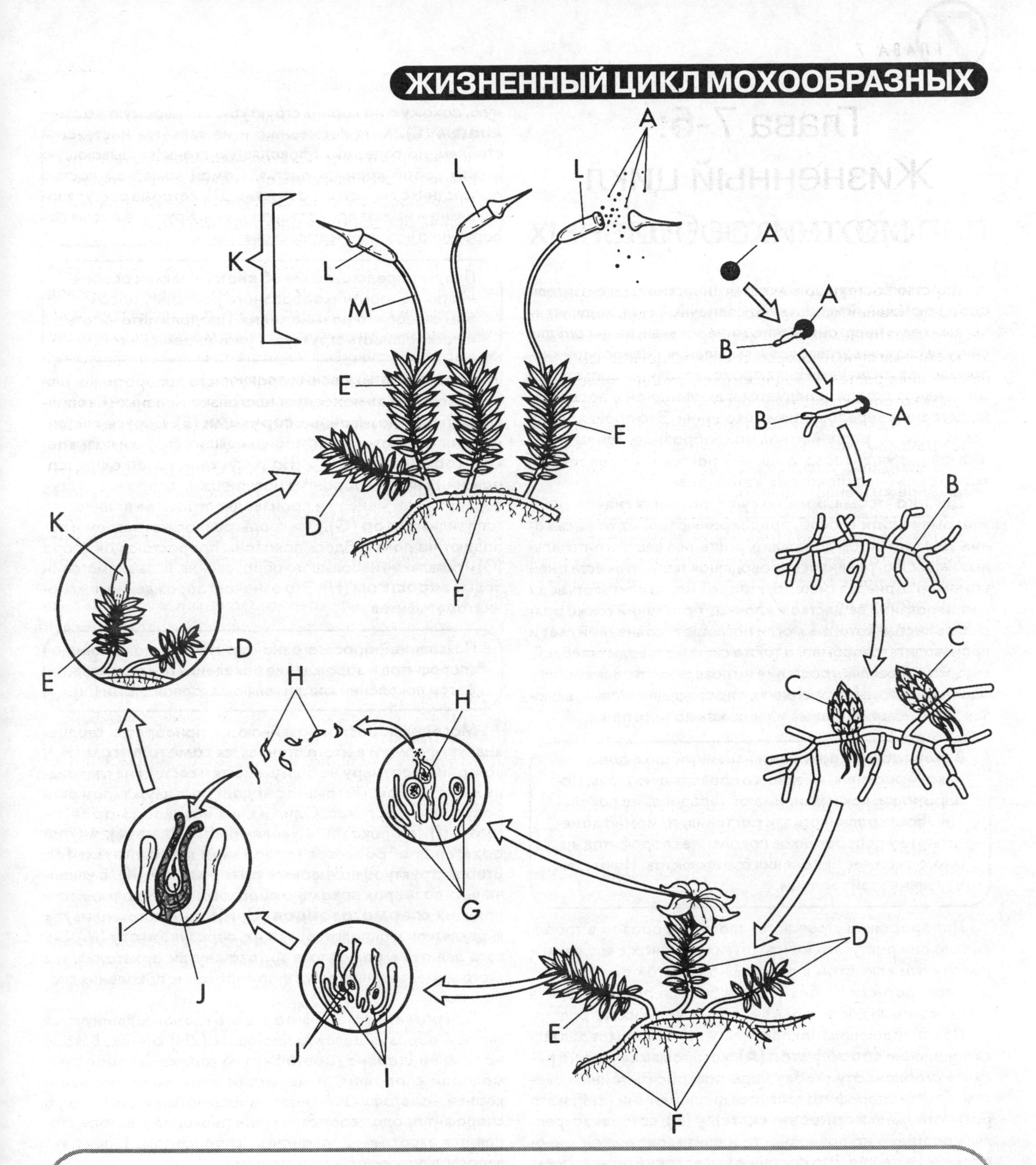

Жизненный цикл мохообразных

Спора .... A	Женский гаметофит ...... E	Яйцеклетка .... J
Протонема .... B	Ризоиды .... F	Спорофит .... K
Почка гаметофита C	Антеридий .... G	Коробочка L
Мужской гаметофит ...... D	Сперматозоиды .... H	Ножка .... M
	Архегоний I	

Глава 7-5: Жизненный цикл папоротникообразных

Фотосинтезирующие эукариотические представители царства растений используют солнечный свет, воду, углекислый газ и неорганические минеральные вещества для синтеза сложных углеводов и выделения в атмосферу кислорода. Их жизненный цикл проходит таким образом, что гаплоидная стадия чередуется с диплоидной в процессе, называемом чередованием поколений. Это происходит у таких простых растений, как мохообразные, как вы видели в предыдущей главе, а также у растений с проводящей тканью, как будет показано в этой главе.

Для того чтобы выжить на суше, растения сначала должны были найти способ, предохраняющий их от высыхания. Для того чтобы доставлять растению влагу и питательные вещества, развилась проводящая ткань, а вместе с ней возникла корневая система, которая могла впитывать воду и минеральные вещества из почвы. У растений также развились листья, которые могли поглощать солнечный свет и производить газообмен, а также система твердых стеблей, которая закрепляла растение на поверхности. Все эти типы адаптации видны на растениях с проводящей тканью, включая и такие примитивные из них, как папоротники.

В этой таблице показан жизненный цикл папоротника — растения, имеющего проводящую ткань. Папоротники, как и мхи, имеют чередование поколений. Если сравнивать эти растения, то можно заметить, что у папоротников поколение спорофитов намного сложнее поколения гаметофитов. Начинаем изучение этой таблицы.

Папоротники встречаются главным образом в тропиках, но они растут также и в других районах с влажным и умеренным климатом в лесах и на берегах рек. Некоторые папоротники по размеру не больше пальца, но есть такие, которые достигают в высоту нескольких метров.

Преобладающим поколением у папоротников является поколение **спорофитов (A)**, которое выделено на рисунке скобкой. Эту скобку надо раскрасить темным цветом. Клетки спорофита являются диплоидными (2N), и это растение имеет **корневую систему (B)**, которая закрепляет растение на поверхности и впитывает воду и минеральные вещества. Это растение имеет также горизонтальную, похожую на корень структуру, называемую **корневищем (C)**. Хотя корневище и не является настоящим стеблем, но содержит проводящую ткань, связывающую между собой корни и листья. Самой заметной частью папоротника являются его **листья (D)**, которые растут вертикально и имеют проводящую ткань. Крупные листья папоротника называются плосковетками.

Получив представление об анатомических особенностях папоротникообразного растения, рассмотрим способ его размножения. Продолжайте читать и раскрашивать структуры, упоминаемые в тексте.

Рассмотрим нижнюю сторону листа папоротника, или плосковетки, где находится несколько маленьких коричневых пятен, называемых **сорусами (E)**. Сорусы состоят из группы образований, производящих споры и называемых **спорангиями (F)**. (На рисунке показан один спорангий.) Внутри спорангия материнские споровые клетки подвергаются мейозу и производят огромное количество гаплоидных **спор (G)**. Эти споры разносятся ветром и попадают на почву. Здесь показаны прорастающая спора (G) и появление небольшого образования, называемого молодым **заростком (H)**. Это означает зарождение поколения гаметофитов.

Появление заростка означает начало поколения спорофитов и зарождение поколения гаметофитов. В этом поколении клетки являются гаплоидными (N).

Молодые заростки развиваются, приобретая сердцевидную форму и в итоге становятся **гаметофитом (H_1)**, который по размеру не больше ногтя и состоит из гаплоидных клеток. Зрелый гаметофит дает рост двум типам репродуктивных органов. Один из них называется **архегонием (I)** (он показан в увеличенном размере), внутри архегония образуется гаплоидная **яйцеклетка (J)**. Вторая структура называется **антеридием (K)**. В увеличенных размерах показано образование нескольких гаплоидных **сперматозоидов (L)**, которые потом плывут к яйцеклеткам и оплодотворяют их, образуя **зиготу (M)**. Зигота делится в результате митоза внутри архегония, и с этого момента начинается формирование поколения спорофитов.

При развитии спорофита все его клетки подвергаются митозу, образуя массу диплоидных (2N) клеток. Вскоре на нижней стороне гаметофита из архегония вырастает молодой спорофит, и мы видим появление листьев и корней. Гаметофит начинает сморщиваться и отмирает, а спорофит продолжает свое существование и вскоре становится взрослым диплоидным спорофитом. Теперь это взрослое папоротниковое растение.

Жизненный цикл папоротникообразных

Спорофит	A	Сорус	E	Архегоний	I
Корни	B	Спорангий	F	Яйцеклетка	J
Корневище	C	Спора	G	Антеридий	K
Листья (плосковетки)	D	Заросток	H	Сперматозоиды	L
		Гаметофит	H_1	Зигота	M

ЖИЗНЕННЫЙ ЦИКЛ ПАПОРОТНИКООБРАЗНЫХ

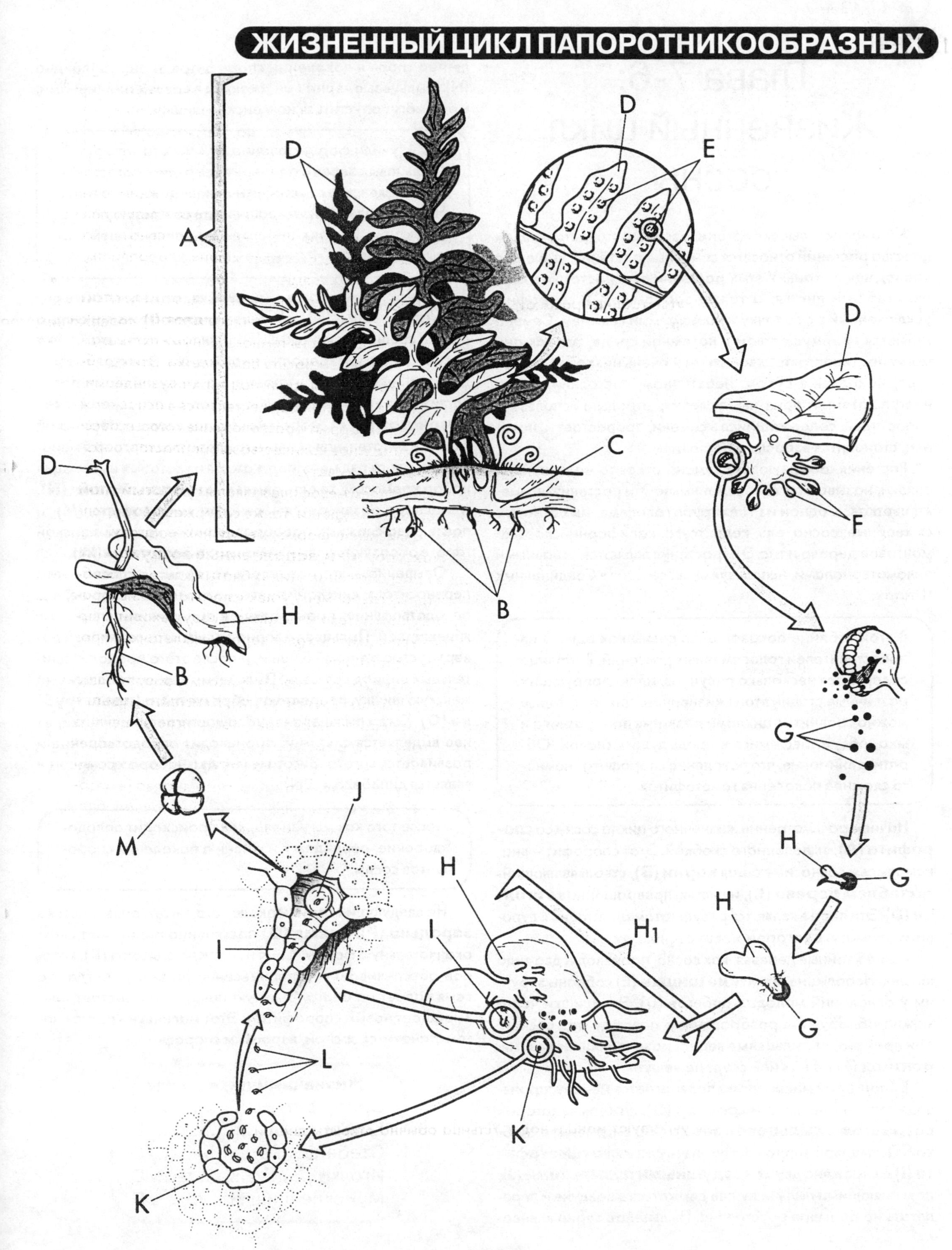

Глава 7-6: Жизненный цикл сосны

К наиболее высокоорганизованным представителям царства растений относятся семенные растения, имеющие проводящую ткань. У этих растений есть настоящие корни, стебли и листья, а также зародышевый спорофит, заключенный в оболочку и называемый семенем. Семена являются преимуществом в наземной среде, так как они могут противостоять сквознякам и очень низкой температуре, находясь в сухом, неактивном, состоянии. Когда наступают благоприятные условия, зародыш использует запас пищи, содержащийся в семени, прорастает и, наконец, становится взрослым растением.

Растения, образующие семена открыто на чешуйках шишки, называются голосеменными. Эти растения не имеют цветков. К одной из трех групп голосеменных относятся хвойные: сосна, ель, кедр, тсуга, калифорнийское мамонтовое дерево и тис. Эти растения являются основными пиломатериалами, используемыми сегодня в Соединенных Штатах.

В этой таблице показан цикл сосны как одного из представителей голосеменных растений. В таблице содержится несколько рисунков, иллюстрирующих различные стадии этого жизненного цикла, которые можно сравнить с циклами развития папоротника и мха, обсуждавшимися в предыдущих главах. Обратите внимание, что поколение спорофитов намного сложнее поколения гаметофитов.

Начнем рассмотрение жизненного цикла сосны со **спорофита (A)**, выделенного скобкой. Этот спорофит – знакомая всем сосна, имеющая **корни (B)**, ствол, являющийся **стеблем дерева (C)**, и листья, превращенные в **иголки (D)**. Эти листья являются результатом адаптации к суровому климату, в котором живет сосна.

Такие хвойные деревья, как сосна, производят два вида шишек. Небольшие **мужские шишки (E)** собраны в группы у оснований молодых побегов (D). Эти шишки часто можно обнаружить разбросанные повсюду под сосной, они производят пыльцевые зерна, развивающиеся в **спорангиях (F)** на нижней стороне чешуек.

В спорангии микроспора подвергается мейозу, производя ряд гаплоидных **микроспор (G)**, каждая из которых развивается в **пыльцевое зерно (H)**, выделенное скобкой. Пыльцевое зерно состоит из **мужского гаметофита (I)** и снабжено двумя **воздушными пузырьками (J)**, позволяющими пыльце лучше держаться в воздухе и перелетать на большое расстояние. Пыльцевое зерно эквивалентно споре в поколении спорофитов, и оно гаплоидно (N). Пыльцевые зерна выпускаются в воздух миллионами, и они могут опуститься на женские шишки.

Мы изучили формирование мужских гаметофитов (пыльцевых зерен), а теперь посмотрим, как производятся женские гаметофиты в шишках второго типа. Читайте дальше и раскрашивайте соответствующие структуры. В целях простоты мы опустили некоторые детали.

Вторым типом сосновой шишки является **женская семенная шишка (K)**; на нашем рисунке показана одна шишка среди листьев сосны (D). Для того чтобы эта шишка достигла половой зрелости, необходимы три года, а оплодотворение происходит позже, на следующий год после достижения этого возраста. Семенная шишка содержит **семязачаток (L)**, в котором находится спора материнской клетки и питательная ткань. Эта спора подвергается мейозу, производя ряд мегаспор, каждая из которых имеет один набор хромосом, то есть они являются **гаплоидами (N)**. Мегаспора развивается в женском **гематофите (M)**, и после ряда сложных преобразований в каждой женской гамете образуются две или больше **яйцеклетки (N)**.

Опыление – это процесс, в котором мужская гамета переносится к женской гамете, но это не то же самое, что оплодотворение, происходящее при слиянии спермия с яйцеклеткой. Пыльцевое зерно захватывается липкой поверхностью женской шишки, и после этого проходит длительный период времени. Пыльцевые зерна, попавшие на женскую шишку, прорастают, образуя **пыльцевые трубки (O)**. Когда пыльцевая трубка достигает яйцеклетки, из нее выделяется спермий, происходит оплодотворение и развивается зигота. Зигота имеет два набора хромосом и является диплоидом (2N).

После того как мы узнали, как происходит оплодотворение, перейдем к изучению поколения спорофитов сосны.

На следующий год или около того зигота развивается в **зародыш (P)**, и **семя (Q)** постепенно принимает свою окончательную форму. Семя имеет **крылышко (R)**, которое обеспечивает его перенесение по ветру. Когда это семя падает на благоприятную почву и прорастает, оно вырастает новым спорофитом. Этот маленький росток затем становится сосной, взрослым спорофитом.

Жизненный цикл сосны

Спорофит .... A
Корни .... B
Стебель C
Иголки .... D
Мужские шишки .... E

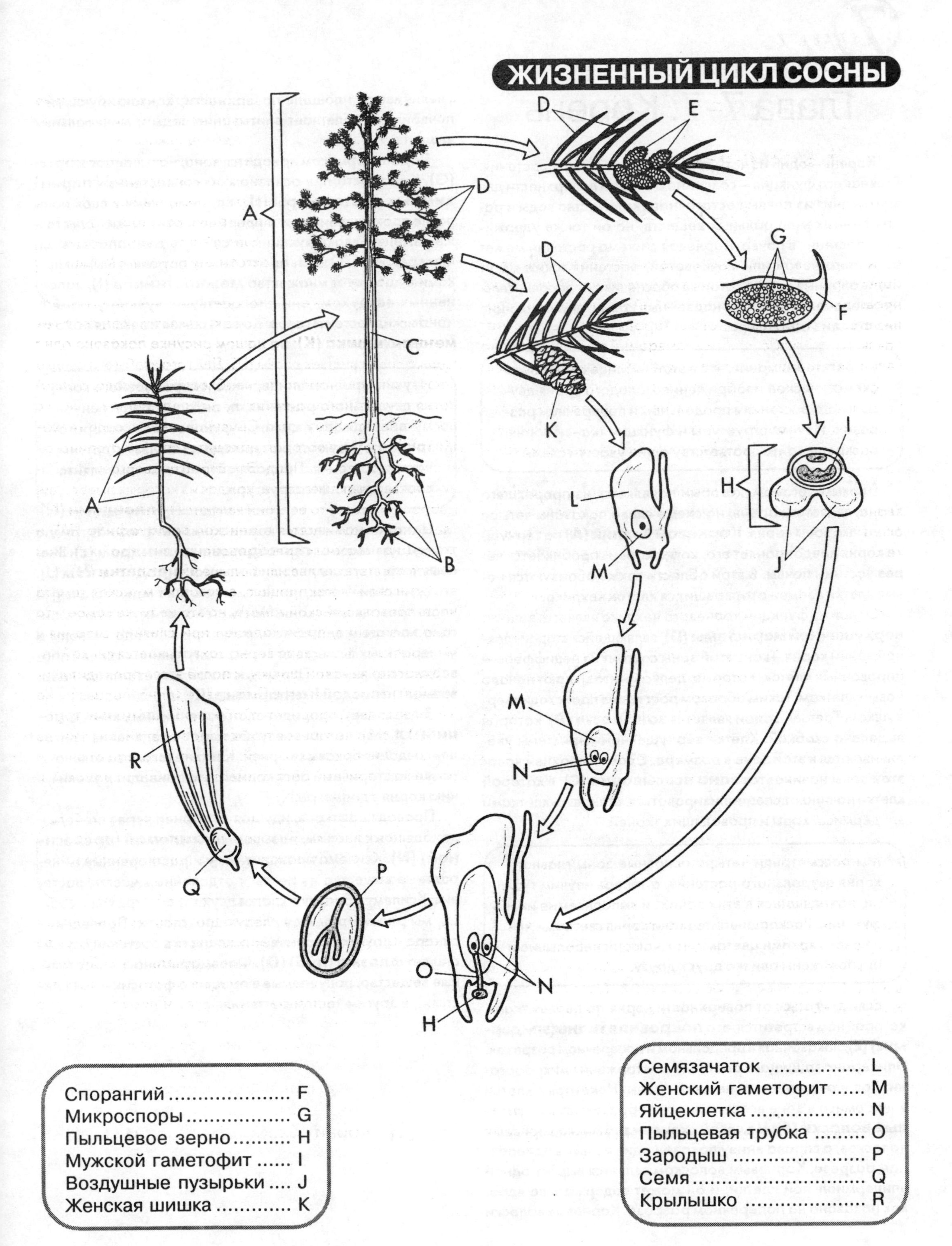
ЖИЗНЕННЫЙ ЦИКЛ СОСНЫ
A
B
C
D
E
F
G
H
I
J
K
L
M
N
O
P
Q
R
Спорангий .... F
Микроспоры .... G
Пыльцевое зерно.......... H
Мужской гаметофит I
Воздушные пузырьки .... J
Женская шишка .... K
Семязачаток L
Женский гаметофит...... M
Яйцеклетка .... N
Пыльцевая трубка .... O
Зародыш .... P
Семя .... Q
Крылышко .... R

Глава 7-7: Корень

Корень – один из четырех основных органов растения. Главная его функция – создание большой поверхности для впитывания из почвы достаточного количества воды и растворенных минеральных веществ, но он также удерживает растения в почве. Корневая система растений может быть стержневой или мочковатой, растения также могут иметь опорные корни, которые обеспечивают дополнительную поддержку, а также надземные корни, поглощающие кислород из атмосферы.

Обратите внимание, что в этой таблице содержится схематическое изображение молодого корня двудольного растения в продольном и поперечном разрезах. Изучая структуры и функции тканей корня, раскрашивайте соответствующие участки схемы.

Первым органом, который появляется из проросшего зерна, является корень, на схеме слева показаны четыре основные зоны корня. **Корневой чехлик (A)** на верхушке корня предохраняет его, когда корень пробивается через частицы почвы. В этой области также образуются новые клетки взамен оторвавшихся клеток чехлика.

Одной из функций корневого чехлика является защита **верхушечной меристемы (D)**, являющейся второй главной зоной корня. Ткань этой зоны состоит из недифференцированных клеток, которые, делясь (митоз), дают начало новым клеткам. Таким образом рост корня происходит верхушкой. Третьей зоной является **зона роста (B)**, которая выделена скобкой. Клетки верхушечной меристемы увеличиваются в этой зоне в размере. С самой верхней части этой зоны начинается **зона всасывания (C)**, в которой клетки начинают специализироваться, становясь клетками эпидермиса, коры и проводящих тканей.

Мы рассмотрели четыре основные зоны главного корня двудольного растения, а теперь изучим ткани, находящиеся в этих зонах, и выполняемые ими функции. Раскрашивайте ткани корня светлыми или не очень яркими цветами, так как они небольшие и расположены близко друг к другу.

Если двигаться от поверхности корня, то первая ткань, которая нам встретится, это **покровная ткань (эпидермис) (E)**, показанная в продольном и поперечном разрезах. Эпидермис защищает растение от вторжения микроорганизмов и от давления внешней среды. Некоторые клетки эпидермиса в зоне всасывания преобразуются в **корневые волоски (F)**. На левой схеме видно много корневых волосков, а справа внизу показан один из них в поперечном разрезе. Корневым волоском является вырост одной эпидермальной клетки, и он может содержать ее ядро, как показано на поперечном разрезе. Корневые волоски увеличивают площадь поверхности, контактирующей с почвой, что облегчает впитывание воды и минеральных веществ.

Под эпидермисом находится зона, называемая **корой (G)**. Кора состоит, в основном, из тонкостенных **паренхимных клеток коры (H)**, принимающих в себя ионы после прохождения ими эпидермиса. Эти клетки могут также изменять свою функцию и служить для запасов воды или крахмала. Отметьте, что между паренхимными клетками существует множество **межклетников (I)**, заполненных воздухом; они способствуют лучшему обмену ионов, жидкостей и газов. Кора – самая большая область молодого корня.

Изучив строение эпидермиса и коры главного корня двудольного растения, переходим к внутреннему проводящему цилиндру, по сосудам которого транспортируются материалы из почвы к другим частям растения. Продолжайте читать и выделяйте соответствующие структуры.

Центральное место в корне занимает сложная группа тканей, называемая **проводящим цилиндром (L)**. Внешняя часть этого цилиндра называется **эндодермисом (J)**, это один слой клеток, полностью покрывающий остальную часть проводящей ткани. Часть стенок этих клеток пропитана восковым веществом, регулирующим поток воды и минеральных веществ от коры до внутренних тканей проводящего цилиндра. Это вещество образует кольцо, называемое **полоской Каспариана (K)**.

За эндодермисом идет слой паренхимных клеток, **перицикл (M)**, который осуществляет разделение клеток для создания боковых корней. Клетки этого слоя отвечают также за вторичный рост корней, что приводит к увеличению корня в диаметре.

Проводящая ткань, идущая от корней через стебель и доходящая к листьям, называется **ксилемой (древесиной) (N)**. Ксилема проводит воду и растворенные минеральные вещества из почвы к отдаленным частям растения. Ксилему образуют клетки двух типов – трахеи и сосуды, мы рассмотрим их в следующих главах. Проведение сахара и других органических веществ в растении осуществляет **флоэма (луб) (O)**. Флоэма переносит питательные вещества, получаемые в процессе фотосинтеза (в листьях), к другим частям растения.

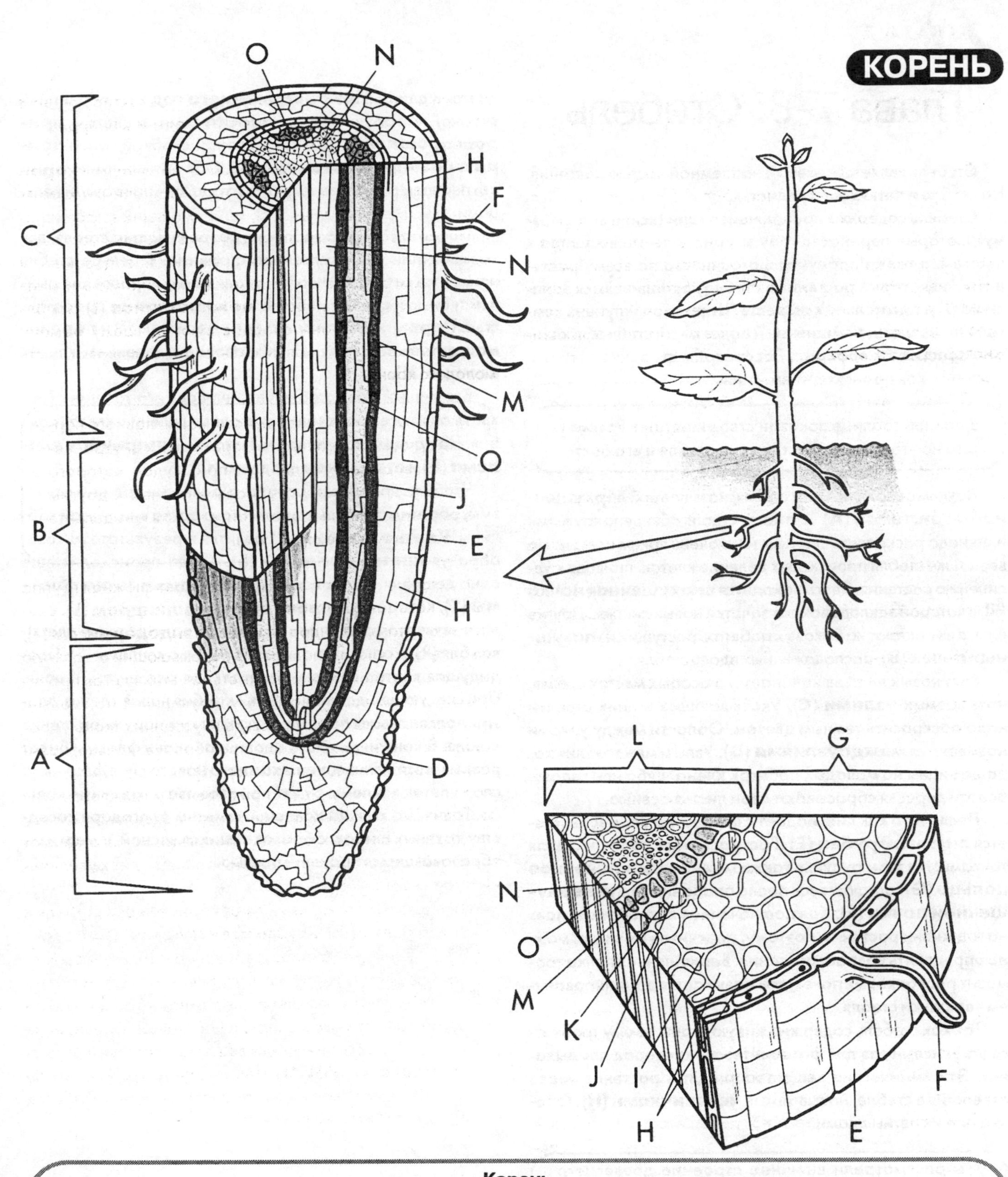

Корень

Корневой чехлик .... A
Зона роста .... B
Зона всасывания C
Верхушечная меристема .... D
Эпидермис .... E
Корневой волосок .... F
Кора .... G
Паренхимные клетки коры .... H
Межклетник I
Эндодермис .... J
Полоска Каспариана ..... K
Проводящий цилиндр ... L
Перицикл .... M
Ксилема (древесина) .... N
Флоэма (луб) .... O

Глава 7-8: Стебель

Стебель является главной надземной частью растения. На стебле и ветвях растут листья.

Стебель содержит проводящие ткани (ксилему и флоэму), которые переносят воду и минеральные вещества к листьям, а также продукты фотосинтеза по всему растению. У некоторых растений в стебле накапливаются запасы воды и питательных веществ. Например, клубень картофеля – это видоизмененный подземный стебель, в котором запасается крахмал. Рассмотрим строение стебля и обсудим, как происходит его рост.

В данной таблице показан ствол каштана. Рассмотрим на этом примере строение стебля и его рост.

Начнем с верхней части стебля, называемой **верхушечной меристемой (A)**. Эта часть стебля обведена кружком, и ее надо раскрасить светлым и не очень ярким цветом. На верхушке стебля происходит деление клеток, приводя к удлинению растения. Здесь находится **верхушечная почка (F)**, в которой закладываются зачатки новых листьев. Другие листья вырастают на боковых побегах, растущих из **пазушных почек (B)**, расположенных вдоль стебля.

Рост новых листьев начинается в особых местах стебля, называемых **узлами (C)**, указывающие на них стрелки надо раскрасить темным цветом. Области между узлами называются **междоузлиями (D)**. Узлы и междоузлия хорошо видны на молодых побегах клена, дуба или тополя. Все эти деревья сбрасывают свои листья осенью.

После того как лист падает с дерева, на его месте остается **листовой рубец (E)**. Раскрасьте эти области стебля точками. На этом рисунке также можно видеть **почечное кольцо (G)**, остающееся после опадания чешуй **верхушечной почки (F)**. Каждое почечное кольцо указывает на год жизни растения, поэтому, подсчитав их число, можно определить возраст растения. Верхушечная почка тормозит рост боковых почек, это называется доминированием верхушки стебля.

Так как стебель содержит живую ткань, то ему требуется углекислый газ для фотосинтеза и кислород для дыхания. Эти химические вещества входят в растение через отверстия в стебле, называемые **чечевичками (H)**. Обозначьте их пятнышками.

Мы рассмотрели внешнее строение древесного стебля, а теперь посмотрим, как происходит его рост и изучим внутреннее строение. Стебель в нашем примере принадлежит двудольному растению, и его строение характерно для всех двудольных. Продолжайте чтение и раскрашивайте рисунки.

У двудольного древесного растения рост стебля начинается в верхушечной почке; при этом растение увеличивается в длину. **Прирост текущего года (I)** обозначен скобкой, которую надо раскрасить темным цветом; **прирост прошлого года (J)** – второй скобкой, как и **прирост позапрошлого года (K)**. Обратите внимание, что эти периоды роста разделяются рубцами – почечными кольцами.

Посмотрите на продольный разрез участка стебля, показывающий его внутреннее строение. В центре стебля находится **сердцевина (L)**; сердцевина образована рыхлой тканью и содержит большое межклеточное пространство. **Первичная ксилема (древесина) (N)** и **первичная флоэма (луб) (O)** образованы делением клеток **камбия (M)**.

Вторичный рост стебля увеличивает его толщину (обхват), он также происходит благодаря делению клеток камбия. На продольном разрезе показаны **вторичная ксилема (P)** и **вторичная флоэма (Q)**.

Чтобы подробнее рассмотреть развитие ксилемы и флоэмы, обратимся к схеме вторичного роста внизу этой таблицы. **Клетка камбия (R)** делится в результате митоза, образуя **клетку ксилемы (S)**. Когда происходит еще одно деление клетки камбия, получается **клетка флоэмы (T)**, которая сдвигается наружу.

В четвертом ряду произошло еще одно деление клетки камбия (R), и опять образовалась клетка ксилемы (S). Предыдущая клетка ксилемы подталкивается внутрь стебля. При следующем делении клетки камбия новая клетка флоэмы подталкивает предыдущую клетку к наружной стенке стебля. В конечном итоге первичная ткань флоэмы будет разрываться с появлением каждого нового слоя флоэмы, а слои клеток ксилемы будут образовывать годичные кольца. Годичные кольца ксилемы заметны благодаря соседству крупных клеток, образовавшихся весной, и мелких – образовавшихся прошлой осенью.

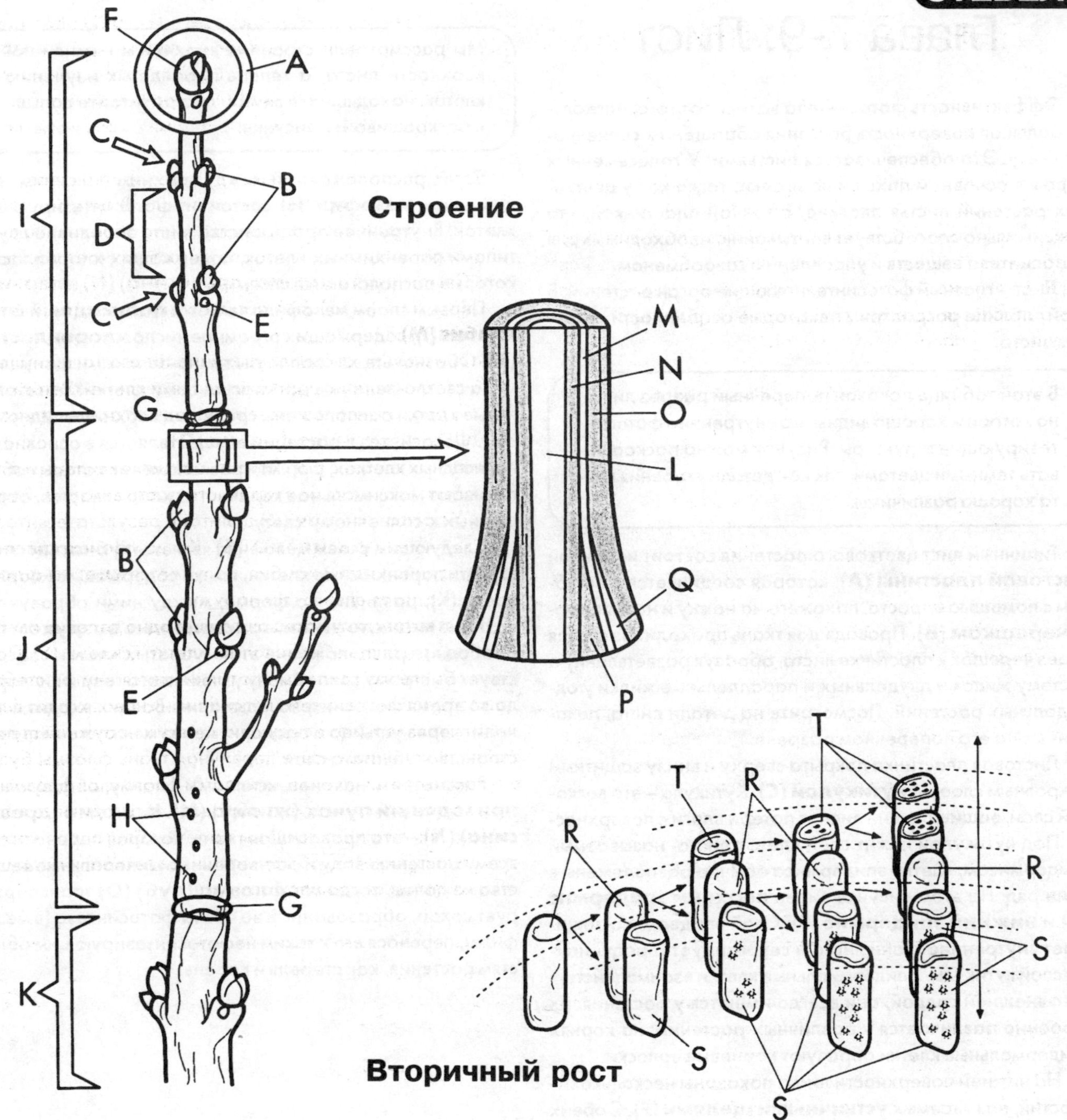

Стебель

Верхушечная меристема .... A	Чечевички .... H	Камбий .... M
Пазушные почки........... B	Прирост текущего года I	Первичная ксилема .... N
Узел C	Прошлогодний прирост .... J	Первичная флоэма........ O
Междоузлие .... D	Прирост позапрошлого года .... K	Вторичная ксилема .... P
Рубец листа .... E	Сердцевина L	Вторичная флоэма .... Q
Верхушечная почка .... F		Клетка камбия .... R
Почечное кольцо .... G		Клетка ксилемы .... S
		Клетка флоэмы .... T

Глава 7-9: Лист

Эффективность фотосинтеза зависит от того, насколько большая поверхность растения обращена к солнечному свету. Это обеспечивается листьями. У голосеменных листья в основном похожи на иголки, тогда как у цветковых растений листья плоские, с тонкой пластинкой, что максимально способствует впитыванию необходимых для фотосинтеза веществ и управлению газообменом.

Лист – главный фотосинтезирующий орган растений. В этой таблице рассмотрим некоторые особенности строения листа.

В этой таблице показан поперечный разрез листа, на котором хорошо видны его внутренние фотосинтезирующие структуры. Рисунок можно раскрашивать темными цветами, так как детали строения листа хорошо различимы.

Типичный лист цветкового растения состоит из тонкой **листовой пластины (A)**, которая соединяется со стеблем с помощью выроста, похожего на ножку и называемого **черешком (B)**. Проводящая ткань проходит из стебля через черешок к пластинке листа, образуя разветвленную систему жилок у двудольных и параллельные жилки у однодольных растений. Посмотрите на детали листа, показанные на его поперечном разрезе.

Листовая пластинка покрыта сверху и внизу защитным покровным слоем – **кутикулой (C)**. Кутикула – это восковой слой, защищающий лист от потери влаги с поверхности. Под кутикулой лежит слой клеток листа, называемый эпидермисом; клетки эпидермиса обычно расположены в один ряд. На этом рисунке виден **верхний эпидермис (D)** и **нижний эпидермис (E)**. Слой эпидермиса защищает внутренние ткани листа и секретирует (продуцирует) слой кутикулы. Эпидермиальные клетки взаимодействуют с внешней средой, они всегда имеются у растения; их строение различается у различных растений, на корнях эпидермальные клетки образуют корневые волоски.

На нижней поверхности листа показаны несколько отверстий, называемых **устьичными щелями (F)**. С обеих сторон каждой устьичной щели располагаются две **замыкающие клетки (G)**. Эти клетки образованы из эпидермальных клеток, и их надо раскрасить темным цветом. Устьица способствуют диффузии углекислого газа, кислорода и водяных паров в лист и наружу. Газообмен должен происходить постоянно для того, чтобы осуществлялся фотосинтез. Открывание и закрывание устьичных щелей регулируется сложными химическими реакциями, в которых участвуют ионы и вода. Устьица обычно открыты днем и закрыты ночью. Одна из устьичных щелей показана в увеличенном размере внизу справа. Обратите внимание, что устьичные щели имеются преимущественно на нижней поверхности листа.

Мы рассмотрели строение верхней и нижней поверхности листа, а теперь перейдем к изучению клеток, находящихся внутри листа. Читайте дальше и раскрашивайте рисунки.

Слой, расположенный между верхним и нижним эпидермисом, **мезофил (H)**, состоит из фотосинтезирующих клеток. Внутреннее пространство листа заполнено двумя типами паренхимных клеток, содержащих хлоропласты, которые располагаются слоями.

Первым слоем мезофила является **палисадный слой клеток (I)**, содержащих огромное число **хлоропластов (K)**. Обозначьте хлоропласты темно-зелеными пятнышками, а светло-зеленым раскрасьте сами клетки. Эти столбчатые клетки расположены сразу под верхним эпидермисом. Фотосинтез в растении осуществляется в основном в палисадных клетках, форма и расположение которых обеспечивают максимальное количество хлоропластов, обращенных к солнечному свету.

Следующим слоем мезофила является **губчатый слой (J)**. Эти паренхимные клетки, также содержащие хлоропласты (K), различны по форме, между ними образуются крупные **межклетники, заполненные воздухом (L)**. Свободное расположение этих губчатых клеток способствует быстрому газообмену углекислого газа и кислорода во время фотосинтеза и дыхания. Воздух входит и выходит через устьица и проходит через межклеточное пространство губчатого слоя.

Рассмотрим, наконец, ксилему и флоэму, образующие **проводящий пучок (жилку) (M)**. **Ксилема (древесина) (N)** – это проводящая ткань, которая переносит по всему растению воду и растворенные минеральные вещества из почвы, тогда как **флоэма (луб) (O)** транспортирует сахар, образованный во время фотосинтеза (в мезофиле), перенося его к таким нефотосинтезирующим областям растения, как стебель и корень.

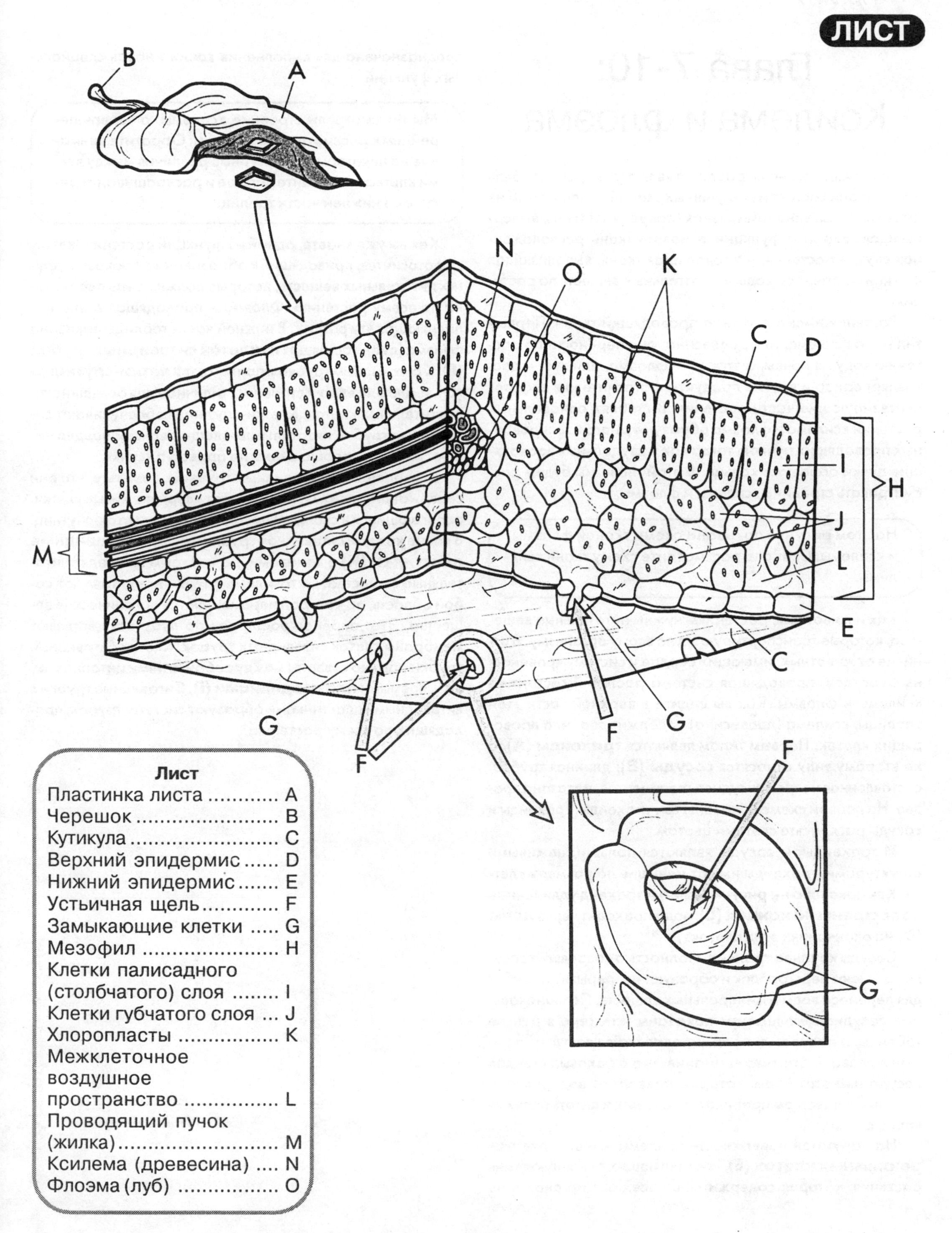

A
B
C
D
E
F
G
H
I
J
K
L
M
N
O
Лист
Пластинка листа .... A
Черешок .... B
Кутикула C
Верхний эпидермис ...... D
Нижний эпидермис .... E
Устьичная щель .... F
Замыкающие клетки ..... G
Мезофил .... H
Клетки палисадного (столбчатого) слоя I
Клетки губчатого слоя ... J
Хлоропласты .... K
Межклеточное воздушное пространство L
Проводящий пучок (жилка) .... M
Ксилема (древесина) .... N
Флоэма (луб) .... O

Глава 7-10: Ксилема и флоэма

Главными органами растения являются корень, стебель и лист, и они состоят из различных тканей. К некоторым из них относятся: эпидермиальная (покровная) ткань, выполняющая защитные функции, основная ткань, расположенная внутри растения, и проводящая ткань, выполняющая функцию переноса воды и питательных веществ по растению.

Растения имеют два типа проводящей ткани. Первый тип – это ксилема, или древесина, она переносит по растению воду из почвы, а второй – флоэма, или луб, – доставляет сахар и другие продукты фотосинтеза в нефотосинтезирующие части растения. В стеблях однодольных растений ксилема и флоэма образуют много изолированных проводящих пучков, тогда как у двудольных проводящие пучки образуют кольца. В этой главе мы будем рассматривать строение ксилемы и флоэмы.

На этом рисунке показана схема тканей флоэмы и ксилемы. Сначала рассмотрите схему ткани ксилемы.

Как и животным, растениям нужны питательные вещества, которые транспортируются по всему организму. В отличие от животных, имеющих сердце и систему кровеносных сосудов, проводящая система растений состоит из ксилемы и флоэмы. Как вы видите в верхней части этой таблицы, ксилема (древесина) содержит два типа проводящих клеток. Первым типом являются **трахеиды (A)**, а ко второму типу относятся **сосуды (B)**; длинная трубка, составленная из трех сосудистых элементов, показана правее. На правой схеме показаны три трахеиды. Трахеиды и сосуды раскрасьте светлым цветом.

И трахеиды, и сосуды являются полыми, неживыми структурами, трахеиды имеют меньшие по размеру клетки. Как показано на рисунке, клетки трахеид удлиненные и **заострены на концах (C)**; вода проходит через **поры (D)** на окончаниях этих клеток.

Сосуды крупнее трахеид. Полностью созревшие сосуды не имеют перегородок и образуют непрерывную трубку для переноса воды и минеральных веществ. Первоначальные сосудистые элементы показаны на схеме в центре таблицы, а полностью сформировавшийся сосуд – на рисунке слева. Обратите внимание, что в боковых стенках сосуда имеются поры, которые позволяют воде и минеральным веществам проникать через них и питать окружающие клетки.

На наружной поверхности ксилемы имеется ряд **паренхимных клеток (E)**, составляющих основную ткань растения, которая содержится во всех его органах и не предназначена для выполнения каких-нибудь специальных функций.

Мы рассмотрели строение ксилемы, а теперь перейдем к рассмотрению флоэмы. Обратите внимание на некоторые структурные различия между этими клетками. Читайте дальше и раскрашивайте рисунок в нижней части таблицы.

Как вы уже знаете, одной из функций растения является фотосинтез, приводящий к образованию глюкозы и других питательных веществ, которые должны быть перенесены по всему растению. Флоэма – проводящая ткань, выполняющая эту работу. В нижней части таблицы показана флоэма (луб), состоящая из **клеток ситовидных трубок (F)**. К ситовидным трубкам прилегают **клетки-спутницы (G)**, имеющие ядро и строение, типичное для большинства растительных клеток. Клетки-спутницы обеспечивают ситовидные трубки питательными веществами и поддерживают их. Они хорошо видны на правом рисунке.

Возвращаясь к ситовидным трубкам, заметьте, что они содержат цитоплазму, но не имеют ядер; это живые клетки, полагающиеся в своем существовании на клеток-спутниц. В конце каждой ситовидной трубки имеются **ситовидные пластинки (H)** с каналами, по которым проходят питательные вещества. Ситовидные трубки представляют собой область, по которой перемещаются органические вещества. Этот перенос растворов по лубу осуществляют мембраны клеток ситовидных трубок. Клетки ситовидной трубки обычно связаны между собой нитями цитоплазмы, называемыми **плазмодесмами (I)**. Ситовидные трубки с ситовидными пластинками образуют систему трубок, проходящих по всему растению.

Ксилема (древесина)

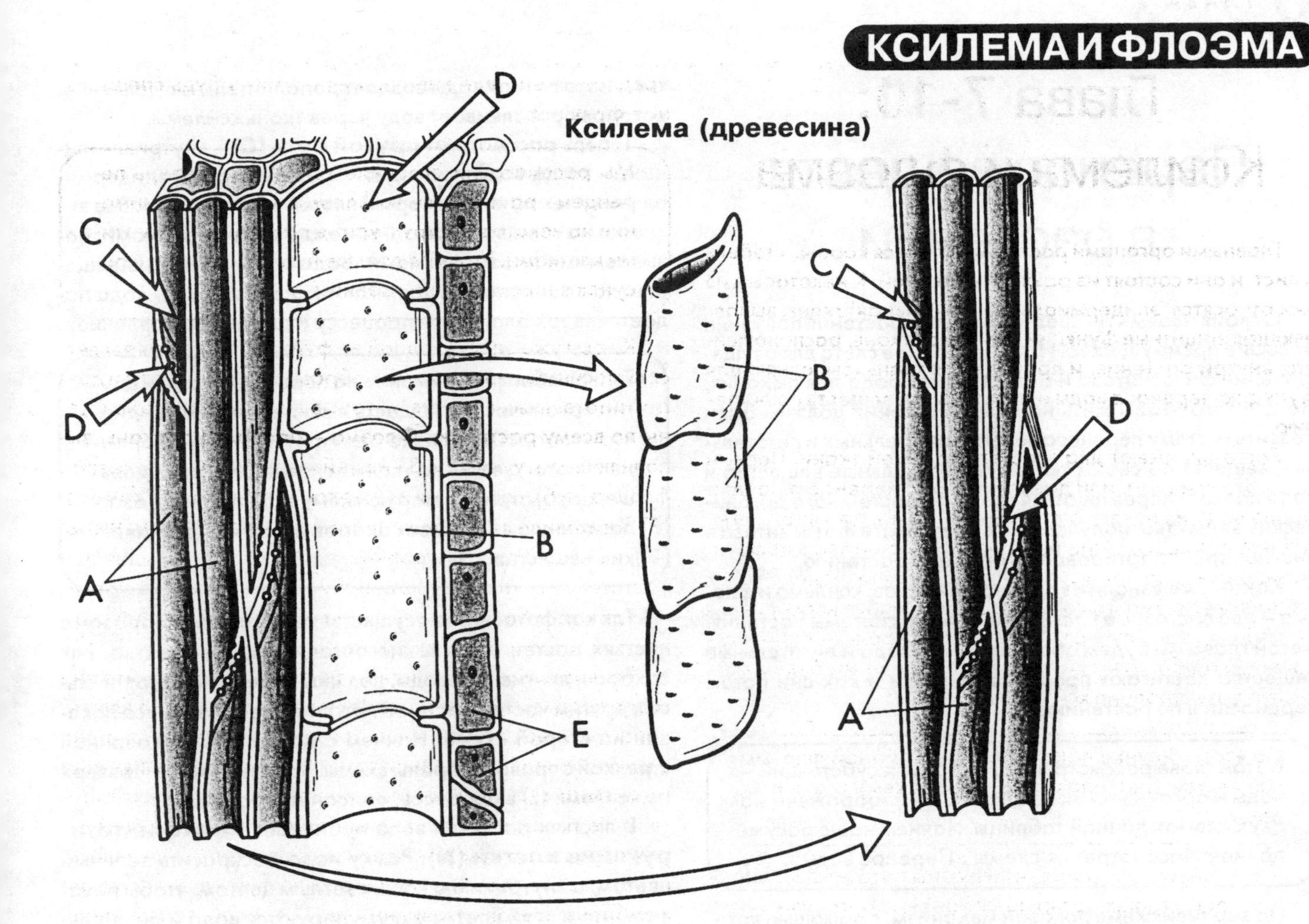

Флоэма (луб)

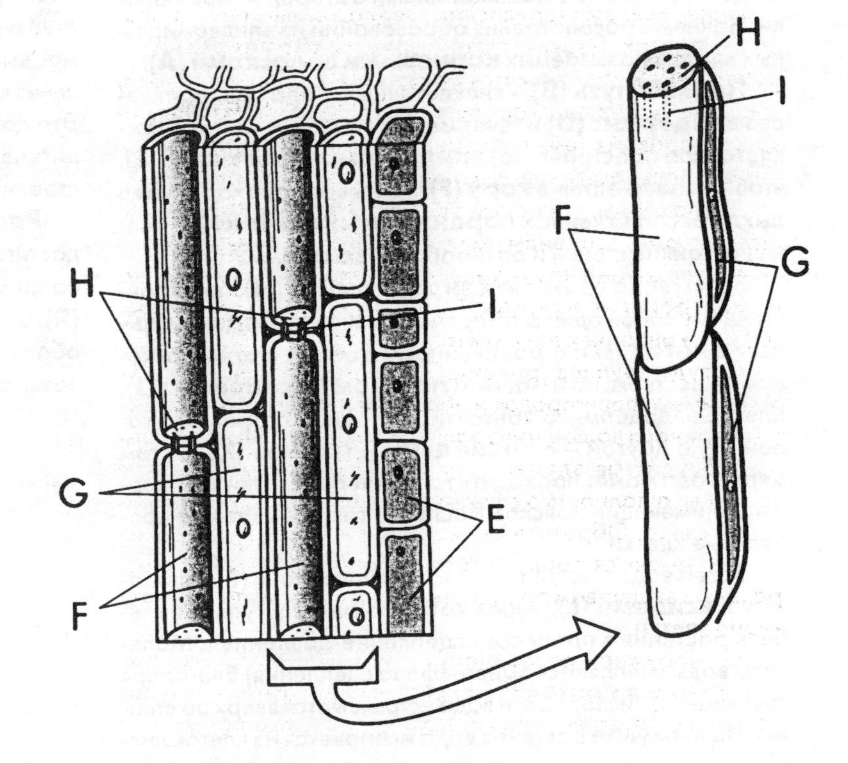

Ксилема и флоэма

Трахеиды .... A
Сосудистые элементы .. B
Заостренные концы C
Поры .... D
Паренхимные клетки .... E
Клетки ситовидной трубки .... F
Клетка-спутница .... G
Ситовидная пластинка .. H
Плазмодесма I

Глава 7-11: Перенос веществ в растении

Освоив наземную среду обитания, растения получили большие преимущества. На суше больше света для осуществления фотосинтеза и больше кислорода для дыхания. Но для того чтобы жить на суше, растения должны были развить систему переноса воды и минеральных и питательных веществ по своим тканям. Минеральные вещества и вода должны перемещаться вверх по растению, а органические вещества, получаемые в результате фотосинтеза в листьях, транспортироваться по всему растению.

Как вы уже узнали из предыдущих глав, ксилема и флоэма – две составные части проводящей системы растения. В этой главе мы будем обсуждать, как вода и питательные вещества достигают проводящей ткани и как они потом переносятся по растению.

В этой главе рассмотрен перенос двух субстанций – воды и органических веществ. Они изображены на двух схемах данной таблицы. Начнем наше обсуждение с рассмотрения схемы «Перенос воды».

На верхней схеме показан механизм, с помощью которого вода поступает в ткань ксилемы через корни. Для этого существуют два пути. Первый – это прохождение воды между клетками (по межклетникам), а второй – через клетки. Начнем с рассмотрения образований из эпидермиальных клеток, называемых **корневыми волосками (A)**.

Первый путь (B) – внеклеточный. Вода проходит через **эпидермис (D)** и течет между стенками клеток (межклеточное пространство) **эпидермиальной ткани (E)**, чтобы попасть затем в **кору (F)**. Здесь вода проходит мимо рыхло расположенных **паренхимных клеток (G)**, имеющих тонкие стенки и разнообразную форму.

Затем вода проходит к **эндодермису (H)**, представляющему собой один слой прямоугольных **эндодермальных клеток (I)** и ограниченному с обеих сторон восковым веществом, называемым **пояском Каспариана (J)**. Клетка эндодермиса контактирует одной стороной с корой (F), а другой – с **проводящей тканью (K)**. В этом месте вода может проходить только через клетки эндодермы, не имеющие поясков Каспари, так называемые пропускные клетки.

Затем вода поступает в проводящую ткань (K) и двигается к **ксилеме (L)**, через которую она поступает в стебель растения в процессе «сцепление-давление». Молекулы воды сцепляются вместе (фаза сцепления) благодаря связыванию кислорода, и вода устремляется вверх по стеблю. На верхушке растения вода испаряется из клеток листьев, и эта потеря воды создает дополнительное давление, которое проталкивает воду через ткань ксилемы.

Теперь рассмотрим **другой путь (C)** – внутриклеточный, – когда вода проходит через мембраны эпидермиальных клеток, клетки коры и клетки эндодермиса. Все эти клетки на пути воды связаны между собой каналами, называемыми плазмодесмами. Вода и минеральные вещества по этим каналам достигают ксилемы. Затем вода подается вверх благодаря процессу «сцепление-давление».

Теперь обратим внимание на перенос сахара и других органических веществ в растении. Мы увидим, что этот процесс резко отличается от одностороннего потока воды по ткани ксилемы. Читайте дальше, рассматривая вторую схему этой таблицы, озаглавленную «Перенос сахаров и других органических веществ».

Так как фотосинтез осуществляется главным образом в листьях растения, то такие органические вещества, как сахара и другие углеводы, должны переноситься от листьев к другим частям растения. Этот процесс переноса показан на второй схеме. Начнем с **воды (M)**, показанной стрелкой с правой стороны схемы. Вода поднимается вверх по ксилеме (L) в процессе, описанном ранее.

В листьях растения вода проникает в **фотосинтезирующие клетки (N)**. Рамку надо раскрасить зеленым цветом, а внутреннюю часть светлым цветом, чтобы показать, что в этой клетке аккумулируются вода и питательные вещества. Сахара и другие питательные вещества, производимые в фотосинтезирующих клетках, перемещаются в результате активного переноса во **флоэму (O)**.

Когда молекулы сахаров накапливаются во флоэме, осмос вынуждает воду течь по трубкам флоэмы для разбавления концентрированного раствора питательных веществ. Это дополнительное количество воды вынуждает ее входить через **ситовидные пластинки (P)**, а затем распространяться по всему растению.

Раствор питательных веществ (Q), в конце концов, достигает части растения, где не происходит фотосинтез, например корня. Здесь находятся **запасающие клетки (R)**, в которых растворимые органические вещества преобразуются в крахмал (запас углеводов). Вода после этого возвращается в ксилему, завершая этот круговорот.

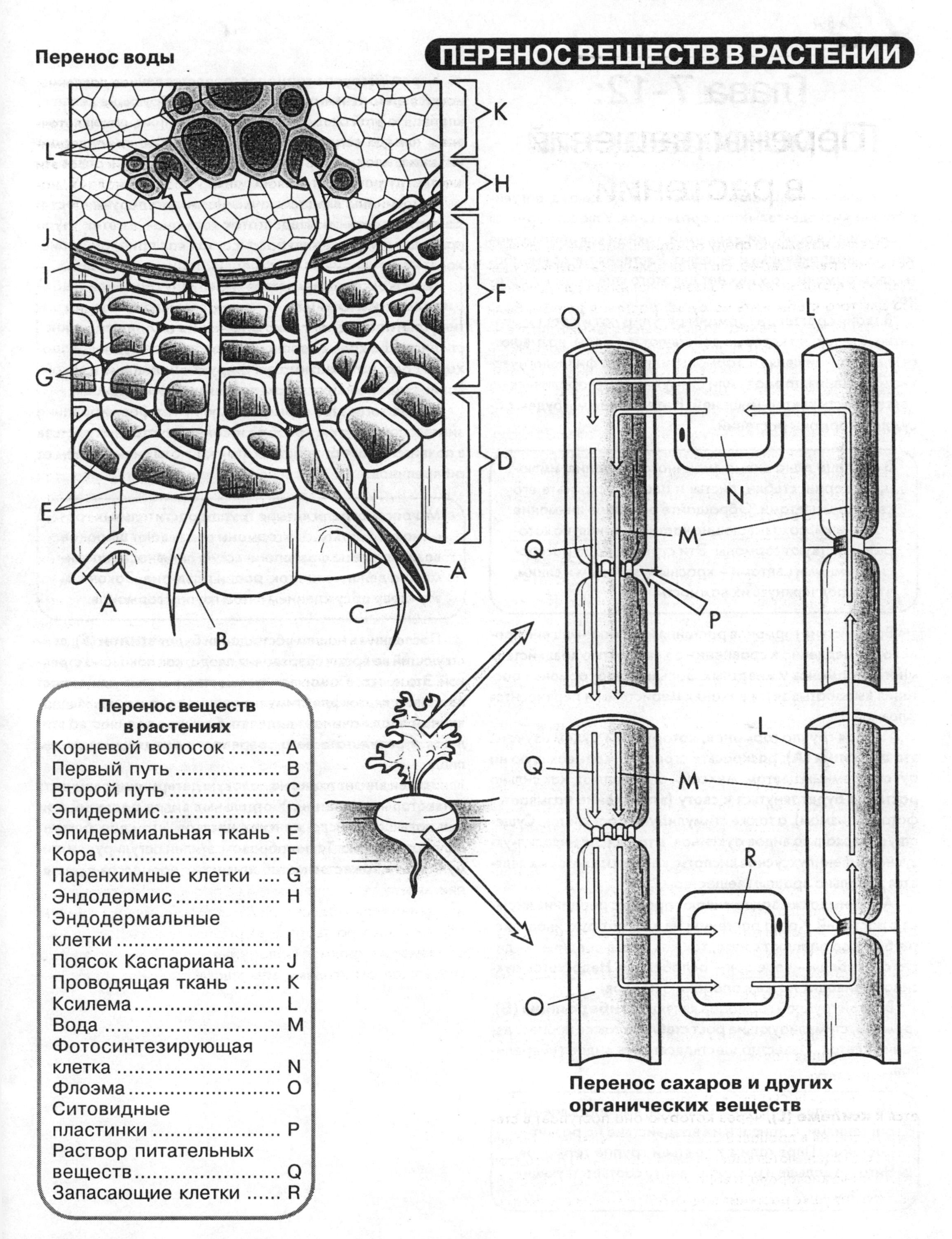
Перенос воды
K
L
H
J
I
F
G
D
E
A
A
C
B
O
L
N
M
Q
P
L
Q
M
R
O
Перенос веществ в растениях
Корневой волосок .... A
Первый путь .... B
Второй путь C
Эпидермис .... D
Эпидермиальная ткань . E
Кора .... F
Паренхимные клетки .... G
Эндодермис .... H
Эндодермальные клетки I
Поясок Каспариана .... J
Проводящая ткань .... K
Ксилема L
Вода .... M
Фотосинтезирующая клетка .... N
Флоэма .... O
Ситовидные пластинки .... P
Раствор питательных веществ .... Q
Запасающие клетки ...... R
Перенос сахаров и других органических веществ

Глава 7-12: Гормоны растений

Гормонами называются химические вещества, регулирующие жизнедеятельность организмов. У людей гормоны производятся особыми железами, такими как щитовидная железа, надпочечники и гипофиз. Растения также вырабатывают гормоны, но у них нет для этого специальных органов.

В тканях растений гормоны регулируют их рост и развитие. Клетки, на которые действуют гормоны, называются клетками-мишенями. Гормоны вызывают физиологические изменения, тормозя или стимулируя метаболическую деятельность клеток-мишеней. В этой главе мы будем обсуждать гормоны растений.

В таблице дана схема типичного растения, имеющего корни, стебли, листья и плод. Раскрасьте его светлыми цветами. Обращайте основное внимание на стрелки, показывающие части растения, на которые действуют гормоны. Эти стрелки надо раскрасить темными цветами – красным, зеленым и синим, чтобы подчеркнуть их важность.

Воздействие гормонов растения на клетки-мишени происходит медленно в сравнении со скоростью воздействия многих гормонов у животных. Большинство гормонов растения вырабатывается в тканях меристемы и переносится флоэмой.

Первая группа гормонов, которую мы будем изучать, это **ауксины (A)**; раскрасьте стрелку, указывающую на ауксин, темным цветом. Ауксины определяют, как сильно растение будет тянуться к свету (это явление называется фототропизмом), а также стимулируют рост клеток. Существует несколько видов ауксинов, в том числе индолил-уксусная и фенилуксусная кислоты, каждая из которых является довольно простым веществом.

Ауксины также задерживают процесс опадания листьев с растений. Когда растению не хватает ауксинов, листья быстрее опадают с него, так как место соединения листа со стеблем – черешок – ослабевает. Недостаток ауксинов приводит также к опаданию плодов.

Второй группой гормонов являются **гиберелины (B)**, гормоны, стимулирующие рост стебля, а также процесс деления клеток. Известно шестьдесят пять видов гиберелинов.

Мы изучили две группы гормонов, вырабатываемых растениями, и описали их воздействие на развитие растения. Переходим к третьей группе гормонов. Читайте дальше и раскрашивайте соответствующие стрелки.

К третьей группе гормонов, представленных здесь, относятся **цитокинины (C)**, также стимулирующие деление клеток. На этой схеме показаны цитокинины, содержащиеся в плодах растения, так как они также стимулируют развитие плода и играют определенную роль в равновесии между ростом стебля и корня.

Цитокинины вместе с ауксинами регулируют рост и развитие растения. Недостаток гормонов из этих групп приводит к нарушению баланса, так как при этом происходят нерегулируемая дифференциация и рост клеток.

Теперь рассмотрим четвертую группу гормонов – **абсцизовая кислота (D)**, – гормон, отвечающий за закрытие устьичных щелей, находящихся на нижней поверхности листа. Во время переноса веществ через устьица проходит вода, и эта кислота регулирует открывание и закрывание замыкающих клеток, прилегающих к устьицам.

Кроме того, этот гормон стимулирует формирование зимних почек путем преобразования зачаточных листьев в почки. Эффект от действия этой кислоты сильнее, чем от гиберелинов.

Мы рассмотрели четыре группы растительных гормонов. Заметьте, что гормоны оказывают широкое воздействие на физиологическую активность, например на деление клеток, рост и развитие. Закончим эту главу обсуждением пятой группы гормонов.

Последним в нашем обсуждении будет **этилен (E)**, действующий во время созревания плода, как показано стрелкой. Это простое химическое вещество, регулирующее рост плодовых клеток для стимулирования созревания. Испорченный плод начинает выделять большое количество этилена, в результате чего созревает находящийся рядом плод.

Этилен влияет также на половую детерминированность у некоторых растений. У отдельных видов растений этилен повышает число женских цветков, что способствует оплодотворению. Таким образом, этилен регулирует и стимулирует множество метаболических процессов в растении.

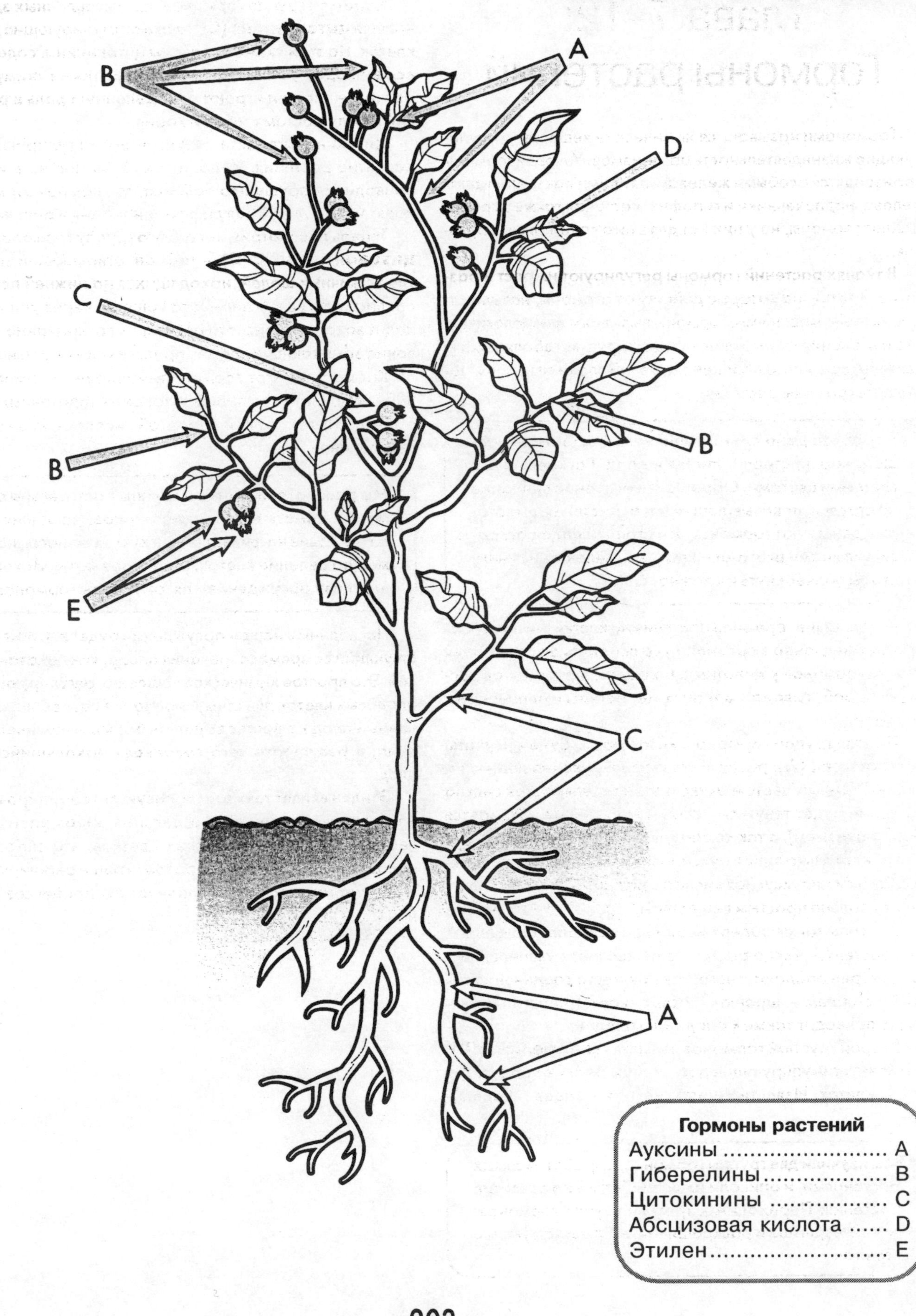

Гормоны растений

Ауксины .... A
Гиберелины.................... B
Цитокинины C
Абсцизовая кислота ...... D
Этилен........................... E

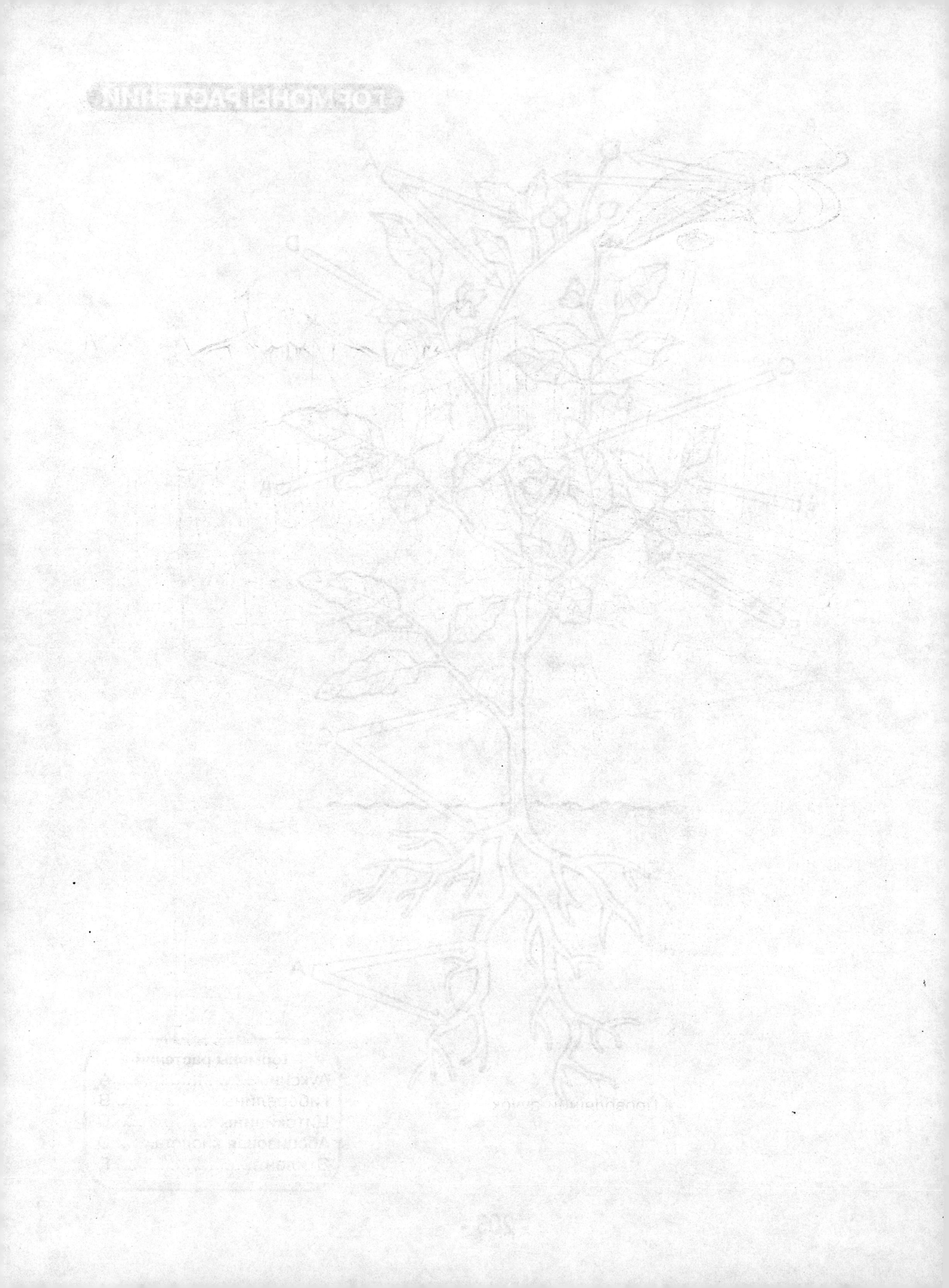

ГЛАВА 8

Биология животных

Глава 8-1: Тип губки (Phylum porifera)

Большинство многоклеточных животных имеет несколько уровней анатомической структуры: уровень клетки, уровень тканей, уровень органов и уровень системы органов. Исключением являются губки (Porifera). Губки состоят из клеток нескольких типов, не образующих ткани и органы, и отличаются очень примитивной организацией.

В этой таблице показана колония губок, а также одна губка крупным планом и более подробная схема ее строения. Раскрашивая эту таблицу, выделяйте части на четырех рисунках и сравнивайте их между собой. Различные клетки губки раскрашивайте светлыми цветами, а темным цветом – стрелки и общий вид губки.

Губки – преимущественно морские организмы, но некоторые их виды живут в пресной воде. Они предпочитают жить на глубине, так как питаются, фильтруя мельчайшие частицы пищи из воды. Самыми просто устроенными являются вазообразные губки, которые имеют полое тело, похожее по форме на вазу, состоящее из нескольких слоев клеток. На первом рисунке показана **колония вазообразных губок (A)**.

Губки питаются, отфильтровывая бактерии и другие микроорганизмы из окружающей воды. На следующем рисунке направление **течения воды (B)** через губку показано несколькими стрелками, которые надо раскрасить темным цветом. Вода поступает в губку через **входные поры (C)** и проникает в главную камеру, называемую **атриальной полостью (D)**, протекает через нее и выходит через отверстие, которое по-другому называется **оскулумом (D_1)**.

После того как вода поступает в атриальную полость, она омывает **столбчатые клетки**, или **хоаноциты (E)**, показанные на главном рисунке (2), а также на рисунках 3 и 4. Как показано на рисунке 4, столбчатые клетки имеют **воротничок (E_1)**, улавливающий частицы пищи, и переваривают их посредством фагоцитоза. Из хоаноцита выступает **жгутик (E_2)**, окруженный кольцом ресничек. Жгутик своими движениями гонит воду к столбчатым клеткам. Как только пища извлечена из воды и попала в столбчатые клетки, она передается блуждающим **амебоцитам (G)**. Эти клетки усваивают и распределяют пищу по всему телу. Амебоциты показаны на рисунках 2 и 3.

Продолжим изучение губки, перейдя к другим ее клеткам и структурам. Заметьте, что у губок нет ни мышц, ни нервов и что их клетки обладают очень слабой специализацией. Читайте дальше и раскрашивайте соответствующие структуры на рисунках.

Губки сохраняют свою форму благодаря тому, что имеют скелет, состоящий из игл, называемых **спикулами (F)**. Спикулы показаны на рисунках 2 и 3, их надо раскрасить темным цветом. Спикулы состоят из карбоната кальция, кремния или рогового вещества. В образовании скелета также может участвовать органическое вещество – спонгин. Например, губка-купальщица (которая сегодня является редкостью) имеет роговые спикулы.

Губки размножаются бесполым путем (почкование) и половым. При половом размножении сперматозоиды выпускаемые одними губками, проникают в атриальную полость через входные поры, где они оплодотворяют **яйцеклетки (H)**. Оплодотворенные яйцеклетки вырастают в личинок, которые потом опускаются на морское дно и развиваются во взрослых губок.

Наконец, еще одна группа клеток, которую можно видеть на рисунке 3 – **эпидермиальные клетки (I)**. Они покрывают наружную поверхность губки и укрепляют ее. На этом рисунке они показаны в основании столбчатых клеток и амебоцитов. На рисунке 3 спикулы проходят через слой эпидермиальных клеток. Так как эпидермиальные клетки образуют покровный слой, то губка, как уже говорилось, проявляет организацию на уровне примитивной ткани.

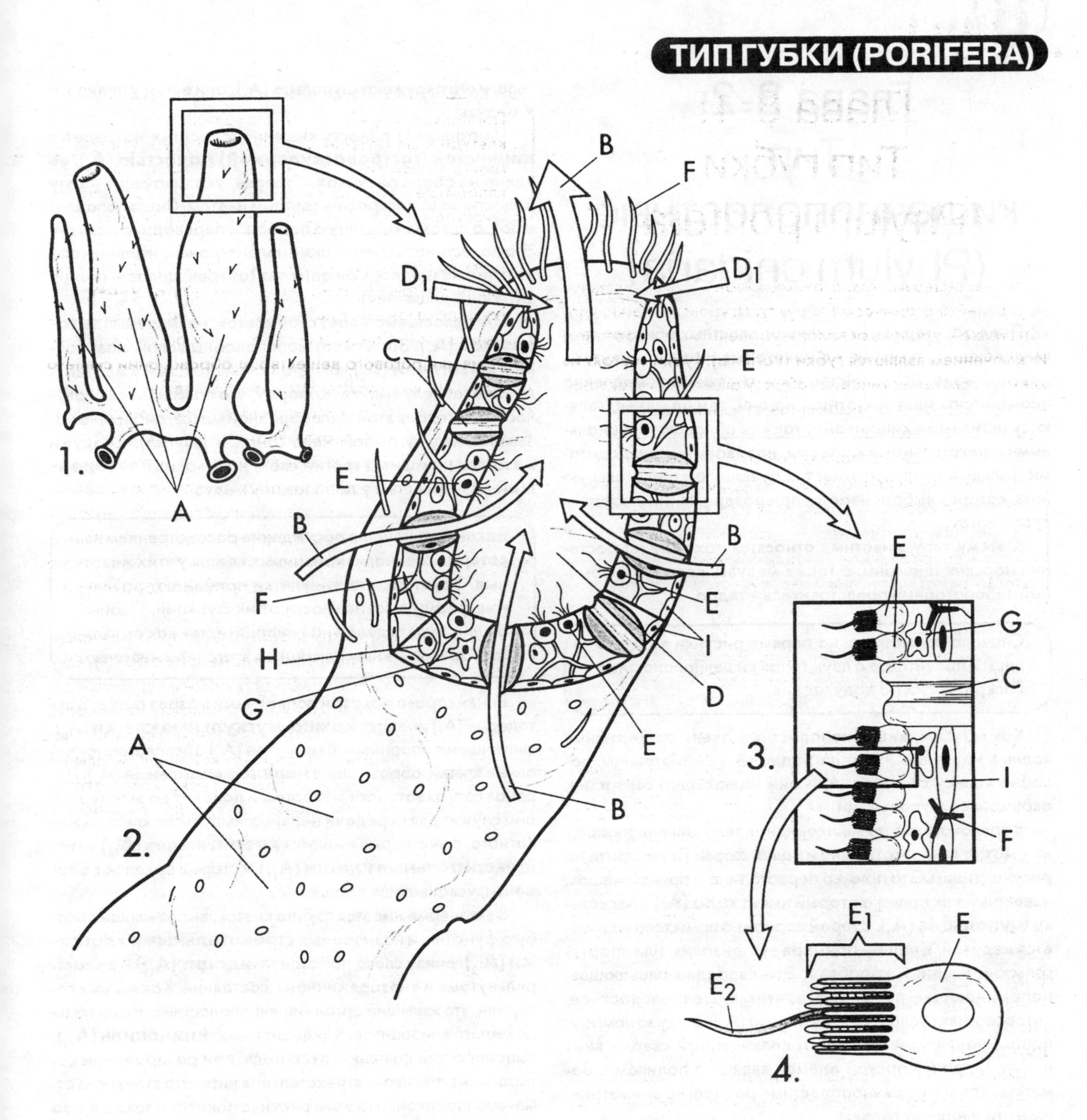

Тип губки (Porifera)

Колония губок .... A	Выходная пора (оскулум) .... D_1	Жгутик .... E_2
Течение воды .... B	Столбчатая клетка (хоаноцит) .... E	Спикула .... F
Входная пора C	Столбчатая мембрана (воротничок) .... E_1	Амебоцит .... G
Атриальная полость ...... D		Яйцеклетка .... H
		Эпидермис I

Глава 8-2: Тип кишечнополостные (Phylum cnidaria)

Представители типа кишечнополостных обитают преимущественно в морях, но некоторые их виды живут и в пресной воде. Большинство их – сидячие или медленно передвигающиеся животные, но они, тем не менее, являются активными хищниками, так как обладают специальными стрекательными клетками, называемыми книдоцитами. Каждый книдоцит имеет скрученную стрекательную нить, которая выбрасывается при раздражении и парализует жертву.

К этому типу животных относятся похожие на растение морские анемоны, а также медузы, кораллы и обычный лабораторный представитель – *гидра*.

Сначала посмотрите на первые рисунки этой таблицы и прочитайте о двух типах кишечнополостных. Раскрасьте их по ходу чтения.

Как и губки, кишечнополостные очень примитивные водные животные. Их тела радиально симметричны, подобно колесу со спицами, и они имеют одно отверстие, окруженное щупальцами.

В зрелом возрасте мешковидное тело кишечнополостных может принимать одну из двух форм. Посмотрите на рисунок гидры. Это пример первого типа – прямой мешок, известный как полип, который имеет **тело (A_1)** и несколько **щупальцев (A_2)**. Второй вариант формы тела называется медузой, в нашем примере это *физалия*, или «португальский военный корабль». Это свободно плавающее, напоминающее по форме зонтик кишечнополостное, которое имеет тело (A_1) и щупальца (A_2). Медуза немного напоминает перевернутый и сплющенный сверху вниз полип. Гидра и морской анемон являются полипами. Заметьте, что все кишечнополостные радиально симметричны и что у них нет головы.

Теперь перейдем к рассмотрению некоторых особенностей строения кишечнополостных. На рисунке показаны схемы полипа и медузы, и мы видим здесь два слоя клеток, чего нет у губок.

Тело у всех представителей кишечнополостных состоит из двух слоев клеток с желеподобной массой между ними. На рисунках виден полый цилиндр, по форме напоминающий мешок. **Рот (A_3)** – единственное отверстие в теле, и его окружают щупальца (A_2), они есть и у полипа, и у медузы.

Центральная полость кишечнополостных называется **кишечной (гастроваскулярной) полостью (A_4)**, ее видно на обоих рисунках. Стрелки, указывающие на эту полость, надо раскрасить светлым цветом. Пища попадает в рот, а потом в кишечную полость и переваривается там. Эта полость называется также целентероном, и долгие годы этот тип назывался *Coelenterata* (от греч. *целос* – полый, *энтерон* – кишечник).

Эту полость выстилает слой клеток, называемый **энтодермой (A_5)**. Затем идет желеподобный слой, называемый **мезоглеей (A_6)**, который очень толстый у медузы и придает ее телу выпуклую форму, что повышает ее плавучесть. Благодаря этой желеобразной массе, англичане называют медузу рыбой-желе (англ. – *jellyfish*). Снаружи мезоглеи находится третий слой, называемый **эктодермой (A_7)**, он есть и у полипов, и у медуз.

Заканчиваем наше обсуждение рассмотрением некоторых специализированных клеток у этих животных. Заметьте, что эти клетки принимают различные формы в зависимости от их функций. Особый акцент будет сделан на книдоците, так как он является отличительным признаком этого типа животных.

Внизу справа показан поперечный разрез гидры. В эктодерме (A_7) имеются **кожно-мускульные клетки (A_8)**, являющиеся опорными. В мезоглее (A_6) располагаются нервные клетки, образующие **нервное сплетение (A_9)**. Нервная сеть охватывает мезоглею и доходит до эктодермы, она служит для передачи нервных импульсов клеткам животного. В энтодерме имеются **клетки желез (A_{10})** и **пищеварительные клетки (A_{11})**, которые выделяют ферменты, усваивающие пищу.

В эктодерме имеется группа клеток, выполняющих особую функцию и называемых **стрекательными клетками (A_{12})**. Внизу слева показан **книдоцит (A_{13})** – в «выстрельнутом» и «незаряженном» состоянии. Как мы уже говорили, это жалящий орган кишечнополостных. На щупальцах много книдоцитов. Книдоцит имеет **книдоциль (A_{14})**, выполняющий функцию пускателя, при раздражении которого выстреливает стрекательная нить. Эта структура отмечена стрелкой. (На этом рисунке показано также **ядро (A_{17})** этой специализированной клетки.) Когда нематоцист выстреливает, его **шипы (A_{15})** быстро выпрямляются, **стрекательная нить (A_{16})** парализует жертву, которая становится добычей кишечнополостного хищника.

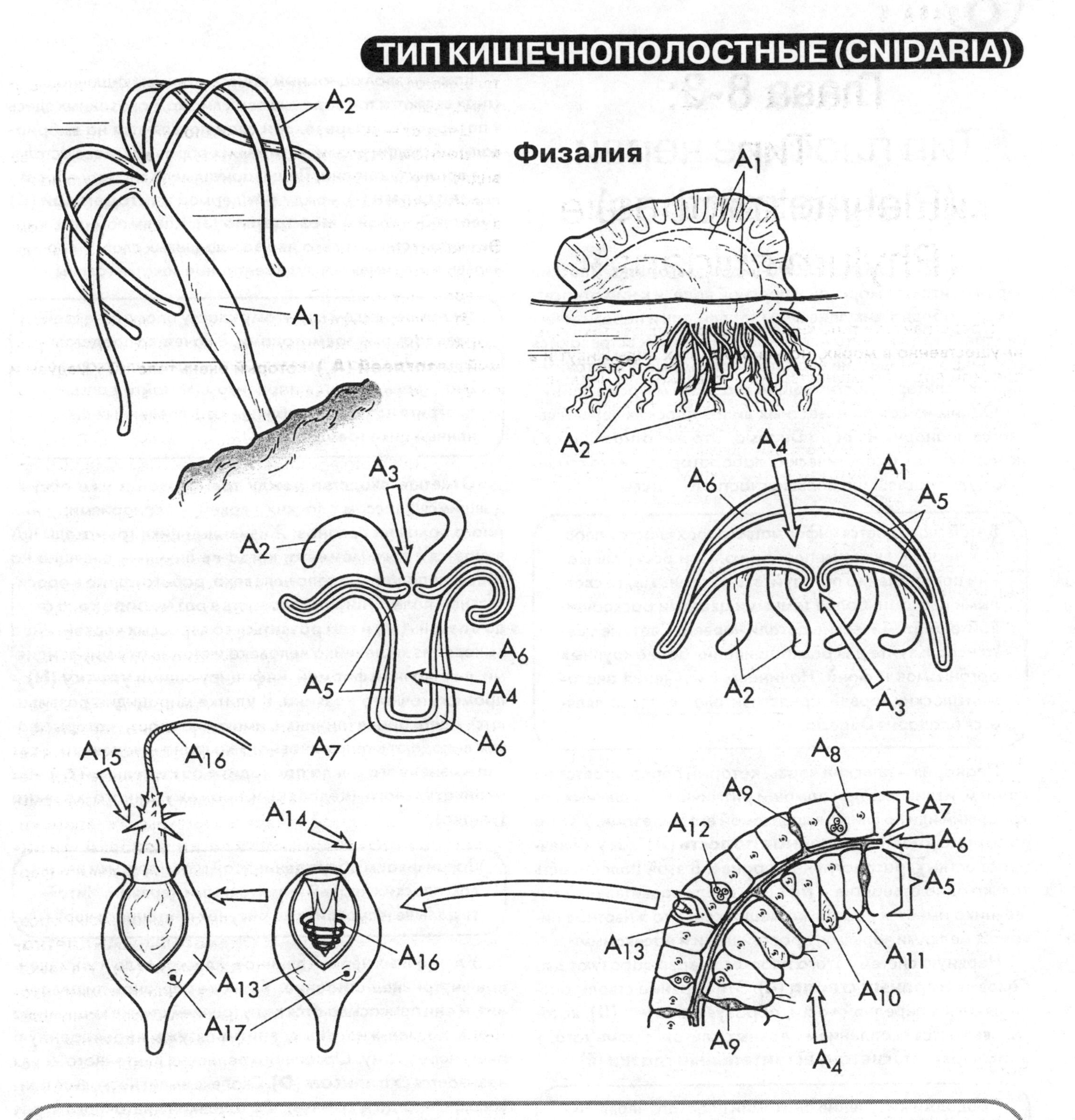

Тип кишечнополостные (Cnidaria)

Тело .... A_1
Щупальца .... A_2
Анатомические органы
Рот .... A_3
Гастроваскулярная полость .... A_4
Энтодерма .... A_5
Мезоглея .... A_6
Эктодерма .... A_7
Поперечный разрез гидры
Кожно-мускульная клетка .... A_8
Нервное сплетение ...... A_9
Железистая клетка .... A_{10}
Пищеварительная клетка .... A_{11}
Стрекательная клетка .... A_{12}
Книдоцит .... A_{13}
Книдоциль .... A_{14}
Шип .... A_{15}
Стрекательная нить .... A_{16}
Ядро .... A_{17}

Глава 8-3: Тип плоские черви (Platyhelminthes)

Существует около 20 000 видов этого типа. Плоские черви обитают в морской и пресной воде, и к ним относятся как свободно живущие виды червей, так и паразитические трематоды и ленточные черви. Среди них встречаются как микроскопические виды, так и огромные представители, как солитеры, достигающие двадцати метров в длину.

Одним из самых известных видов плоских червей является планария из рода Dugesia. Это животное широко используется в биологических лабораториях, и его строению будет посвящена большая часть этой главы.

В этой главе дается информация о трех классах плоских червей, включая планарию. При раскрашивании попеременно пользуйтесь то темными, то светлыми цветами; более темными цветами раскрашивайте анатомические детали червей. Светлые цвета используйте для раскрашивания более крупных организмов и фона. Начинаем с изучения анатомии плоских червей, представителем которых является планария Dugesia.

Планария – плоский червь, который передвигается по камням, извиваясь при помощи ритмичных мышечных сокращений или по слизи, выделяемой его железами. У этого животного имеется **кишечная полость (A)**, как у кишечнополостных, рассмотренных ранее. В этой полости есть только одно отверстие – **рот (B)**, вдоль разветвлений кишечника имеется несколько мешочков. Это животное питается мелкими червями, простейшими и насекомыми.

Нервную систему этого плоского червя образуют два боковых **нервных ствола (C)**. Эти нервные стволы расширяются в передней части, образуя **ганглии (D)**, которые являются скоплением нервных клеток. Кроме того, у этого червя есть **светочувствительные глазки (E)**.

Продолжим изучение анатомии плоского червя. Читайте дальше, рассматривая два следующих рисунка планарии.

К органам выделения относится ряд каналов и трубочек, соединенных между собой и образующих **протонефридии (F)**. Эта система показана на рисунке целиком, и ее надо раскрасить темным цветом; как вы видите здесь, **левая сторона (G)** является зеркальным отражением **правой стороны (H)**. Такой тип симметрии называется двусторонней.

Важным эволюционным приобретением кишечнополостных являются три зародышевых листка, показанных здесь в поперечном разрезе. Эти слои появляются на эмбриональной стадии развития, и из них образуются все остальные органы планарии. Пищеварительную систему образует **эндодерма (I)**, между энтодермой и **эктодермой (K)** имеется 3-й слой – **мезодерма (J)**. Как вы помните, у кишечнополостных только два зародышевых слоя. У плоских червей также имеются рудиментарные зачатки головы.

Теперь перейдем к другому классу плоских червей, называемому трематодами. В качестве представителя этого класса мы взяли тип Schistosoma mansoni. Этот червь является паразитом. Читайте дальше и смотрите на раздел таблицы, озаглавленный «Жизненный цикл трематоды».

Отметьте сходство между трематодой и уже обсуждавшимся классом плоских червей – планариями; у них много похожих органов. Жизненный цикл трематоды начинается с того момента, когда ее личинки, сидящие на траве, попадают на тело человека, работающего в оросительном поле. Они могут попасть в рот **человека**, а оттуда в печень **(M)** и там развиться во взрослых червей. Яйца выходят из кишечника человека и становятся мирацидиями, личиночной формой, инфицирующими **улитку (N)** – промежуточного хозяина. В улитке мирацидии развиваются в церкариев (личинки, имеющие хвост), которые потом попадают в тело основного хозяина – человека. Этот тип жизненного цикла проходит с обязательной сменой окончательного (человек) и промежуточного хозяина (улитка).

Заканчиваем обсуждение этой главы третьим классом плоских червей – ленточными червями. Читайте дальше и смотрите на рисунок ленточного червя.

У ленточных червей длинное, плоское тело и упрощенное внутреннее строение. У них нет органов пищеварения, и они присасываются к внутренней стенке кишечника своих хозяев-животных, впитывая уже переваренную пищу через кожу. Орган прикрепления ленточного червя называется **сколексом (O)**. Сколекс имеет несколько присосок, а иногда и крючьев. За головкой ленточного червя располагается короткая шейка, а за ними – ряд сегментов, называемых **проглоттидами (P)**. На выходе из тела хозяина отрывающиеся от червя проглоттиды производят яйца, обеспечивающие зарождение нового поколения ленточных червей.

ТИП ПЛОСКИЕ ЧЕРВИ (PLATYHELMINTHES)

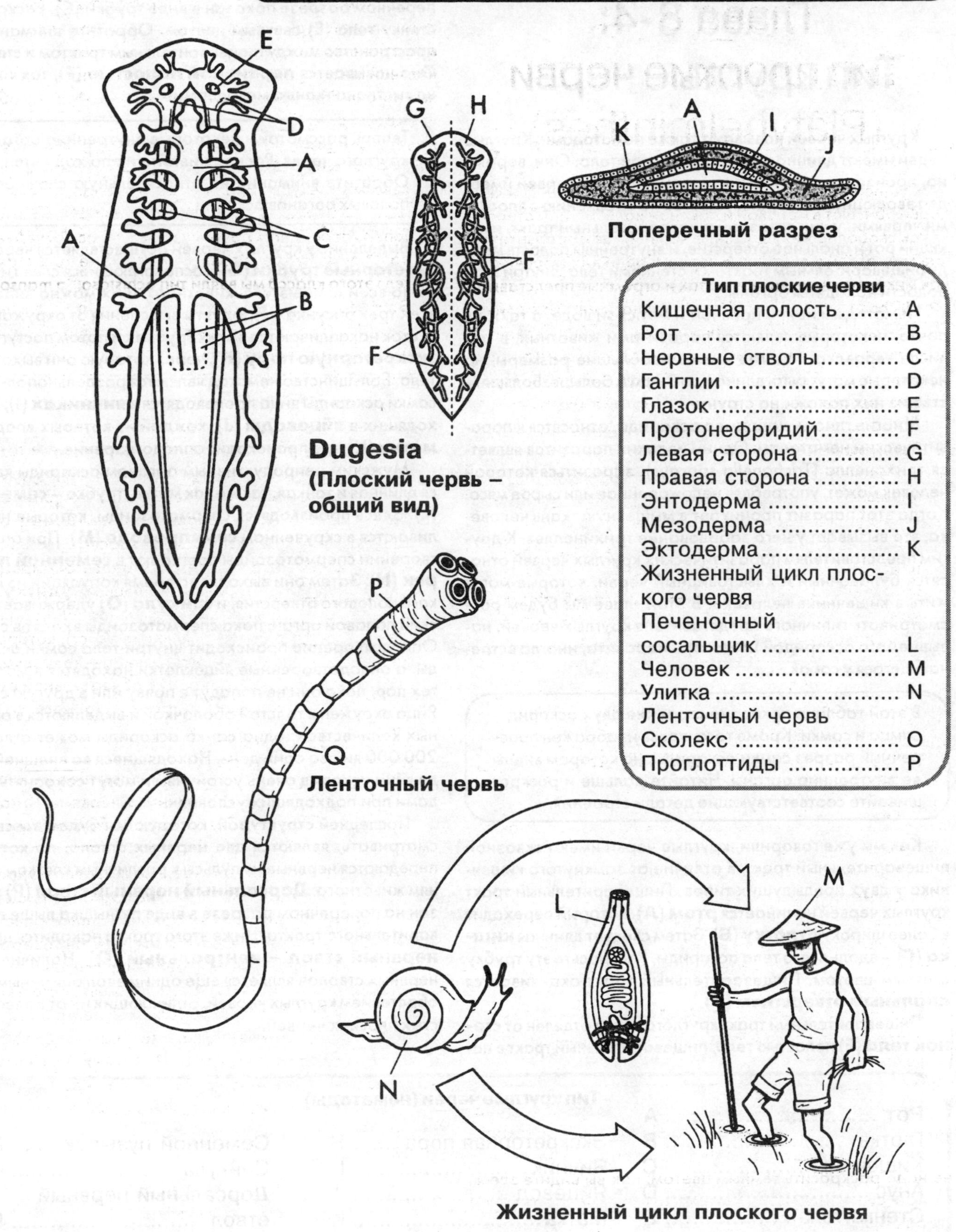

Поперечный разрез

Dugesia

(Плоский червь – общий вид)

Ленточный червь

Жизненный цикл плоского червя

Тип плоские черви

Кишечная полость .... A
Рот .... B
Нервные стволы C
Ганглии .... D
Глазок .... E
Протонефридий .... F
Левая сторона .... G
Правая сторона .... H
Энтодерма I
Мезодерма .... J
Эктодерма .... K
Жизненный цикл плоского червя
Печеночный сосальщик L
Человек .... M
Улитка .... N
Ленточный червь
Сколекс .... O
Проглоттиды .... P

Глава 8-4: Тип круглые черви

Круглых червей называют также нематодами. Круглые черви имеют длинное цилиндрическое тело. Они, вероятно, произошли от плоских червей. Этот тип червей имеет два эволюционных преимущества по сравнению с плоскими червями: у них сквозной пищеварительный тракт, имеющий рот и анальное отверстие, и внутренняя полость между пищеварительным трактом и стенками тела. Внутри этой полости находятся органы.

Нематоды живут в пресной и морской воде, а также в почве, некоторые являются паразитами животных, в том числе человека. Многие имеют небольшие размеры, но некоторые могут быть длиной до 30 см и больше. Большинство из них похожи на струну.

Многие глисты, например аскарида, относятся к паразитическим нематодам. Одним из таких паразитов является трихонелла (*Trichonella sporalis*), заразиться которой человек может, употребляя недожаренное или сырое мясо. Когда этот паразит проникает в мышечную ткань человека, это вызывает у него заболевание трихинеллёз. К другим представителям паразитических круглых червей относятся булавочный и хлыстовидный черви, которые могут жить в кишечнике человека. В этой главе мы будем рассматривать типичного представителя круглых червей, называемого аскаридой (*Ascaris*) – паразита, иногда встречающегося у собак.

В этой таблице показано строение двух аскарид – самца и самки. Кроме того, здесь изображен поперечный разрез самки аскариды, на котором видны ее внутренние органы. Читайте дальше и раскрашивайте соответствующие детали строения.

Как мы уже говорили, круглые черви имеют сквозной пищеварительный тракт, в отличие от замкнутого кишечника у двух предыдущих типов. Пищеварительный тракт круглых червей начинается **ртом (A)**, который переходит в более широкую **глотку (B)**. Затем следует длинная **кишка (C)** – вдоль всего тела аскариды. Раскрасьте эту трубку светлым цветом. Пищеварительный тракт оканчивается **анальным отверстием (D)**.

Пищеварительный тракт круглого червя отделен от **стенок тела (E)** полостью тела, пищеварительный тракт в поперечном разрезе показан в виде трубки (C). Раскрасьте стенку тела (E) светлым цветом. Обратите внимание на пространство между пищеварительным трактом и стенкой. Оно называется **первичной полостью (F)**, так как она не выстлана тканью мезодермы.

Теперь рассмотрим некоторые внутренние органы круглого червя. Раскрашивайте их по ходу чтения. Обратите внимание на относительную сложность половых органов аскарид.

Выделение у круглых червей осуществляется через **экскреторные трубки (G)**, располагающиеся слева и справа по всей длине этого животного, и их можно видеть на всех трех рисунках. Продукты выделения от окружающих клеток накапливаются в этих трубках и потом поступают в **экскреторную пору (H)**, через которую они выходят из тела. Большинство нематод являются раздельнополыми. У самки аскариды яйца производятся в **яичниках (I)**, переходящих в **яйцеводы (J)**, каждый из которых впадает в **матку (K)**, где происходит оплодотворение.

Мужским репродуктивным органом аскариды является длинная и тонкая, так же как матка, трубка – **семенник (L)**. Здесь производятся сперматозоиды, которые накапливаются в скрученном **семяпроводе (M)**. При оплодотворении сперматозоиды поступают в **семенной пузырек (N)**. Затем они выходят во время копуляции из мужского полового отверстия, и **спикула (O)** удерживает женский половой орган, пока сперматозоиды входят в самку. Оплодотворение происходит внутри тела самки аскариды, а оплодотворенные яйцеклетки находятся в матке до тех пор, пока они не попадут в почву или в другую среду. Яйца окружены толстой оболочкой и выделяются в огромных количествах; одна самка аскариды может отложить 200 000 яиц за один день. Находящиеся во внешней среде яйца аскарид очень устойчивы и могут сохраняться годами при подходящих условиях.

Последней структурой, которую мы будем здесь рассматривать, являются два нервных ствола, по которым передаются нервные импульсы к различным клеткам и тканям животного. **Дорсальный нервный ствол (P)** показан на поперечном разрезе в виде пятнышка выше пищеварительного тракта. Ниже этого тракта находится другой **нервный ствол – вентральный (Q)**. Наличие этих нервных стволов является еще одним эволюционным приобретением круглых червей, отличающих их от более простых плоских червей.

Тип круглые черви (нематоды)

Рот .... A
Глотка .... B
Кишечник C
Анус .... D
Стенка тела .... E
Первичная полость .... F
Экскреторная трубка ..... G
Экскреторная пора .... H
Яичник I
Яйцевод .... J
Матка .... K
Семенник L
Семяпровод .... M
Семенной пузырек .... N
Спикула .... O
Дорсальный нервный ствол .... P
Вентральный нервный ствол .... Q

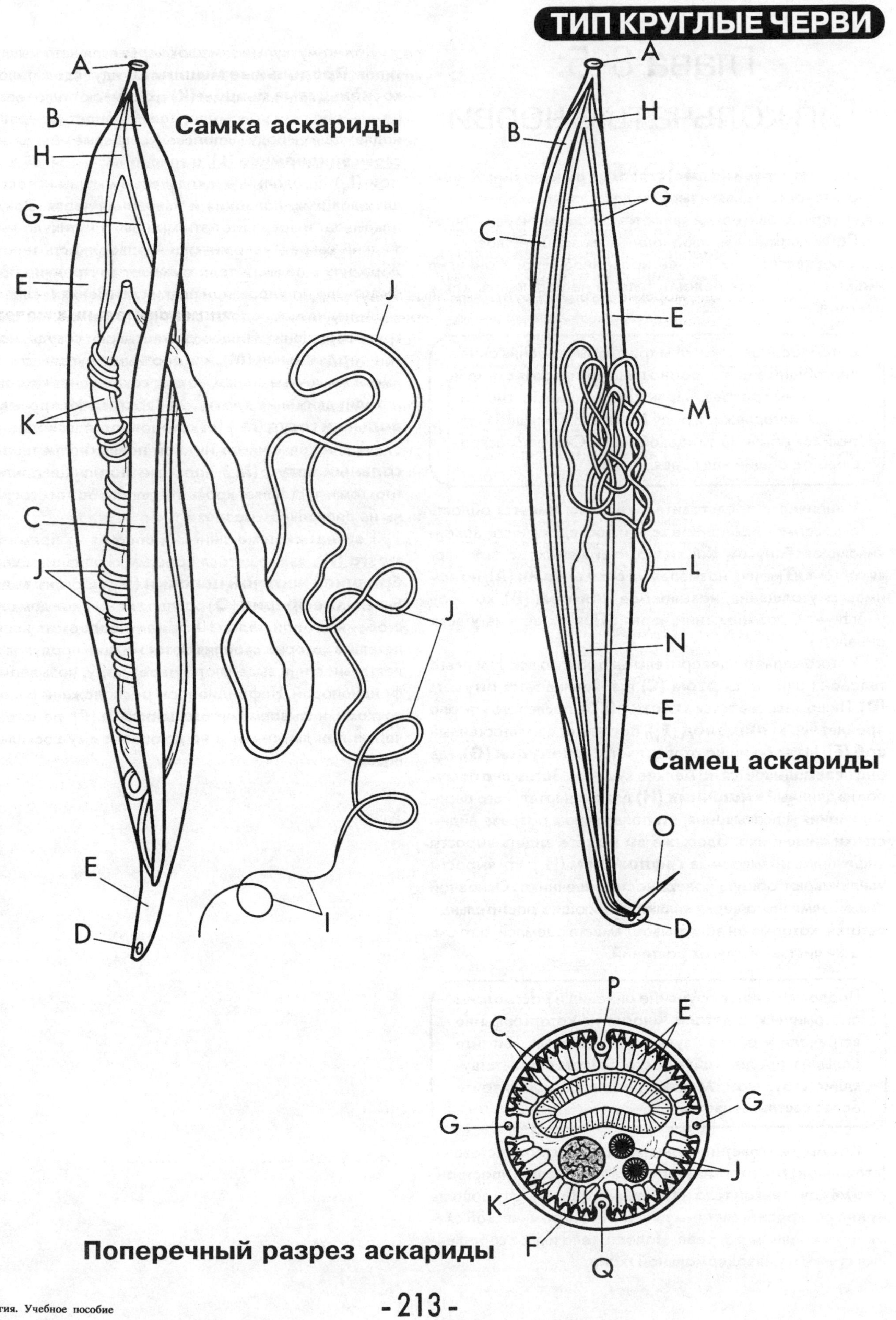

Поперечный разрез аскариды

Глава 8-5: Тип кольчатые черви

Этот тип червей называется также аннелидами. К нему относится около девяти тысяч видов. Самыми характерными его представителями являются дождевые черви и пиявки. Самым важным эволюционным усовершенствованием аннелид является их сегментированное тело. У аннелид имеется настоящая полость тела, а не первичная, как у нематод.

В этой таблице показаны три схемы строения аннелид: общий вид, подробная анатомическая схема и поперечный разрез. Червь, которого мы рассматриваем, принадлежит к роду *Lumbricus*, больше известный как обычный дождевой червь. Сначала раскрашивайте общий вид червя.

У типичного представителя аннелид имеется область головы, сегментированное тело и последняя часть, заканчивающаяся анусом. Как видно на общей схеме, тело червя состоит из колец, называемых **сегментами (A)**, на нем имеется утолщение, называемое **пояском (B)**, которое участвует в размножении червя. (Поясок есть не у всех аннелид.)

У этого червя пищеварительный тракт во всю длину его тела; он начинается **ртом (C)** и заканчивается **анусом (D)**. Пища засасывается в **глотку (E)** и, после того как она пройдет через **пищевод (E_1)**, поступает в толстостенный **зоб (F)**. Из зоба пища отправляется в **желудок (G)**, где она перемалывается на мелкие кусочки. Затем она поступает в длинный **кишечник (H)** для окончательного переваривания и всасывания; на поперечном разрезе видны стенки кишечника. Здесь же вы можете видеть выросты кишечника, называемые **тифлозолем (H_1)**; эти выросты увеличивают общую поверхность кишечника. Основной пищей земляного червя являются гниющие растительные остатки, которые он заглатывает вместе с землей, а также остатки листьев и других растений.

Продолжим наше изучение аннелид и рассмотрим анатомические детали, многие из которых мы не встречали у ранее изученных животных. Читайте дальше и продолжайте раскрашивать соответствующие структуры. Мелкие детали раскрашивайте более светлыми цветами.

Как мы уже говорили, аннелиды обладают настоящей (вторичной) **полостью тела (I)**, занимающей пространство между стенкой тела и кишечным трактом. Эту полость нужно раскрасить светлым цветом на анатомической схеме и поперечном разрезе. Полость тела имеет собственные стенки из мезодермальной ткани.

Кожно-мускульный мешок червя включает мышцы двух типов. **Продольные мышцы (J)** идут вдоль тела, тогда как **кольцевые мышцы (K)** охватывают тело червя кольцами – оба типа этих мышц можно увидеть у червей, принадлежащих к роду Lumbricus. Кольцевые мышцы покрыты слоем **эпидермиса (L)**, а эпидермис — тонкой **кутикулой (L_1)**. Продольные и кольцевые мышцы используются для плавания, ползания и извивания червя. Эпидермис покрывает и защищает эти мышцы, а кутикула выделяет жидкий секрет, увлажняющий поверхность тела червя. Жидкость в полости тела омывает внутренние органы и амортизирует удары при резких движениях тела.

Аннелиды обладают сложной и замкнутой системой кровообращения. Пищевод охватывают сосуды, называемые **сердечными (M)**, или аортными, дугами. Эти сосуды имеют мышечные стенки, за счет сокращения которых происходит движение крови. Они поставляют кровь в **вентральный сосуд (M_1)** (от которого отходят кольцевые сосуды), проходящий по нижней поверхности тела. **Дорсальный сосуд (M_2)** проходит над пищеварительным трактом и поставляет кровь в сердца; оба этих сосуда видны на поперечном разрезе.

Нервная система аннелид состоит из примитивного **мозга (N)**, являющегося простым скоплением клеток, и **брюшной нервной цепочки (N_1)**. Органы выделения аннелид **нефридии (O)** расположены в каждом сегменте с обеих сторон тела. Нефридий содержит несколько петель, в которых скапливаются жидкие продукты жизнедеятельности, и выделяются через пору, называемую нефридиопорой. Нефридиопоры расположены рядом с волосками, называемыми **щетинками (P)**, помогающими червю при движении и не дающими ему соскальзывать назад.

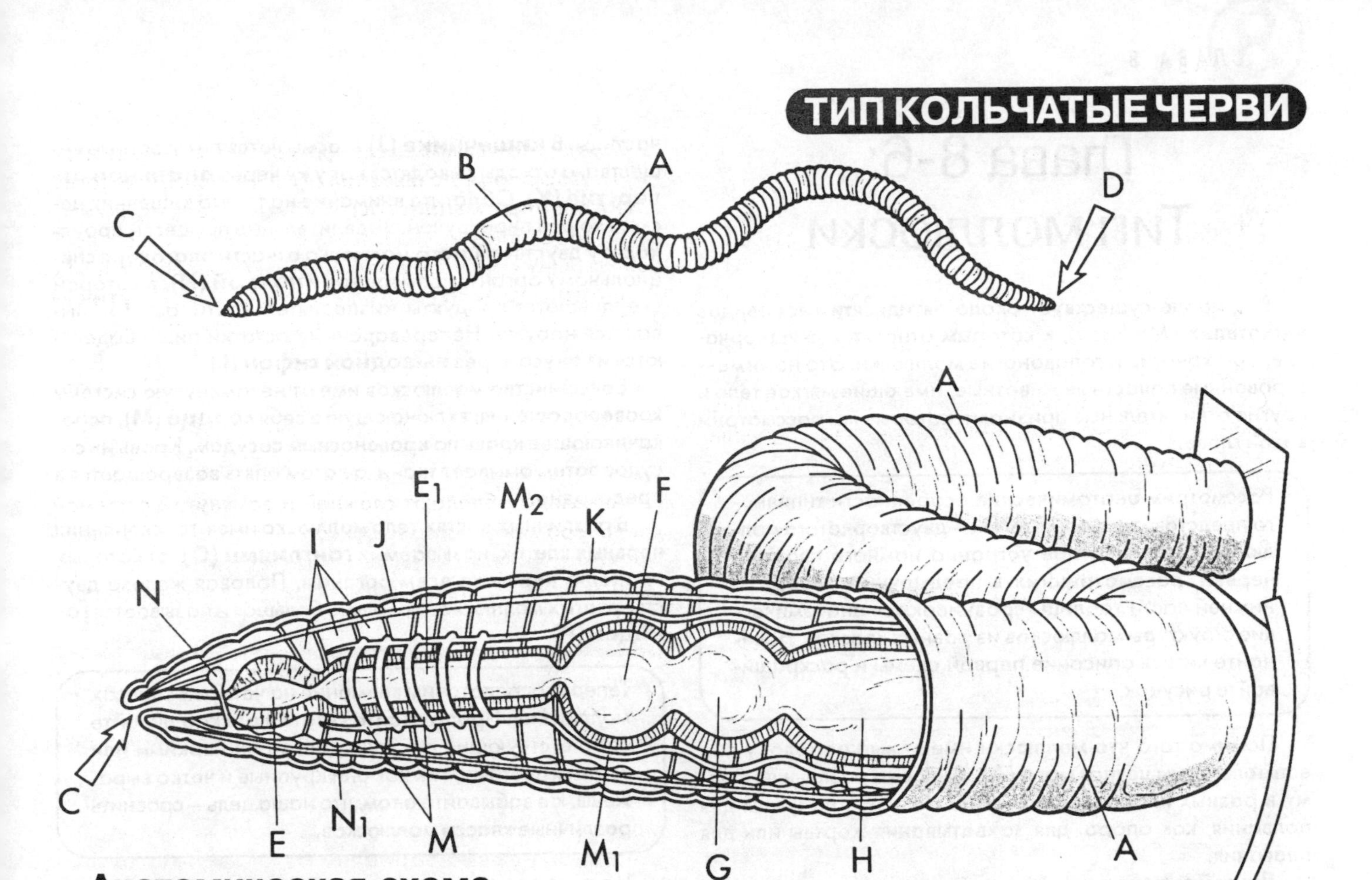

Анатомическая схема

Тип кольчатые черви (аннелиды)

Сегменты .... A
Поясок .... B
Рот C
Анус .... D
Глотка .... E
Пищевод .... E_1
Зоб .... F
Желудок .... G
Кишечник .... H
Тифлозоль .... H_1
Полость тела I
Продольная мышца .... J
Кольцевая мышца .... K
Эпидермис L
Кутикула .... L_1
Сердца .... M
Вентральный сосуд .... M_1
Дорсальный сосуд .... M_2
Мозг .... N
Брюшная нервная цепочка .... N_1
Нефридий .... O
Щетинки .... P

Поперечный разрез

Глава 8-6: Тип моллюски

В природе существует около пятидесяти тысяч видов мягкотелых (*Mollusca*), к которым относятся двустворчатые, брюхоногие и головоногие моллюски. Это несегментированные полостные животные, имеющие мягкое тело и другие отличительные признаки, которые мы рассмотрим в этой главе.

Рассмотрим анатомические особенности типичного представителя мягкотелых – двустворчатого моллюска. Это животное устроено намного сложнее червей, рассмотренных в предыдущих главах. В нижней части таблицы сравниваются анатомические структуры моллюсков из разных классов. Начинайте читать описание первой схемы и раскрашивайте рисунок.

Помимо того что моллюски имеют мягкое тело, у них есть толстая мышечная **нога (A)**, имеющая различную форму в разных классах моллюсков. Нога используется для ползания, как опора, для захватывания жертвы или для плавания.

Другой отличительной чертой многих моллюсков является их наружная **раковина (B)**. Моллюск, изображенный вверху, называется двустворчатым, так как у него раковина выстлана изнутри кожной складкой, называемой **мантией (C)**, мантию имеют моллюски и с раковиной, и без нее.

Створки раковины закрывают две сильные мышцы – **передний (D)** и **задний (E) мускулы-замыкатели**. Водные моллюски, подобно рыбам, обладают **жабрами (F)**, используемыми для дыхания.

Теперь рассмотрим пищеварительную и другие системы двустворчатого моллюска. Продолжайте читать и раскрашивать соответствующие структуры. При этом пользуйтесь неяркими цветами, например желтым или серым, так как здесь имеются довольно мелкие детали.

Двустворчатые моллюски добывают себе пищу, фильтруя ее из воды. Частицы пищи с током воды попадают в мантийную полость через отверстие, называемое **вводным сифоном (G)**, а потом обволакиваются слизью **рта (H)**. В процессе продвижения пищи через **пищеварительную железу (I)** она расщепляется на более мелкие частицы. В **кишечнике (J)** всасываются питательные вещества, а отходы выводятся наружу через **анальное отверстие (K)**. Обратите внимание на то, что кишечник несколько раз перекручен. Выделительные процессы происходят у двустворчатого моллюска отчасти благодаря специальному органу, называемому **почкой (N)**, в которой скапливаются продукты жизнедеятельности, а потом выводятся наружу. Непереваренные остатки пищи выделяются из ануса через **выводной сифон (L)**.

Большинство моллюсков имеют незамкнутую систему кровообращения, включающую в себя **сердце (M)**, перекачивающее кровь по кровеносным сосудам. Кровь из сосудов затем омывает ткани, а потом опять возвращается в предсердие.

В различных частях тела моллюска имеются скопления нервных клеток, называемых **ганглиями (O)**, от которых проходят нервы ко всем органам. Половая железа двустворчатых моллюсков довольно большая и называется **гонадой (P)**.

Теперь сосредоточим внимание на четырех классах моллюсков. Продолжайте читать и раскрашивайте соответствующие рисунки достаточно яркими или темным цветами, так как они крупные и четко выражены. Не забывайте о том, что наша цель – сравнить различные классы моллюсков.

На первом рисунке у хитона уплощенное тело, удлиненная нога и плоская раковина, он обитает в морях. Улитки и родственные им формы относятся к брюхоногим (*Gastropoda*), ракушки к двустворчатым (*Bivalvia*), а осьминоги, кальмары и наутилусы к головоногим (*Cephalopoda*).

Обратите внимание на различную форму ноги (A) у представителей этих четырех классов мягкотелых. У хитона нога удлиненная, тогда как у осьминога и кальмара она разветвляется на восемь щупальцев. У хитона раковина (B) состоит из восьми пластинок, тогда как у улитки и двустворчатого моллюска она сплошная, а у кальмара и осьминога вообще нет раковины. У всех четырех классов имеется **кишка (Q)**, но она различается по внешнему виду и внутренней структуре.

У осьминога и кальмара мантия способствует передвижению. Пространство, окруженное мантией, называется **мантийной полостью (R)**, и она имеет разную форму у этих четырех классов. У наземных улиток и слизней эта полость приспособлена для поглощения атмосферного кислорода. За исключением двустворчатых у всех моллюсков имеется **радула (S)**, состоящая из ряда зубов, предназначенных для соскребывания или размельчения пищи.

Анатомия морского моллюска

Нога .... A
Раковина .... B
Мантия C
Передний мускул-замыкатель .... D
Задний мускул-замыкатель .... E
Жабры .... F
Вводной сифон .... G
Рот .... H
Пищеварительная железа I
Кишечник .... J
Анус .... K
Выводной сифон L

Анатомия двустворчатого моллюска

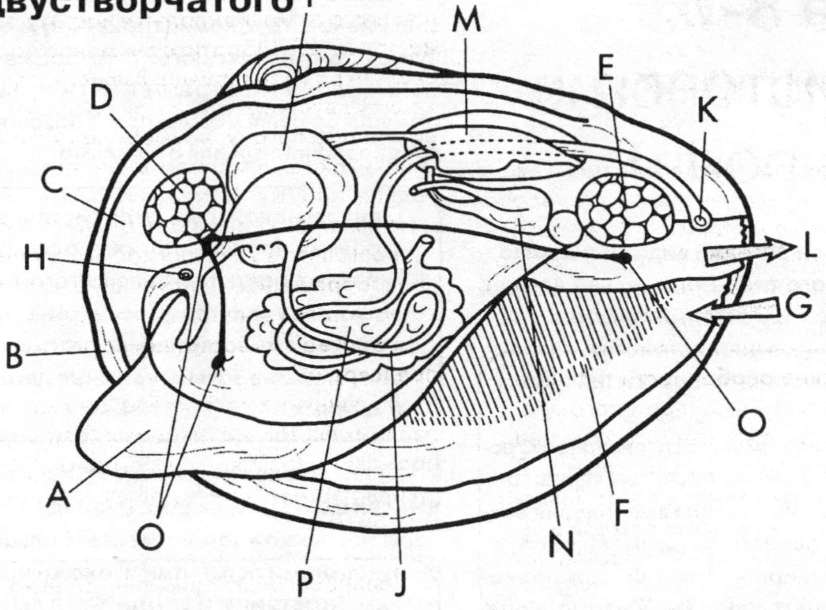

Различные классы моллюсков

S
Q
B
A
R
Хитон

Q
C
B
R
A
S
Брюхоногие

Q
C
B
R
A
Двустворчатые

C
Q
A
R
S
Головоногие

Сердце .... M
Почка .... N
Ганглии .... O
Гонада .... P
Сравнение моллюсков
Кишка .... Q
Мантийная полость .... R
Радула .... S

Глава 8-7: Тип членистоногие (Arthropoda)

Членистоногие – наиболее богатый видами тип животных. Общее число видов этого типа больше, чем во всех остальных группах животных и растений вместе взятых. Описано свыше миллиона видов членистоногих, которые заселили всю Землю и приспособились к жизни в самых разных местообитаниях.

Все представители этого типа имеют сегментарное строение тела, но в отличие от сегментов кольчатых червей они различно устроены и приспособлены для выполнения разных функций. Кроме того, у членистоногих имеется наружный скелет, называемый панцирем. Этот панцирь периодически сбрасывается в процессе линьки. Животные растут, пока новый панцирь не затвердеет.

> В верхней части этой таблицы показано наружное строение типичного представителя членистоногих – кобылки (саранчи), у которой имеются многие признаки, присущих этому типу животных. В нижней части таблицы изображены другие представители этого типа. Начинайте чтение этой главы с рассмотрения строения кобылки.

Кобылка является представителем класса насекомых. Ее тело состоит из трех четко разграниченных отделов: **головы (A)**, **груди (B)** и **брюшка (C)**.

Некоторыми из отличительных признаков насекомых являются **антенны (D)**, **фасеточные глаза (E)**, строение ротового аппарата, в который входят верхняя губа, верхние челюсти – **мандибулы (жвалы) (F)**, пара **нижних челюстей (G)** и нижняя губа.

Насекомые имеют различную форму и размеры. У кобылок и кузнечиков две пары **ходильных ног (H)** и третья пара **прыгательных (I)**. Вдоль брюшка у насекомых располагаются отверстия, называемые **стигмами (J)**. Они соединены с трубками (трахеями) и образуют дыхательную систему насекомого. У изображенного здесь насекомого имеются **надкрылья (K)** и **крылья (L)**. Последние сегменты брюшка у самки преобразованы в **яйцеклад (M)**, предназначенный для откладывания яиц.

> Описав некоторые отличительные особенности строения членистоногих, рассмотрим некоторых типичных представителей этого типа животных из различных классов. Посмотрите на рисунки и раскрашивайте их светлыми цветами – желтым или серым, чтобы не затенять важные детали строения этих животных.

К членистоногим относятся тысячи видов **многоножек кивсяков (N)**, имеющих цилиндрическое тело и по две пары ног на каждом сегменте. Большинство их питается растительными остатками. Похожи на них губоногие многоножки **(костянки и сколопендры) (O)**, имеющие плоское тело и по одной паре ног на каждом сегменте. Эти многоножки – хищники и падальщики, и их первая пара ног превращена в придатки для впрыскивания яда в жертву.

К членистоногим относятся также ракообразные. Эти животные живут большей частью в морской и пресной воде, к ним относятся **крабы (P)** и **раки (Q)**. Среди членистоногих только ракообразные имеют две пары антенн, и их ходильные ноги расположены на груди. К этой группе относятся также креветки и омары.

Такие членистоногие, как **клещи (R)** и **мечехвосты (S)**, относятся к арахнидам (паукообразным). В эту группу также входят пауки и скорпионы, у них голова обычно соединена с грудью. Многие арахниды убивают свою жертву ядом. Клещи – кровососущие паразиты, переносят возбудителей различных заболеваний.

Описано свыше 700 000 видов насекомых, имеющих три пары ног. Некоторые из присущих им признаков можно видеть у кобылки. На этой таблице показаны **комнатная муха (I)** и **жук (U)** – другие представители класса насекомых. К ним относятся также термиты, сверчки, вши, блохи, ночные и дневные бабочки, пчелы и муравьи.

Тип членистоногие (Arthropoda)

Голова .... A
Грудь .... B
Брюшко C
Антенны .... D
Фасеточный глаз .... E
Мандибула (жвало) .... F
Нижние челюсти .... G
Ходильные ноги .... H
Прыгательные ноги I

Стигмы .... J
Надкрылья .... K
Крылья L
Яйцеклад .... M

Представители членистоногих
Многоножка-кивсяк .... N
Костянка .... O

Краб .... P
Рак .... Q
Клещ .... R
Мечехвост .... S
Комнатная муха .... T
Жук .... U

Морфология кобылки

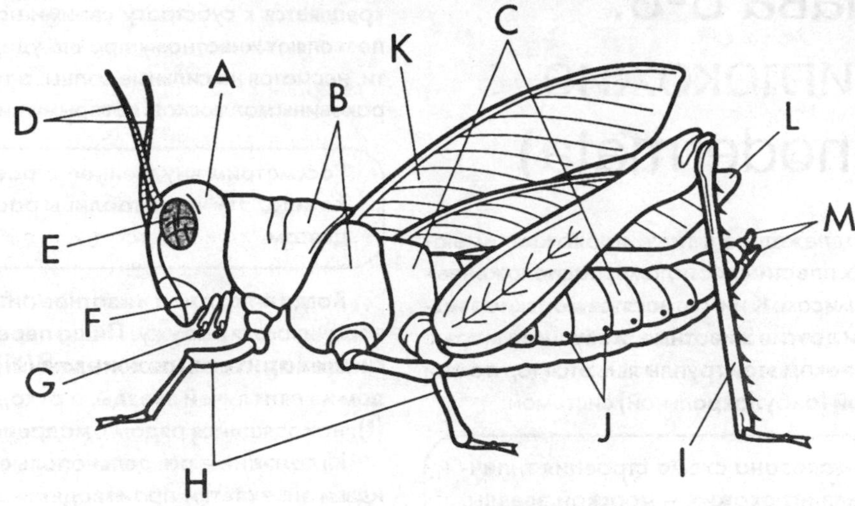

Представители членистоногих

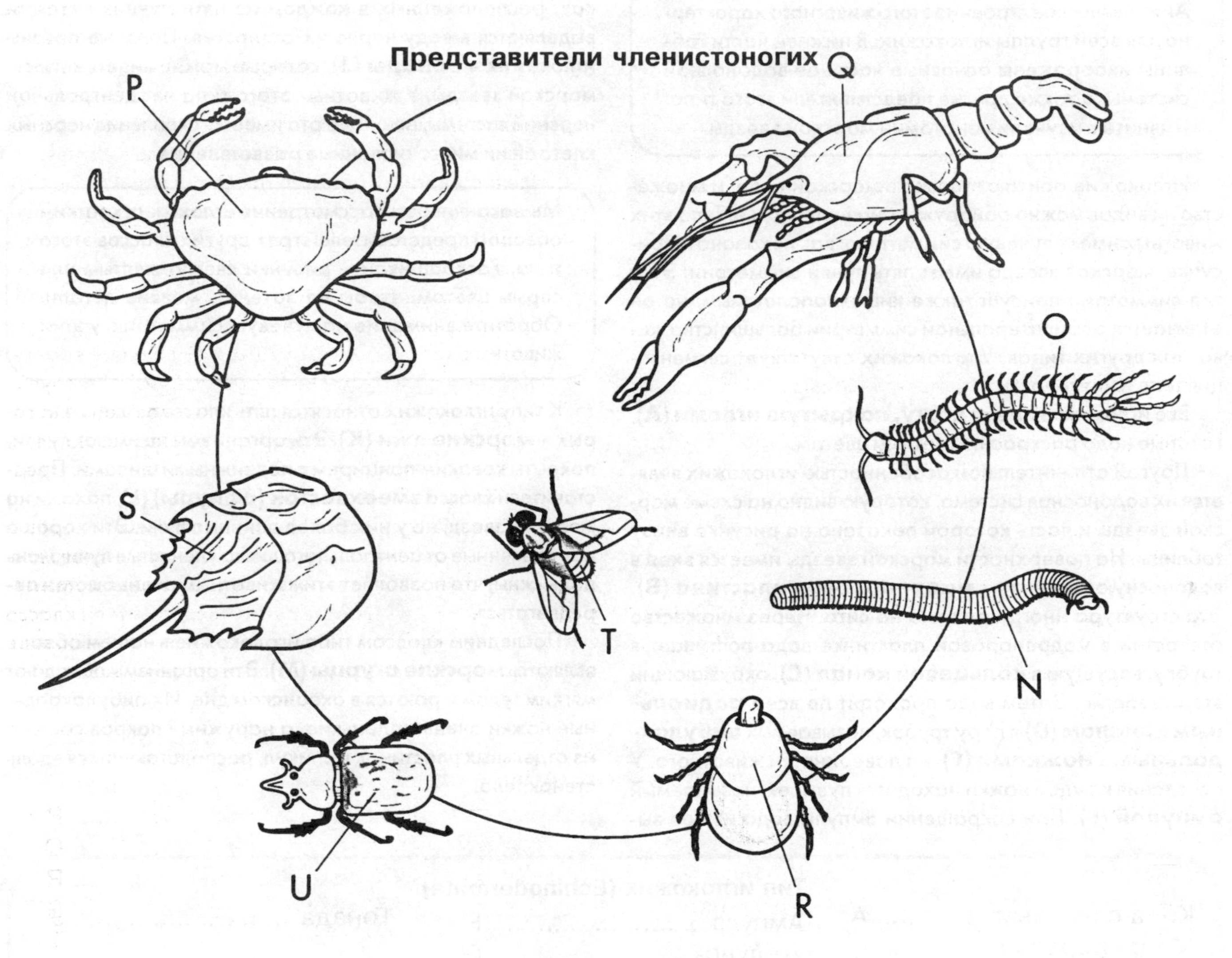

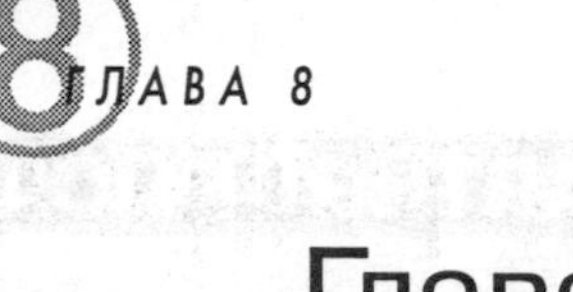

Глава 8-8: Тип иглокожие (Echinodermata)

Животные, принадлежащие к типу иглокожие, имеют скелет в виде твердых пластинок с иглами, расположенными сразу под эпидермисом. К ним относятся морские звезды, морские огурцы и другие животные, живущие в морях. Отличительным признаком этой группы является то, что они обладают водоносной (аибулакральной) системой.

На этой таблице показана схема строения типичного представителя иглокожих – морской звезды. Анатомическое строение этого животного характерно для всей группы иглокожих. В нижней части таблицы изображены основные части ее водоносной системы, а также другие представители этого типа. Начните с изучения анатомии морской звезды.

Иглокожие обитают только в морской воде, и множество их видов можно обнаружить на мелководье. Тело этих животных имеет лучевую симметрию, как показано на рисунке; морская звезда имеет пять лучей симметрии. Этот тип симметрии присущ также кишечнополостным, но он отличается от билатеральной симметрии большинства животных других типов. У иглокожих отсутствует сегментация тела и нет головы.

Все иглокожие имеют **кожу, покрытую иглами (A)**, которые надо раскрасить светлым цветом.

Другой отличительной особенностью иглокожих является их водоносная система, которую видно на схеме морской звезды и часть которой показана на рисунке внизу таблицы. На поверхности морской звезды имеется вход в водоносную систему — **мадрепоровая пластина (B)**. Эта структура иногда похожа на сито. Через множество отверстий в мадрепоровой пластинке вода поступает в трубку, ведущую в **кольцевой канал (C)**, окружающий это отверстие. Затем вода проходит по всем **радиальным каналам (D)** в пару трубок, называемых **аибулакральными ножками (E)**, на поверхности животного. У основания каждой ножки находится пузырек, называемый **ампулой (F)**. При сокращении ампулы вода из нее выдавливается в ножку, а та в свою очередь расширяется и прикрепляется к субстрату своими присосками. Эти присоски позволяют животному прочно удерживаться на поверхности, несмотря на сильные волны, а также крепко захватывать раковины моллюсков, которыми питаются морские звезды.

Рассмотрим внутреннее строение типичного иглокожего. Эту часть таблицы раскрашивайте светлым цветом.

Когда иглокожее животное питается, **желудок (G)** выворачивается наружу. Пища переваривается в пяти парах **пищеварительных желез (H)**, расположенных в каждом из пяти лучей звезды, а отходы выводятся через **анус (I)**, находящийся рядом с мадрепоровой пластиной.

Иглокожие – раздельнополые животные. Сперматозоиды и яйцеклетки производятся в семенниках или яичниках, расположенных в каждом из пяти лучей звезды, и выделяются в воду через их отверстия. Половые органы иглокожих — **гонады (J)**, которые можно видеть в лучах морской звезды. У животных этого типа нет центральной нервной системы, но около рта имеется скопление нервных клеток и их многочисленные разветвления.

Мы заканчиваем рассмотрение иглокожих кратким обзором представителей трех других классов этого типа. Раскрашивайте рисунки светло-желтым или серым цветом, чтобы не затенять мелкие детали. Обратите внимание на лучевую симметрию у этих животных.

К типу иглокожих относятся пять классов, один из которых – **морские ежи (K)**. Эти организмы не имеют лучей, покрыты крепким панцирем с подвижными шипами. Представители класса **змеехвосток (офиуры) (L)**, похожи на морских звезд, но у них более длинные лучи. Эти хорошо обособленные от центрального диска членистые лучи очень подвижны, что позволяет этим животным очень быстро передвигаться.

Последним классом типа иглокожие в нашем обзоре являются **морские огурцы (M)**. Эти организмы обладают мягким телом и роются в океанском дне. Их аибулакральные ножки очень маленькие, а наружный покров состоит из отдельных пластинок и спикул, располагающихся вдоль стенок тела.

Тип иглокожих (Echinodermata)

Кожа с шипами .... A
Мадрепоровая пластина .... B
Кольцевой канал C
Радиальный канал .... D
Аибулакральная ножка .. E
Ампула .... F
Желудок .... G
Пищеварительные железы .... H
Анус I
Гонада .... J

Представители иглокожих
Морской еж .... K
Змеехвостка L
Морской огурец .... M

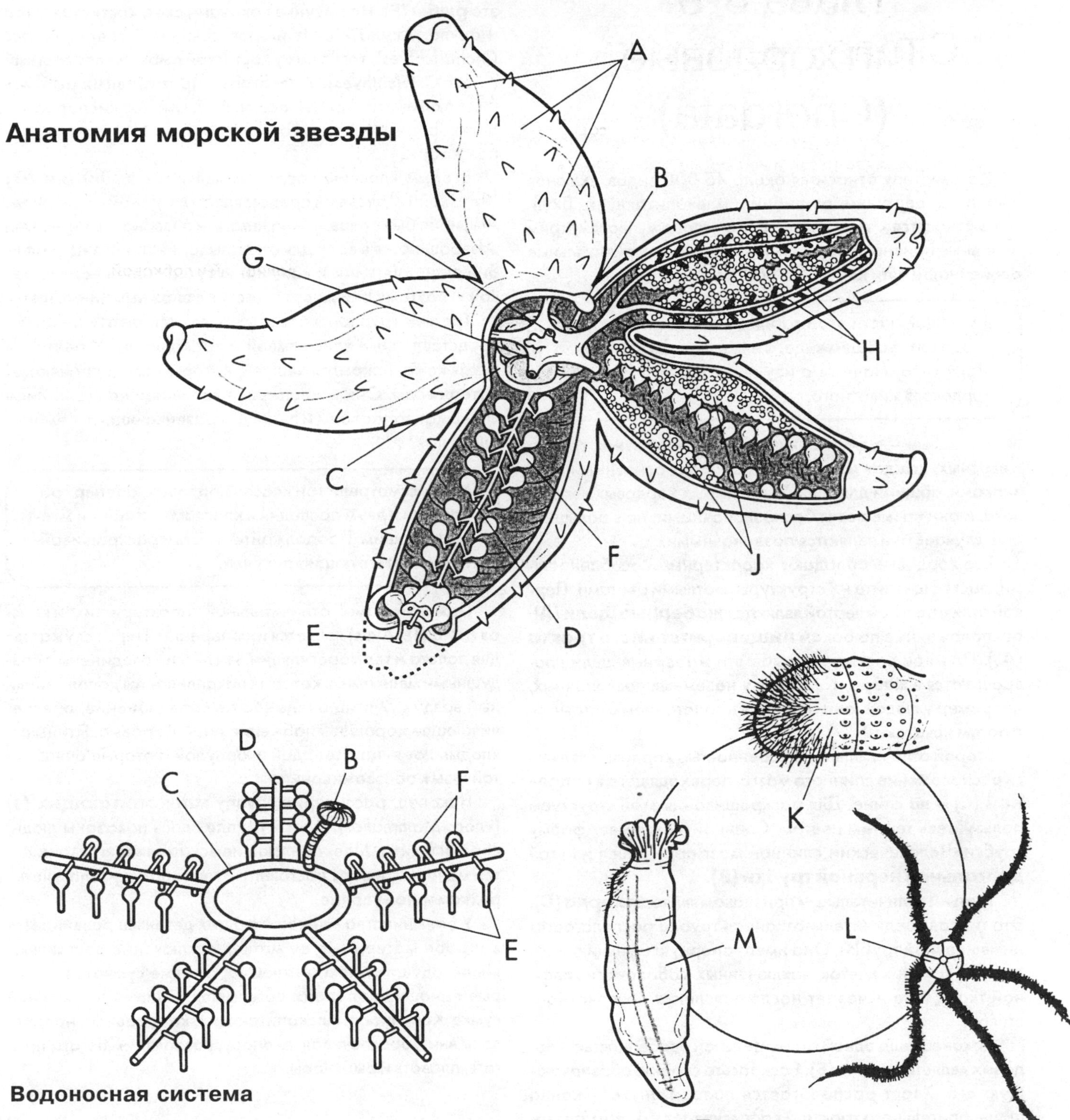
Анатомия морской звезды
A
B
I
G
H
C
F
J
E
D
D
B
C
F
E
K
M
L
Водоносная система
Представители иглокожих

Глава 8-9: Тип хордовые (Chordata)

К этому типу относится около 45 000 видов, включая рыб, птиц, рептилий, амфибий и млекопитающих. Люди тоже относятся к этому типу. В этой главе мы рассмотрим основные признаки хордовых и основные отличительные особенности пяти классов этого типа.

В верхней части этой таблицы изображена схема хордового в общем виде, а ниже пять крупных групп этого типа. Начнем с изучения общего строения хордового животного.

Хордовые – удивительная и разнообразная группа животных, каждая из которых обладает основными признаками, общими для всех. У некоторых хордовых нет скелета, и они называются беспозвоночными, но в большинстве случаев они являются позвоночными.

Все хордовые обладают характерными особенностями; раскрашивайте их структуры светлыми цветами. Первой отличительной чертой являются **жаберные щели (A)**, расположенные по бокам **пищеварительного тракта** (A_1). По мере развития у рыбы эти жаберные щели превращаются в жабры, тогда как у наземных позвоночных, например у людей, они остаются в зачаточном состоянии, а потом исчезают.

Второй отличительной особенностью хордовых является расположение спинного мозга, переходящего в **головной (C)** – на спине. Для раскрашивания этой структуры пользуйтесь темным цветом. Спинной мозг имеет форму трубки. Человеческий спинной мозг произошел из этой **дорсальной нервной трубки (B)**.

Третьим отличительным признаком является **хорда (D)**. Эта гибкая соединительнотканная трубка располагается ниже нервной трубки. Она имеет опорную функцию и состоит из крупных клеток, заключенных в оболочку из плотной ткани, она исчезает после появления позвоночного столба.

Наконец, еще одной отличительной особенностью хордовых является **хвост (E)**. Раскрасьте скобку, обозначающую его. Хвост располагается позади ануса – конца пищеварительного тракта. Хвост исчезает у многих позвоночных (например, у человека) в эмбриональном развитии.

Несмотря на наличие многих общих признаков, между классами хордовых имеется множество различий. Рассмотрим примеры. Сначала обратите внимание на рисунок рыб.

Первая группа позвоночных, которую мы рассмотрим, это **рыбы (F)**. На рисунке показаны скат, костистая рыба и акула. Акула и скат имеют хрящевой скелет (класс *Chondrichtyes*), тогда как у костистой рыбы скелет костный (класс *Osteichthyes*). У некоторых примитивных рыб, таких как минога, нет челюстей. Рыбы дышат кислородом, растворенным в воде, которая постоянно протекает через жабры.

Вторым классом хордовых являются **амфибии (G)** (*Amphibia*). Здесь они представлены лягушкой и тритоном. Амфибии были первыми наземными позвоночными, но они возвращаются в воду для откладывания своих яиц. Амфибии дышат легкими и кожей и могут испарять воду через кожу, поэтому они живут в местах с влажным климатом.

Третьей группой хордовых являются **рептилии (H)**, представленные здесь змеей и крокодилом. У рептилий сухая кожа, покрытая чешуей, которые предохраняют от потери воды. Они откладывают свои яйца на суше. Яйца содержат запас воды и пищи для развивающегося эмбриона.

Мы рассмотрели три класса хордовых, а теперь обратимся к двум последним классам – птицам и млекопитающим. Продолжайте читать и раскрашивайте соответствующие рисунки.

Пожалуй, самой отличительной характеристикой класса **птиц (I)** (*Aves*) является их оперение. Перья служат им для полета и терморегуляции. Их легкие соединены с воздушными мешками, в которых накапливается дополнительный воздух. У птиц очень частое сердцебиение, обеспечивающее хорошее снабжение тканей кровью. Птицы откладывают яйца с твердой скорлупой, которые очень устойчивы к обезвоживанию.

Наконец, рассмотрим группу **млекопитающих (J)** (класс *Mammalias*). В этой группе здесь показаны люди, собаки и киты. Млекопитающие вскармливают своих детей молоком, имеют постоянную температуру тела и четырехкамерное сердце.

У большинства млекопитающих детеныш развивается в утробе матери – в ее матке. Исключение составляют яйцекладущие млекопитающие, а также сумчатые, которые вынашивают своих детенышей в наружной кожной сумке. Конечности млекопитающих, как правило, направлены вниз, обеспечивая им опору, позволяя им бегать, прыгать, плавать и рыть норы.

ТИП ХОРДОВЫЕ (CHORDATA)

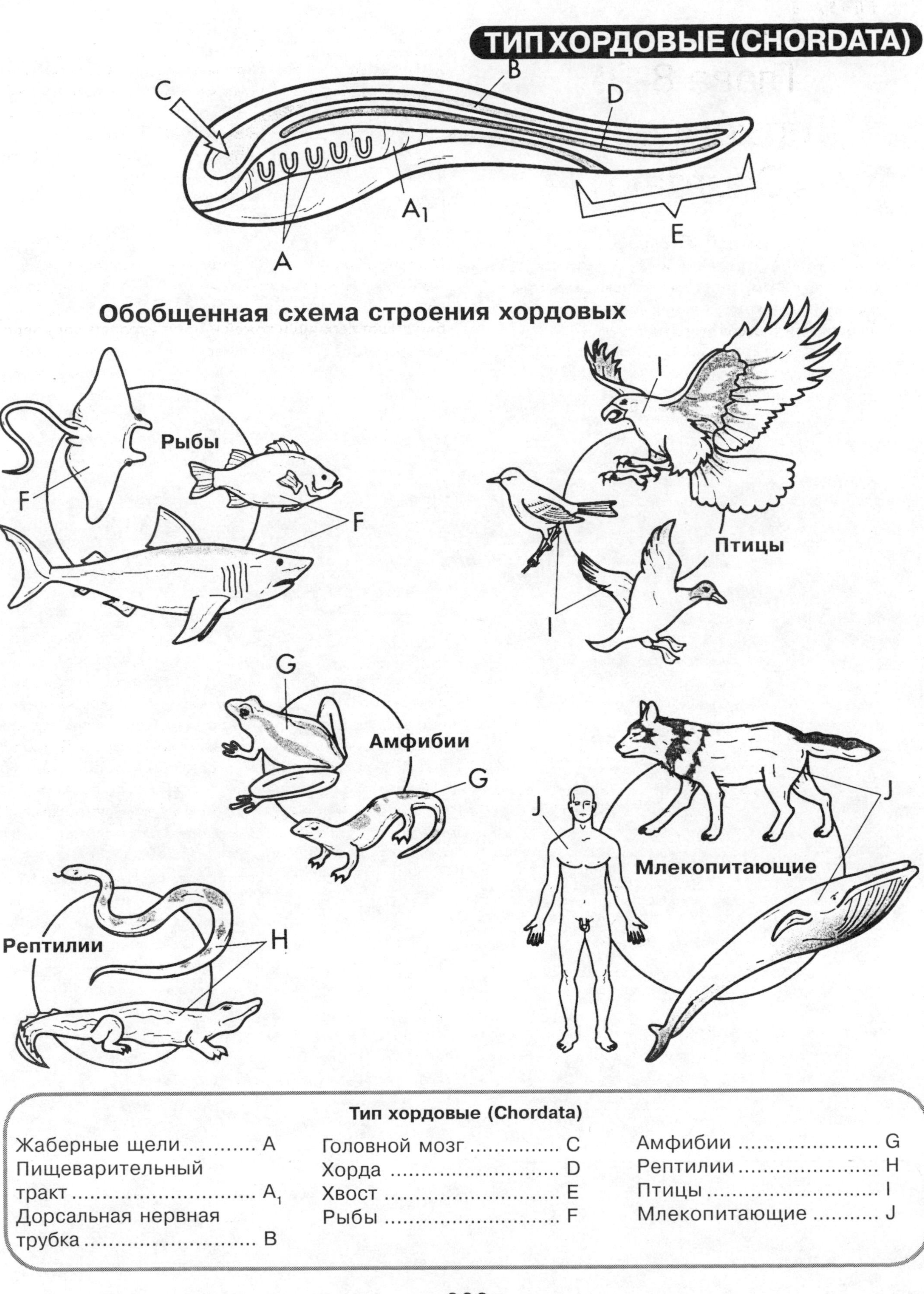

Тип хордовые (Chordata)

Жаберные щели .... A
Пищеварительный тракт .... A_1
Дорсальная нервная трубка .... B
Головной мозг C
Хорда .... D
Хвост .... E
Рыбы .... F
Амфибии .... G
Рептилии .... H
Птицы I
Млекопитающие .... J

Биология человека

Глава 9-1: Наружный покров тела (кожа) и его придатки

Наружный покров тела состоит из кожи и ее производных, включая волосы, потовые и сальные железы. Кожа является защитным слоем.

Обратите внимание, что мы изобразили участок кожи, включающий в себя волосы, а также другие структуры. Когда вы начнете изучение кожи, вам понадобятся светлые и бледные цвета, так как на рисунке показано много мелких деталей.

Кожа состоит из трех основных слоев. Ее наружным слоем является **эпидермис (A)**, который на рисунке отмечен скобкой. Следующий слой состоит из соединительной ткани и называется **дермой (B)**. Еще ниже лежит слой **подкожной клетчатки (C)**.

А теперь взгляните на увеличенное изображение эпидермиса в правом нижнем углу таблицы. Наружным слоем кожи является **роговой слой (A_1)**. Этот слой состоит из плоских мертвых клеток, богатых белком кератином. Роговой слой служит защитой от химических веществ, болезнетворных микроорганизмов, а также от действия теплового и светового излучений. Ниже, под роговым слоем, располагается **блестящий слой (A_2)**. Здесь находятся клетки, содержащие элеидин – предшественник кератина, образующие светлую, яркоокрашенную полоску. В первую очередь, этот слой имеется на ладонях рук и подошвах ступней.

Следующим слоем эпидермиса является **зернистый слой (A_3)**, состоящий из клеток, содержащих кератогиалин. Впоследствии это вещество преобразуется в кератин. Следующий слой – очень толстый, он называется **слоем шиповатых клеток (A_4)**. В клетках этого слоя вырабатывается кератин.

Глубже всех располагается **базальный (цилиндрический) слой (A_5)**. Он состоит из клеток разной формы: кубовидных и вытянутых в длину. Клетки этого слоя делятся (митоз) и превращаются в клетки расположенных выше слоев. Этот слой также называется ростковым слоем.

А теперь рассмотрим второй основной слой кожи – дерму и укажем некоторые из ее важнейших структур. Ткани этого слоя выполняют функции защиты, осязания, а также предохраняют от инфекций. Продолжите раскрашивание рисунка в соответствии с дальнейшим описанием.

Дерма содержит коллагеновые волокна, а также различные виды клеток. Наружным слоем дермы является сосочковый слой. Можно видеть, что его крохотные выступы проникают в эпидермис. Последний слой дермы называется сетчатым слоем.

В сетчатом слое располагаются **сальные железы (D)**. Эти железы выделяют маслянистое вещество – сало, и обычно сообщаются с волосяными фолликулами, что и показано на рисунке. В дерме находятся и другие железы – **потовые (E)**. Эти железы доставляют водянистые выделения (пот) в **потовые протоки (E_1)**, которые ведут к **потовым порам (E_2)**. Поры следует обозначить цветными пятнами. Посредством пота продукты обмена веществ доставляются к поверхности кожи для последующего удаления. Кроме того, пот способствует терморегуляции.

Теперь рассмотрим волосы. Волосы предохраняют кожу и снижают потерю тепла организмом. Цвет волос, главным образом, зависит от пигмента меланина. Когда вы прочитаете описание волоса, найдите на рисунке его составные части и закрасьте их.

Волосы являются производным эпидермиса. Их количество и особенности строения различаются на разных участках тела. **Волосы (F)**, изображенные на рисунке, надо закрасить у поверхности кожи.

Часть волоса, выступающая над поверхностью кожи, называется **стержнем (F_1)**, а та, которая проходит в дерму, является **корнем (F_2)**. Корень волоса окружен **волосяным фолликулом (F_3)**, который является продолжением эпидермиса, как показано на рисунке. В основании волосяного фолликула находится расширенная **волосяная луковица (F_4)**. Углубление, называемое **волосяным сосочком (F_5)**, содержит в себе соединительные ткани и кровеносные сосуды, обеспечивающие питание волоса. С одной из сторон волосяного фолликула располагается особая гладкая **мышца, поднимающая волос (F_6)**. В стрессовой ситуации эти мышцы сокращаются и поднимают волосы.

В конце кратко рассмотрим нервные рецепторы дермы и строение подкожной клетчатки. Завершите раскрашивание рисунка, когда прочитаете нижеследующие абзацы.

В дерме сосредоточено множество разновидностей нервных рецепторов. Одна из них – **пластинчатые тельца (Фатера-Пачини – G_1)**. Этот нервный рецептор улавливает вибрации, а также сильные прикосновения и посылает импульсы в головной мозг, тогда как другая разновидность рецепторов, называемая **тактильными тельцами (Мейсснера – G_2)**, улавливает легкие прикосновения.

В подкожной жировой клетчатке также имеется определенное количество нервов, местоположение которых связано с кровоснабжением кожной системы. **Артериальный сосуд (H)** снабжает кожу кровью, а **венозный сосуд (I)** осуществляет отток крови. Для этих элементов можно использовать красный и синий цвета соответственно. И наконец отметим, что **жировой слой (J)** подкожной клетчатки обеспечивает коже поддержку и амортизационные свойства.

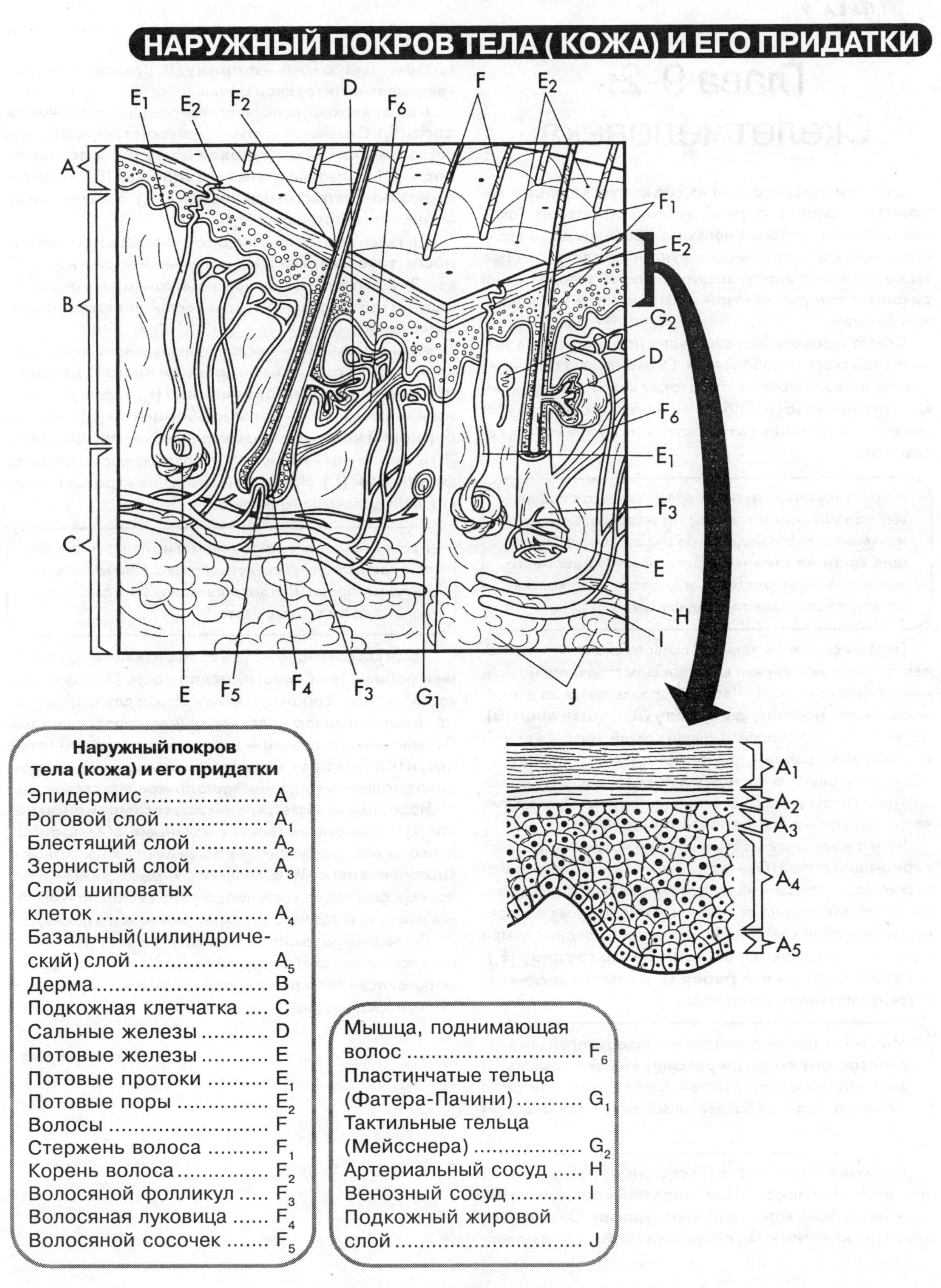

Наружный покров тела (кожа) и его придатки

Эпидермис .... A
Роговой слой .... A_1
Блестящий слой .... A_2
Зернистый слой .... A_3
Слой шиповатых клеток .... A_4
Базальный(цилиндрический) слой .... A_5
Дерма .... B
Подкожная клетчатка C
Сальные железы .... D
Потовые железы .... E
Потовые протоки .... E_1
Потовые поры .... E_2
Волосы .... F
Стержень волоса .... F_1
Корень волоса .... F_2
Волосяной фолликул ..... F_3
Волосяная луковица ...... F_4
Волосяной сосочек .... F_5

Мышца, поднимающая волос .... F_6
Пластинчатые тельца (Фатера-Пачини) .... G_1
Тактильные тельца (Мейсснера) .... G_2
Артериальный сосуд ..... H
Венозный сосуд I
Подкожный жировой слой .... J

Глава 9-2: Скелет человека

Скелет человека состоит из 206 костей, которые отличаются размерами, формой, весом и структурой. Такое разнообразие связано с неисчислимым множеством конструктивных и механических функций скелета, которые включают в себя опору, защиту полостей тела, функции рычагов, к которым крепятся мышцы, а также кроветворную функцию.

Скелет человека подразделяется на две основные части: осевой скелет и добавочный. Осевой скелет состоит из черепа, позвоночного столба, а также костей грудной клетки – грудины и ребер. Добавочный скелет состоит из костей верхних и нижних конечностей и из костей поясов конечностей.

На рисунке показан вид спереди скелета с ладонями, обращенными вперед. По мере дальнейшего изучения скелета надо закрашивать соответствующие кости на рисунке. Здесь может иметь место частичное перекрывание, и для этих участков желательно использовать бледные цвета.

Первый основной элемент осевого скелета — это череп. Этот элемент служит вместилищем головного мозга и многих органов чувств. Череп подразделяется на две основные части: **черепную коробку (A)** и **кости лица (B)**. Череп состоит из двадцати девяти костей, многие из которых являются парными, причем четырнадцать из них приходится на лицевую часть. Единственная кость, не имеющая непосредственного соединения ни с одной из других костей черепа, – это **нижняя челюсть (C)**.

Череп и верхнюю часть туловища поддерживает **позвоночный столб (G)** — другой основной элемент осевого скелета. Состоящий из тридцати одной кости, позвоночный столб постепенно расширяется книзу, а также соединяется с грудной клеткой. Передняя часть грудной клетки включает состоящую из трех компонентов **грудину (E_1)**, а также двенадцать пар **ребер (E_2)**, которые соединяют грудину с позвоночным столбом.

Мы рассмотрели осевой скелет. Теперь перейдем к добавочному скелету и рассмотрим некоторые из входящих в его состав костей. Когда вам встретится в тексте описание определенных костей, закрасьте их на рисунке.

Верхняя конечность (F) состоит из пояса верхней конечности и костей рук. **Пояс верхней конечности (D)** отмечен скобкой, которую нужно закрасить. Он содержит две кости: **ключицу(D_1)** с передней стороны тела и плоскую треугольную кость – **лопатку (D_2)**, лежащую на задней поверхности грудной клетки.

К поясу верхней конечности присоединена **плечевая кость (F_1)**. С плечевой костью соединяются две кости руки, расположенные ниже: **лучевая кость (F_2)** и **локтевая кость (F_3)**. Далее следуют **кости запястья (F_4)**, кости кисти называются **пястными костями (F_5)**, а кости пальцев называются **фалангами (F_6)**.

В нижней части тела находится **пояс нижней конечности (тазовый пояс) (H)**, отмеченный на рисунке скобкой. Эта кость кажется единой, но на самом деле она представляет собой соединение трех костей: подвздошной, седалищной и лобковой.

К поясу нижней конечности присоединена нижняя конечность. Она состоит из **бедренной кости (I_1)**, **коленной чашечки**, или **надколенника (I_2)**, и двух расположенных ниже костей – **большой берцовой (I_3)** и **малой берцовой кости (I_4)**. Лодыжка содержит **предплюсну (I_5)** и кости стопы – **плюсну (I_6)**. Кости пальца называются **фалангами (I_7)**. На этом мы завершаем краткий обзор строения добавочного скелета.

В конце мы коротко остановимся на пяти типах костей, составляющих скелет человека. Посмотрите на рисунки справа. Для закрашивания этих костей рекомендуются темные цвета.

Кости классифицируются в соответствии с их функциями и формой. Например, **плоская кость (J)** может быть костью черепа. Эти кости тонкие и служат для защиты мозга. Лопатка и ребра — другие примеры плоских костей. Позвонок позвоночника – типичный образец **губчатой кости (K)**. Губчатые кости характеризуются многочисленными расширениями, к ним часто прикрепляются мышцы.

Надколенник является примером **сесамовидной кости (L)**. Сесамовидные кости – маленькие, обычно располагаются над сухожилиями и защищают их целостность. **Длинные кости (M)** выполняют функцию движения. Например, бедренная кость ноги служит местом прикрепления мышц, и, когда мышцы сокращаются, кость движется.

Последней рассмотрим **короткую кость (N)**. Короткие кости имеют сходные размеры, но различную форму и встречаются в запястьях и лодыжках (например, кости запястья и предплюсна).

СКЕЛЕТ ЧЕЛОВЕКА

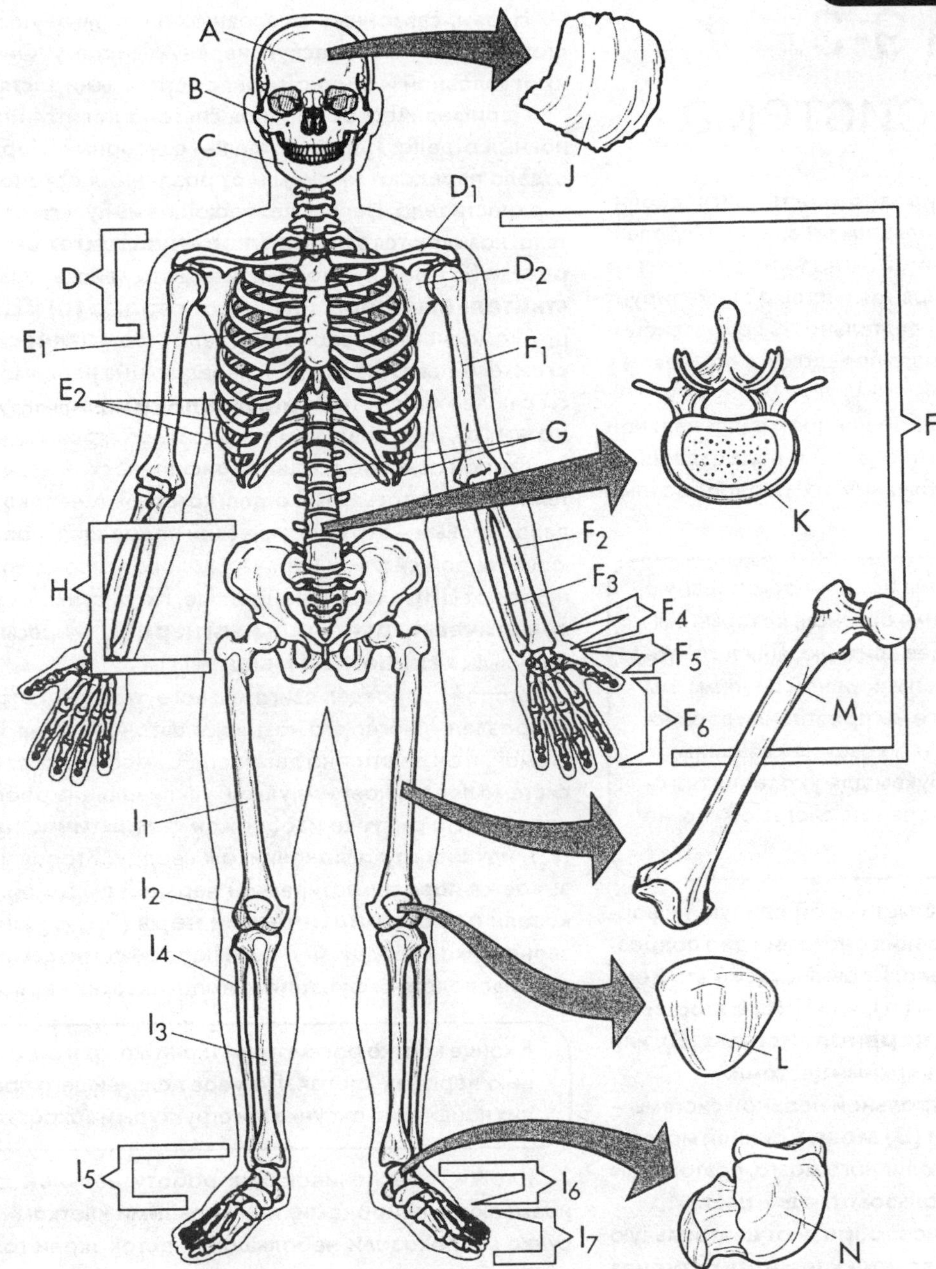

Скелет человека

Черепная коробка .... A	Локтевая кость .... F_3	Малая берцовая кость .... I_4
Кости лица .... B	Кости запястья .... F_4	Предплюсна .... I_5
Нижняя челюсть C	Пястные кости .... F_5	Плюсна .... I_6
Пояс верхней конечности .... D	Фаланги .... F_6	Фаланги .... I_7
Ключица .... D_1	Позвоночный столб ...... G	Плоская кость .... J
Лопатка .... D_2	Пояс нижней конечности (тазовый пояс) .... H	Губчатая кость .... K
Грудина .... E_1	Бедренная кость .... I_1	Сесамовидная кость L
Ребра .... E_2	Надколенник .... I_2	Длинная кость .... M
Верхняя конечность ...... F	Большая берцовая кость .... I_3	Короткая кость .... N
Плечевая кость .... F_1		
Лучевая кость .... F_2		

Глава 9-3: Нервная система

Нервная система дает телу возможность приспосабливаться к изменениям, происходящим во внешней среде и внутри самого тела. Воспринимая сигналы и передавая их в головной и спинной мозг, нервная система анализирует информацию и координирует деятельность других систем тела. Сигналы от головного мозга передаются по нервам к железам и мышцам.

На рисунке представлена обобщенная модель нервной системы. Мы укажем основные отделы и подразделения нервной системы, а также объясним их разнообразные функции.

Обратите внимание, что мы показываем нервную систему и некоторые системы органов, которые связаны с ней и подвергаются ее влиянию. Для того чтобы отделить основные отделы нервной системы, мы использовали скобки. Также мы проставили прописные буквы с индексами для указания связанных с ними нервов и строчные буквы для указания органов, которые связаны с нервной системой, но не являются ее частями.

Нервная система представляет собой единую информационную сеть, но с точки зрения анатомии она подразделяется на два основных отдела. Первый отдел – это **центральная нервная система (А)**, или ЦНС, а второй отдел – это **периферическая нервная система (В)**, или ПНС. Скобки нужно закрасить яркими цветами.

Два основных отдела центральной нервной системы – это **головной (С)** и **спинной (D) мозг**. Спинной мозг является продолжением ствола головного мозга, поэтому для этих отделов вам следует использовать один цвет.

Головной мозг и спинной мозг образуют центральную систему управления телом. Нервные клетки этих органов принимают и распознают сигналы, затем направляют импульсы к железам и мышцам. Головной мозг является центром высшей нервной деятельности, тогда как посредством спинного мозга осуществляются многие автоматические рефлекторные реакции организма.

Перейдем ко второму отделу нервной системы – периферической нервной системе, которая делится на две основные части и несколько подразделов. Для того чтобы обозначить нервы, можно использовать яркие цвета, а органы желательно закрасить бледными цветами, чтобы сохранить детали изображения.

Нервы, связанные с головным и спинным мозгом, составляют периферическую нервную систему. Они соединяют головной и спинной мозг с остальными частями тела.

Периферическая нервная система делится на два основных отдела. Первый отдел — сенсорный. Нервы этого отдела передают импульсы от различных органов и с поверхности тела. Нервы, передающие импульсы от органов тела, называются **висцерально-чувствительными нервами (E_1)**. Вам нужно отметить цветом висцерально-**чувствительный нерв**, идущий от **сердца (а)** к ЦНС. Второй компонент сенсорного отдела – **соматически-чувствительные нервы (E_2)**, передающие нервные импульсы с поверхности тела. На рисунке изображен **участок кожи (b)**, и мы советуем закрасить его ярким цветом.

Второй основной отдел периферической нервной системы – это двигательный отдел, который имеет два подраздела. Первый – это соматический подраздел, представляющий собой систему нервных волокон, передающих импульсы от ЦНС к скелетной мышце. На рисунке изображен **соматически-двигательный нерв (F_1)**, пересылающий импульсы к **скелетной мышце (с)**.

Второй подраздел двигательного отдела – автономный подраздел. Иногда его называют автономной нервной системой, и он делится на две части. Симпатическая нервная система пересылает импульсы, усиливающие работу ряда органов. На рисунке изображен **симпатический нерв (F_2)**, идущий от позвоночника к сердцу. Вторая часть называется парасимпатической нервной системой. Мы показали **парасимпатический нерв (F_3)**, идущий от позвоночника к сердцу. Функции парасимпатических нервов противоположны функциям симпатических нервов.

В конце кратко рассмотрим ткани мозга и организацию нервных клеток. По мере дальнейшего прочтения найдите на рисунке эти структуры и закрасьте их.

Клетки, обеспечивающие работу нервной системы, называются нейронами, или нервными клетками. На рисунке мы показали небольшой участок ткани головного мозга. По направлению к поверхности головного мозга располагается область, состоящая из **серого вещества (G)**, а в этом сером веществе находятся **тела нейронов (I_1)**. Под слоем серого вещества находится **белое вещество (Н)**. Белое вещество состоит главным образом из длинных отростков нейронов, которые называются **аксонами (I_2)**. О том, как осуществляется передача нервных импульсов, мы расскажем в следующей главе.

НЕРВНАЯ СИСТЕМА

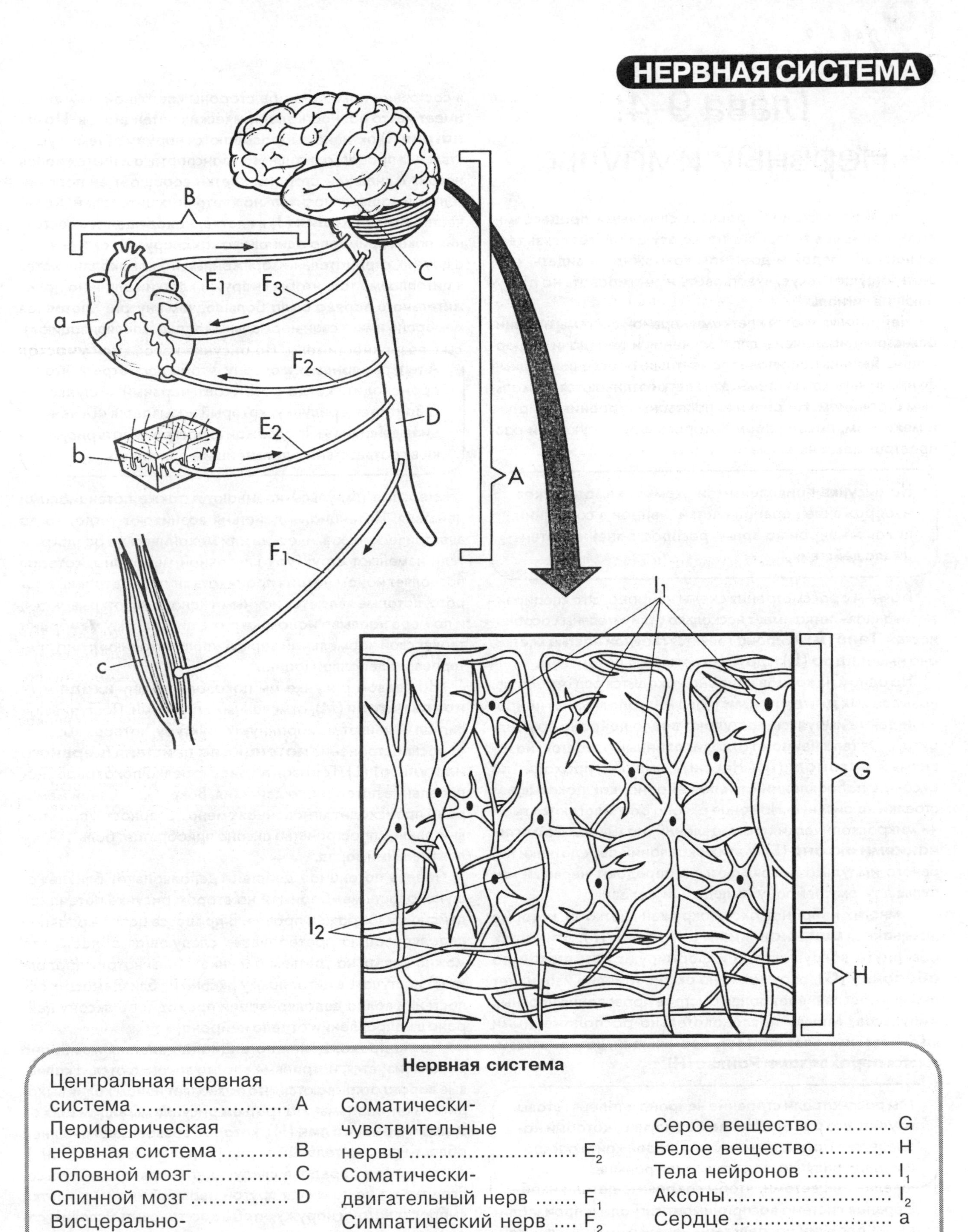

Глава 9-4: Нервный импульс

Нервная система управляет сложными процессами, проходящими в теле. Она также осуществляет связь тела с внешней средой и дает нам возможность видеть, слышать, ощущать вкус, чувствовать и реагировать на поступающие сигналы.

Нейроны являются клетками нервной системы и специально предназначены для получения и передачи информации. Являясь базовыми элементами, обеспечивающими функции нервной системы, эти клетки отличаются уникальным строением. На рисунке показаны строение нейрона и механизм, посредством которого формируются и распространяются нервные импульсы.

На рисунке приведены три схемы: схематическое изображение нервной клетки, нейрон в состоянии покоя и нейрон во время распространения потенциала действия.

Начнем с рассмотрения схемы нейрона. Эта специализированная клетка имеет несколько отличительных особенностей. **Тело (A)** нейрона является главной частью клетки, оно имеет **ядро (B)** и другие клеточные органеллы.

На одном из концов нейрона находится ряд отростков, называемых **дендритами (C)**. В многополюсном нейроне нервные импульсы поступают в тело нейрона по дендритам. От тела нейрона отходит длинный отросток, называемый **аксоном (D)**. Нервный импульс проходит по аксону в направлении от тела нейрона, как показывают стрелки на рисунке. На конце аксона располагаются тысячи микроскопических разветвлений, называемых **окончаниями аксона (E)**. У этих окончаний передатчики нервного импульса разряжаются и передают нервный импульс другому нейрону, мышце или железе.

У многих нейронов аксон окружен клетками, которые называются **шванновскими клетками (F)**. Эти клетки обвернуты вокруг аксона и формируют **миелиновую оболочку (G)**, окружающую аксон. Миелин изолирует аксон и обеспечивает более быстрое проведение нервных импульсов. Между последовательно расположенными шванновскими клетками есть промежутки, которые называются **перехватами Ранвье (H)**.

Мы рассмотрели строение нейрона и теперь готовы изучить его работу. Начнем с рисунка, который называется «Потенциал покоя». Продолжайте раскрашивание рисунка, как это делали раньше.

Нервная система воспринимает сигналы и производит ответные реакции посредством нервных импульсов. Нейрон в состоянии покоя не передает импульс, и считается, что он имеет потенциал покоя. У нейронов, находящихся в состоянии покоя, по обе стороны клеточной мембраны имеет место разность электрических потенциалов. **Ионы натрия (I)** активно выбрасываются наружу путем осуществления процесса активного транспорта, а избыток ионов натрия с внешней стороны клетки сообщает ей положительный заряд относительно клеточных цитозолей. Количество **ионов калия (J)** в клетке, находящейся в состоянии покоя примерно одинаково как снаружи, так и внутри, а другие, отрицательно заряженные ионы накапливаются в цитоплазме так, чтобы снаружи клетки величина положительного заряда была больше, чем внутри. Клеточная мембрана имеет свой нормальный заряд («поляризацию»).

А теперь вернемся к аксону, чтобы посмотреть, что происходит, когда возникает нервный импульс. Обратимся к рисунку, который называется «Потенциал действия». Продолжайте раскрашивать рисунки в соответствии с дальнейшим описанием.

Нервные импульсы называются также потенциалами действия. Потенциалы действия возникают тогда, когда электрические, химические или механические раздражители изменяют структуру клеточной мембраны, которая позволяет ионам натрия проникать внутрь. Натриевые ворота, которые являются ионными каналами, открываются, и по мере наплыва ионов натрия в цитоплазму мембрана теряет свой нормальный заряд («поляризацию»); она претерпевает деполяризацию.

На первом рисунке мы показали группу **входящих ионов натрия (M)**, отмеченных стрелками. Поступивший сигнал изменяет мембранную структуру, которая вызывает распространение **потенциала действия (нервного импульса) (L)**. Горизонтальная стрелка показывает направление потенциала действия. Вокруг клеточной мембраны происходит мгновенная смена полярности, при этом внутреннее пространство аксона приобретает больший положительный заряд.

Теперь потенциал действия деполяризует близлежащую область мембраны, и на втором рисунке потенциал действия изображен правее. В процессе цепной реакции деполяризацию претерпевает следующая область, что можно видеть на третьем рисунке. Ионы натрия продолжают поступать в цитоплазму аксона из близлежащих областей, и волна деполяризации проходит по аксону нейрона в направлении от тела нейрона.

После прохождения потенциала действия мембрана реполяризуется, натриевые ворота закрываются, а калиевые ворота открываются, что позволяет ионам калия выходить из цитоплазмы. На третьем рисунке мы видим **выходящие ионы калия (N)**, которые возвращают внешней области положительный заряд (реполяризуя мембрану). Аксон готов к передаче следующего нервного импульса. Если тут же не появится другой нервный импульс, клетка выбросит натрий наружу, чтобы восстановить условия, соответствующие потенциалу покоя. Весь процесс деполяризации и реполяризации нейрона занимает меньше миллисекунды.

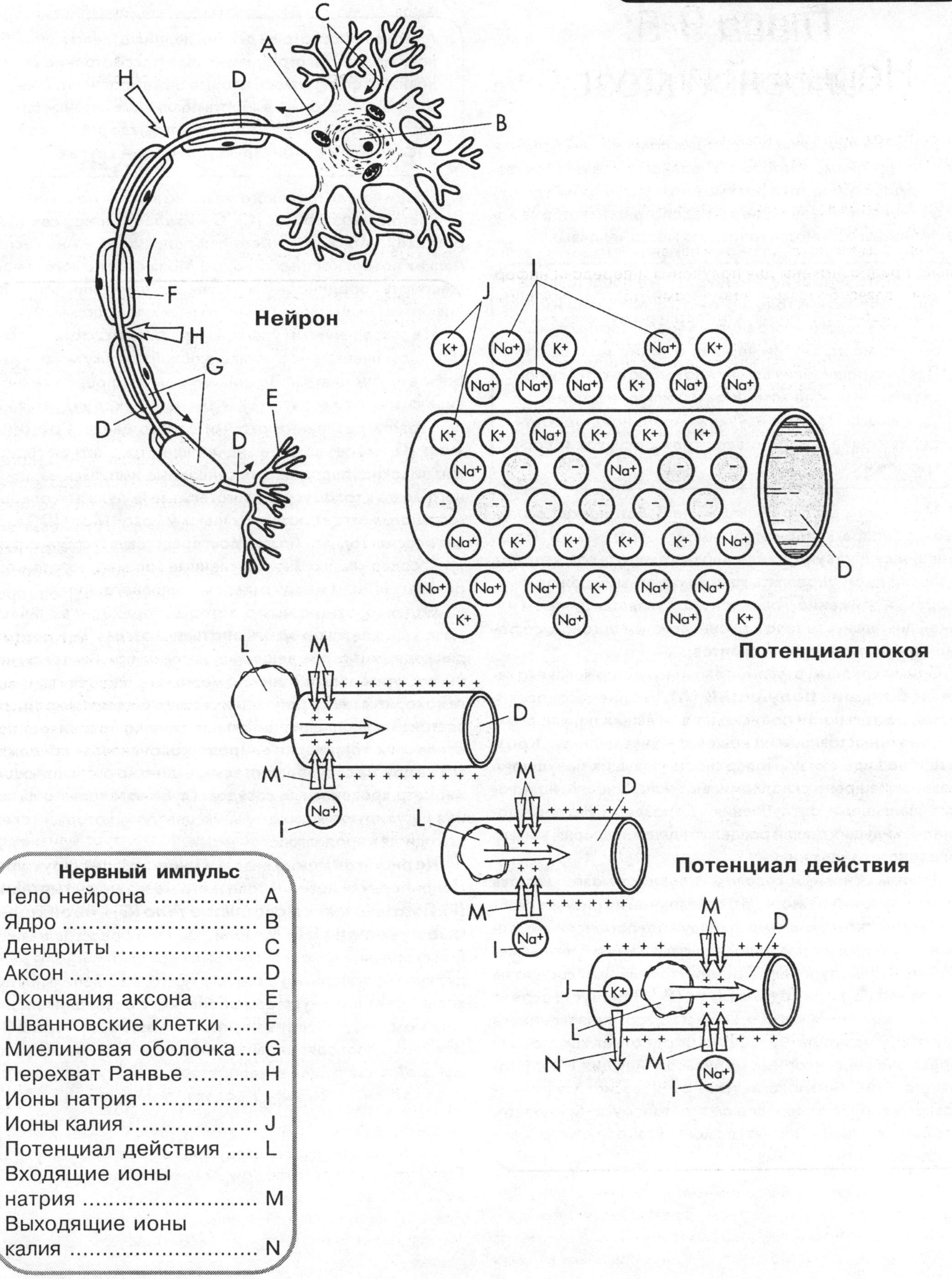

Нервный импульс

Тело нейрона .... A
Ядро .... B
Дендриты C
Аксон .... D
Окончания аксона .... E
Шванновские клетки ..... F
Миелиновая оболочка ... G
Перехват Ранвье .... H
Ионы натрия I
Ионы калия .... J
Потенциал действия L
Входящие ионы натрия .... M
Выходящие ионы калия .... N

Глава 9-5: Головной мозг

Головной мозг является центром поведения человека и главным органом центральной нервной системы. Он отвечает за работу памяти и разума наряду со многими другими функциями. В этой главе мы рассмотрим некоторые характерные особенности головного мозга человека.

Обратите внимание, что на рисунке представлены три изображения головного мозга. Мы видим изображение целого мозга внутри черепа, вертикальный разрез мозга внутри черепа, а также мозг снизу. Для раскрашивания вам нужно выбрать оттенки посветлее, чтобы не затемнить извилины и другие детали мозга. По мере изучения мозга найдите соответствующие части на всех трех рисунках и раскрасьте их.

Мы узнаем об окружающей нас обстановке посредством сигналов, которые принимает головной мозг. Наши реакции существуют в виде нервных импульсов, которые позволяют нам управлять такими ответными действиями, как речь и движение. Головной мозг является центром нервной деятельности тела и очень сложным органом, состоящим из множества компонентов.

Самым крупным отделом головного мозга человека являются **большие полушария (A)**. Все процессы психической деятельности происходят в больших полушариях, которые представлены на нашем рисунке целиком, в разрезе и на виде снизу. Поверхность больших полушарий сильно испещрена складками: выпуклые участки называются извилинами, а углубления – бороздами. Ряд последовательно идущих щелей разделяют два полушария, как это показано на виде снизу.

Вторым основным отделом головного мозга является **промежуточный мозг (B)**, отмеченный на рисунке скобкой. Эта часть головного мозга окружает расширенную, заполненную жидкостью полость, называемую третьим желудочком (III желудочек). Промежуточный мозг состоит из **таламуса (B_1)** и **гипоталамуса (B_2)**. Таламус содержит парные скопления серого вещества, организованные в структуры, называемые ядрами, и работает как станция переключения сенсорных импульсов, идущих в кору головного мозга. Физиологическое равновесие тела (гомеостаз) регулируется посредством гипоталамуса. Кроме того, гипофиз, который выделяет гормоны, контролируется и вырабатывается гипоталамусом.

А теперь рассмотрим два последних отдела головного мозга. Мы ограничим наше рассмотрение основными функциями, которые они выполняют. Возможно, вы захотите выбрать различные оттенки одного и того же цвета, чтобы отметить, где располагаются области одной структуры, а где – других.

Среди частей головного мозга на втором месте по размеру стоит **мозжечок (C)**. Он изображен на всех трех рисунках. Мозжечок имеет два полушария и множество мелких поверхностных складок. Мозжечок помогает осуществлять координацию и регуляцию движений согласно информации, приходящей от больших полушарий.

И в завершение мы упомянем **средний** и **задний мозг (D)**, обозначенные на рисунке скобкой. Скобку можно закрасить ярким цветом. Задний мозг имеет продолжение в виде **спинного мозга (E)**, и для него рекомендуется использовать различные оттенки одного цвета. **Средний мозг (D_1)** имеет важное значение, потому что он содержит волокна, передающие сенсорные импульсы от спинного мозга к таламусу, а двигательные импульсы – от коры головного мозга обратно к спинному мозгу. **Мост (D_2)** входит в состав заднего мозга. Мост представляет собой структуру, содержащую многочисленные волокна, которые переносят сигналы между отделами головного мозга.

Отдел головного мозга, который переходит в спинной мозг, называется **продолговатым мозгом (D_3)**. Этот отдел содержит серое вещество, которое принимает сигналы, поступающие от спинного мозга. В продолговатом мозге находится центр регуляции сердечной деятельности: он состоит из скопления нейронов, регулирующих частоту сердечных сокращений. Продолговатый мозг содержит также другие сосудодвигательные центры, регулирующие диаметр кровеносных сосудов. Глубина и частота дыхания регулируются дыхательным центром, который также находится в продолговатом мозге.

На рисунках можно видеть и многие другие структуры. Например, у основания головного мозга виден **гипофиз (F)**. Показаны также **мозолистое тело (G)** и **обонятельные луковицы (H)**. Мозолистое тело представляет собой скопление волокон, которые передают сигналы между двумя полушариями большого мозга, а обонятельная луковица связана с чувством обоняния. У основания головного мозга видны многие **черепно-мозговые нервы (I)**. Эти нервы проводят нервные импульсы от органов чувств для соответствующей интерпретации в мозгу и возвращают импульсы, чтобы вызвать адекватные реакции.

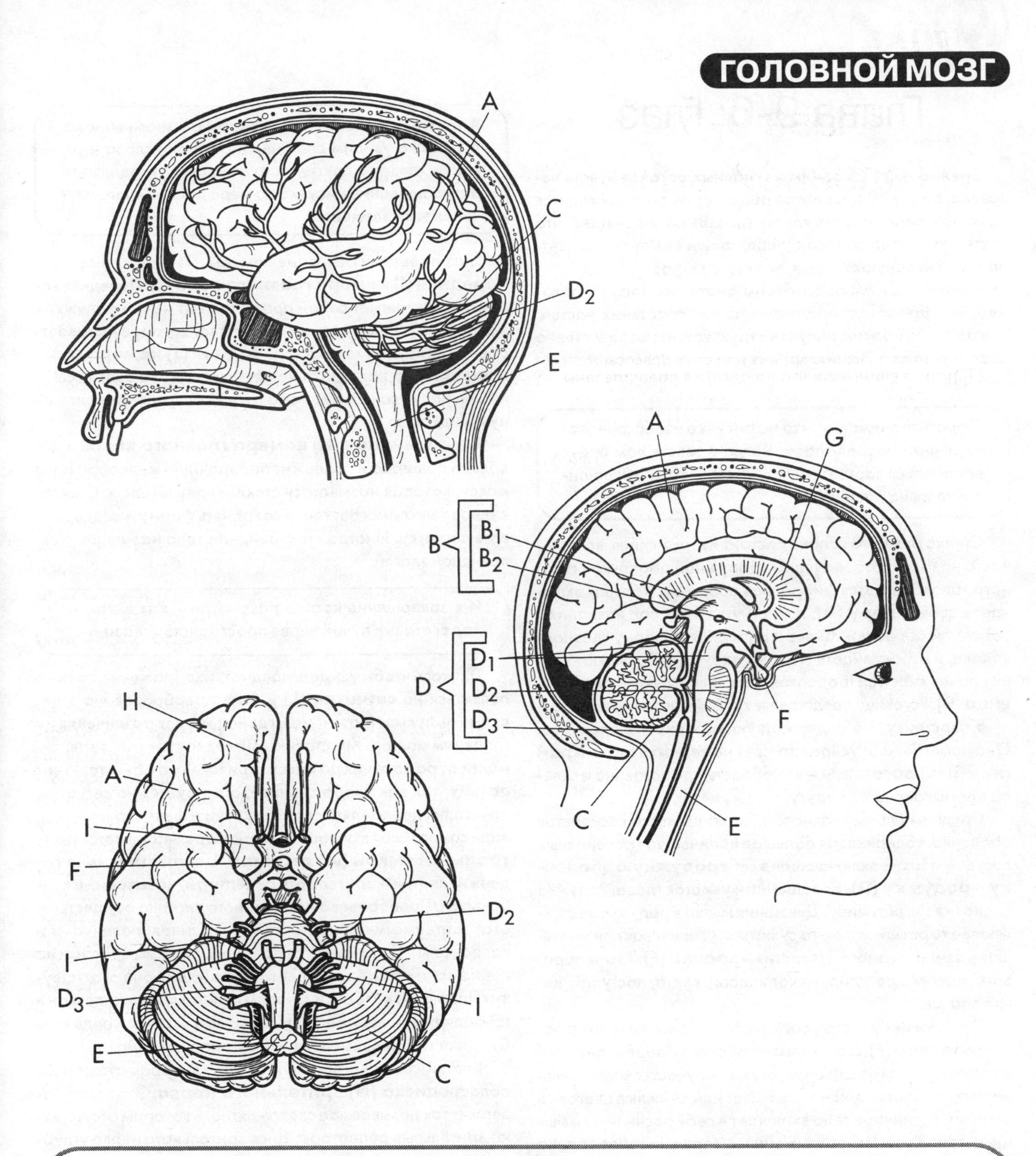

Головной мозг

Большие полушария...... A	Средний и задний мозг .... D	Гипофиз .... F
Промежуточный мозг ... B	Средний мозг .... D_1	Мозолистое тело .... G
Таламус .... B_1	Мост .... D_2	Обонятельные луковицы .... H
Гипоталамус .... B_2	Продолговатый мозг ..... D_3	Черепно-мозговые нервы I
Мозжечок C	Спинной мозг .... E	

Глава 9-6: Глаз

Зрение является одним из главных органов чувств человека. Более 70 процентов рецепторов тела приходится на светочувствительные клетки глаз. Было подсчитано, что третья часть всех волокон, передающих импульсы в центральную нервную систему, выходит из глаз.

В этой главе мы рассмотрим анатомию глаза и покажем, как работают некоторые из его составных частей. Показанные на этом рисунке структуры непосредственно обеспечивают функцию зрения или служат вспомогательным целям.

Обратите внимание, что на рисунке изображен поперечный разрез глаза. Когда в тексте вам будут встречаться соответствующие структуры, закрашивайте их на рисунке.

Стенка глазного яблока состоит из трех слоев, которые часто называют оболочками. Наружной оболочкой глазного яблока является фиброзная оболочка, которая включает в себя **склеру (A)**, известную также под названием белочной оболочки. Склера определяет форму глазного яблока, и можно видеть, что она окружает большую часть его поверхности. Продолжением склеры является **роговица (B)**. Роговица представляет собой выпуклую прозрачную пластинку, не содержащую кровеносных сосудов. Она помогает фокусировать свет на сетчатке глаза. **Край (лимб) (C) роговицы** – это область, где роговица и склера примыкают друг к другу.

Средним слоем глазного яблока является сосудистая оболочка, содержащая большое количество кровеносных сосудов, а также включающая в себя **радужную оболочку – радужку (D)**, окрашенный участок глаза. Радужка видна сквозь роговицу. Движения мышц в радужке заставляют ее то расширяться, то сужаться, увеличивая или уменьшая размер глазного отверстия – **зрачка (E)**. Таким образом, радужка регулирует количество света, поступающего в зрачок.

Следующий участок сосудистой оболочки – это **ресничное тело (F)**. Этот элемент оболочки переходит в радужку, и для закрашивания двух этих участков желательно использовать один и тот же цвет или смежные цветовые оттенки. Ресничное тело включает в себя ресничную мышцу, которая управляет движениями глаза. Глазное яблоко окружает так называемая **собственно сосудистая оболочка (G)**, которая содержит обширную сеть капилляров, снабжающую кровью сетчатку. На рисунке вы можете также увидеть **хрусталик (H)**.

А теперь мы рассмотрим камеры глазного яблока. Мы также увидим слой нервной ткани глаза и то, как он связан с другими структурами. Продолжите раскрашивание рисунка по мере дальнейшего изучения этих элементов.

Глаз имеет три основные камеры. Первая из них – это **передняя (I) камера глазного яблока**. Передняя камера представляет собой пространство между радужкой и роговицей. Она содержит вещество, которое называется внутриглазной жидкостью. **Задняя (J) камера глазного яблока** находится между поддерживающими связками и радужкой. Эта камера также содержит внутриглазную жидкость.

Стекловидная (K) камера глазного яблока довольно обширна и содержит прозрачную желеобразную массу, которая называется стекловидным телом. Стекловидное тело помогает глазу сохранять форму и поддерживать сетчатку. Иногда стекловидное тело называют стекловидной влагой.

И в завершение кратко рассмотрим, как выглядит ход световых лучей через пространство глаза.

Для того чтобы увидеть предмет, изображение должно появиться на **сетчатке (L)** и быть преобразовано в нервные импульсы (потенциалы действия) для различения их головным мозгом. Хрусталик меняет свою форму в зависимости от расстояния до рассматриваемого объекта. И вот почему: так как изображение формируется на сетчатке, хрусталик преломляет световые лучи и фокусирует их позади самого себя в особой точке, которая называется **центральной ямкой (M) сетчатки**. Центральная ямка содержит клетки – зрительные рецепторы, называемые колбочками. Преобразование светового сигнала осуществляется зрительными рецепторами двух типов: палочками и колбочками. Палочки сосредоточены главным образом на периферии сетчатки, а в центральной ямке они отсутствуют. Палочки и колбочки связаны с биполярными клетками (биполярными нейронами), которые в свою очередь возбуждают ганглиозные клетки (ганглиозные нейроны).

Клетки сетчатки образуют сетку, которая сужается в области **диска (N) зрительного нерва**. Этот диск содержит так называемое слепое пятно, в котором отсутствуют зрительные рецепторы. Диск зрительного нерва углубляется в стенку глаза и далее выходит из нее в виде **зрительного нерва (O)**, который передает импульсы к головному мозгу.

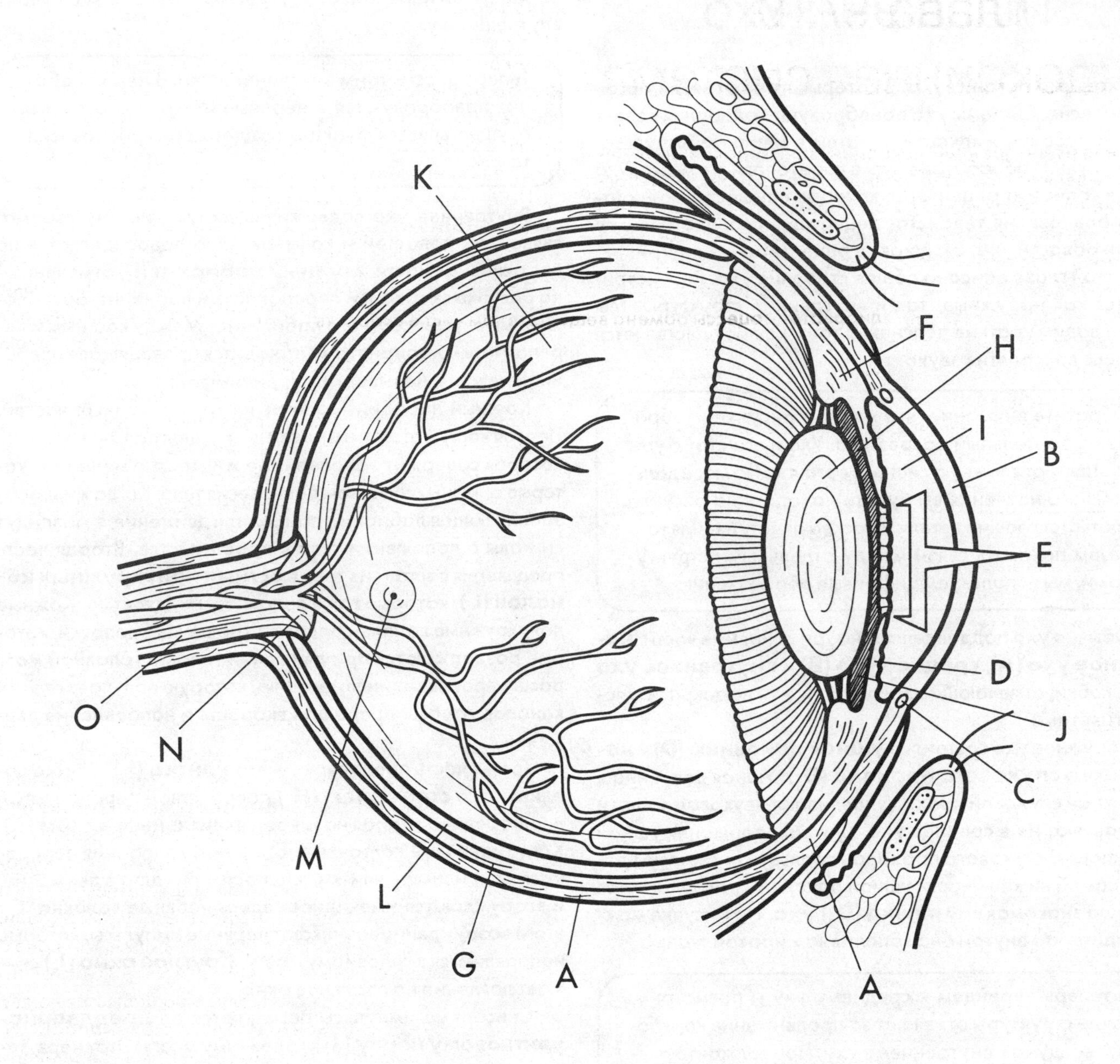

Глаз

Склера .... A
Роговица .... B
Край (лимб) роговицы ... C
Радужная оболочка (радужка) .... D
Зрачок .... E
Ресничное тело .... F
Собственно сосудистая оболочка .... G
Хрусталик .... H
Передняя камера глазного яблока I
Задняя камера глазного яблока .... J
Стекловидная камера глазного яблока .... K
Сетчатка L
Центральная ямка сетчатки .... M
Диск зрительного нерва .... N
Зрительный нерв .... O

Глава 9-7: Ухо

Ухо – это орган слуха, с которым также связан орган равновесия. Системы уха преобразуют колебания воздуха в колебания жидкости, а затем в нервные импульсы. Эти импульсы обрабатываются в коре головного мозга. Ухо также содержит рецепторы, которые осуществляют контроль равновесия тела. Эти рецепторы сосредоточены в одной области уха, а слуховые рецепторы – в другой.

В этой главе описано общее строение уха. Рассматриваются как наружные, так и внутренние структуры. Мы также дадим краткие пояснения того, как осуществляется процесс восприятия звука.

Обратите внимание, что на этом рисунке изображен фронтальный разрез уха. Ухо и его структуры составляют сложную систему органов. По мере дальнейшего изучения вы будете находить на рисунке соответствующие детали и раскрашивать их. Для того чтобы показать связи между отдельными структурами, мы используем цифровые обозначения.

Обычно ухо подразделяют на три основные части: **наружное ухо (A)**, **среднее ухо (B)** и **внутреннее ухо (C)**. Скобки, отмечающие эти области, нужно закрасить яркими цветами.

Наружное ухо состоит из **ушной раковины (D)** и **наружного слухового прохода (D_1)**. Ушная раковина и наружный слуховой проход улавливают звуковые волны и направляют их в среднее ухо. Для закрашивания ушной раковины и слухового прохода используйте светлые цвета. В самой нижней части ушной раковины располагается хорошо знакомая вам **мочка (D_2) уха**. На рисунке можно видеть, что внутри она заполнена жировой тканью.

А теперь перейдем к среднему уху и посмотрим, какие структуры отвечают за продвижение колебаний воздуха к внутреннему уху. Продолжайте раскрашивать рисунок по мере дальнейшего прочтения.

Между внешним и внутренним ухом находится перегородка, которая называется **барабанной перепонкой (E)**. Звуковые колебания заставляют эту перепонку вибрировать. Барабанная перепонка отмечает начало заполненного воздухом пространства внутри **височной кости (F)**, называемого **барабанной полостью (F_1)**. **Евстахиева (слуховая) труба (G)** соединяет барабанную полость с носоглоткой и обеспечивает одинаковое давление воздуха по обе стороны барабанной перепонки (внутри уха и снаружи – атмосферное).

Тремя важными анатомическими деталями среднего уха являются **слуховые косточки (H)**: **молоточек (H_1)**, **наковальня (H_2)** и **стремя (H_3)**. Они вибрируют в унисон с барабанной перепонкой и передают колебания к началу внутреннего уха.

Теперь рассмотрим внутреннее ухо. В нем колебания преобразуются в нервные импульсы, а также осуществляется функция поддержания равновесия тела.

Внутреннее ухо содержит сложную систему взаимосвязанных полостей и каналов. Оно подразделяется на две основные части: **костный лабиринт (I)**, отмеченный на рисунке скобкой, и перепончатый лабиринт, расположенный внутри костного лабиринта. Между костным и перепончатым лабиринтами находится проводящая колебания жидкость, называемая перилимфой.

Костный лабиринт состоит из трех основных частей. Первая часть – это **преддверие (I_1)**, центральная полость, которая содержит заполненные жидкостью мешочки, которые связаны с чувством равновесия тела. Когда жидкость, заполняющая лабиринт, приходит в движение, в мозг идут сигналы о положении тела в пространстве. Вторая часть преддверия состоит из трех **костных полукружных каналов (I_2)**, которые тоже заполнены жидкостью. Кожные полукружные каналы содержат крошечные волоски, которые раздражаются при движении головы. Головной мозг расшифровывает информацию, которую получает от этих каналов, чтобы определить скорость и направление движения.

Третья часть преддверия – это **улитка (I_3)**. Улитка соединена со **стременем (H_3)** посредством перепончатой перегородки, которая называется **овальным окном (I_4)**. Когда слуховые косточки вибрируют, колебания передаются в перилимфу улитки, жидкость приходит в движение, и возбуждаются имеющиеся здесь нервные волокна. От этого возбуждения возникают нервные импульсы, которые направляются к головному мозгу. **Круглое окно (I_5)** снижает давление на овальное окно.

Сенсорные импульсы передаются по **преддверно-улитковому нерву (J)** к головному мозгу. Этот нерв, таким образом, воспринимает оба вида ощущений: чувство равновесия и слуховые ощущения.

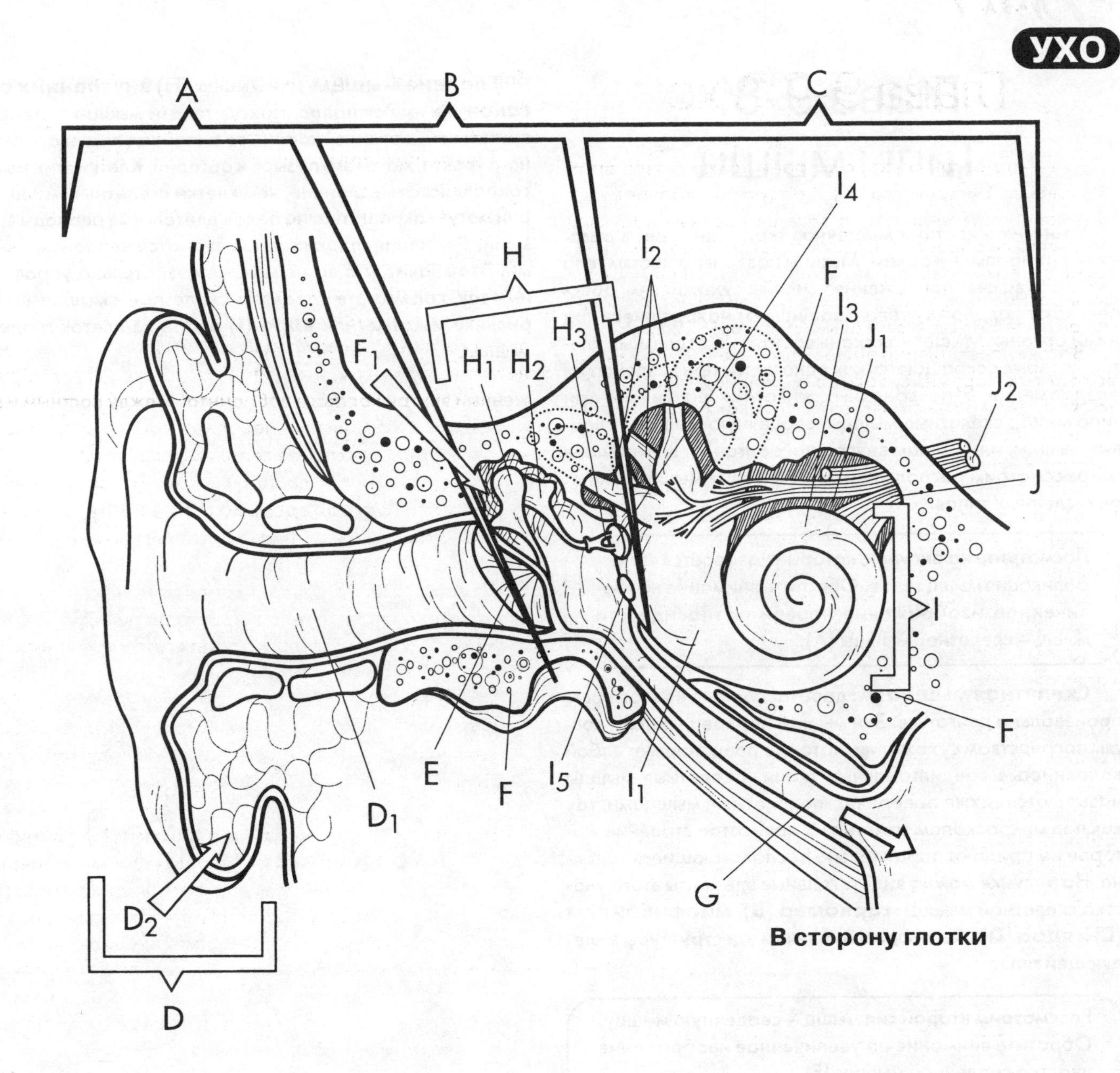

Ухо

Наружное ухо .... A
Среднее ухо .... B
Внутреннее ухо C
Ушная раковина .... D
Наружный слуховой проход .... D_1
Мочка уха .... D_2
Барабанная перепонка .... E
Височная кость .... F
Барабанная полость..... F_1
Евстахиева (слуховая) труба .... G
Слуховые косточки .... H
Молоточек .... H_1
Наковальня .... H_2
Стремя .... H_3
Костный лабиринт......... I
Преддверие .... I_1
Костные полукружные каналы .... I_2
Улитка .... I_3
Овальное окно .... I_4
Круглое окно .... I_5
Преддверно-улитковый нерв .... J

Глава 9-8: Типы мышц

У многих животных мышечная ткань занимает в организме наибольший объем. Мышцы позволяют частям тела двигаться за счет приложения усилий к сухожилиям, обеспечивают поддержку тела и защищают находящиеся под ними органы. Мышечная ткань состоит из отдельных клеток, которые сокращаются как одно целое при воздействии раздражения. У позвоночных животных различают три типа мышц: скелетные мышцы, сердечную мышцу и гладкие мышцы, или мышцы внутренних органов. В этой главе мы рассмотрим расположение и строение мышц трех перечисленных типов.

Посмотрите на рисунок, который называется «Классификация мышц тела». Обратите внимание на увеличенное изображение первой разновидности мышц – скелетной мышцы (А).

Скелетная мышца (А) дает частям тела возможность произвольно двигаться. Эти мышцы прикрепляются к костям посредством сухожилий, которые представляют собой волокнистые соединительные ткани. Скелетные мышцы называются также поперечно-полосатыми мышцами, так как под микроскопом заметно их полосатое строение, которое им придают параллельно располагающиеся волокна. На рисунке можно видеть главные элементы этого участка скелетной мышцы: **саркомер (В)**, **миофибриллы (С)** и **ядра (D)**. Мы подробно изучим эти структуры в следующей главе.

Рассмотрим второй тип мышц – сердечную мышцу. Обратите внимание на увеличенное изображение участка сердечной мышцы (Е).

Сердечная мышца (Е) – это мышца, образующая стенки сердца. Эта мышца сокращается непроизвольно. Единственное, что отличает клетки сердечной мышцы от клеток других мышц – это наличие **вставочных дисков (F)**. Вставочные диски находятся на концах клеток сердечной мышцы и фактически соединяют их. Они передают нервные импульсы, которые вызывают сокращение клетки за клеткой. Сердечная мышца, как и скелетная мышца, относится к поперечно-полосатым мышцам. На рисунке можно также видеть **ядра (G)** клеток.

Последний тип мышц, который мы рассмотрим, – это гладкие мышцы, или мышцы внутренних органов. Обратите внимание на третий крупный план в таблице и, читая дальше, закрашивайте эти структуры.

Гладкие мышцы, или мышцы **(Н) внутренних органов**, не имеют полос. Находятся эти мышцы в стенках внутренних органов, например в стенках пищеварительного тракта, мочевого пузыря и артерий. Клетки этих мышц сокращаются медленнее, чем клетки скелетных мышц, но они могут сокращаться на более длительные периоды времени. Движения гладких мышц являются непроизвольными. Это значит, что вы не можете сознательно управлять ими так, как можете управлять скелетными мышцами. На рисунке мы отметили **ядро (I)** одной из клеток гладкой мышцы.

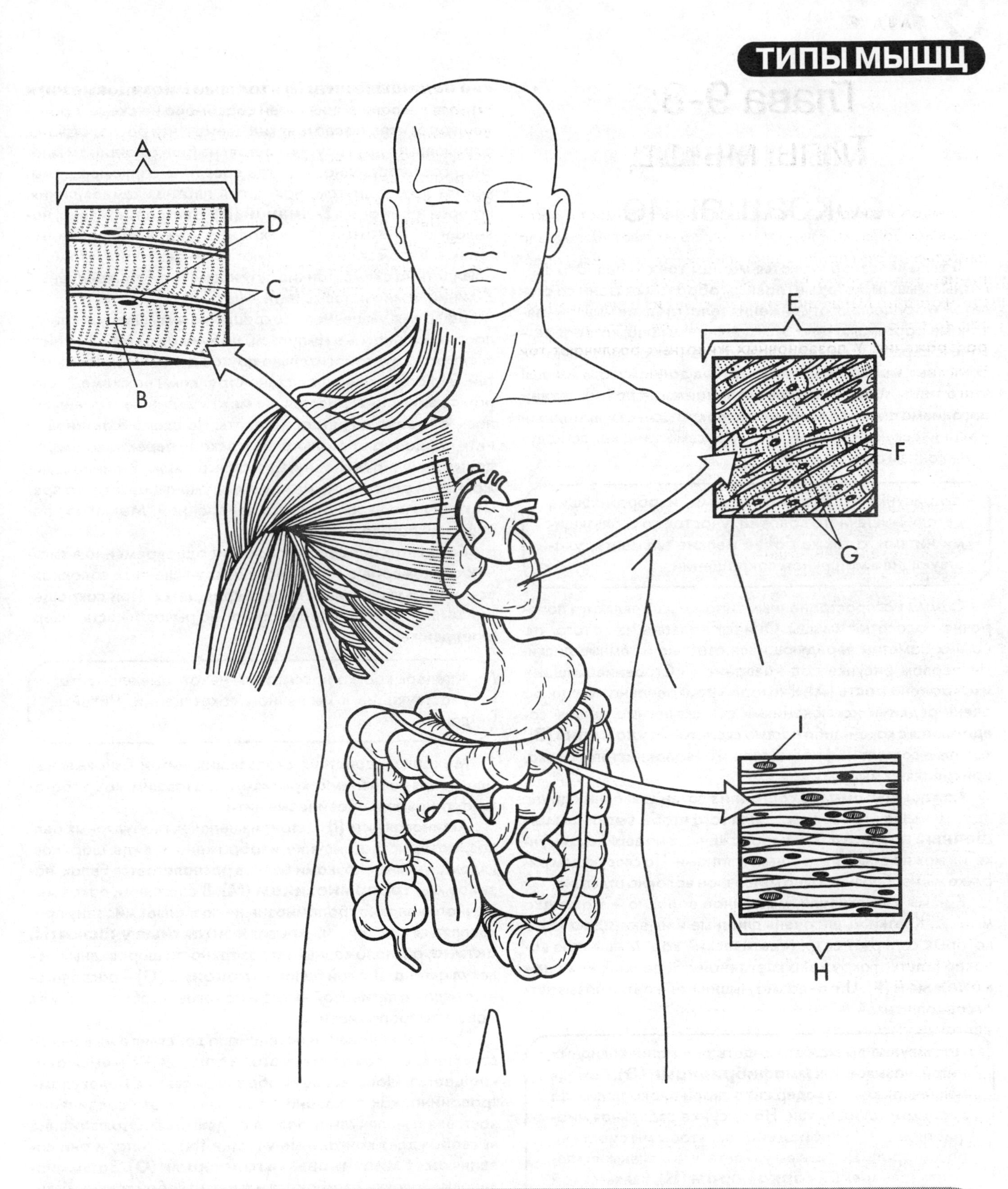

Классификация мышц тела

Скелетная мышца .... A
Саркомер .... B
Миофибриллы C
Ядра .... D
Сердечная мышца .... E
Вставочные диски .... F
Ядра .... G
Гладкая мышца .... H
Ядро I

Глава 9-9: Мышечное сокращение

В теле человека имеются мышцы трех типов. Это скелетные мышцы, которые главным образом связаны со скелетом и осуществляют движения тела; гладкие мышцы, связанные с органами тела, и сердечная мышца, которая связана с сердцем. Движения тела зависят от деятельности скелетных мышц, и мы рассмотрим в данной главе мышцы этого типа. Мышечная ткань отличается от других тканей организма своей способностью сокращаться и выполнять механическую работу. А теперь рассмотрим, как действует механизм сокращения.

На рисунке мы видим три схемы, изображающие детали мышечного волокна, участок со скользящими нитями, а также более мелкие элементы, участвующие в мышечном сокращении.

Самым распространенным типом мышц являются поперечно-полосатые мышцы. Они так названы из-за того, что на них заметны чередующиеся светлые и темные диски. На первом рисунке под названием «Строение мышцы» изображена **кость (А)**, к которой прикреплена мышца. За очень редкими исключениями все скелетные мышцы соединяются с какой-либо частью скелета, а **сухожилия (В)**, которые состоят из фибриллярного (волокнистого) белка, прикрепляют мышцы к костям.

Каждая **мышца (С)** состоит из сотен связанных друг с другом мышечных волокон. Для того чтобы выделить **мышечные волокна (D)**, изображенные на верхнем рисунке, их можно отметить цветными пятнами. На следующем рисунке мы изобразили одно мышечное волокно отдельно.

Как мы уже сказали, мышечное волокно – это клетка мышцы. Клетки мышц очень длинные и имеют **ядра (Е)**, в которых содержится их генетический код. Мышечное волокно (клетка) окружено клеточной оболочкой, или **сарколеммой (F)**. Цитоплазма мышечной клетки называется саркоплазмой.

На рисунке вы можете видеть ряд палочковидных нитей, называемых **миофибриллами (G)**. Каждая мышечная клетка содержит в своей саркоплазме до двадцати таких нитей. На рисунке отдельная миофибрилла (G) изображена так, чтобы мы смогли ее рассмотреть. Дальше вы узнаете, что маленький элемент, называемый **саркомером (Н)**, является той частью мышцы, которая отвечает за функцию сокращения. Продолжайте рассматривать и раскрашивать таблицу, обращая внимание на схему под названием «Скользящие нити».

Рассматривая саркомер в электронный микроскоп, можно увидеть, что он состоит из нитей двух типов. Это **тонкие актиновые нити (I)** и **толстые миозиновые нити (J)**. Для закрашивания нитей саркомера на схеме 1 рекомендуется использовать яркие цвета. Нити располагаются параллельно друг другу и состоят из белков актина и миозина соответственно. Там, где соседние саркомеры смыкаются друг с другом, находится плотная темная линия, которая называется **Z-линией (К)**. Центральная зона, называемая **Н-зоной (L)**, находится между миозиновыми нитями. В этой зоне отсутствуют актиновые нити, что можно видеть на схеме. Тонкие актиновые нити прикреплены к Z-линии, а миозиновые нити – нет.

Во время мышечного сокращения в мышечную клетку поступают нервные импульсы, побуждая актиновые нити скользить друг относительно друга вдоль миозиновых нитей. Это скольжение показано стрелками на схеме 2. Обратите внимание: расстояние между Z-линиями уменьшилось, а Н-зона начинает исчезать. На схеме 3 актиновые нити продолжают скольжение и вскоре перекрывают друг друга, аннулируя Н-зону. Связанные с ними Z-линии сближаются, и расстояние между ними уменьшается, в то время как длина нитей остается неизменной. Мышечное волокно сократилось.

Когда этот процесс происходит одновременно в тысячах саркомеров в многочисленных мышечных волокнах, вся мышца укорачивается и сокращается. При сокращении мышца действует на кость как на рычаг, и кость совершает движение.

А теперь кратко рассмотрим некоторые элементы, участвующие в мышечном сокращении. Читайте дальше.

Механизм действия скользящих нитей был выяснен благодаря недавним открытиям, показавшим, как работают актиновые и миозиновые нити.

Актиновая нить (I) состоит из цепочек глобулярных белков, которые на рисунке изображены в виде шариков. Рядом с этими цепочками белков располагается белок, называемый **тропомиозином (М)**. В состоянии покоя мышечного волокна тропомиозин не позволяет миозину прикрепляться к актину, прикрывая **контактные участки (N) актина**, расположенные на поверхности шаровидных молекул актина. Другой белок – **тропонин (О)** – располагается рядом с актиновой нитью и помогает стабилизировать молекулы тропомиозина.

При возникновении потенциала действия в мышечном волокне высвобождаются **ионы кальция (Р)**, и мышца сокращается. Ионы кальция образуют связь с молекулами тропонина, как показано на рисунке, и это соединение заставляет молекулы тропонина сдвигаться. Это движение высвобождает контактные участки (N) актина, и они соединяются с **миозиновыми головками (Q)**. Затем миозиновые головки изгибаются и тянут за собой тонкую актиновую нить. Именно это усилие сдвигает актиновую нить относительно неподвижной миозиновой нити. Когда нервные импульсы прекращаются, связанные ионы кальция высвобождаются, и контактные участки снова прикрываются. Мышца возвращается в состояние покоя.

МЫШЕЧНОЕ СОКРАЩЕНИЕ

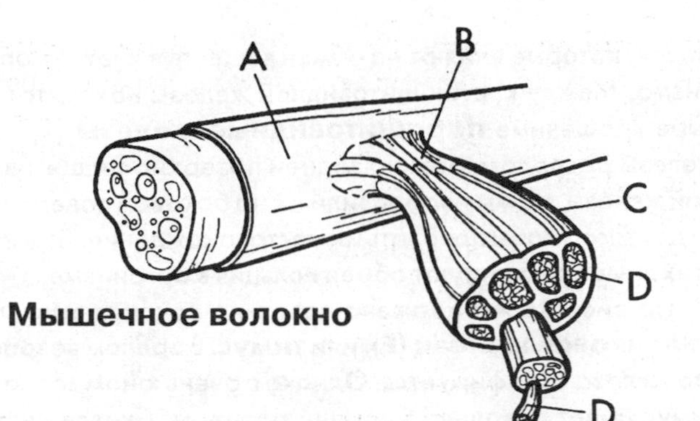

Мышечное волокно

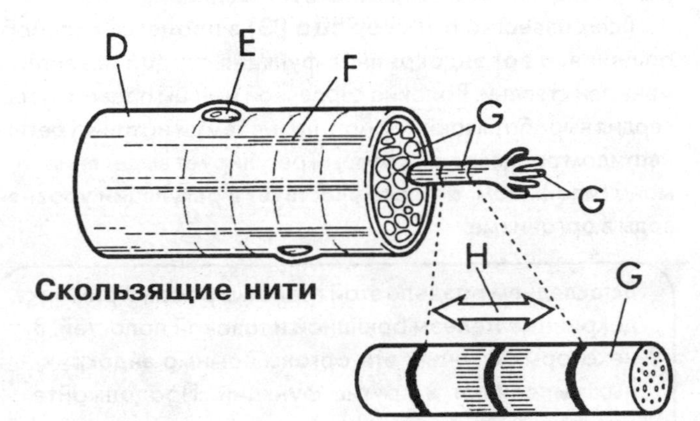

Скользящие нити

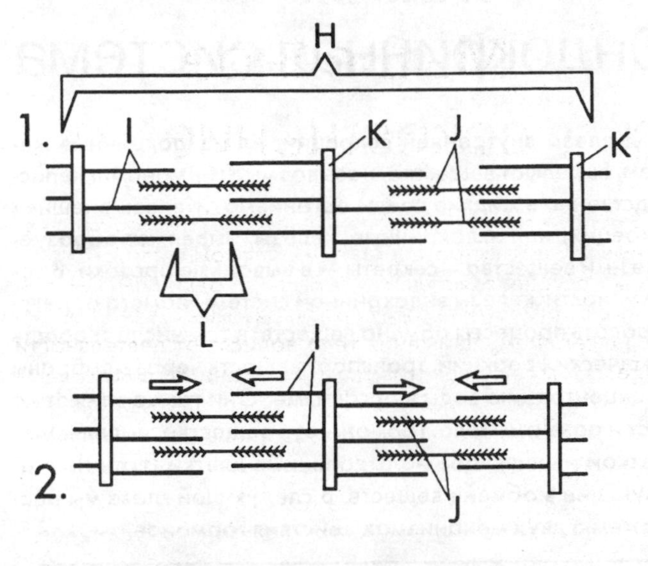

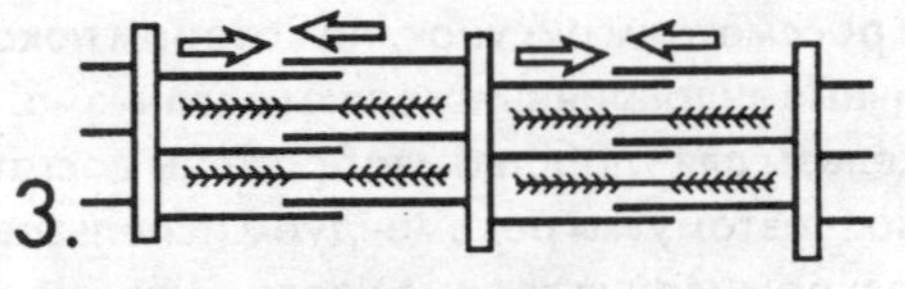

Элементы, участвующие в мышечном сокращении

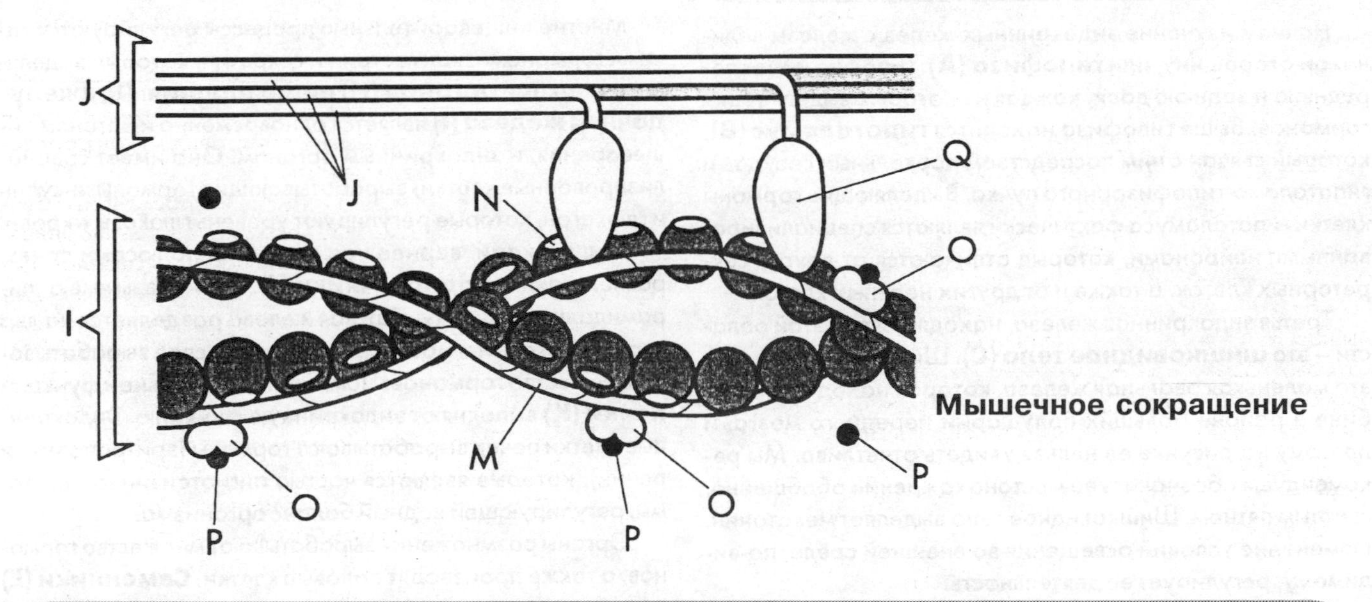

Мышечное сокращение

Строение мышцы

Кость .... A
Сухожилие .... B
Мышца C
Мышечное волокно .... D
Ядро .... E
Сарколемма .... F
Миофибриллы .... G

Саркомер .... H
Тонкие актиновые нити I
Толстые миозиновые нити .... J
Z-линия .... K
H-зона L

Тропомиозин .... M
Контактный участок актина .... N
Тропонин .... O
Ион кальция .... P
Миозиновые головки ...... Q

Глава 9-10: Эндокринная система

Железы внутренней секреции, или эндокринные железы, выделяют вещества, называемые гормонами, непосредственно в жидкие среды организма. Железы внешней секреции, или экзокринные железы, выделяют образуемые ими вещества – секреты — в выводные протоки. В совокупности железы эндокринной системы помогают регулировать процессы обмена веществ, в том числе скорость химических реакций, транспорт веществ через мембраны и концентрацию воды в организме. Они также влияют на рост и развитие тела. Гормон – это вещество, выделяемое клеткой и влияющее на отдаленные клетки (ткани), участвующие в обмене веществ. В следующей главе мы расскажем о двух механизмах действия гормонов.

Сначала рассмотрим рисунок, на котором показаны различные эндокринные железы организма. Почти все железы для удобства изображены достаточно крупно, поэтому мы рекомендуем использовать для их раскрашивания темные цвета. Начните с головы, а затем постепенно перемещайтесь вниз по телу.

Начнем изучение эндокринных желез с железы величиной с горошину, или **гипофиза (A)**. Гипофиз имеет переднюю и заднюю доли, каждая из которых выделяет ряд гормонов. Выше гипофиза находится **гипоталамус (B)**, который связан с ним посредством портальных сосудов и гипоталамо-гипофизарного пучка. Выделяющие гормоны клетки гипоталамуса фактически являются специализированными нейронами, которые отличаются от других секреторных клеток, а также и от других нервных клеток.

Третья эндокринная железа, находящаяся в этой области – это **шишковидное тело (C)**. Шишковидное тело – это маленькая овальная железа, которая находится в глубине в районе больших полушарий переднего мозга, и поэтому на рисунке ее нельзя увидеть отчетливо. Мы рекомендуем обозначить ее местонахождение обобщенно, светлым пятном. Шишковидное тело выделяет мелатонин. Изменение условий освещения во внешней среде, по-видимому, регулирует ее деятельность.

А теперь переместимся в область шеи и грудной клетки и кратко рассмотрим четыре расположенные здесь эндокринные железы.

Непосредственно под гортанью перед трахеей находится **щитовидная железа (D)**. Как показано на рисунке, эта железа состоит из двух больших долей, которые соединены широким перешейком. Она выделяет ряд гормонов, которые влияют на обмен веществ в клетках организма. Между клеток щитовидной железы находятся четыре крошечные **паращитовидные железы (E)**. Эти железы располагаются на задней поверхности щитовидной железы, но мы изобразили их на боковой поверхности для того, чтобы показать их местонахождение. Гормоны этих желез регулируют обмен кальция в организме.

На рисунке изображена довольно крупная выпуклая **вилочковая железа (F)**, или **тимус**. В зрелом возрасте эта железа атрофируется. Однако в очень юном возрасте тимус имеет довольно большие размеры. Считается, что гормоны, называемые тимозинами и участвующие в имунных реакциях, синтезируются этой железой.

Всем известна роль **сердца (G)** в процессе кровообращения, а вот эндокринная функция сердца известна в меньшей степени. Волокна сердечной мышцы правого предсердия вырабатывают гормон, называемый натрий-уретикпептидом предсердия, который регулирует выделение гормона гипофизом, а также участвует в регуляции уровней воды в организме.

В последнем разделе этой главы мы рассмо́трим эндокринные железы брюшной и тазовой полостей. В некоторых случаях эти органы помимо эндокринных выполняют и другие функции. Продолжайте раскрашивать рисунок так, как делали это раньше.

Многие пищеварительные процессы регулируются такими гормонами, как гастрин и секретин, которые выделяются клетками **органов (H) пищеварения**. **Поджелудочная железа (I)** является одновременно и органом пищеварения, и эндокринным органом. Она имеет специализированные клетки, вырабатывающие гормоны инсулин и глюкагон, которые регулируют уровень глюкозы в крови.

Над почками, вернее над верхними полюсами почек, располагаются **надпочечники (J)**. Эти железы имеют пирамидальную форму. Каждая железа разделяется на два слоя – корковый и мозговой, и оба этих слоя вырабатывают множество гормонов. Помимо выделительной функции **почки (K)** выполняют эндокринную функцию. Эндокринные клетки почек вырабатывают гормоны (эритропоэтин и ренин), которые являются частью ангиотензинной системы, регулирующей водный баланс организма.

Органы размножения вырабатывают множество гормонов, а также производят половые клетки. **Семенники (L)** вырабатывают такие гормоны, как тестостерон, который регулирует выработку спермы и обеспечивает развитие вторичных мужских половых признаков. **Яичники (M)** вырабатывают гормоны, которые обеспечивают созревание яйцеклеток и развитие репродуктивных органов. Эти гормоны называются эстрогенами.

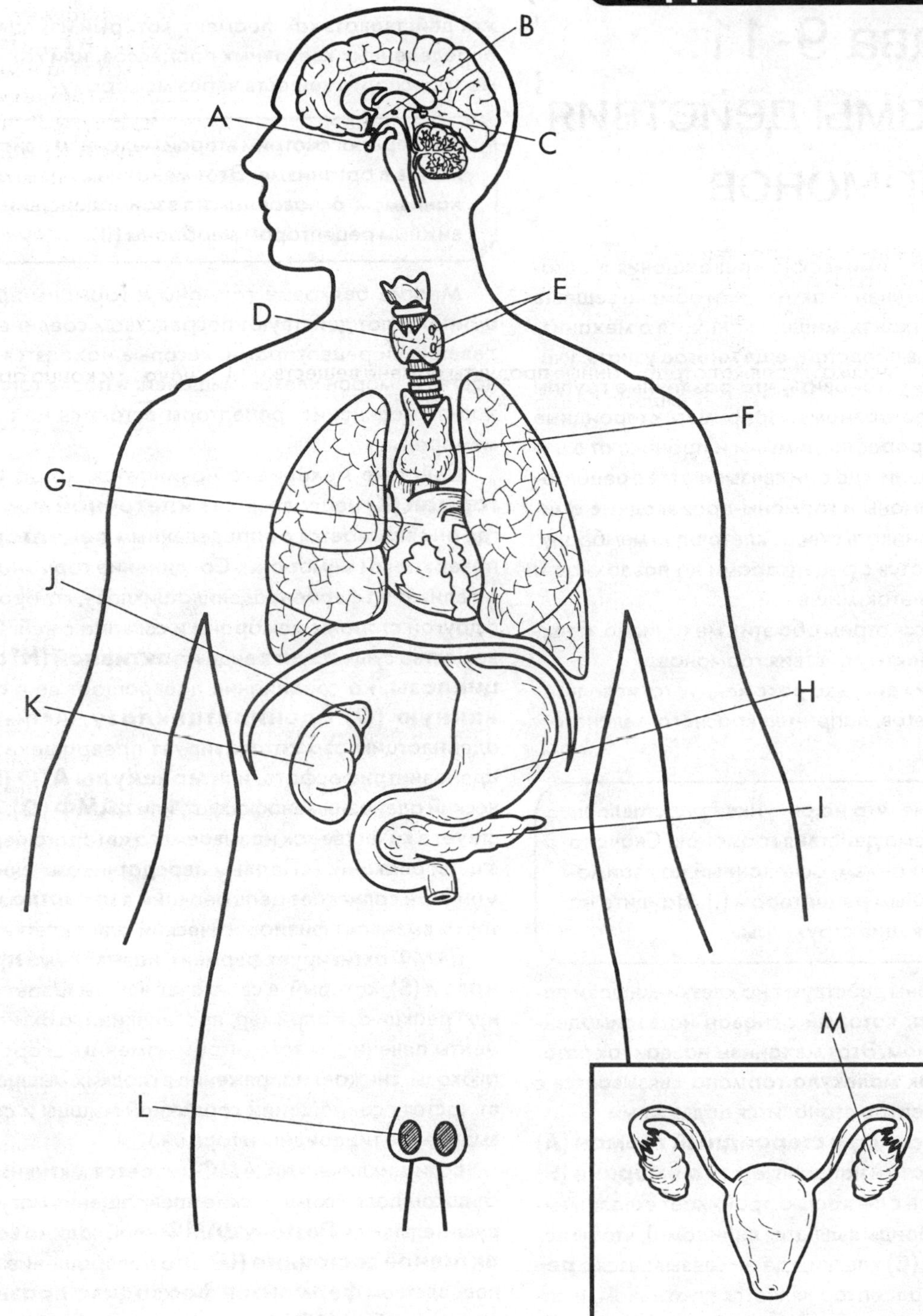

Эндокринная система

Гипофиз .... A	Паращитовидная железа.......................... E	Поджелудочная железа I
Гипоталамус .... B	Вилочковая железа, или тимус .... F	Надпочечники .... J
Шишковидное тело C	Сердце .... G	Почка .... K
Щитовидная железа ..... D	Органы пищеварения ... H	Семенник......................... L
		Яичник............................. M

Глава 9-11: Механизмы действия гормонов

Гормоны вызывают химические превращения в организме посредством изменения активности обмена веществ в клетках-мишенях и тканях-мишенях. И хотя о механизмах действия гормонов предстоит еще многое узнать, ученым все-таки удалось установить, что различные группы гормонов действуют по-разному. Например, стероидные гормоны являются жирорастворимыми и проникают в цитоплазму клетки-мишени, где они связываются с рецепторами; а белковые гормоны и гормоны-производные аминокислот не могут проникать сквозь клеточную мембрану, поэтому они связываются с рецепторами на поверхности клеточных мембран клеток-мишеней.

В этой главе мы рассмотрим оба этих механизма, а также изучим другие аспекты действия гормонов.

Для раскрашивания рисунка рекомендуется использовать оттенки ярких цветов, например красного, зеленого и синего.

Обратите внимание, что на рисунке представлены две схемы механизма действия гормонов. Сначала мы рассмотрим механизм, основанный на взаимодействии с подвижным рецептором (I). Найдите на схеме соответствующие структуры.

Стероидные гормоны действуют на клетки-мишени посредством механизма, который основан на взаимодействии с подвижным геном. Этот механизм назван так потому, что после того как молекула гормона связывается с рецептором, этот рецептор становится подвижным.

Процесс начинается, когда **стероидный гормон (A)** покидает кровяное русло и направляется к **мембране (B)** клетки-мишени. Гормон с легкостью проникает сквозь мембрану (поскольку стероиды являются липидами), чтобы попасть в **цитоплазму (C)** клетки, где он связывается с **рецептором (D)**. Этот рецептор является протеином, и соединение гормона с рецептором создает **комплекс (E) «гормон-рецептор»**.

Затем комплекс «гормон-рецептор» проникает в **ядро (F) клетки**. Здесь комплекс связывается с **молекулой (G) ДНК**, находящейся в ядре, и активирует один или более генов. (Активация гена и является причиной того, что иногда этот механизм называют «взаимодействием с подвижным геном».) Активация побуждает ДНК кодировать молекулу **матричной РНК (H)**, или мРНК, а молекула мРНК перемещается к **эндоплазматической сети (I)** клетки, где она вызывает синтез **белка (J)**. Этот белок вызывает в клетке желаемый эффект. Например, белок может действовать как фермент, который изменяет скорость определенных клеточных процессов, или как часть системы транспорта веществ через мембрану.

А теперь рассмотрим второй механизм действия гормонов в организме. Этот механизм называется механизмом, основанным на взаимодействии с неподвижным рецептором мембраны (II).

Многие белковые гормоны и гормоны-производные аминокислот действуют посредством соединения с определенными рецепторами, которые находятся на поверхностях мембран клеток-мишеней; и после того как происходит соединение, рецепторы остаются на поверхности мембраны.

Действие механизма начинается, когда **белковый гормон (K)** направляется к **клеточной мембране (L)**, где он связывается с определенным **рецептором (M)** на поверхности мембраны. Соединение гормона и рецептора влияет на фермент аденилатциклазу, которая находится с другой стороны мембраны и связана с ней. Обычно это вещество существует в виде **неактивной (N) аденилатциклазы**, но соединение превращает ее в **активированную (O) аденилатциклазу**. Активированная аденилатциклаза катализирует превращение молекулы аденозинтрифосфата, или **молекулы АТФ (P)**, в циклический аденозинмонофосфат, или **цАМФ (Q)**. цАМФ действует в качестве так называемого «второго передатчика» в цепи реакций. («Первым передатчиком» считается гормон.) Он запускает цепь реакций в **цитоплазме (R)**, которая вызывает физиологический ответ клетки.

цАМФ активирует фермент, называемый **протеинкиназой (S)**, который, в свою очередь, вызывает определенную реакцию. Например, протеинкиназа активирует ферменты печени для того, чтобы изменить скорость обмена глюкозы, снижает напряжение в гладких мышцах, повышает частоту сокращений сердечной мышцы и стимулирует выделение тиреоидного гормона.

Если циклический АМФ остается активным в клетке слишком долго, химические превращения могут стать разрушительными. Поэтому **цАМФ** необходимо вернуть в **неактивное состояние (U)**. Это превращение вызывается посредством **ферментов фосфодиэстеразы (T)**. Затем неактивный цАМФ покидает клетку-мишень и направляется в **кровяное русло (V)**. Рецепторы на поверхности мембраны теперь снова свободны.

МЕХАНИЗМЫ ДЕЙСТВИЯ ГОРМОНОВ

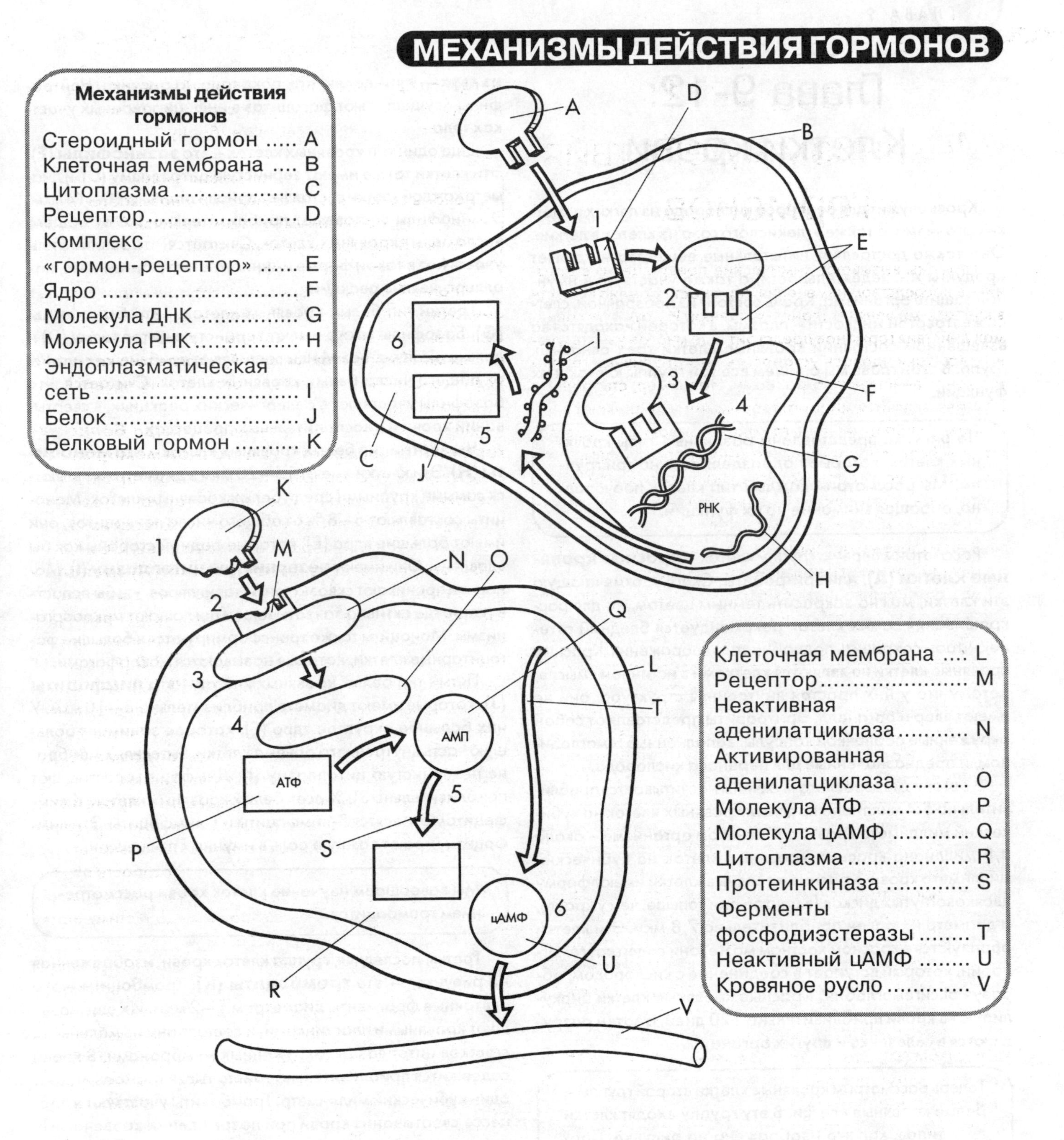

Глава 9-12: Клетки крови

Кровь служит для переноса кислорода из легких в клетки организма, а также углекислого газа из клеток в легкие. Она также доставляет питательные вещества и удаляет продукты жизнедеятельности, а также участвует в имунной защите организма. Кровь состоит из прозрачной, слегка желтоватой жидкости – плазмы, в которой находятся во взвешенном состоянии кровяные клетки трех основных групп. В этой главе мы опишем все три группы клеток и их функции.

На рисунке представлены различные типы кровяных клеток, которые подразделяются на три группы. Мы рассмотрим каждый тип клеток поочередно, обращая внимание на их функции.

Рассмотрим первую группу клеток – **красные кровяные клетки (A)**, или эритроциты. Скобку, отмечающую эти клетки, можно закрасить темным цветом, но для раскрашивания самих клеток рекомендуется бледный оттенок, чтобы сохранить подробности изображения. Красные кровяные клетки не являются клетками в истинном смысле, потому что у них простая внутренняя структура, они не имеют ядер и органелл. Эритроциты представляют собой окруженные оболочкой капсулы, заполненные гемоглобином, и предназначенные для переноса кислорода.

В организме взрослого мужчины насчитывается приблизительно 5,4 миллиона красных кровяных клеток на кубический миллиметр крови, а в женском организме – около 4,8 миллиона красных кровяных клеток на кубический миллиметр крови. Красные кровяные клетки имеют форму двояковогнутых дисков (в центре они тоньше, чем у краев), а диаметр их равен приблизительно 7,8 мкм. Эти клетки образуются в красном костном мозге, они содержат гемоглобин, который вступает в соединение с кислородом, образуя оксигемоглобин. Красные кровяные клетки циркулируют в крови приблизительно 120 дней, а затем разрушаются в селезенке и других органах.

Теперь рассмотрим кровяные клетки второй группы – белые кровяные клетки. В эту группу входят клетки пяти типов, как это изображено на рисунке. Продолжайте раскрашивать рисунок по мере дальнейшего чтения текста.

Вторая группа кровяных клеток, которую мы рассмотрим, – это **белые кровяные клетки (B)**, или лейкоциты. В состав этой группы входят **нейтрофилы (C)**, отмеченные на рисунке скобкой. Нейтрофилы составляют приблизительно 60% от общего числа белых кровяных клеток. Они имеют **зернистую цитоплазму (D)**. Их **ядра (E)** состоят из двух — пяти долей, как показано на рисунке. Нейтрофилы осуществляют фагоцитоз в инфицированных участках тела.

Еще один тип кровяных клеток – это **эозинофилы (F)**. Эти клетки также имеют зернистую цитоплазму (D), и диаметр каждой клетки составляет приблизительно 10—14 мкм. Эозинофилы составляют приблизительно 1% от общего числа белых кровяных клеток. Считается, что эозинофилы участвуют в такой форме имунного ответа организма, как аллергические реакции.

Третий тип белых кровяных клеток – это **базофилы (G)**. Базофилы также имеют зернистую цитоплазму (D) и дольчатые ядра. Базофилы составляют приблизительно 1% от общего числа белых кровяных клеток. Считается, что базофилы участвуют в аллергических реакциях, в свертывании крови и в воспалительных процессах.

Четвертый тип белых кровяных клеток – это **моноциты (H)**. Эти клетки имеют 15—20 мкм в диаметре и являются самыми крупными среди белых кровяных клеток. Моноциты составляют 6—8 % от общего числа лейкоцитов, они имеют большие ядра (E), которые с одной стороны как бы вдавлены. Они имеют **незернистую цитоплазму (I)**. Моноциты проникают сквозь стенки капилляров, чтобы попасть в ткани, где активно захватывают и поглощают микроорганизмы. Моноциты также трансформируются в большие фагоцитарные клетки, которые называются макрофагами.

Пятый тип белых кровяных клеток – это **лимфоциты (J)**, которые имеют диаметр приблизительно 8—10 мкм. У них большое округлое ядро (E), которое занимает большую часть внутреннего объема клетки, вытесняя к мембране незернистую цитоплазму (I). Лимфоциты составляют приблизительно 30 % всех белых кровяных клеток. К лимфоцитам относятся B-лимфоциты и T-лимфоциты. Эти лимфоциты играют важную роль в имунных процессах.

Мы завершаем изучение клеток крови рассмотрением тромбоцитов.

Третья, последняя, группа клеток крови, изображенная на рисунке, — это **тромбоциты (K)**. Тромбоциты – это клеточные фрагменты диаметром 1—2 мкм. Их еще называют кровяными пластинками, и состоят они из маленьких сгустков цитоплазмы, окруженных мембранами. В крови содержится приблизительно триста тысяч тромбоцитов на один кубический миллиметр. Тромбоциты участвуют в процессе свертывания крови при повреждении кровеносных сосудов, выделяя фермент, который приводит к образованию волокон фибрина. Тромбоциты также содержатся в сгустках крови – тромбах.

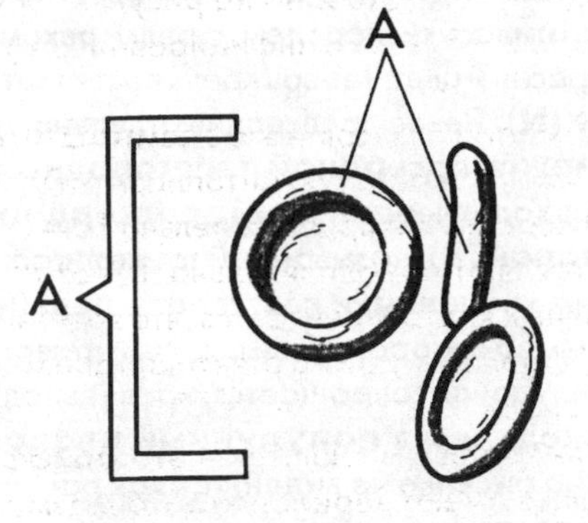

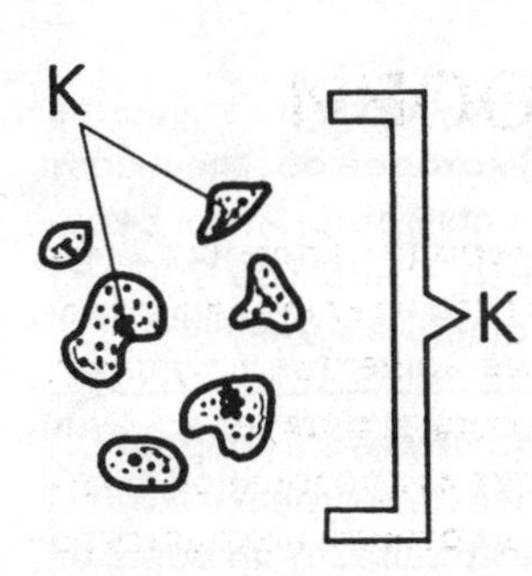

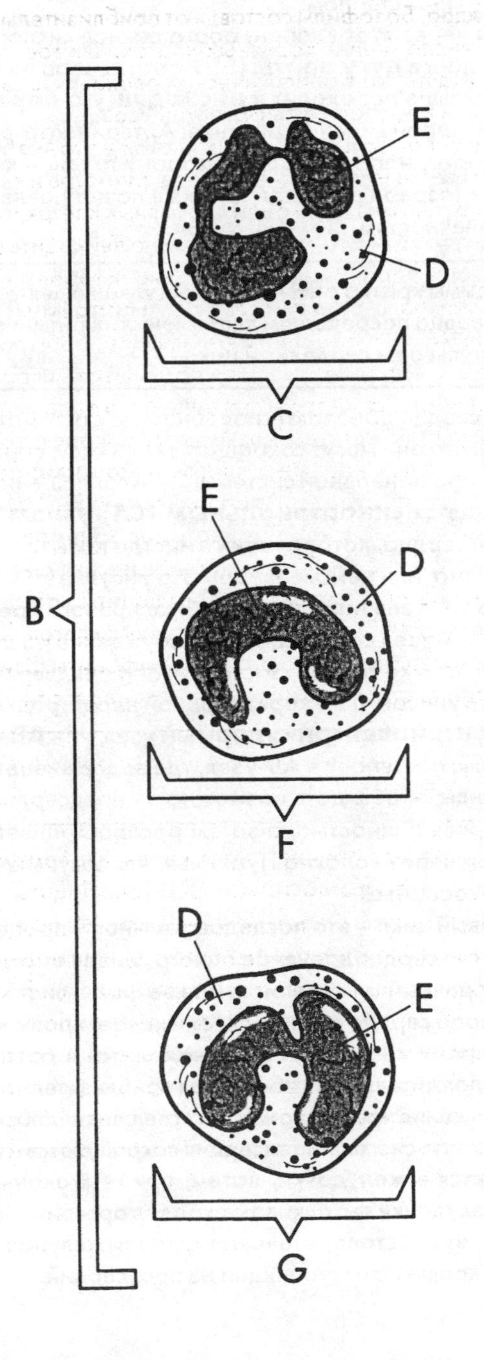

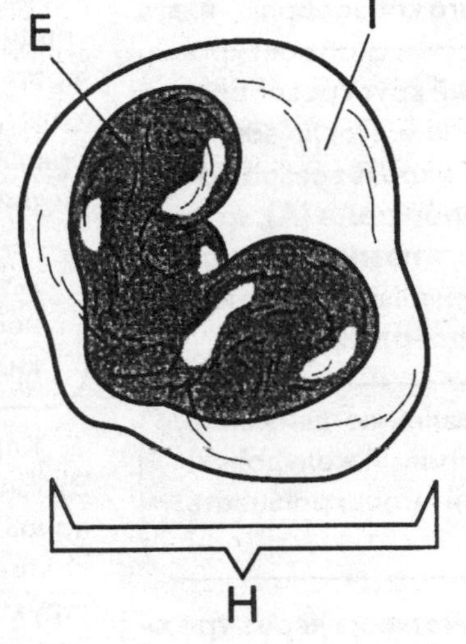

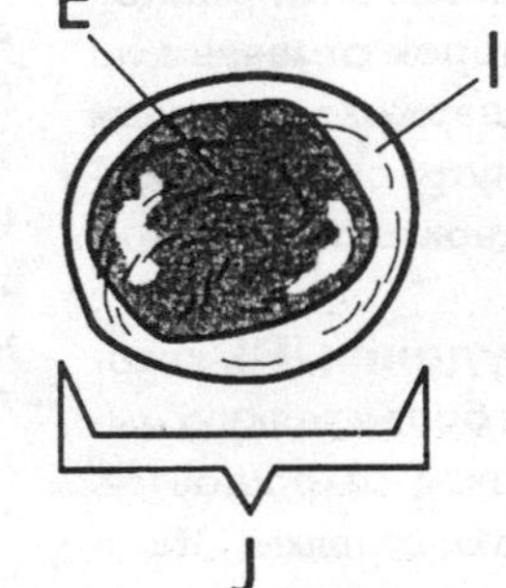

Клетки крови

Красные кровяные клетки .... A

Белые кровяные клетки .... B

Нейтрофил C

Зернистая цитоплазма .... D

Ядро .... E

Эозинофил .... F

Базофил .... G

Моноцит .... H

Незернистая цитоплазма I

Лимфоцит .... J

Тромбоциты .... K

Глава 9-13: Сердце

Деятельность сердечно-сосудистой системы зависит в первую очередь от работы сердца, которое обеспечивает движение крови к легким и другим частям организма. Ежедневно сердце сокращается приблизительно 100 000 раз с частотой около семидесяти сокращений в минуту.

Для того чтобы вам легче было отслеживать направление движения крови, мы нарисовали стрелки, которые вам нужно постепенно раскрашивать по мере прочтения главы.

Сердце нагнетает кровь в два круга кровообращения: в большой круг кровообращения, который снабжает кровью клетки, ткани и органы тела, и в малый круг кровообращения, который доставляет кровь в легкие. После завершения большого круга кровообращения кровь возвращается к сердцу по двум венам: **верхней полой вене (A)**, которая идет от головы и верхних конечностей, и по **нижней полой вене (B)**, которая идет из нижней части тела. Эти полые вены встречаются в области **правого предсердия (C)**.

А теперь проследуем по направлению движения крови из правого предсердия в правый желудочек, а оттуда – к легким. Продолжайте раскрашивать рисунок.

Из правого предсердия кровь течет вниз через **трехстворчатый клапан (D)**, который также называется правым предсердно-желудочковым клапаном. Этот клапан имеет три **створки (E)**, и одна из створок отмечена на рисунке. **Сухожильные нити (F)** поддерживают клапан и предохраняют створки от разворота внутрь правого предсердия, а **сосочковые мышцы (G)** удерживают сухожилия в правильном положении.

Теперь кровь течет в **правый желудочек (H)**, который меньше левого желудочка и имеет более тонкую мышечную стенку. Когда правый желудочек сокращается, кровь выталкивается вверх, как указывают стрелки. Обратите внимание на значительную толщину **межжелудочковой перегородки (I)**, разделяющей правый и левый желудочки. Кровь выталкивается через **полулунные клапаны (J)** легочного ствола. Полулунные клапаны предотвращают затекание крови обратно в желудочек.

Легочный ствол (K) разделяется на **левую легочную артерию (L)** и **правую легочную артерию (M)**, которые ведут к легким. Здесь начинается малый круг кровообращения. Обратите внимание на то, куда направлены стрелки, и закрасьте их голубым цветом.

Кровь направляется к легким для обогащения кислородом, затем возвращается к сердцу для дальнейшего распределения по всему остальному организму.

Кровь возвращается к сердцу по легочным венам. Поскольку кровь обогатилась кислородом, стрелки рекомендуется закрасить в красный цвет. Теперь кровь поступает в **левое предсердие (N)**. Левое предсердие отделено от правого предсердия **межпредсердной перегородкой (O)**.

Затем кровь проходит через **левый предсердно-желудочковый клапан (P)**, называемый также лигральным или двустворчатым клапаном, и поступает в **левый желудочек (Q)**, размер которого больше, чем правого желудочка. Когда желудочек сокращается, кровь выталкивается в аорту, проходя через **полулунный клапан (R) аорты**, который на рисунке не виден, так как располагается за легочным стволом.

Пройдя через этот клапан, обогащенная кислородом кровь попадает в **дугу аорты (S)**. Аорта поворачивает за сердце и дальше переходит в **нисходящую аорту (T)**, фрагмент которой виден на рисунке. Артерии, которые отходят от аорты, направляются в сторону грудной клетки, брюшной и тазовой полостей, а также по направлению к нижним конечностям.

А теперь мы кратко рассмотрим регуляцию деятельности сердца посредством электрических ритмических импульсов и сердечный цикл.

Клетки сердца обладают способностью к автоматизму. Это значит, что они могут сокращаться при отсутствии сигналов со стороны нервной системы. Ритм сокращения этих клеток задается **синоатриальным (СА) узлом (U)** – структурой сердца, которая также иногда называется водителем ритма, или пейсмейкером. На рисунке вы можете видеть, что СА-узел находится в стенке правого предсердия. Когда СА-узел сокращается, возбуждение распространяется по стенке сердца, заставляя оба предсердия сокращаться в унисон. В межпредсердной перегородке располагается **атриовентрикулярный** узел, или **АВ-узел (V)**. Импульс поступает в АВ-узел, где задерживается на долю секунды, чтобы дать возможность предсердию вытолкнуть кровь полностью, а затем распространяется по желудочкам через волокна Пуркинье, что заставляет желудочки сокращаться.

Сердечный цикл – это последовательность процессов, проходящих в сердце в течение одного сердечного сокращения. Сердечный цикл делится на две фазы: систолу, во время которой сердце сокращается и качает кровь, и диастолу, во время которой сердце находится в состоянии покоя. Продолжительность обеих фаз приблизительно одинакова. Движение крови происходит следующим образом: на первом этапе систолы предсердия сокращаются и кровь выталкивается в желудочки, затем, ближе к окончанию систолы, желудочки выталкивают кровь в артерии. За систолой следует диастола, в течение которой желудочки заполняются кровью, поступающей из предсердий.

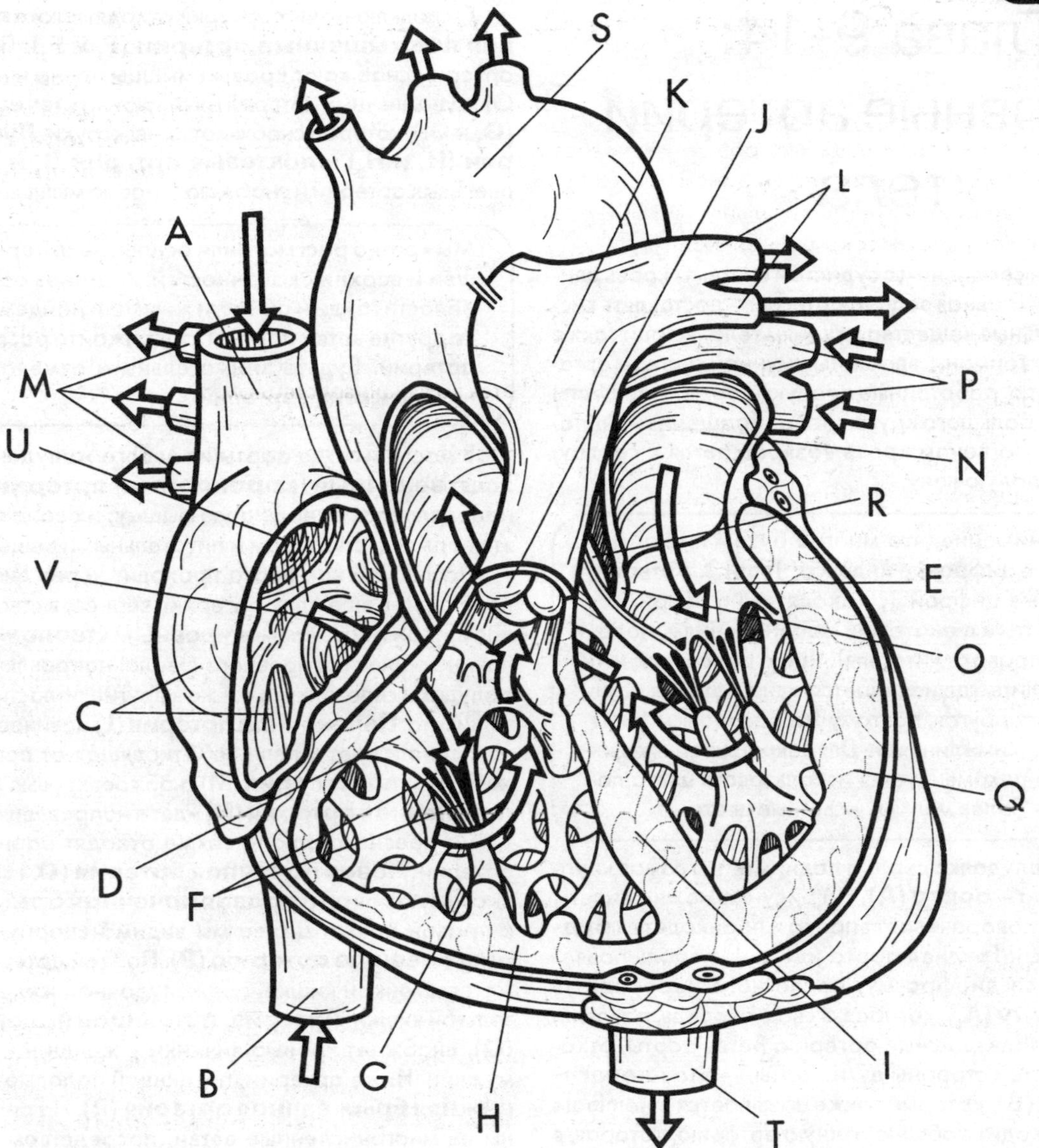

Сердце

Верхняя полая вена .... A
Нижняя полая вена .... B
Правое предсердие C
Трехстворчатый клапан .. D
Створка клапана .... E
Сухожилия .... F
Сосочковые мышцы ...... G
Правый желудочек .... H
Межжелудочковая перегородка I
Полулунный клапан .... J
Легочный ствол .... K
Левая легочная артерия L
Правая легочная артерия .... M
Левое предсердие .... N
Межпредсердная перегородка .... O
Левый предсердно-желудочковый клапан ... P
Левый желудочек .... Q
Полулунный клапан аорты .... R
Дуга аорты .... S
Нисходящая аорта .... T
СА-узел .... U
АВ-узел V

Глава 9-14: Основные артерии тела

По артериям сердечно-сосудистой системы кровь движется от сердца. Главная задача артерий – доставлять кислород и питательные вещества к тканям тела, но они также транспортируют гормоны, элементы имунной системы организма и удаляют отработанные продукты обмена веществ.

Все артерии большого круга кровообращения начинаются из аорты. По венам кровь возвращается к сердцу, проходя через полую вену.

> Обратите внимание, что многие буквы имеют дополнительные цифровые индексы: 1 или 2. Артерии, обозначенные цифрой 1, находятся на левой, согласно принятым в анатомии обозначениям, половине тела (справа от читателя). Часто бывает так, что сложно отличить, где начинается одна артерия и где заканчивается другая, поэтому мы обозначим такие границы короткими линиями. Для закрашивания крупных артерий рекомендуется использовать цвета потемнее, а для более мелких – светлые цвета.

Из левого желудочка сердца поднимается самая крупная артерия тела – **аорта (A)**. На рисунке можно видеть, что эта артерия поворачивает вправо и переходит в **грудную аорту (A_1)**. Грудная аорта идет вниз вдоль позвоночника и через диафрагму, после чего переходит в **брюшную аорту (A_2)**, которая, в свою очередь, разделяется на общие подвздошные артерии. Ветвь аорты, отходящая от выпуклой стороны дуги аорты, — это п**лечеголовной ствол (B)**, который также называется innominate artery. Он переходит в общую сонную артерию, которая, в свою очередь, разделяется на **левую** общую **сонную артерию (C_1)** и **правую общую сонную артерию (C_2)**. Сонные артерии снабжают кровью шею и голову.

Третья ветвь, отходящая от плечеголовного ствола,— это **правая подключичная артерия (E_2)**. На правой половине рисунка изображена **левая подключичная артерия (E_1)**, отходящая от дуги аорты. Подключичные артерии снабжают кровью верхние конечности. Вверх от правой подключичной артерии отходит **позвоночная артерия (D)**, которая снабжает кровью позвонки, глубокие мышцы шеи и позвоночник.

От подключичных артерий отходят также **левая и правая подмышечные артерии (F_1 и F_2)**. Подмышечные артерии снабжают кровью мышцы плеча и мышцы груди. От подмышечных артерий начинаются **плечевые артерии (G_1 и G_2)**, которые снабжают кровью руки. **Лучевые артерии (H_1 и H_2)** и **локтевые артерии (I_1 и I_2)** отходят от плечевых артерий и снабжают кровью мышцы предплечья.

> Мы кратко рассмотрели основные артерии головы, шеи и верхних конечностей. А теперь обратимся к области груди и области живота и найдем на рисунке другие ветви аорты. Продолжайте раскрашивать артерии. Будьте внимательны и отмечайте места начала и конца артерий.

В месте выхода аорты из левого желудочка от нее отходят **венечные (коронарные) артерии (J)**, которые направляются в сердечную мышцу; их задача – снабжать этот орган кислородом и питательными веществами.

После того как аорта проходит через диафрагму, она переходит в еще одну артерию, вернее, в ствол. Это непарная артерия, называемая **чревным стволом (K)**. Артерии, начинающиеся от чревного ствола, направляются в печень, желудок и селезенку, а также в другие области верхней части живота. **Печеночная артерия (L)** начинается от чревного ствола и идет к печени. Отходящая от брюшной аорты **желудочная артерия (M)** снабжает кровью желудок, а **селезеночная артерия (N)** идет в направлении селезенки.

От чревного ствола также отходят парные почечные артерии. **Левая почечная артерия (O_1)** снабжает кровью левую почку, а **правая почечная артерия (O_2)** идет к правой почке. Далее мы видим непарную **верхнюю брыжеечную артерию (P)**. По этой артерии кровь движется к тонкой кишке, поджелудочной железе и отделам толстой кишки. **Артерия, питающая половые железы (Q)**, снабжает кровью яичники у женщин и семенники у мужчин. Ниже артерии, питающей половые железы, идет **нижняя брыжеечная артерия (R)**. На рисунке показаны ее многочисленные ветви, посредством которых она снабжает кровью отделы поперечной ободочной кишки, сигмовидной ободочной кишки и прямой кишки.

Значительно ниже чревного ствола начинаются две основные артерии – **общие подвздошные артерии (S_1 и S_2)**. Пройдя небольшое расстояние, каждая общая подвздошная артерия делится на свои конечные ветви: наружную подвздошную и внутреннюю подвздошную артерии.

На рисунке изображены только **наружные подвздошные артерии (T_1 и T_2)**. Эти артерии ведут в **левую и правую бедренные артерии (U_1 и U_2)**. Эти артерии снабжают кровью мышцы ног.

Основные артерии тела

Аорта .... A
Грудная аорта .... A_1
Брюшная аорта .... A_2
Плечеголовной ствол .... B
Левая общая сонная артерия .... C_1
Правая общая сонная артерия .... C_2
Позвоночная артерия ... D
Левая подключичная артерия .... E_1
Правая подключичная артерия .... E_2
Левая подмышечная артерия .... F_1
Правая подмышечная артерия .... F_2
Левая плечевая артерия .. G_1
Правая плечевая артерия .... G_2

ОСНОВНЫЕ АРТЕРИИ ТЕЛА

Левая лучевая артерия .... H_1
Правая лучевая артерия .... H_2
Левая локтевая артерия .... I_1
Правая локтевая артерия .... I_2
Венечные артерии .... J
Чревный ствол .... K
Печеночная артерия L
Желудочная артерия..... M
Селезеночная артерия .... N

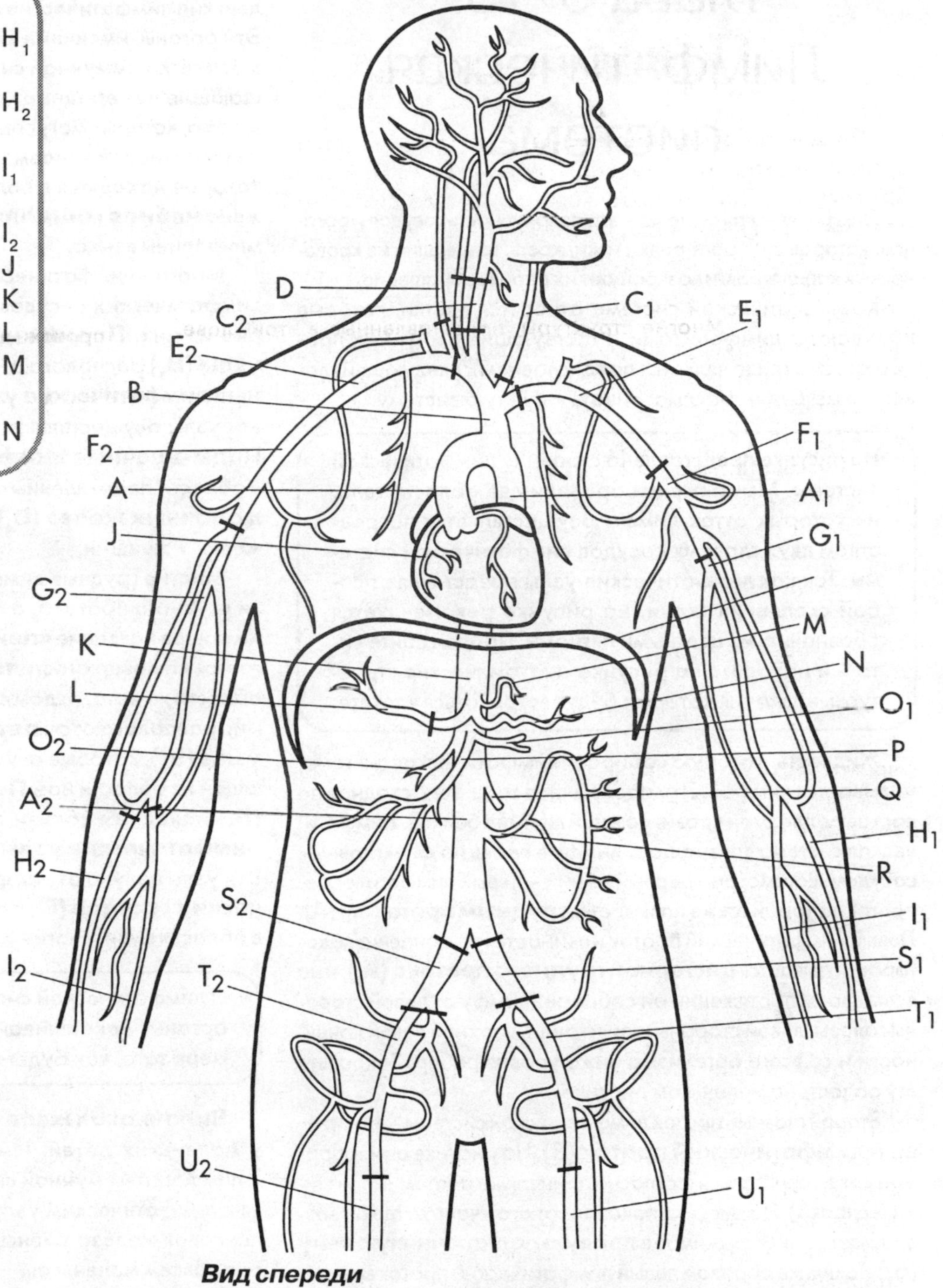

Вид спереди

Левая почечная артерия .... O_1
Правая почечная артерия .... O_2
Верхняя брыжеечная артерия .... P
Артерия, питающая половые железы .... Q
Нижняя брыжеечная артерия .... R
Левая общая подвздошная артерия... S_1
Правая общая подвздошная артерия... S_2
Левая наружная подвздошная артерия .... T_1
Правая наружная подвздошная артерия .... T_2
Левая бедренная артерия .... U_1
Правая бедренная артерия .... U_2

Глава 9-15: Лимфатическая система

Лимфатическая система – это совокупность сосудов и органов, которая собирает белки и жидкость, вышедшие из кровеносных капилляров, и возвращает их в кровообращение.

К лимфатической системе относятся клетки, которые называются лимфоцитами, участвующие в имунных процессах. Эта глава является предисловием к следующей главе, где мы будем рассматривать имунную систему.

На рисунке представлено строение лимфатической системы. Мы также изобразили две области тела, из которых отток лимфы осуществляется посредством двух главных сосудов лимфатической системы. Так как лимфатические узлы представляют собой скопления ткани, на рисунке рекомендуется обозначить их цветными пятнами. Продолжайте читать и находите на рисунке анатомические структуры, названия которых будут встречаться в тексте.

Жидкость, которую собирает лимфатическая система, называется лимфой. Это прозрачная жидкость, сходная по составу с плазмой крови, но в ней меньше белков. Лимфатическая система возвращает лимфу в кровь по двум главным сосудам. Рассмотрим первый из них – левый лимфатический проток, который также называется **грудным протоком (A)**. Левый лимфатический проток начинается расширением, которое называется **цистерной грудного протока (A_1)**, и на всем своем протяжении он собирает лимфу от левой стороны головы, левой стороны шеи и груди, верхней левой конечности и со всего организма ниже уровня ребер. Закрасьте эту область на маленьком рисунке.

Второй главный проток лимфатической системы – это **правый лимфатический проток (B)**. На рисунке он изображен слева от читателя (согласно принятым в анатомии понятиям – справа). На рисунке показан тот его участок, где он возвращает свое содержимое в **правую подключичную вену (a_1)**. Таким же образом левый лимфатический проток возвращает лимфу в **левую подключичную вену (a_2)**. Закрасьте на маленьком рисунке область оттока лимфы через правый лимфатический проток тем же цветом, что и сам проток.

Теперь, когда мы рассмотрим основные области оттока лимфы через главные лимфатические сосуды, обратимся к лимфатическим узлам, которые представляют собой скопления лимфатической ткани. Обратите внимание, что эти органы рассредоточены по всему телу. Продолжайте читать и обозначайте разные лимфатические узлы цветными пятнами.

Сосуды лимфатической системы проходят через маленькие лимфатические структуры – лимфатические узлы. Эти органы, имеющие форму близкую к овальной, содержат клетки иммунной системы, включая фагоциты, поглощающие чужеродные микроорганизмы и инородные вещества, которые могут оказаться в лимфе. К лимфатическим узлам относятся, возможно известные вам, миндалины, которые находятся в области глотки. На рисунке изображена **небная миндалина (C)**. Кроме того, существуют миндалины языка.

Многие лимфатические узлы располагаются по ходу лимфатических сосудов. Мы перечислим только некоторые из них. **Поднижнечелюстные лимфатические узлы (D_1)** располагаются под нижней челюстью, а **шейные лимфатические узлы (D_2)** находятся в области шеи – эти узлы осуществляют отток лимфы от области головы. **Подмышечные лимфатические узлы (D_3)** находятся в области подмышечных ямок, а **лимфатические узлы молочных желез (D_4)** располагаются около молочных желез у женщин.

Многие грудные лимфатические узлы находятся вблизи грудного протока, а скопление лимфатических узлов, имеющее название **«пейеровы бляшки» (D_5)**, располагается на поверхности **тонкой кишки (b)**. Кроме того, в области живота, рядом с главными кровеносными сосудами, располагаются **подвздошные лимфатические узлы (D_6)**, которые осуществляют отток лимфы, поступающей из области ног. **Паховые лимфатические узлы (D_7)** находятся вблизи паховой области, а **кишечные лимфатические узлы (D_8)** – возле **толстой кишки (c)**. Эти узлы получают лимфу от многочисленных **лимфатических сосудов (E)**. На рисунке эти сосуды изображены в области руки и ноги.

С лимфатической системой связаны многие другие органы. Закрашивайте на рисунке эти органы по мере того, как будете встречать их в тексте.

Вилочковая железа (F), или тимус, хорошо развита у маленьких детей. Именно в этом органе созревают Т-лимфоциты имунной системы до того, как они направятся к лимфатическим узлам. В подростковом возрасте вилочковая железа уменьшается в размерах, а у взрослых она совсем маленькая.

Возле желудка и поджелудочной железы на левой половине тела находится **селезенка (G)**. Селезенка также является органом лимфатической системы и содержит В-лимфоциты и Т-лимфоциты имунной системы, которую мы рассмотрим в следующей главе. **Аппендикс (H)** тоже связан с лимфатической системой, поскольку содержит фагоциты — белые кровяные клетки, которые поглощают инородные вещества из содержимого органов пищеварения. И наконец, **костный мозг (I)** тоже связан с лимфатической системой, потому что в нем образуются лимфоциты.

ЛИМФАТИЧЕСКАЯ СИСТЕМА

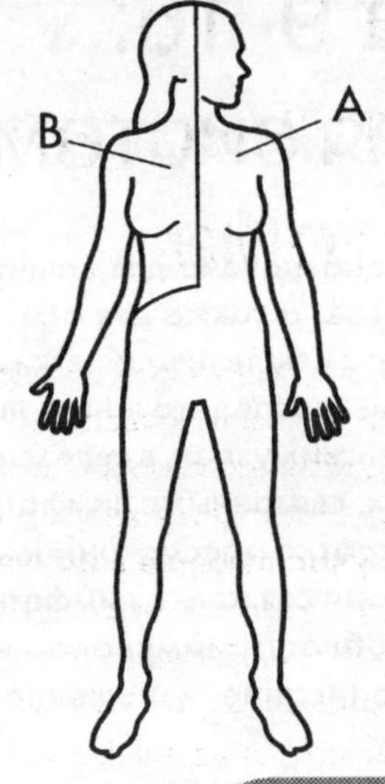

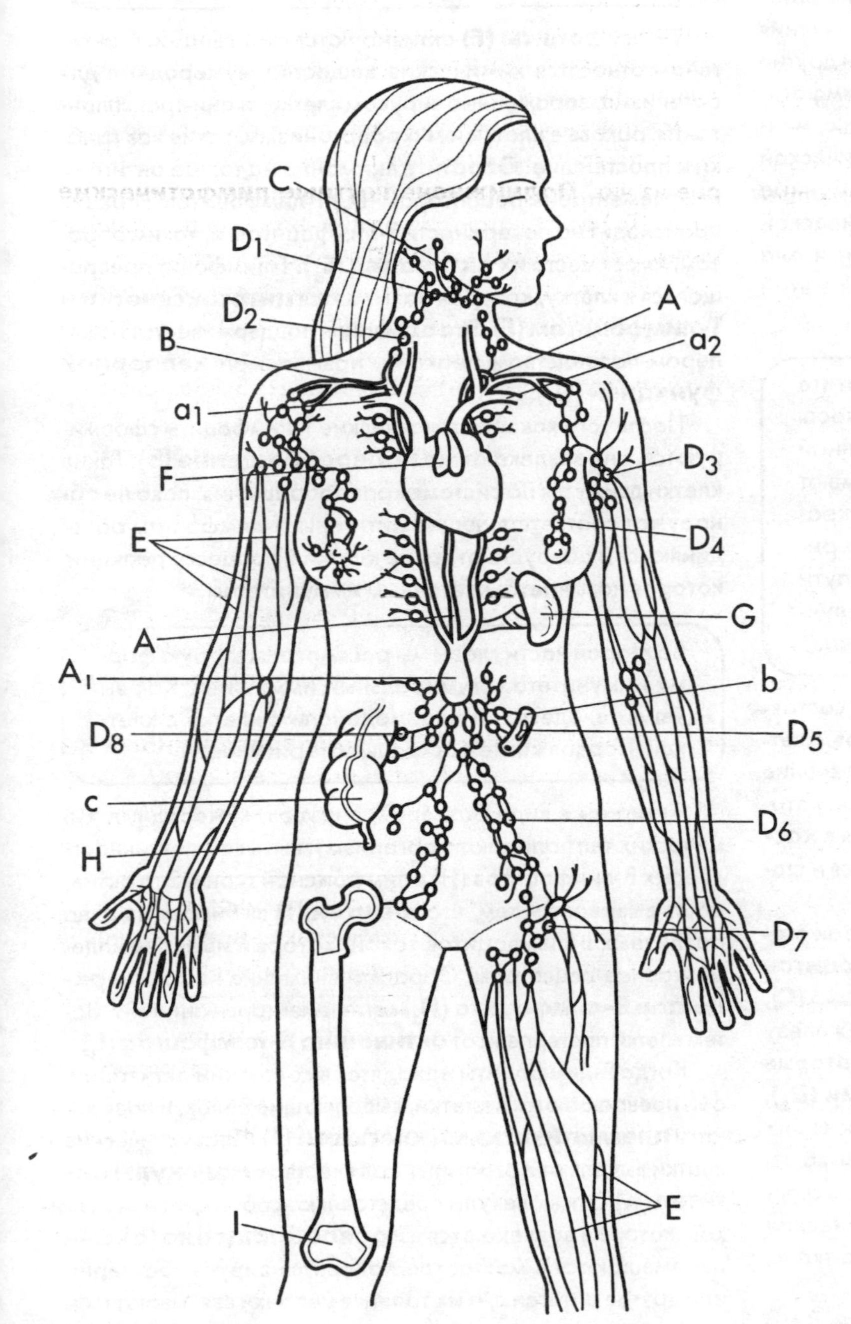

Лимфатическая система

Грудной проток .... A
Цистерна грудного протока .... A_1
Правый лимфатический проток .... B
Небная миндалина C
Поднижнечелюстные лимфатические узлы .... D_1
Шейные лимфатические узлы .... D_2
Подмышечные лимфатические узлы .... D_3
Лимфатические узлы молочной железы .... D_4
Пейеровы бляшки .... D_5
Подвздошные лимфатические узлы .... D_6
Паховые лимфатические узлы .... D_7
Кишечные лимфатические узлы .... D_8
Лимфатические сосуды .... E
Вилочковая железа .... F
Селезенка .... G
Аппендикс .... H
Костный мозг I
Правая подключичная вена .... a_1
Левая подключичная вена .... a_2
Тонкая кишка .... b
Толстая кишка c

Глава 9-16: Иммунная система

Иммунная система предназначена для защиты организма от бактерий и вирусов, а также для обеспечения долговременного иммунитета к болезням. Клетки и другие элементы иммунной системы сосредоточены в лимфатической системе, в лимфатических узлах, в селезенке, миндалинах и в других органах, связанных с лимфатической системой. В этой главе мы кратко рассмотрим иммунные процессы и объясним, как они связаны с лимфатической системой. Эта тема – из области иммунологии, и она гораздо сложнее, чем ее описание, изложенное в этой главе.

Когда вы будете рассматривать рисунок, обратите внимание, что мы представили последовательность событий, происходящих по ходу течения иммунной реакции. Здесь анатомические особенности имеют меньшее значение, чем сам процесс. Для раскрашивания клеток и структур, изображенных на рисунке, а также для стрелок, обозначающих пути перемещения от одной группы клеток к другой, лучше всего использовать не слишком светлые цвета.

Иммунная система – это сложная структура, состоящая из групп клеток, химических факторов и органов. Клетки иммунной системы образуются в **костях (A)**. В течение эмбрионального периода развития человека клетки, которые называются стволовыми клетками, образуются в **костном мозге (A_1)**. Эти стволовые клетки развиваются и становятся клетками имунной системы.

В эмбриональный период часть стволовых клеток становится клетками-**предшественниками T-лимфоцитов (B)**, которые перемещаются к **вилочковой железе (C)**, где они созревают, а затем покидают вилочковую железу в качестве **зрелых T-лимфоцитов (D_1)**. Некоторые из образующихся клеток становятся **T-хелперами (D_2)**. Лимфоциты обоих типов имеют на поверхностях своих мембран ряд химических комплексов, которые называются **рецепторами T-лимфоцитов (D_3)**. T-лимфоциты скапливаются в **лимфоидной ткани (a)** лимфатических узлов. Скобку, которая отмечает эту лимфоидную ткань, нужно выделить цветом.

Часть стволовых клеток следует по другому пути. В эмбриональный период они созревают в костном мозге, печени и других частях тела и становятся **зрелыми B-лимфоцитами (H)**. B-лимфоциты тоже перемещаются в лимфоидную ткань и размножаются, образуя скопление клеток. Лимфоидные ткани отмечены на иллюстрации к предыдущей главе «Лимфатическая система», и вы можете обращаться к ней по мере необходимости. В иммунных процессах T-лимфоциты и B-лимфоциты играют основную роль.

Мы рассмотрели происхождение клеток иммунной системы, а теперь последовательно рассмотрим основные этапы ее деятельности. Начнем с изучения T-лимфоцитов. По мере дальнейшего чтения закрашивайте соответствующие элементы.

T-лимфоциты (E) активируются антигенами. К антигенам относятся химические вещества, чужеродные для организма, зараженные вирусом клетки, ткани-трансплантанты, раковые клетки и микроорганизмы, такие как грибки и простейшие. Обратите внимание на то, что антигены комплементарны рецепторам (D_3) T-лимфоцитов. Реакция происходит на поверхности T-лимфоцитов, и, таким образом, имеет место их **активация (E_1)**. T-лимфоцит превращается в клетку, которая называется **цитотоксическим T-лимфоцитом (F)**. Эта активация поддерживается T-хелпером посредством реакции, называемой **хелперной функцией (G_1)**.

После того как цитотоксические T-лимфоциты сформируются, они вовлекаются в **кровообращение (b)**. Такие клетки движутся по системе кровообращения, пока не обнаружат соответствующие антигены. T-лимфоциты объединяются и разрушают такие клетки в процессе реакции, которая называется клеточным иммунитетом.

Во второй части главы мы рассмотрим вторую форму иммунитета – гуморальный иммунитет. Как вы увидите, здесь нет взаимодействия клетки с клеткой. Продолжайте раскрашивать рисунок.

Антигены в виде бактерий, вирусов, чужеродных химических тел попадают в организм и вызывают активность зрелых B-лимфоцитов (H) в лимфоидной ткани. Эта активность вызывается тем, что **антиген (I)** выбирает из ряда различных B-лимфоцитов такой, который имеет комплементарные рецепторы. Обратите внимание на то, что **рецептор B-лимфоцита (H_3)** комплементарен антигену. Затем клетки претерпевают **активацию B-лимфоцита (I_1)**.

Когда B-лимфоциты находятся в состоянии активации, они превращаются в клетки, выделяющие белок, и называются **плазматическими клетками (J)**. Плазматические клетки выделяют в огромных количествах **молекулы антител (K)**. Эти молекулы представляют собой цепочки белков, которые вовлекаются в **кровообращение (b)**. Они перемещаются в места, где находятся вирусы, бактерии или другие антигены, а их толстые цепочки связывают их и тем самым переводят в неактивное состояние. Когда образуются большие скопления микроорганизмов, к ним направляются фагоциты, которые поглощают и разрушают их.

Этот процесс, называемый гуморальным иммунитетом (AM_1), обеспечивает специфическую защиту от болезней. Антитела годами циркулируют в крови, и таким образом обеспечивается долговременный иммунитет.

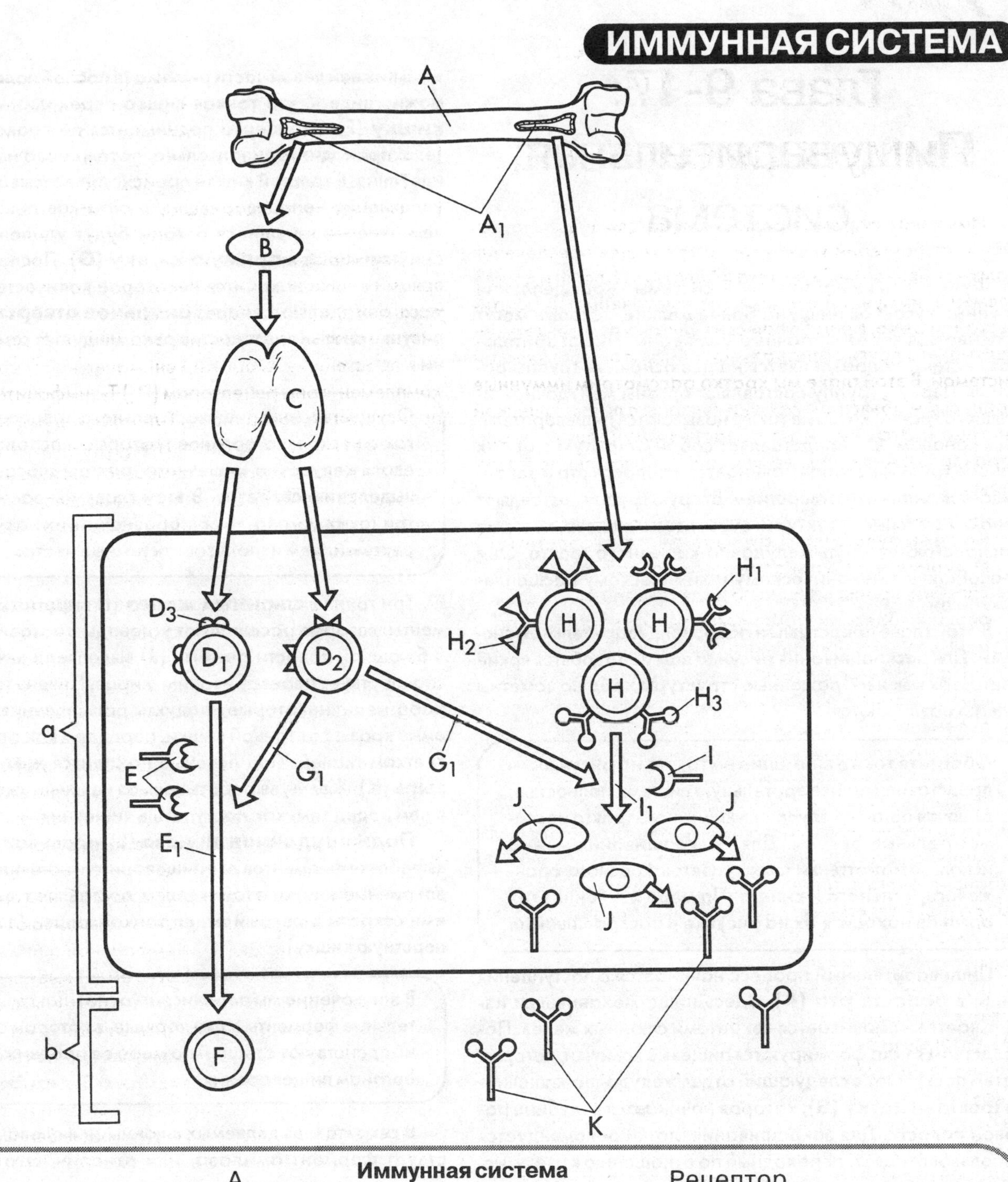

Иммунная система

Кость .... A
Костный мозг .... A_1
Предшественники Т-лимфоцитов .... B
Вилочковая железа C
Зрелые Т-лимфоциты ... D_1
Т-хелперы .... D_2
Рецепторы Т-лимфоцитов .... D_3
Антигены, соответствующие Т-лимфоцитам .... E
Активация Т-лимфоцитов .... E_1
Цитотоксический Т-лимфоцит .... F
Хелперная функция ...... G_1
Зрелые В-лимфоциты ... H
Рецептор В-лимфоцита .... H_1
Рецептор В-лимфоцита .... H_2
Рецептор В-лимфоцита .... H_3
Антиген, соответствующий В-лимфоциту I
Активация В-лимфоцита .... I_1
Плазматические клетки .... J
Молекулы антител .... K
Лимфоидная ткань .... a
Кровообращение .... b

Глава 9-17: Пищеварительная система

Функция пищеварительной системы – расщепление крупных кусочков пищи на более мелкие, которые могут всасываться через клеточные мембраны. Пищеварительная система подразделяется на две основные группы органов. Первую группу составляют органы желудочно-кишечного тракта, которые также называются пищеварительным каналом. Он представляет собой открытую с обоих концов трубку, которая начинается в полости рта и заканчивается анальным отверстием. Вторую группу составляют вспомогательные структуры: зубы, язык и железы, которые располагаются вдоль желудочно-кишечного тракта. Они способствуют механическому и химическому расщеплению пищи.

В этой главе представлен обзор пищеварительной системы. Для раскрашивания рисунка вам понадобятся яркие цвета, так как изображенные структуры хорошо заметны и легко различаются.

Обратите также внимание на то, что на рисунке мы представили пищеварительную систему полностью, включая органы желудочно-кишечного тракта и вспомогательные органы. Для раскрашивания можно использовать оттенки темных цветов: красного, оранжевого, зеленого и синего. По мере изучения этих органов находите их на рисунке и раскрашивайте.

Пищеварительный процесс начинается с поступления пищи в **полость рта (A)**. Здесь пища механически измельчается и смачивается секретами слюнных желез. Посредством языка формируются пищевые комочки, которые затем поступают в следующий отдел желудочно-кишечного тракта – **глотку (B)**, которая начинается в глубине ротовой полости. Для закрашивания глотки рекомендуется использовать цвет, переходный по отношению к цвету, использованному для ротовой полости.

Мышечная трубка – **пищевод (C)** – обеспечивает проведение пищи в желудок. Он проходит через полость грудной клетки и диафрагму, а затем открывается в **желудок (D)** – орган, формой напоминающий мешок. Здесь пища смешивается с желудочным соком, который содержит кислоту и расщепляющие белки ферменты. На выходе из желудка пища поступает в **тонкую кишку (E)**, длина которой составляет 6 метров. Этот орган со своими многочисленными складками и изгибами занимает значительную часть брюшной полости. Основные процессы пищеварения, а также всасывание продуктов переваривания в кровь и лимфу происходят в тонкой кишке.

В нижней левой части рисунка (в правой половине тела) можно видеть, что тонкая кишка переходит в **толстую кишку (F)**. Эта кишка поднимается по правой стороне тела, проходит горизонтально, потом снова изгибается и идет вниз. В толстой кишке происходит всасывание воды и уплотнение непереварившихся остатков пищи. Прежде чем непереварившиеся отходы будут удалены наружу, они поступают в **прямую кишку (G)**. После того как в прямой кишке накопится некоторое количество каловых масс, они удаляются через **анальное отверстие (H)**. На рисунке анальное отверстие рекомендуется отметить цветным пятном.

Осуществлению пищеварительного процесса помогают несколько органов, которые располагаются вдоль желудочно-кишечного тракта и способствуют выделению секретов. В этой главе мы рассмотрим три таких органа. Чтобы обозначить их на рисунке, рекомендуем использовать темные цвета.

Три группы **слюнных желез (I)** вырабатывают ферменты, которые расщепляют углеводы в ротовой полости. В брюшной полости **печень (J)** выделяет желчь, которая способствует перевариванию жиров. Печень также перерабатывает некоторые продукты расщепления, доставляемые кровью от тонкой кишки, перед тем как отправить их клеткам тканей. Под печенью находится **желчный пузырь (K)**. Желчь, вырабатываемая печенью, скапливается в нем перед тем, как поступить в кишечник.

Поджелудочная железа (L) играет важную роль в выработке ферментов для пищеварительного процесса. Экзокринные клетки этой железы поставляют выделяемые ими секреты в первый отдел тонкой кишки (двенадцатиперстную кишку).

В заключение мы перечислим основные пищеварительные ферменты в том порядке, в котором они взаимодействуют с пищей по мере ее продвижения по органам пищеварения.

В секретах, выделяемых слюнными железами, присутствует фермент амилаза, или птиалин. Этот фермент расщепляет крахмал в процессе гидролиза до получения дисахарида мальтозы. Следующие пищеварительные ферменты, приступающие к обработке пищи, находятся в желудке. Желудок вырабатывает желудочный сок, pH которого приблизительно равен 2. В желудочном соке присутствует фермент пепсин, который расщепляет белки. Химическое расщепление пищи продолжается в тонкой кишке, где панкреатическая амилаза продолжает гидролиз крахмала, а трипсин, химотрипсин, карбоксипептидаза и аминопептидаза осуществляют расщепление белков.

ПИЩЕВАРИТЕЛЬНАЯ СИСТЕМА

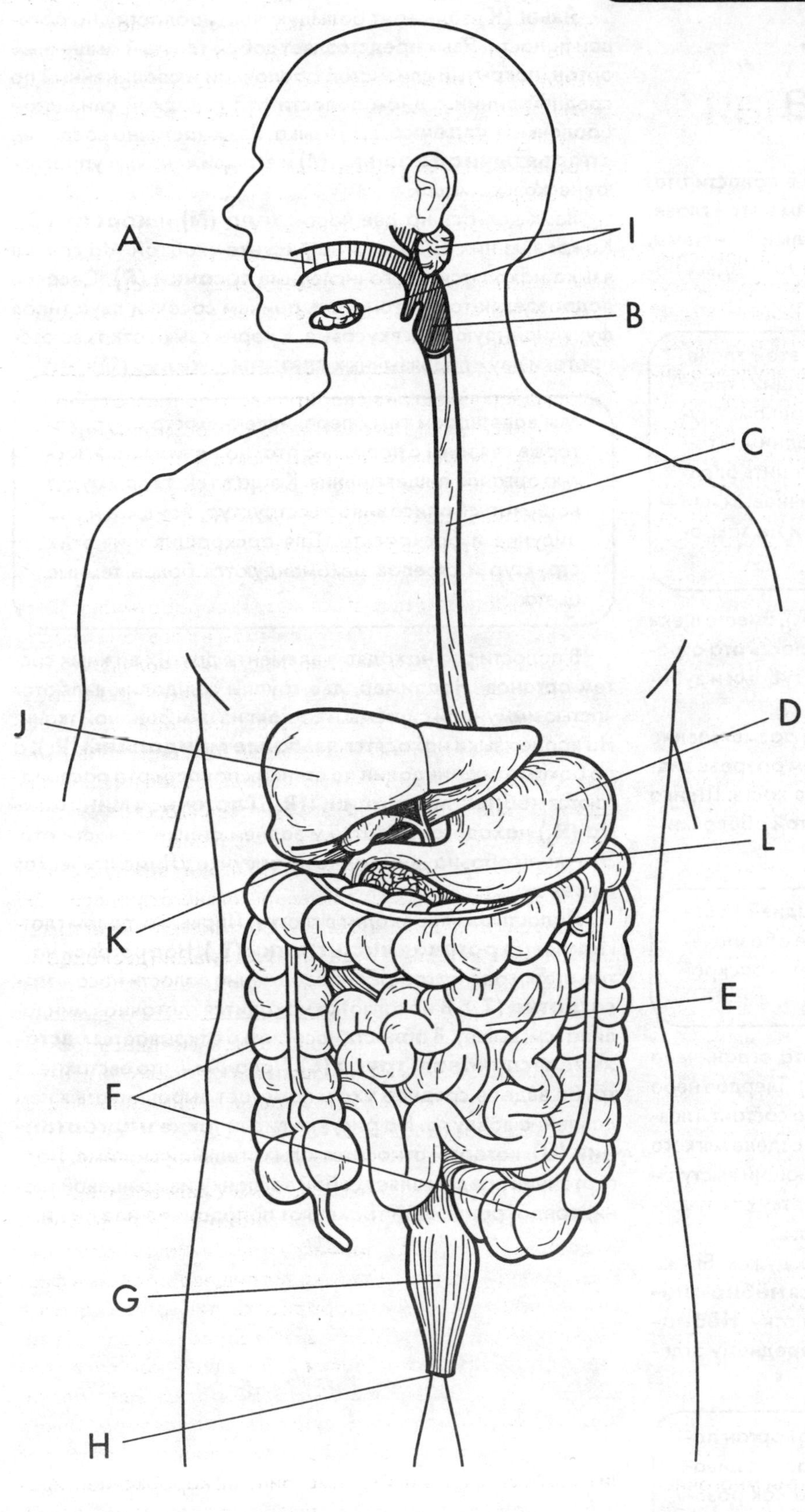

Пищеварительная система

Полость рта .... A
Глотка .... B
Пищевод C
Желудок .... D
Тонкая кишка .... E
Толстая кишка .... F
Прямая кишка .... G
Анальное отверстие .... H
Слюнные железы I
Печень .... J
Желчный пузырь .... K
Поджелудочная
железа L

Глава 9-18: Полость рта

Пищеварительная система начинается в полости рта, строение которой мы подробно рассмотрим в этой главе. Полость рта является также частью дыхательной системы, так как через нее проходит воздух. Кроме того, здесь находятся элементы лимфатической системы.

Многие структуры, представленные в этой главе, можно увидеть на рисунках, изображающих строение полости рта. Эти детали строения рекомендуется раскрашивать на всех рисунках одним и тем же цветом. Крупные области можно оттенить бледным или светло-серым, желтовато-коричневым или другими цветами. Будьте внимательны и не закрашивайте этими же цветами стрелки.

Ротовая полость ограничена **щеками (A)**. Вместо щеки на рисунке нужно раскрасить стрелку. Полость рта ограничена также **губами (B)**. Область между губами и зубами называется **преддверием рта (C)**.

Зубы (D) осуществляют механическое размельчение пищи. Обратите внимание: на сагиттальном разрезе видно, что верхние и нижние зубы вставлены в кость. Шейка каждого зуба окружена участками слизистой оболочки – **дёснами (E)**.

А теперь перейдем к рассмотрению задней части полости рта. Многие области на рисунке обозначены стрелками, и эти стрелки рекомендуется раскрашивать темными цветами.

Верхняя стенка, или крыша, полости рта ограничена **твердым нёбом (F)** и **мягким нёбом (G)**. Твердое нёбо имеет костную основу, тогда как мягкое нёбо состоит, главным образом из скелетных мышц. В заднем отделе мягкого нёба находится элемент, похожий на свисающий выступ – **язычок (H)**, который предохраняет носоглотку от случайного проскальзывания пищи из полости рта.

Мягкое нёбо сближается с языком у двух дужек. Ближе к заднему отделу полости рта располагается **нёбно-глоточная дужка (I)**. Она отмечает вход в глотку. **Нёбно-язычная дужка (J)** находится ближе к переднему отделу полости рта.

Теперь рассмотрим строение языка. Этот орган показан на всех трех рисунках. Для его раскрашивания рекомендуются светлые тона, такие как розовый или желтовато-коричневый. Для обозначения областей, расположенных вдоль поверхности языка, можно использовать цвета потемнее.

Язык (K) занимает большую часть области дна ротовой полости. Язык представляет собой толстый мышечный орган, покрытый слизистой оболочкой и соединенный по средней линии с дном полости рта складкой слизистой оболочки – **уздечкой (L)** языка. Язык частично соединен с **подъязычной костью (M)** и его движениями управляют несколько мышц.

Язык делится на две части: **тело (N)** и **корень (O)**. Каждая из них выделена на рисунке скобкой. На спинке языка находятся многочисленные **сосочки (P)**. Сосочки подразделяются на три типа, причем сосочки двух типов функционируют как вкусовые. У корня языка открываются протоки двух подъязычных **слюнных желез (Q)**.

Мы завершаем тему перечислением структур, которые связаны с полостью рта, но не являются частью органов пищеварения. Когда в тексте вам будут встречаться описания этих структур, найдите их на рисунке и раскрасьте. Для раскрашивания этих структур и стрелок рекомендуются более темные цвета.

В полости рта находятся элементы других важных систем органов. Например, две группы миндалин являются частью иммунной системы и состоят из лимфоидной ткани. На корне языка находятся **язычные миндалины (R_1)**, а по бокам этих миндалин на стенках полости рта располагаются **нёбные миндалины (R_2)**. **Глоточная миндалина (R_3)** находится в глотке у задней стенки полости рта. Эти ткани обозначены также на рисунке «Лимфатическая система».

Полость рта переходит в глотку. Первым отделом глотки является **ротовая часть глотки (T_2)**. Над ротовой частью глотки располагается продолжение полости носа – **носоглотка (T_1)**. В носоглотке находится глоточная миндалина (см. выше). В область носоглотки открывается **евстахиева (слуховая) труба (S)**. Напомним, что евстахиева труба ведет в среднее ухо и помогает выравнивать в нем давление воздуха. На рисунке виден также **надгортанник (U)**, который относится к дыхательной системе. Надгортанник представляет собой заслонку из хрящевой ткани, предохраняющий трахею от попадания в нее пищи.

ПОЛОСТЬ РТА

Полость носа

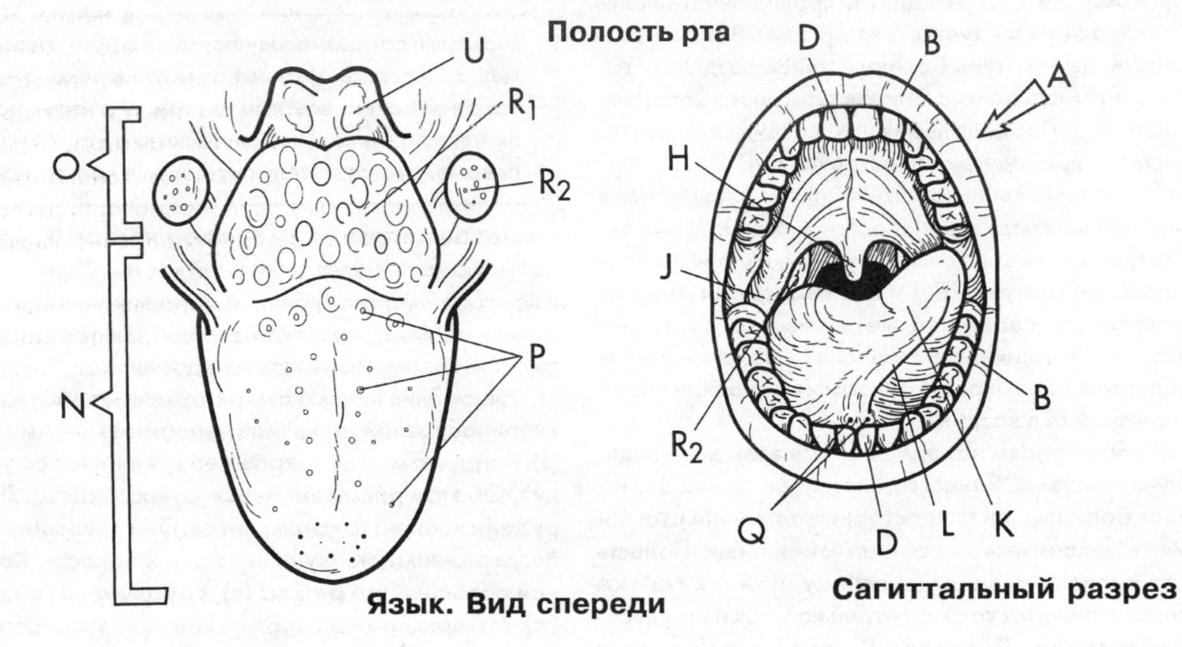

Полость рта

Щека .... A
Губы .... B
Преддверие рта C
Зубы .... D
Дёсны .... E
Твердое нёбо .... F
Мягкое нёбо .... G
Язычок .... H

Нёбно-глоточная дужка .. I
Нёбно-язычная дужка ... J
Язык .... K
Уздечка языка L
Подъязычная кость .... M
Тело языка .... N
Корень языка .... O
Сосочки .... P

Подъязычные слюнные железы .... Q
Язычные миндалины .... R_1
Нёбные миндалины ...... R_2
Глоточная миндалина .... R_3
Евстахиева труба .... S
Носоглотка .... T_1
Ротовая часть глотки ..... T_2
Надгортанник .... U

Глава 9-19: Дыхательная система

Дыхательная система состоит из воздухоносных путей, которые очищают вдыхаемый воздух при поступлении его в легкие. В микроскопических альвеолярных мешочках легких происходит газообмен между внешним атмосферным воздухом и внутренней средой организма. В данной главе мы рассмотрим это явление. Некоторые структуры, изображенные на рисунке, мы уже встречали в предыдущих главах.

Отдельные детали обозначены строчными буквами, так как они связаны с другими системами органов. Строчные буквы обозначают элементы дыхательной системы.

Поступающий в дыхательную систему воздух проходит через **носовой ход (А)**. Для раскрашивания области носового хода рекомендуется светлый цвет. Внутри носового хода костные выступы боковых стенок разделяют основной ход на более мелкие. Эти выступы называются **раковинами (A_1)**. Проходя через них, воздух согревается и увлажняется, прежде чем попасть в легкие.

В систему верхних дыхательных путей входит также ряд заполненных воздухом полостей между костями черепа. Эти полости называются пазухами. На рисунке показана **лобная пазуха (B_1)** и **клиновидная пазуха (B_2)**. В этих полостях воздух также согревается и увлажняется. Реснички и выделения слизистой оболочки стенок пазух задерживают микроорганизмы и инородные частицы, содержащиеся в воздухе.

В этой части головы находятся также элементы пищеварительной системы. **Язык (а)** – это крупная мышца, занимающая большую часть пространства полости рта. Он участвует в механическом размельчении пищи. Полость рта ведет к главному воздухоносному пути – к **глотке (С)**, которая относится как к дыхательной, так и к пищеварительной системам. **Пищевод (b)** проходит от глотки к желудку.

Рассматривая область шеи, отметим воздухоносные пути, ведущие в легкие. Эти пути выглядят, как перевернутое дерево. Для их раскрашивания рекомендуется использовать бледные цвета, чтобы сохранить детали изображения.

Под глоткой мы видим **гортань (D)**, которая является первым отделом воздухоносного пути, ведущего в легкие. Скобку, отмечающую эту структуру, рекомендуется закрасить ярким цветом, а саму гортань – бледным. Похожий на заслонку надгортанник защищает вход в гортань, а хрящевые пластинки формируют стенки гортани.

Гортань переходит в **трахею (Е)**. Кольца трахеи составлены из хрящей. Для того чтобы выделить эти кольца на рисунке, можно использовать темный цвет.

Трахея проходит в полость грудной клетки перед пищеводом, затем разветвляется на два воздухоносных пути, которые называются бронхами. С правой от читателя стороны (в организме с левой) находится **левый бронх (F_1)**, а с левой от читателя соответственно **правый бронх (F_2)**. Для того чтобы обозначить продолжение трахеи, используйте тот же цвет, что и для трахеи. Стрелки рекомендуется закрасить ярким цветом: синим или фиолетовым.

Каждый бронх продолжается в виде бронхиального дерева. **Левое бронхиальное дерево (G_1)** и **правое бронхиальное дерево (G_2)** отмечены стрелками, которые можно закрасить ярким цветом. Но сами трубки лучше закрасить светлым цветом. Хрящевые кольца поддерживают трубки в открытом состоянии почти по всей их длине. Сами же трубки состоят из гладких мышц. Правое и левое бронхиальные деревья ведут к меньшим по диаметру альвеолярным ходам, которые переходят в альвеолярные мешочки легких.

Главными органами, осуществляющими газообмен, являются легкие. Легкие на рисунке рекомендуется закрасить очень светлым цветом. Мы также показали некоторые окружающие легкие кости, которые рекомендуется выделить светлыми цветами.

Левое легкое (H_1) и **правое легкое (H_2)** занимают большую часть области грудной клетки. Легкие представляют собой мягкие губчатые органы конической формы. Между легкими находится сердце. Центральная область грудной клетки называется средостением.

Увеличение объема легких зависит от работы большой куполообразной мышечной перегородки – **диафрагмы (I)**. Когда эта мышца сокращается, в легкие поступает воздух. Об этом рассказывает следующая глава. Легкие окружены костями грудной клетки. Они защищают легкие и поддерживают стенку плевральной полости. Кости грудной области – это **ребра (с)**, **грудина (d)** и **ключицы (е)**. Мы предлагаем очертить контуры этих костей, чтобы показать, что они располагаются близко к легким. Межреберные мышцы играют важнейшую роль в акте дыхания, о чем будет рассказано в следующей главе.

ДЫХАТЕЛЬНАЯ СИСТЕМА

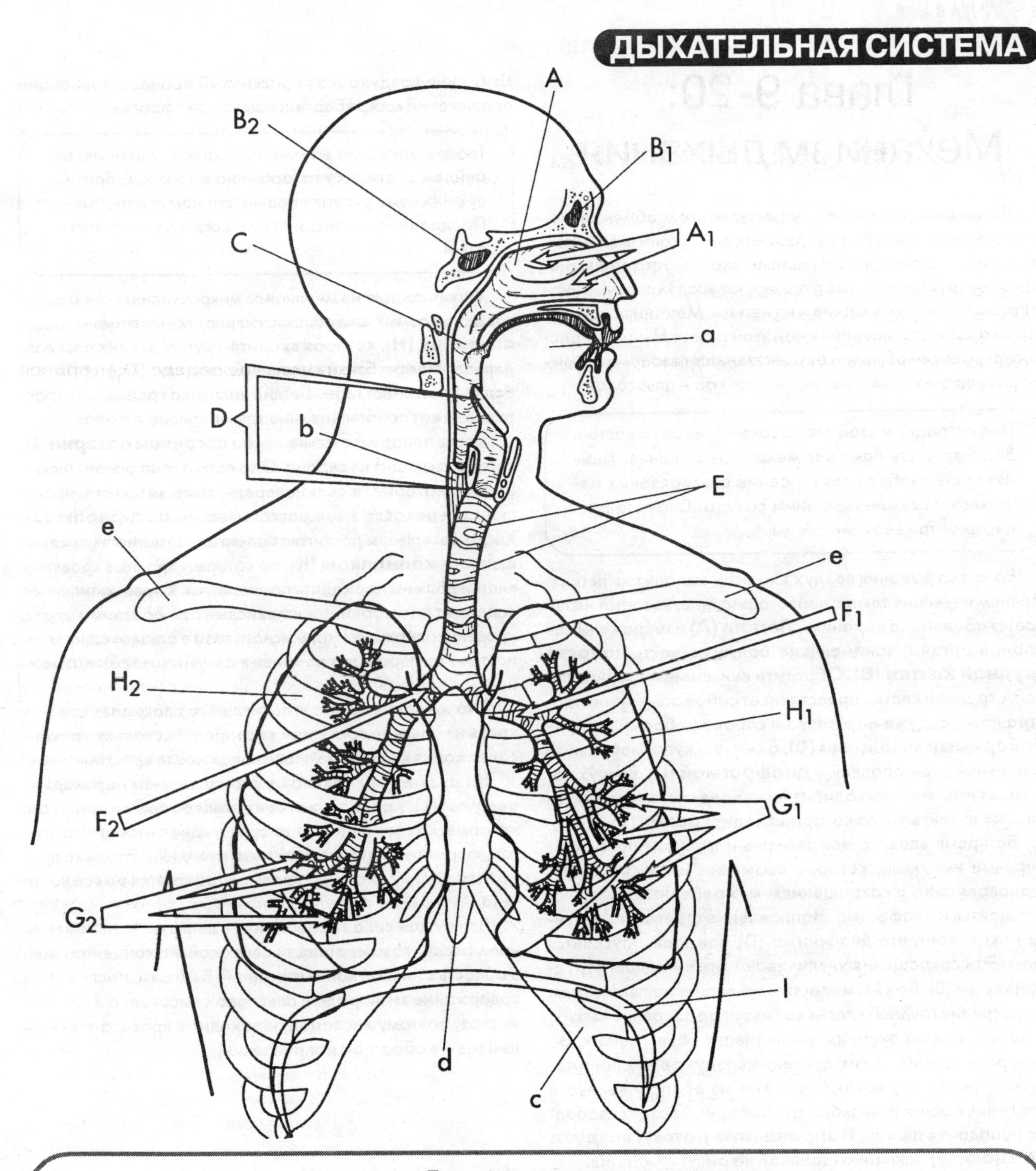

Дыхательная система

Носовой ход .... A	Левый бронх .... F_1	Правое легкое .... H_2
Носовые раковины........ A_1	Правый бронх .... F_2	Диафрагма I
Лобная пазуха .... B_1	Левое бронхиальное	Язык .... a
Клиновидная пазуха ...... B_2	дерево .... G_1	Пищевод .... b
Глотка C	Правое бронхиальное	Ребра c
Гортань .... D	дерево .... G_2	Грудина .... d
Трахея .... E	Левое легкое .... H_1	Ключицы........................... e

Глава 9-20: Механизм дыхания

Дыхательная система осуществляет газообмен кислорода и углекислого газа между клетками организма и внешней средой. В состав этой системы входят густо ветвящиеся полые трубки, которые формируют воздухоносные пути и проводят воздух в легкие и из легких. Механизм вдоха и выдоха является главной темой этой главы. Мы также рассмотрим, каким образом осуществляется газообмен в микроскопических альвеолярных мешочках – альвеолах.

Иллюстрация к этой главе состоит из двух частей. Верхняя часть поясняет механизм дыхания. Нижняя часть изображает строение альвеолярных мешочков и связанные с ними сосуды. Сначала рассмотрим три верхние схемы.

Во время дыхания воздух входит и выходит из легких. Начнем изучение темы с первого рисунка, который называется «Задержка дыхания». **Легкие (A)** изображены как парные органы, занимающие большую часть **полости грудной клетки (B)**. Обратите внимание на то, что полость грудной клетки представляет собой замкнутое пространство, окруженное слева и справа ребрами и **межреберными мышцами (C)**, а снизу – куполообразной мышечной перегородкой – **диафрагмой (D)**. Воздух поступает в легкие и выходит из них через систему воздухоносных путей, в число которых входит **трахея (E)**.

Во время вдоха к межреберным мышцам поступают нервные импульсы, которые вызывают их сокращение. Одновременно с сокращением межреберных мышц сокращается и диафрагма. Направление стрелки на рисунке показывает, что диафрагма (D) при этом опускается вниз. Эти сокращения увеличивают объем полости грудной клетки (B). При этом эластичные легкие растягиваются. Расширение грудной клетки вызывает расширение легких, которое, в свою очередь, увеличивает объем легких. За счет расширения легких давление воздуха в них понижается, и, поскольку воздух движется из области высокого давления в область низкого, атмосферный воздух свободно попадает в легкие. **Направление потока воздуха на вдохе (F)** показано стрелкой на рисунке «Вдох».

За вдохом следует выдох. Во время выдоха межреберные мышцы и диафрагма расслабляются. Стрелка на рисунке «Выдох» показывает, что диафрагма, расслабляясь, принимает свою изначальную куполообразную форму. При этом объем полости грудной клетки уменьшается, вызывая сжатие легких до их первоначальных размеров. Давление воздуха в легких повышается, и **воздух (G)** возвращается во внешнюю среду. Направление потока воздуха на выдохе обозначено стрелкой на рисунке «Выдох». Движение воздуха – это пассивный процесс, зависящий от движений межреберных мышц и диафрагмы.

Теперь, когда мы изучили механизм дыхания, перейдем к процессу газообмена в легких. Обратимся к нижнему рисунку под названием «Газообмен». Продолжайте читать дальше, когда раскрасите рисунок.

Легкие состоят из миллионов микроскопических мешочков, называемых альвеолами. На рисунке мы отметили одну **альвеолу (H)**, которая входит в группу других альвеол. Альвеолы имеют тончайшие мембраны, сквозь которые свободно проникают газы. Легкие человека среднего возраста содержат приблизительно три миллиона альвеол.

Кровь попадает в альвеолы по **легочной артерии (I)**, которая выходит из сердца. Она ветвится на более мелкие сосуды, которые, в свою очередь, тоже ветвятся и постепенно переходят в микроскопические **артериолы (J)**. Когда артериолы достигают альвеол, артериолы превращаются в **капилляры (K)**, по которым красные кровяные клетки должны проходить поочередно. Кровь капилляров содержит растворенный углекислый газ. Во время выдоха уровень содержания углекислого газа в альвеолах низкий, поэтому он переходит из крови в альвеолы, чтобы его можно было удалить.

В то же время, когда углекислый газ покидает кровь, в кровь из альвеол поступает кислород, поскольку уровень содержания кислорода в альвеолах после вдоха высокий.

На рисунке мы показали, что капилляры переходят в **венулы (L)**. Кровь движется из альвеол по этим венулам, которые, как это видно из рисунка, сливаются друг с другом, формируя в итоге **легочную вену (M)**. Эта вена проходит к сердцу, а оттуда кровь направляется во все части тела.

Движущая сила газообмена – диффузия: перемещение молекул газа из области с высокой его концентрацией в область с низкой концентрацией. В общем, после вдоха содержание кислорода в альвеолах высокое, а в крови – низкое, поэтому кислород переходит в кровь, а углекислый газ – в обратном направлении.

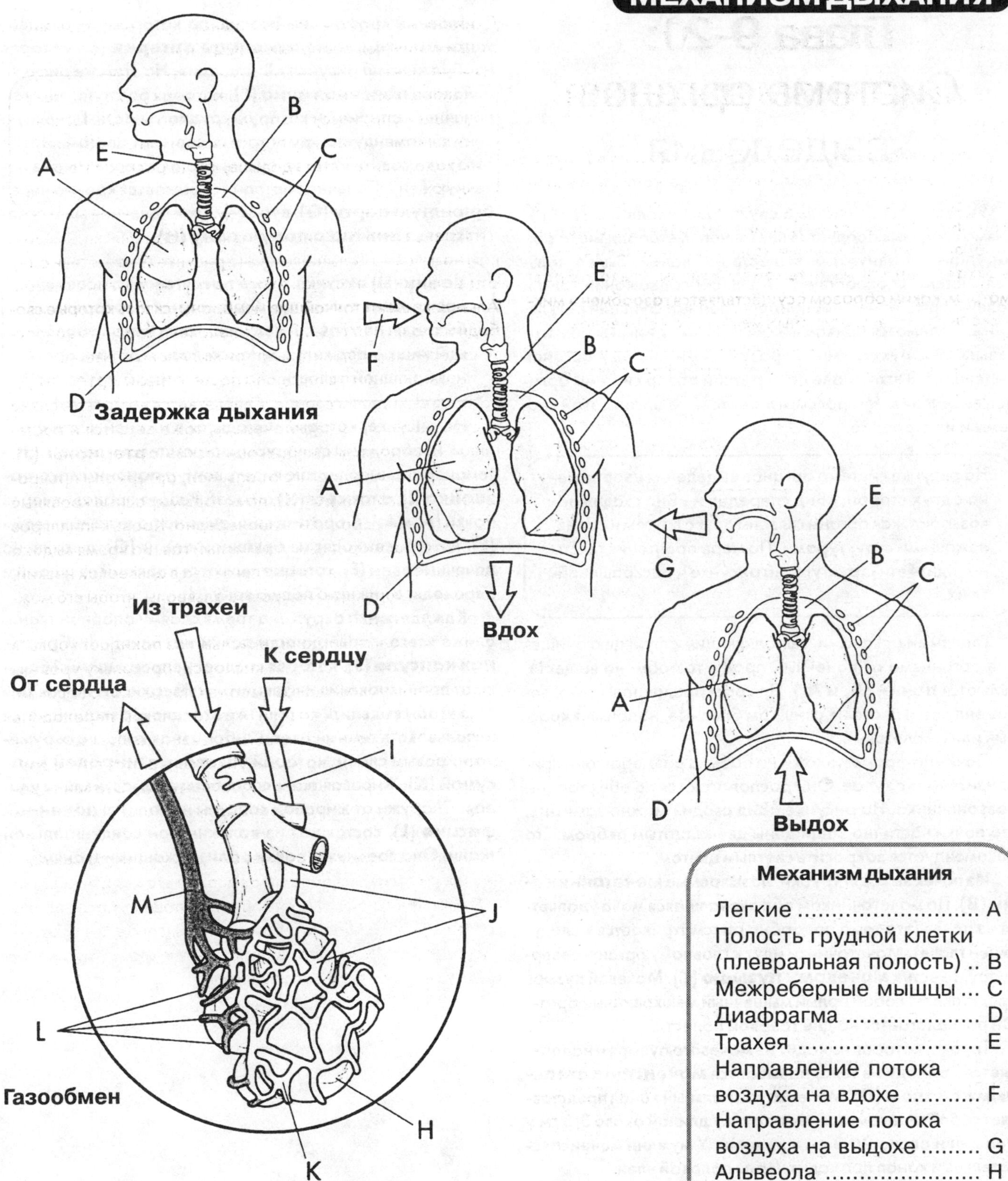

Механизм дыхания

Легкие .... A
Полость грудной клетки (плевральная полость) .. B
Межреберные мышцы ... C
Диафрагма .... D
Трахея .... E
Направление потока воздуха на вдохе .... F
Направление потока воздуха на выдохе .... G
Альвеола .... H
Легочная артерия I
Артериолы .... J
Капилляры .... K
Венулы L
Легочная вена .... M

Глава 9-21: Система органов выделения

Выделительная система служит для удаления из организма конечных продуктов клеточного метаболизма, а также удаления ненужных веществ из тканей. Выделительная система способствует регуляции содержания воды и солей в организме. Вышеперечисленные функции регуляции выполняются почками и связанными с ними вспомогательными структурами, образующими систему органов выделения. В этой главе дан краткий обзор системы органов выделения. Мы рассмотрим главные органы этой системы и их строение.

На рисунке система органов выделения изображена с двух сторон. «Вид спереди» и «Вид сзади» показывают, как органы связаны друг с другом и с близлежащими структурами. По мере прочтения текста находите эти структуры на рисунке и раскрашивайте их.

Главными органами, выполняющими функцию очищения организма от конечных продуктов обмена веществ, являются **почки (A_1 и A_2)**. Для раскрашивания почек рекомендуются цвета не слишком бледные, например красный или фиолетовый.

Почки по форме похожи на бобы, а размером они приблизительно с кулак. Они располагаются по обе стороны позвоночника. На рисунке «Вид сзади» можно заметить, что почки частично защищены двенадцатым ребром. Его рекомендуется закрасить светлым цветом.

Из почек выходят трубки, называемые **мочеточниками (B)**. По мочеточникам образовавшаяся моча удаляется из почек (эта тема подробно рассматривается в следующей главе). Мочеточники идут к главному органу-резервуару, то есть к **мочевому пузырю (C)**. Мочевой пузырь представляет собой полый мышечный мешковидный орган. Он располагается на дне тазовой полости.

Трубка, которая выходит из мочевого пузыря и направляется к выходу из тела, называется **мочеиспускательным каналом (D)**. Мочеиспускательный канал представляет собой гладкомышечную трубку длиной около 3,8 см у женщин и около 20,3 см у мужчин. У мужчин мочеиспускательный канал проходит через половой член.

А теперь рассмотрим кровоснабжение почек. Когда вам встретятся в тексте сосуды, раскрасьте их на рисунках под названием «Вид сзади» и «Поперечное сечение».

Главный кровеносный сосуд, по которому кровь движется к почкам, – это **почечная артерия (E)**, которая изображена на рисунке «Вид сзади». На этом же рисунке показана **почечная вена (F)**, которая располагается за почечной артерией и которую трудно увидеть. Почечную вену рекомендуется раскрасить светлым цветом. После того как кровь очистится, она движется из почек через почечную вену. Почечная артерия снабжается кровью через **брюшную аорту (G)**, в то время как почечная вена относит кровь в **нижнюю полую вену (H)**.

На нижнем рисунке также представлено поперечное сечение туловища. Мы смотрим на разрез как бы снизу: на уровень желудка, поперечной ободочной кишки, поджелудочной железы и других органов брюшной полости.

На рисунке, который находится в нижней части страницы, изображены структуры, относящиеся к разным системам. Например, можно видеть контур **поясничного позвонка (I)**, а также спинной мозг. Разрез проходит через почки (A_1 и A_2). Обратите внимание на почечные артерии (E), которые выходят из брюшной аорты (G), а также на почечные вены (F), которые являются парными сосудами и переходят в нижнюю полую вену (H).

Каждая почка окружена тремя слоями опорной ткани. Ближе всего к поверхности почки находится **фибриозная капсула (J)**, которая создает непроницаемый барьер от проникновения инфекции на поверхность почки. Для того чтобы выделить на рисунке этот слой, рекомендуется использовать темный цвет. Фибриозная капсула окружена жировым слоем, который называется **жировой капсулой (K)**. Жировая ткань способствует амортизации ударов. Снаружи от жировой капсулы находится **почечная фасция (L)**, состоящая из волокнистой соединительной ткани. Она соединяет почку с близлежащими тканями.

СИСТЕМА ОРГАНОВ ВЫДЕЛЕНИЯ

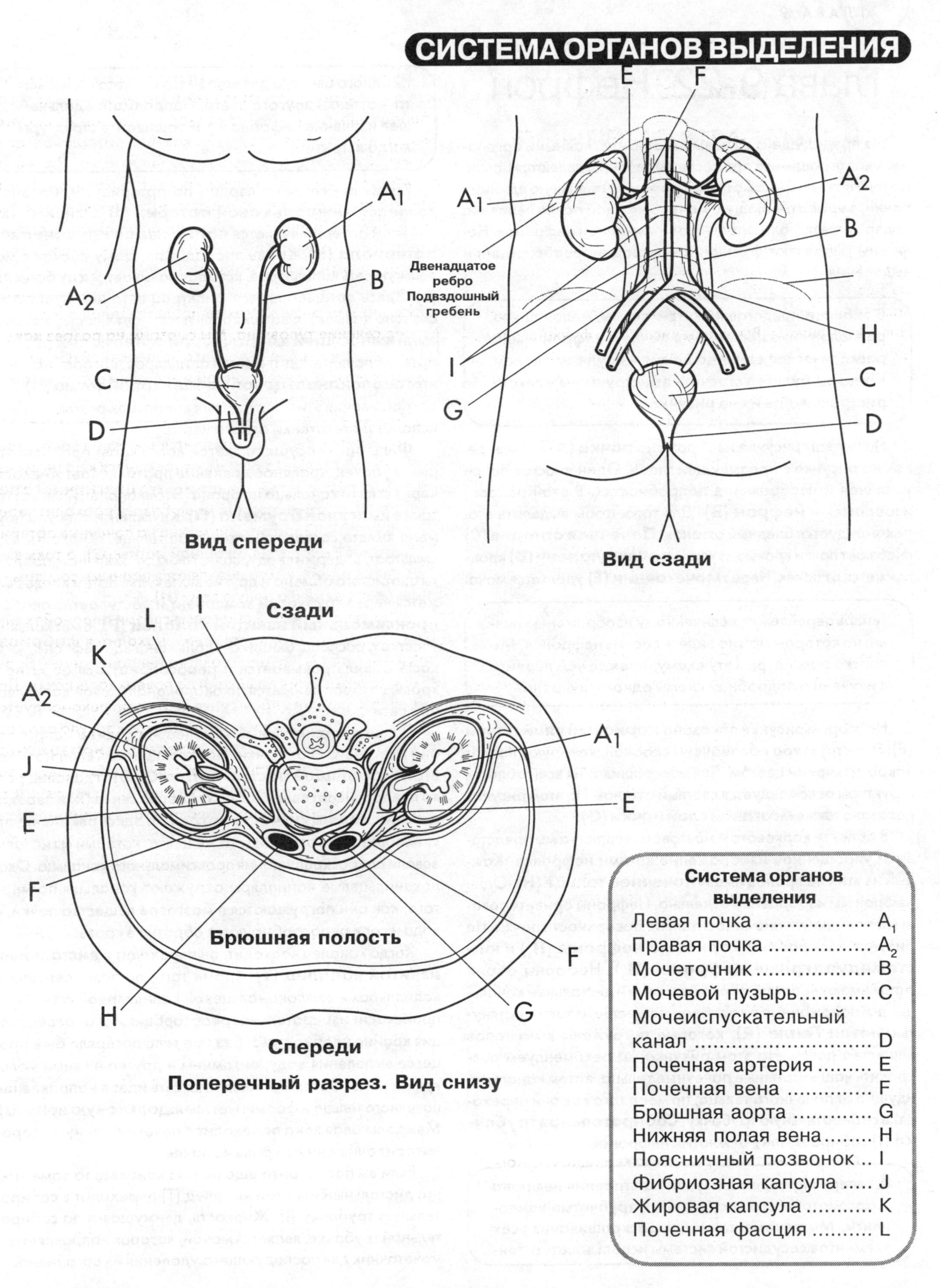

Глава 9-22: Нефрон

Из предыдущей главы вы узнали, что главными органами, участвующими в процессе выделения, являются почки. В этой главе мы рассмотрим нефрон – отдельную единицу почки, вырабатывающую мочу. В каждой почке человека содержится приблизительно один миллион нефронов. Нефроны выполняют функции фильтрации, реабсорбции и выделения.

В таблице представлены три схемы: целая почка, расположение нефронов в почке и нефрон – микроскопическая единица почки – крупным планом. Когда вы будете встречать эти структуры в тексте, раскрашивайте их на рисунке.

На первом рисунке изображена **почка (A)** в том виде, как на рисунке в предыдущей главе. Один участок почки увеличен и изображен в подробностях. В этой области изображен и **нефрон (B)**. Для того чтобы выделить его, рекомендуется бледный оттенок. **Почечная артерия (C)** снабжает почки кровью, а через **почечную вену (D)** кровь движется от почек. Через **мочеточник (E)** удаляется моча.

Теперь перейдем к увеличенному изображению почки, на котором можно видеть восемь нефронов. Мы кратко рассмотрим эту схему, прежде чем перейти к изучению подробной схемы одного нефрона.

На втором рисунке показано **корковый слой почки (F)**. Эта структура обозначена скобкой, которую следует закрасить ярким цветом. Для раскрашивания всей области структуры рекомендуется светлый оттенок. На этом рисунке показано также **мозговой слой почки (G)**.

В области коркового и мозгового вещества мы представили упрощенное изображение восьми нефронов. Каждый из этих нефронов имеет **почечное тельце (H)**. Один нефрон мы изобразили отдельно. Нефроны ориентированы перпендикулярно относительно поверхности почки. На рисунке изображены **корковые нефроны (H_1)** и **юкстамедуллярные нефроны (H_2)**. Нефроны обоих типов имеют капсулы, проксимальные и дистальные канальцы, расположенные в корковом веществе, а также вытянутые **петли Генле (R)**, которые погружены в мозговое вещество почки. На этом рисунке мы рекомендуем раскрасить чашеобразные почечные тельца, затем канальцы, идущие от почечного тельца, по мере того как они переходят в собирательную трубочку. **Собирательная трубочка (I)** собирает мочу от многих нефронов.

А теперь перейдем к изучению строения нефрона и рассмотрим его сосудистые и трубчатые компоненты. Мы рекомендуем для раскрашивания всех элементов сосудистой системы использовать оттенки одного цвета, а для частей трубчатого компонента – оттенки другого цвета. Продолжайте дальнейшее изучение нефрона и закрашивайте структуры, когда встретите их в тексте.

Кровь движется от сердца по артериям, и, наконец, достигает **междольковой артерии (J)**. Одной из ветвей этой артерии является **приносящая клубочковая артериола (K)**. Кровь проходит по этому сосуду в маленькую сеть капилляров, которая называется **клубочком (L)**. Здесь осуществляется фильтрация (о ней будет рассказано дальше), а затем кровь поступает в сосуд, называемый **выносящей клубочковой артериолой (M)**. Эта артериола переходит в сеть капилляров, которая называется **околоканальцевой капиллярной сетью (N)**. Для закрашивания этих сосудистых канальцев рекомендуется использовать оттенки одного цвета.

Фильтрация осуществляется, когда кровь проходит через клубочек, кровяное давление проталкивает жидкость через стенки канальца нефрона. Этот каналец называется также **капсулой Боумена (O)**. Клубочек и капсула Боумена вместе составляют почечное тельце. Жидкость, или фильтрат, содержит воду, соли, глюкозу, конечные продукты азотистого обмена и другие молекулы. Затем кровь движется через трубчатый компонент и поступает сначала в **проксимальный извитой каналец (P)**. В нескольких участках, располагающихся вдоль канальца нефрона, жидкость отфильтровывается и реабсорбируется обратно в кровь, которая движется по околоканальцевой капиллярной сети.

Далее проксимальный каналец нисходит в направлении мозгового слоя почки. Нисходящий каналец называется **нисходящей частью петли (Q)**. Этот каналец резко поворачивает вверх, образуя петлю Генле (R) и переходит в **восходящую часть петли (S)**. Здесь рекомендуется использовать оттенки того же цвета, который вы использовали для раскрашивания проксимального канальца. Околоканальцевые капилляры окружают канальцы по мере того, как они погружаются в мозговое вещество почки, а вода и соли реабсорбируются обратно в кровь.

Когда каналец восходит, он переходит в **дистальный извитой каналец (T)**. Кроме того, он переплетается с капиллярами околоканальцевой капиллярной сети (N), и происходит избирательная реабсорбция. Такая реабсорбция крайне необходима: без нее тело потеряло бы в процессе выделения воду, витамины и другие нужные молекулы и ионы. Затем капиллярная сеть идет в направлении почечного тельца и формирует **междольковую вену (U)**. Междольковая вена переходит в почечную вену, которая выводит очищенную кровь из почек.

Если вы посмотрите еще раз на каналец, то заметите, что дистальный извитой каналец (T) переходит в собирательную трубочку (I). Жидкость, движущаяся по собирательной трубочке, является мочой, которая направляется в мочеточник для последующего удаления из организма.

НЕФРОН

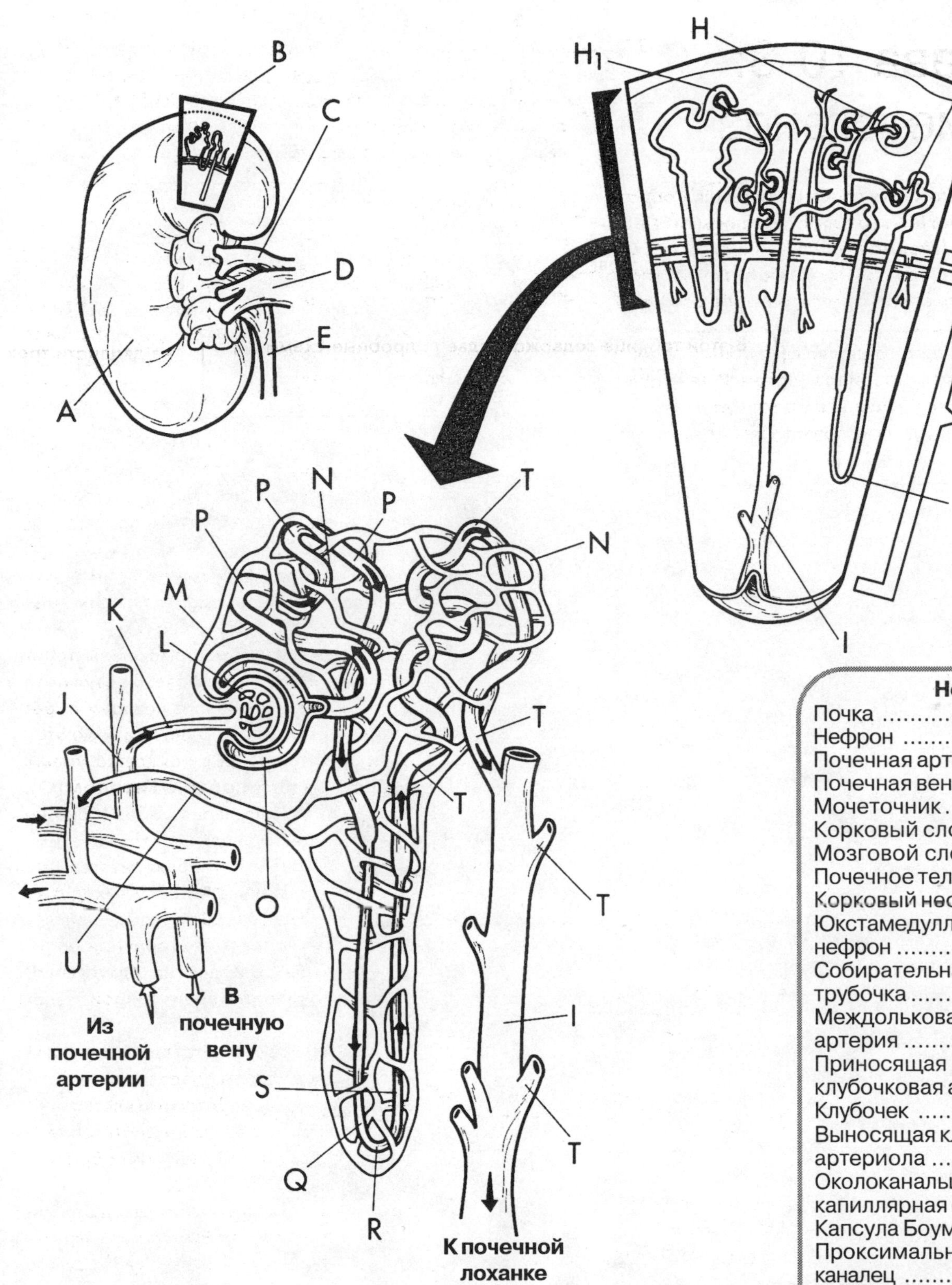

Нефрон

Почка	A
Нефрон	B
Почечная артерия	C
Почечная вена	D
Мочеточник	E
Корковый слой почки	F
Мозговой слой почки	G
Почечное тельце	H
Корковый нефрон	H_1
Юкстамедуллярный нефрон	H_2
Собирательная трубочка	I
Междольковая артерия	J
Приносящая клубочковая артериола	K
Клубочек	L
Выносящая клубочковая артериола	M
Околоканальцевая капиллярная сеть	N
Капсула Боумена	O
Проксимальный извитой каналец	P
Нисходящая часть петли	Q
Петля Генле	R
Восходящая часть петли	S
Дистальный извитой каналец	T
Междольковая вена	U

ГЛАВА 10

Размножение и развитие человека

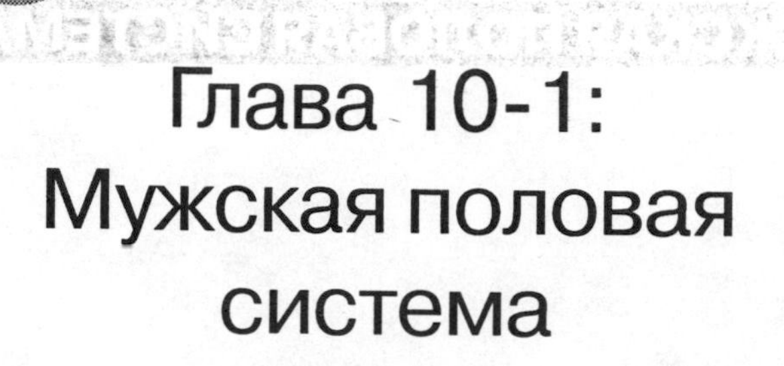

Глава 10-1: Мужская половая система

Основная функция мужской половой системы заключается в производстве сперматозоидов и доставке их в женскую половую систему, где они оплодотворяют яйцеклетку. Таким образом из поколения в поколение передается генетический материал и на свет появляются новые особи. В этой главе мы обсудим некоторые структуры этой системы и выполняемые ими функции.

> В этой таблице показана мужская половая система в продольном разрезе. Мы будем изучать левую часть системы и выделять ее основные структуры. Более мелкие детали раскрашивайте светлым цветом.

Основными органами мужской половой системы являются два яичка, в которых производятся сперматозоиды. На рисунке показано одно **яичко (A)**, и этот крупный орган надо раскрасить темным цветом. В яичке в результате мейотических делений производятся сперматозоиды. Яичко окружает трубка, имеющая форму запятой и называемая **эпидидимисом (придаток яичка) (B)**, в ней накапливаются сперматозоиды.

Выше придатка яичка находится длинная трубка, по которой сперматозоиды выводятся из тела. Эта трубка называется **семявыносящим протоком (C)**. Проследите путь этой трубки от яичек в тело. Она загибается влево и пересекает **мочевой пузырь (O)**. После этого семявыносящий проток соединяется с **семенным пузырьком (K)** и переходит в **эякуляторный канал (D)**, который соединяется с уретрой мочевого пузыря.

> Теперь проследим путь выхода сперматозоидов из тела. Одна и та же трубка, уретра (мочеиспускательный канал), служит двум системам – половой и мочеиспускательной. Продолжайте читать и раскрашивайте соответствующие структуры.

Уретра (E) уже обсуждалась в предыдущих главах, посвященных мочевой системе. У мужчин это довольно длинная трубка, доходящая до предстательной железы, после чего она входит в **пенис (F)**, имеющий длину примерно 15 – 20 см.

Важной отличительной особенностью пениса (F) является его **венчик (G)** – наружный край **головки пениса (H)**. Головку необрезанного пениса покрывает ткань, называемая **крайней плотью (I)**.

Пенис поддерживается мышцами, находящимися выше, и соединяется с мешочками, в которых находятся яички. Эти мешочки, свисающие от корня пениса, называются **мошонкой (J)**.

> Теперь рассмотрим три вспомогательные железы, добавляющие свои выделения к сперматозоидам при производстве семени. Эти железы небольшого размера, поэтому раскрасьте их светлым цветом.

Первой из этих желез является **семенной пузырек (K)**. Эта пара желез расположена в основании мочевого пузыря. Их щелочная жидкость добавляется к сперматозоидам, когда они входят в эякуляторный канал. Вторая железа – **предстательная (L)**. Эта крупная, размером примерно с грецкий орех, единичная железа охватывает мочеиспускательный канал. Ее кислотные выделения позволяют сперматозоидам сохранять некоторые ферменты.

Третья железа – **куперова (M)**, добавляет в сперму щелочные выделения.

Упомянем также **лобковую кость (N)**, находящуюся рядом со входом мочеиспускательного канала в тело. На рисунке показан также крупный мочевой пузырь, а среди остальных структур отметим **прямую кишку (P)** и окончание пищеварительного тракта – **анус (Q)**.

МУЖСКАЯ ПОЛОВАЯ СИСТЕМА

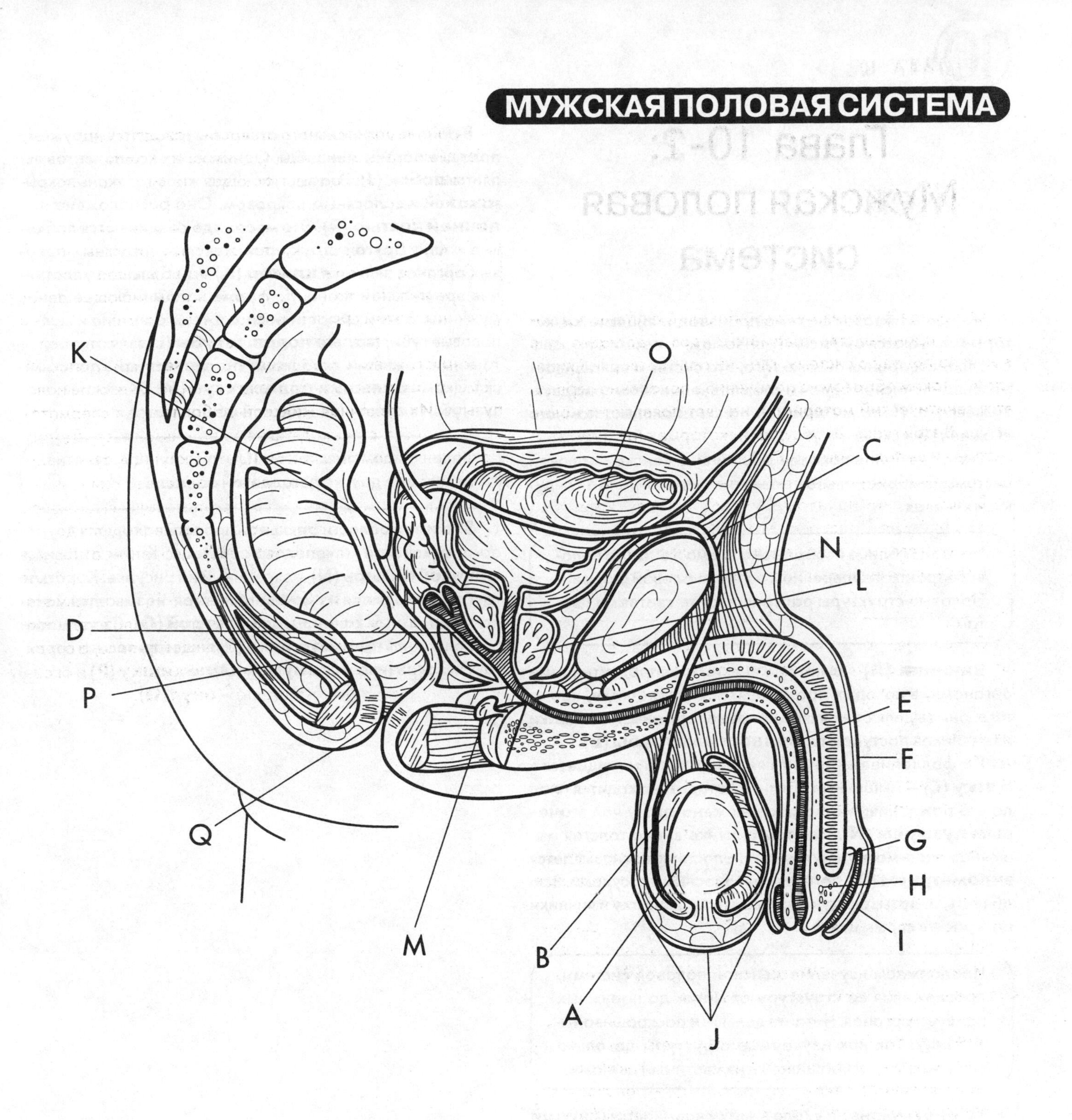

Мужская половая система

Яичко .... A	Пенис .... F	Предстательная железа L
Придаток яичка (эпидидимис) .... B	Венчик пениса .... G	Куперова железа .... M
Семявыносящий проток C	Головка пениса .... H	Лобковая кость .... N
Эякуляторный канал .... D	Крайняя плоть I	Мочевой пузырь .... O
Мочеиспускательный канал (уретра) .... E	Мошонка .... J	Прямая кишка .... P
	Семенной пузырек .... K	Анус .... Q

Глава 10-2: Женская половая система

Женская половая система производит яйцеклетки, которые сливаются с мужскими сперматозоидами в процессе оплодотворения. Кроме того, эта система вынашивает развивающийся эмбрион и плод в течение примерно девяти месяцев. Поэтому женская половая система намного сложнее мужской.

В этой таблице показан общий вид женской половой системы. Эмбриональное развитие рассмотрено в следующих главах.

На этой таблице изображена схема женского полового тракта в поперечном разрезе с левой стороны. Половые структуры раскрашивайте светлыми цветами.

Яичники (A) являются женскими репродуктивными органами, в которых производятся яйцеклетки, и, кроме того, они выделяют женские половые гормоны. Яйцеклетки из яичников поступают в **фаллопиевы трубы (B)**.

По фаллопиевым трубам яйцеклетка перемещается в **матку (C)** – мышечный орган, в котором находится плод до его рождения. Матка расположена сразу над **мочевым пузырем (N)**. На этом рисунке видна толстая мышечная ткань матки, внутренняя полость матки называется **эндометрием (D)**, богатая кровеносными сосудами. Всю область, охватывающую мочевой пузырь, матку и яичники раскрасьте серым цветом.

Продолжаем изучение женской половой системы, прослеживая ее структуру от матки до наружных половых органов. Читайте дальше и раскрашивайте таблицу. Так как изучаемые структуры довольно сложные, то раскрашивайте их светлыми цветами.

Узкое отверстие на входе в матку называется **шейкой матки (E)**, а следующей структурой, входящей в эту систему, является **влагалище (F)**. Раскрасьте их светлым цветом. Влагалище имеет форму трубки длиной около десяти сантиметров. Во время полового сношения она принимает в себя пенис и, кроме того, служит выводным каналом, через который рождаются дети; стенки влагалища тоньше, чем мышечные стенки матки. Влагалище пересекает **мочеполовую диафрагму (G)**. Рядом находится пара желез, называемая также **бартолиниевыми железами (H)**, которые выделяют слизистую смазку. На рисунке стрелкой показано **вагинальное отверстие (I)** – **преддверие** влагалища.

В районе вагинального отверстия находятся наружные половые органы женщины. Одним из их компонентов является **лобок (J)**. Эта выступающая жировая ткань покрыта кожей и волосяным покровом. Она расположена над **лонной костью (R)**. Это место, где соединяются лобковые кости. Другой структурой женских наружных половых органов является **клитор (K)** – небольшое уплотнение эректильной ткани, по форме напоминающее пенис мужчины. В этой области расположены большие и малые половые губы; **малые половые губы (L)** являются более тонкими кожными складками по сравнению с толстыми складками **больших половых губ (M)**. Женские половые губы гомологичны мужской мошонке.

Заканчиваем рассмотрение этой таблицы, отметив некоторые другие детали этой области.

В тазовой области брюшной полости находятся другие органы женской мочеполовой системы. К ним относится **мочевой пузырь (N)**, показанный на рисунке. Короткая трубка, выходящая из мочевого пузыря, называется мочеиспускательным каналом, или **уретрой (O)**. Сзади матки располагается **прямая кишка (P)** пищеварительного тракта. Он заканчивается **анусом (Q)**.

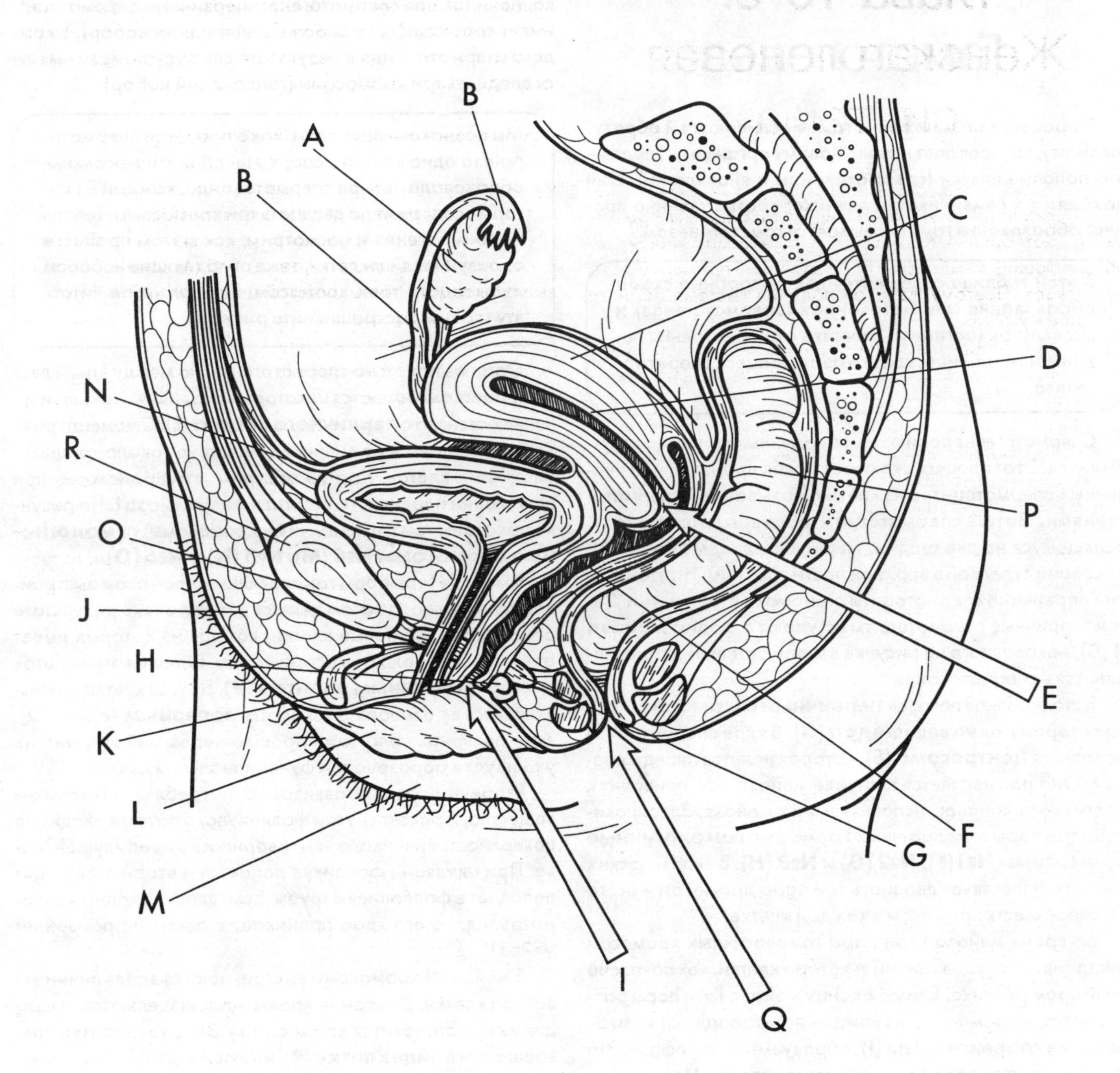

Женская половая система

Яичник .... A
Фаллопиевы трубы .... B
Матка C
Эндометрий .... D
Шейка матки .... E
Влагалище .... F
Мочеполовая диафрагма .... G

Вестибулярные (бартолиниевы) железы .... H
Вагинальное отверстие (преддверие) I
Лобок .... J
Клитор .... K
Малые половые губы L

Большие половые губы .... M
Мочевой пузырь .... N
Уретра .... O
Прямая кишка .... P
Анус .... Q
Лонная кость .... R

Глава 10-3: Гаметогенез

В процессе размножения гаметы сливаются и образуют зиготу, которая дает начало новому организму. Гаметы – это половые клетки (сперматозоиды и яйцеклетки). Они находятся в семенниках и яичнике; соответственно процесс образования гамет называется гаметогенезом.

В этой таблице содержатся две подробные схемы образования сперматозоидов (сперматогенез) и яйцеклеток (оогенез). Начните с рассмотрения левой части таблицы, где показан процесс сперматогенеза.

Сперматогенез происходит в семенных канальцах внутри яичек. Этот процесс включает в себя производство первичных сперматоцитов из клеток, называемых сперматогониями. Затем сперматоциты подвергаются мейозу, делящемуся на две стадии. Первая стадия, **мейоз I (A)**, показана стрелкой в верхней части таблицы. На этой стадии первичные сперматоциты становятся вторичными. Затем вторичные сперматоциты вступают в стадию **мейоза II (B)**, показанного на рисунке второй стрелкой, и превращаются в сперматозоиды.

В этой таблице показан **первичный сперматоцит (C)**, на котором можно видеть **ядро (D)**. В ядре сперматоцита находится **центросома (E)**, которая делится перед мейозом. Она расщепляется в начале мейоза, что приводит к росту микроканалов, используемых в мейозе. Здесь показаны три пары гомологичных хромосом: **гомологичные хромосомы №1 (F), №2 (G) и №3 (H)**. В человеческих клетках существует двадцать три пары хромосом – всего по сорок шесть хромосом в каждой клетке.

Во время мейоза I три пары гомологичных хромосом выстраиваются вдоль линии экватора клетки, как показано на втором рисунке. Ближе к концу мейоза I эти пары разделяются, и хромосомы из каждой пары попадают во **вторичные сперматоциты (I)**, образуемые в телофазе. Эта фаза мейоза подробно описывается в главе «Мейоз». Заметьте, что в конце мейоза I каждый из вторичных сперматоцитов содержит по одной хромосоме от каждой из трех первоначальных хромосомных пар.

Теперь начинается мейоз II. В нем принимают участие оба вторичных сперматоцита. Каждая хромосома состоит из двух хроматид (половинок), и эти хромосомы выстраиваются вдоль экватора клетки. К концу мейоза II хроматиды отделяются друг от друга и направляются к противоположным полюсом клетки, после чего продолжается цитогенез. Теперь каждый сперматозоид содержит три гаплоидные хромосомы, и каждый из этих **сперматидов (J)** будет развиваться в **сперматозоид (K)** с этим набором гаплоидных хромосом. У человека первоначальная клетка, начинавшая сперматогенез, первичный сперматоцит, имеет сорок шесть хромосом (диплоидный набор). У каждого сперматозоида в результате сперматогенеза имеется двадцать три хромосомы (гаплоидный набор).

Мы познакомились с тем, как в процессе сперматогенеза одна клетка с сорока шестью хромосомами образовала четыре сперматозоида, каждый из которых содержит по двадцать три хромосомы. Теперь изучим оогенез и посмотрим, как в этом процессе образуются яйцеклетки, тоже обладающие набором из двадцати трех хромосом. Продолжайте читать эту главу и раскрашивайте рисунки.

Оогенез похож на сперматогенез, но между этими двумя процессами имеются некоторые различия. Начнем изучение оогенеза с **первичного ооцита (L)**. С момента рождения женщины в ее яичнике существует около тридцати тысяч этих клеток. Кратко обсудим, что происходит при вступлении первичного ооцита в фазу мейоза I. На рисунке показаны три гомологичные хромосомы: **гомологичные хромосомы №4 (M), №5 (N) и №6 (O)**.

В мейозе I три пары гомологичных хромосом выстраиваются в линию, а потом делятся в телофазе. В результате образуются две новые клетки, каждая из которых имеет одну из этих трех хромосомных пар. Одна из этих клеток является **вторичным ооцитом (P)**. Другая клетка, уменьшившаяся в размерах, называется **полярным телом (Q)**. Хотя полярное тело тоже прошло через мейоз I, оно не участвует в образовании функциональных клеток.

Вторичный ооцит развивается, потребляя питательные вещества, и растет внутри фолликула, а потом выходит на поверхность яичника, о чем говорилось в предыдущей главе. При овуляции фолликул лопается и вторичный ооцит попадает в фаллопиевы трубы. Если здесь находится сперматозоид, то его ядро проникает в ооцит и произойдет мейоз II.

В мейозе II хромосомы выстраиваются вдоль линии экватора клетки. Дочерние хроматиды разделяются, и каждая из них становится хромосомой. Затем эта клетка превращается в **яйцеклетку (R)**, имеющую двадцать три хромосомы. Другая клетка в результате мейоза II образует два других полярных тела (Q).

Теперь может произойти оплодотворение. Двадцать три хромосомы сперматозоида соединяются с двадцатью тремя хромосомами яйцеклетки, образуя **зиготу (S)**. Такое сочетание создает диплоидный набор из сорока шести хромосом, что является основой размножения человека. В процессе гаметогенеза сперматозоиды и яйцеклетки производятся с гаплоидными наборами хромосом, а при их соединении, когда образуется зигота, гаплоидные наборы соединяются, образуя диплоидный набор хромосом.

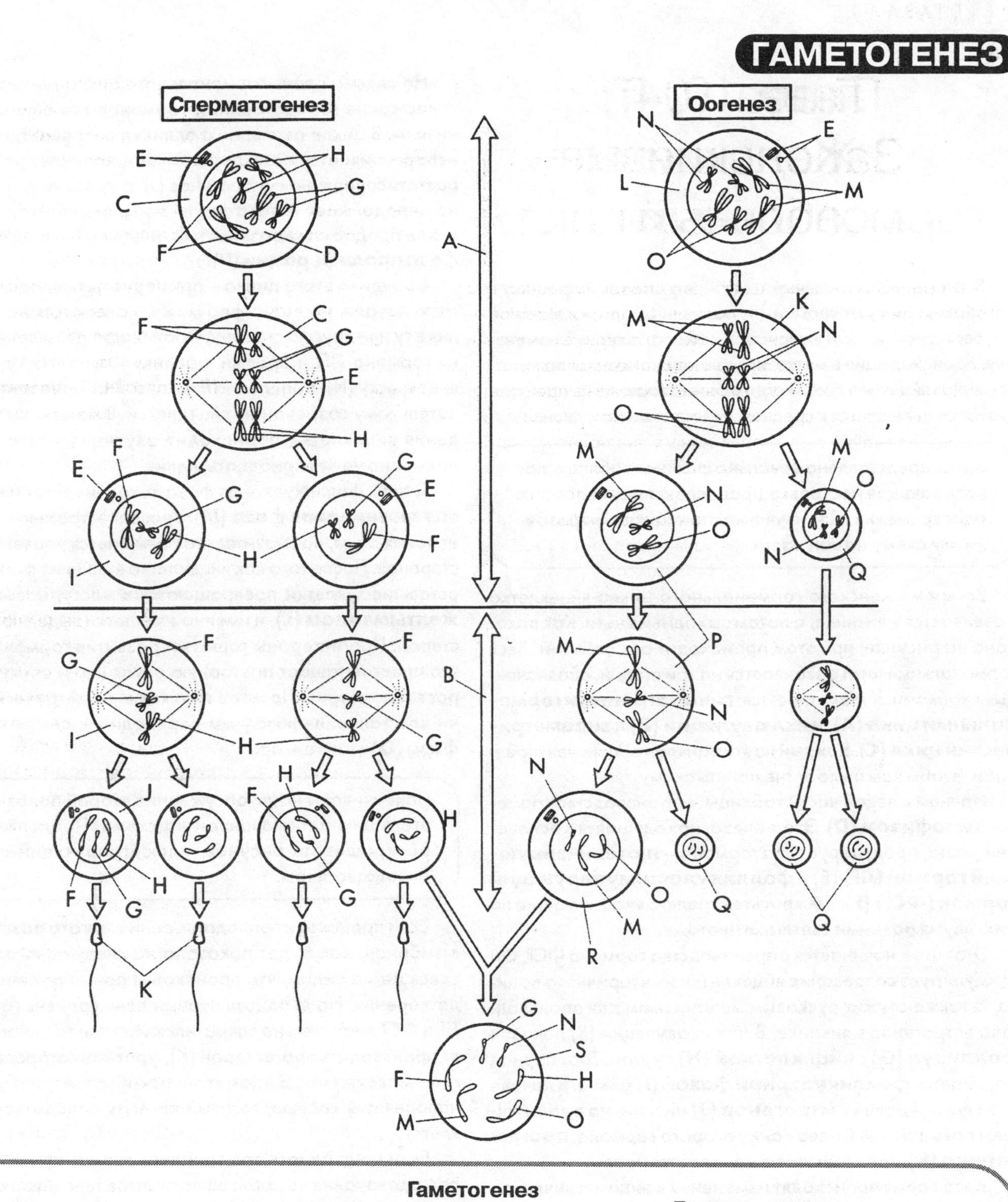

Гаметогенез

Мейоз .... A
Мейоз II .... B
Первичный сперматоцит C
Ядро сперматоцита ...... D
Центросома .... E
Гомологичные хромосомы №1 .... F
Гомологичные хромосомы №2 .... G
Гомологичные хромосомы №3 .... H
Вторичный сперматоцит I
Сперматид .... J
Сперматозоиды........... K
Первичный ооцит......... L
Гомологичные хромосомы №4 .... M
Гомологичные хромосомы №5 .... N
Гомологичные хромосомы №6 .... O
Вторичный ооцит .... P
Полярное тело .... Q
Яйцеклетка .... R
Зигота .... S

Глава 10-4: Женский гормональный цикл

Женский гормональный цикл – это сложный процесс, в котором участвуют гормоны и различные органы женской половой системы. Он включает в себя структурные изменения, происходящие в матке, когда в ней находится оплодотворенная яйцеклетка или когда оплодотворение не происходит. Этот цикл длится в среднем двадцать восемь дней.

Здесь представлена довольно сложная таблица, показывающая несколько процессов, происходящих одновременно. Для изучения этого цикла мы разбили эту схему на три части.

Во время женского гормонального цикла яйцеклетка развивается в яичнике, а потом выходит из него. Как показано на рисунке, при этом происходит ряд событий. Весь гормональный цикл разбивается на три стадии, обозначенные скобками. К ним относятся: **гонадотропный гормональный цикл (A)**, **цикл овуляции (B)** и **эндометрический цикл (C)**. Каждый из этих циклов обозначен стрелками, чтобы вам было легче понять схему.

Начнем с левой части таблицы – производство гормонов **гипофизом (D)**. Эта железа, находящаяся в основании мозга, продуцирует два гормона – **лютеинизирующий гормон (ЛГ) (E)** и **фолликулостимулирующий гормон (ФСГ) (F)**. Раскрасьте стрелки, указывающие на них, двумя разными светлыми цветами.

Этот цикл начинается с производства гормона ФСГ. Он стимулирует созревание яйцеклетки из вторичного ооцита, а также служит пусковым механизмом для производства эстрогенов в яичнике. В цикле овуляции (B) показан **фолликул (G)** с **яйцеклеткой (H)** внутри. Этот период называется **фолликулярной фазой (I)** цикла. В начале этой фазы уровень **эстрогенов (J)** низкий, но в дальнейшем повышается. Содержание второго гормона, **прогестерона (K)**, также низкое в начале этой фазы.

В это время происходят изменения в эндометрическом слое матки. Когда **менструальная фаза (O)** подходит к концу, **эндометрический слой (N)** почти полностью отделяется (происходит менструация). Примерно через три дня после этой стандии эндометрического цикла (C) эндометрий начинает восстанавливаться.

Мы рассмотрели левую часть таблицы, иллюстрирующую женский гормональный цикл, и отметили события, происходящие в его начале. Теперь посмотрим, какие изменения происходят на седьмой день этого цикла. Читайте дальше и раскрашивайте рисунки.

На седьмой день гормонального цикла мы видим, что содержание гонадотропных гормонов все еще остается низким. В цикле овуляции фолликул созревает, и внутри него развивается яйцеклетка. Теперь начинает резко возрастать содержание эстрогенов (J), а уровень прогестеронов продолжает оставаться низким. В эндометрическом цикле продолжает развиваться эндометрий и начинается **фаза пролиферации (P)**.

Середина этого цикла – примерно четырнадцать дней с его начала, но эта цифра может колебаться на два-три дня в ту или другую сторону. Происходит повышение уровня гормона ЛГ, и зрелый фолликул лопается, выпуская яйцеклетку (H). Выделение гормона ФСГ приводит к окончательному созреванию яйцеклетки. В момент высвобождения яйцеклетки происходит овуляция, и это бывает примерно на четырнадцатый день.

Теперь фолликулярная фаза заканчивается и начинается **лютеиновая фаза (M)**. Уровень эстрогенов начинает понижаться, но значительно повышается уровень прогестеронов. После того как яйцеклетка вышла из фолликула, оставшиеся клетки превращаются в массу, называемую **желтым телом (L)**, и именно эти клетки выделяют прогестерон. Прогестероны тормозят развитие гормонов ФСГ, что предотвращает повторную овуляцию и стимулируют рост эндометрия. По мере того как эндометрические ткани восстанавливаются, мы переходим к **секреторной фазе (Q)** этого цикла.

Заканчиваем наше обсуждение второй половиной этого цикла, показанной на схеме. Продолжайте раскрашивать рисунок, иллюстрирующий фазу оплодотворения.

Если происходит оплодотворение, зигота развивается в эмбрион, как будет показано на следующей таблице; здесь же мы видим, что происходит при отсутствии оплодотворения. На двадцать первый день уровень гормонов ЛГ и ФСГ значительно сократился. Желтое тело продолжает производить прогестерон (K), уровень которого достигает максимума. Эндометрический слой разбухает и наполняется кровью, готовый принять оплодотворенную клетку.

Если на двадцать восьмой день гормонального цикла оплодотворения не произошло, желтое тело начинает разрушаться. Больше не выделяются ни эстрогены, ни прогестероны, и гипофиз начинает производить гормон ФСГ, что означает начало следующего цикла.

ЖЕНСКИЙ ГОРМОНАЛЬНЫЙ ЦИКЛ

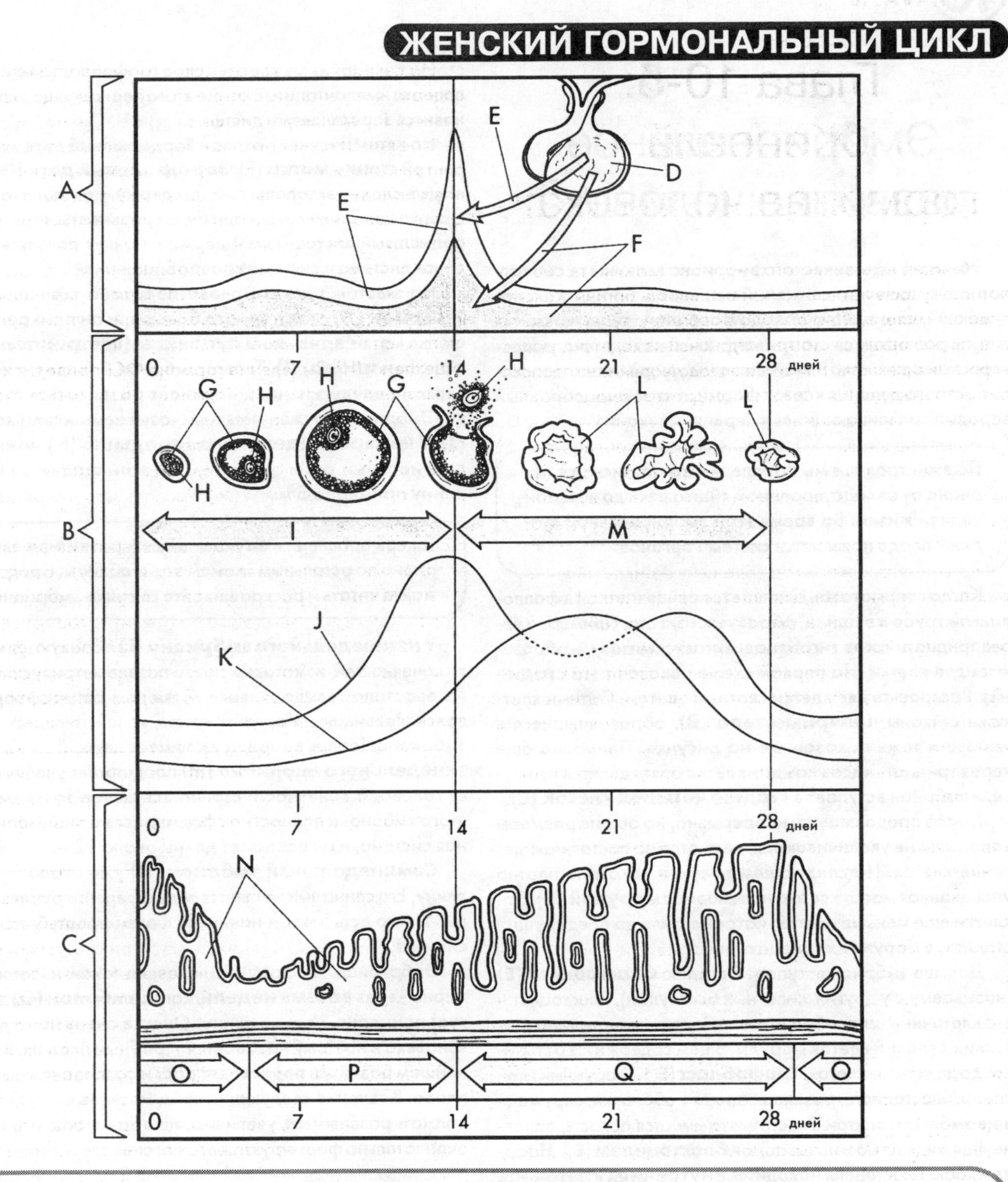

Женский гормональный цикл

Гонадотропный гормональный цикл .... A
Цикл овуляции .... B
Эндометрический цикл .. C
Гипофиз .... D
Лютеинизирующий гормон (ЛГ) .... E
Фолликуло стимулирующий гормон (ФСГ) .... F
Фолликул .... G
Яйцеклетка .... H
Фолликулярная фаза I
Эстроген .... J
Прогестерон .... K
Желтое тело L
Лютеиновая фаза .... M
Эндометрический слой .... N
Менструальная фаза ..... O
Фаза пролиферации .... P
Секреторная фаза .... Q

Глава 10-5: Эмбриональное развитие человека

Развитие человеческого эмбриона включает в себя огромное количество движений и превращений клеток, начинающихся с одной, оплодотворенной, яйцеклетки. Из зиготы развивается сто триллионов клеток, образующих взрослый организм. В этой главе мы увидим, как в процессе быстрого деления клеток формируется шарообразный зародыш, развивающийся в первичные ткани.

По этой таблице мы проследим за развитием эмбриона от оплодотворенной яйцеклетки до восьмой недели жизни. Во время этой эмбриональной стадии у плода появляется система органов.

Когда сперматозоид сливается с яйцеклеткой в фаллопиевой трубе женщины, образуется зигота. Примерно через тридцать часов зигота подвергается митозу, и образуются две клетки. На первой схеме показана эта **стадия (A)**. Раскрасьте две клетки светлым цветом. С этими клетками связаны **полярные тела (B)**, образовавшиеся в мейозе и тоже показанные на рисунке. Примерно еще через тридцать часов каждая клетка опять делится в митозе, и эмбрион вступает в **стадию четырех клеток (C)**.

Митоз продолжается непрерывно, но общие размеры зародыша не увеличиваются, несмотря на постоянное деление клеток. На следующем рисунке показана плотно упакованная масса клеток, называемая **морулой (D)**. Эти клетки еще меньше клеток, которые были на предыдущих стадиях, в моруле их тридцать две.

Дальше эмбрион вступает в стадию **бластоциста (E)** (называемую у других животных бластулой). Бластоцист – это клеточный шар, образовавшийся в результате митотических делений клеток морулы. В нем содержится от пятисот до двух тысяч клеток. **Трофобласт (E_1)** – наружный слой клеток бластоциста, развивающихся в оболочки, окружающие эмбрион. Внутри бластоциста имеется полость, заполненная жидкостью и называемая **бластоцелем (E_2)**. На одном краю бластоцеля находится **внутренняя клеточная масса (E_3)**. Из этих клеток и будет развиваться эмбрион.

Мы проследили за развитием эмбриона по четырем рисункам, пока клетки делятся в процессе митоза. Продолжаем изучение их дальнейшего развития в полости матки. Читайте дальше и раскрашивайте рисунки.

На третий день после оплодотворения зародыш становится морулой. На пятый день морула превращается в бластоцист, и наружные клетки в слое трофобласта начинают процесс имплантации. В конце этого периода эмбрион становится зародышевым листком.

На пятом рисунке показан зародышевый диск на внутренней **стенке матки (F)**. **Зародышевый диск (G)** имеет два слоя – эктодерму и эндодерму, как показано на следующем рисунке. Вскоре будет развиваться третий зародышевый листок – мезодерма и начнут появляться нервная система и система кровообращения.

На шестом рисунке снова показана стенка матки. **Эмбрион (H)** стал немного больше, и он прикреплен к стенке матки **зачатком пуповины (соединительной ножкой плода) (I)**. Теперь эмбрион находится на четвертой неделе жизни, и начинает развиваться пуповина. Эмбрион окружен мешком, называемым **амнионом (J)**. У **четырехнедельного зародыша (K)** можно видеть нервный тяж и пуповину. На этой стадии он имеет длину примерно 5 мм.

Теперь проследим за дальнейшим развитием эмбриона по остальным схемам этой таблицы. Продолжайте читать и раскрашивайте рисунки эмбриона.

У **пятинедельного эмбриона (L)** образуются зачатки конечностей, из которых потом развиваются руки и ноги. Голова стала больше, и нервный тяж полностью сформировался. Развиваются органы чувств, и можно видеть глаза эмбриона. Теперь эмбрион уже имеет длину 8 мм. У **шестинедельного эмбриона (M)** продолжает увеличиваться голова, а конечности становятся более заметными. У этого эмбриона полностью сформирована пищеварительная система, и он достигает длины около 12 мм.

Семинедельный эмбрион (N) уже около 17 мм в длину. Его спина выпрямляется, и дифференцируются мышцы. У него есть веки, и начинает формироваться половая система.

Эмбриональное развитие человека заканчивается примерно через **восемь недель**, когда **эмбрион (O)** достигает примерно 23 мм в длину. Он уже очень напоминает человека и поэтому называется утробным плодом. В дальнейшем развитии происходят рост и созревание органов плода. В течение следующих семи месяцев он будет продолжать развиваться, увеличиваясь в размерах, и при этом окончательно формируются его органы.

ЭМБРИОНАЛЬНОЕ РАЗВИТИЕ ЧЕЛОВЕКА

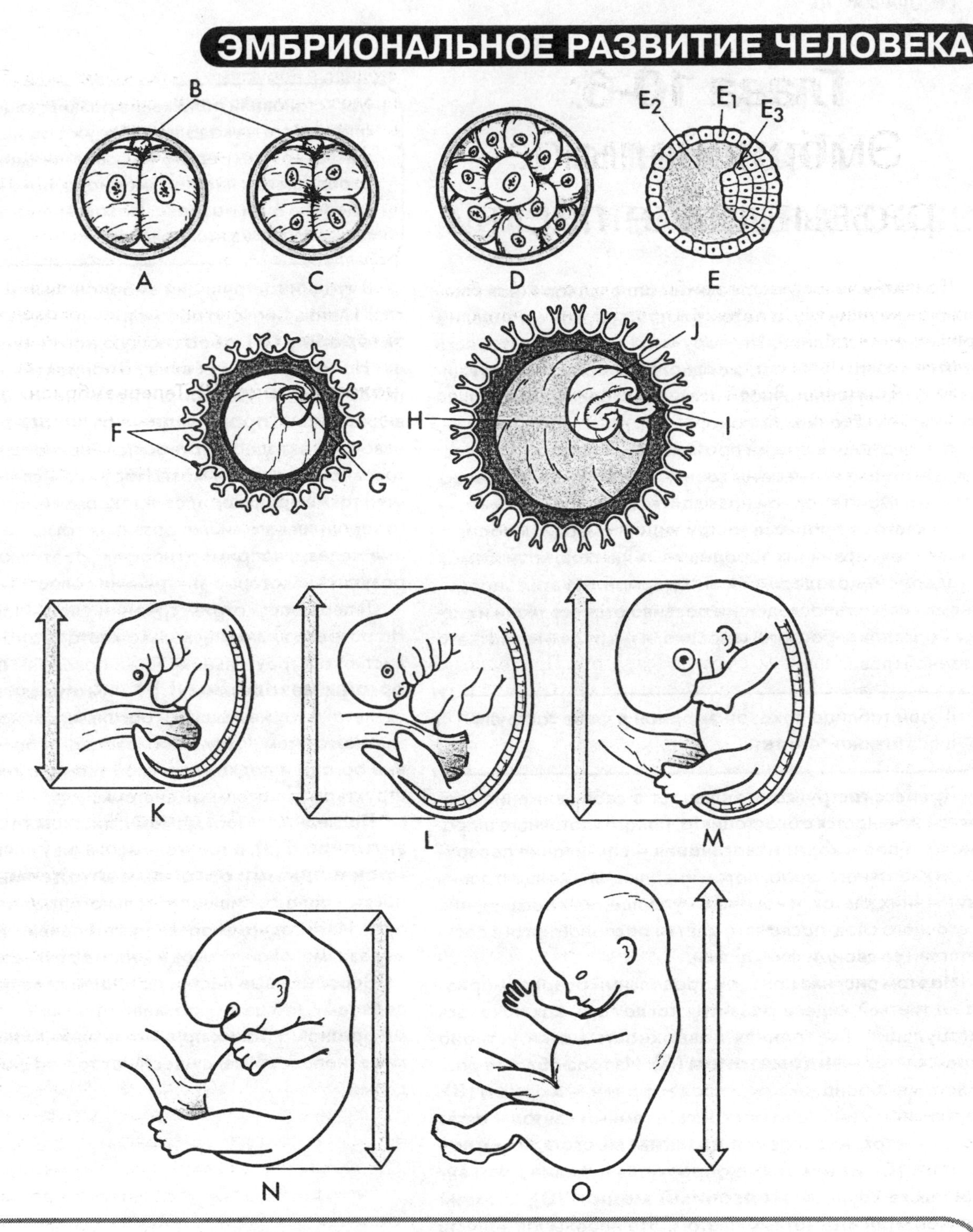

Эмбриональное развитие человека

Стадия двух клеток .... A
Полярные тела .... B
Стадия четырех клеток ... C
Морула .... D
Бластоцист .... E
Трофобласт .... E_1
Бластоцель..................... E_2
Внутренняя клеточная масса .... E_3

Стенка матки .... F
Зародышевый диск .... G
Эмбрион .... H
Зачаток пуповины I
Амнион .... J
Четырехнедельный эмбрион .... K

Пятинедельный эмбрион L
Шестинедельный эмбрион .... M
Семинедельный эмбрион .... N
Восьминедельный эмбрион .... O

Глава 10-6: Первичные зародышевые листки

> Мы установили положение развивающегося эмбриона в матке и указали на окружающие его оболочки. Теперь сосредоточим свое внимание на трех зародышевых листках эмбриона, показанных здесь в поперечном разрезе. Назовем также органы, которые будут из них развиваться.

При эмбриональном развитии оплодотворенная клетка образует морулу, а потом бластоцист, как мы видели в предыдущей таблице. На наружной стенке бластоциста развивается трофобласт, а с одного края бластоциста имеется внутренняя клеточная масса, из которой впоследствии развиваются ткани эмбриона.

На следующей стадии происходит реорганизация клеток, и эта фаза называется гаструляцией. В конце процесса гаструляции эмбрион называется гаструлой. Реорганизация клеток в процессе гаструляции приводит к образованию трех первичных зародышевых листков, называемых эктодермой, мезодермой и энтодермой. Из этих зародышевых листков впоследствии развиваются все ткани и системы органов взрослого человека, и мы будем изучать это в данной главе.

> В этой таблице показан эмбрион в фазе гаструляции. Начинайте читать.

Процесс гаструляции включает в себя движение клеток, он начинается с бластоциста, полого клеточного шара. Сначала происходит инвагинация – впячивание поверхности клеточного шара, потом инволюция – концентрация внутренних клеток, и наконец – уплощение и расширение клеточного слоя, после чего клетки располагаются в соответствии со своими функциями.

На этом рисунке показан продольный разрез эмбриона на третьей неделе развития после того, как началась гаструляция. Внутренняя поверхность матки устлана слоем клеток – **эндометрием (A)**. Из трофобласта развилась мембрана, окружающая эмбрион, – **хорион (B)**. Клетки этой мембраны раскрасьте темным цветом. Растет масса клеток, называемая **детским местом,** или **плацентой (C)**, из нее также образуется пуповина. Мы видим также крупный **желточный мешок (D)**, который надо раскрасить светлым цветом. Эта небольшая полость под эмбрионом разовьется впоследствии в пуповину.

Другой оболочкой является **амнион (E)**, расположенный между трофобластом и внутренней клеточной массой. На этой стадии развивается **амутотическая полость (F)**. Эти оболочки будут обсуждаться подробнее в следующей главе. Наконец, снаружи амниона находится **внезародышевая (наружная) полость (G)**, ограниченная наружной оболочкой (хорионом). Раскрасьте эти структуры неярким цветом.

В стадии гаструляции эмбриональный диск имеет три слоя клеток. Сначала рассмотрим первый клеточный слой – **эктодерму (H)**, образующую наружную стенку гаструлы. На трех рисунках внизу в направлении от эктодермы показан полностью сформировавшийся плод, на котором видны органы, **производные от эктодермы (H_1)**. К производным эктодермы относится нервная система, включая головной и спинной мозг. Наружный слой кожи (эпидермис) также происходит от эктодермы, и, кроме того, из этого зародышевого листка развиваются некоторые эндокринные железы, например гипофиз. Из этих клеток также образуются некоторые внутренние полости – нос, рот и анус.

Теперь рассмотрим средний слой – **мезодерму (I)**. На разрезе видны несколько клеток этого зародышевого листка, а в треугольнике ниже показаны **производные органы мезодермы (I_2)**. К ним относятся кости и хрящи скелета, а также мышцы и органы кровеносной и выделительной систем. Из тканей мезодермы развиваются половые органы и подкожный слой ткани, а также некоторые структуры дыхательной системы.

Последним зародышевым листком гаструлы является **энтодерма (J)**. В треугольнике внизу показан эмбрион с **производными органами энтодермы (J_2)**. К ним относятся полость пищеварительного тракта и дыхательные пути. Из энтодермы развиваются печень, поджелудочная железа, мочевой пузырь и многие другие железы.

Зародышевые листки получили свое название благодаря тому, что из них развиваются ткани, органы и системы органов. У таких примитивных животных, как губки и кишечнополостные, существует только энтодерма и эктодерма.

ПЕРВИЧНЫЕ ЗАРОДЫШЕВЫЕ ЛИСТКИ

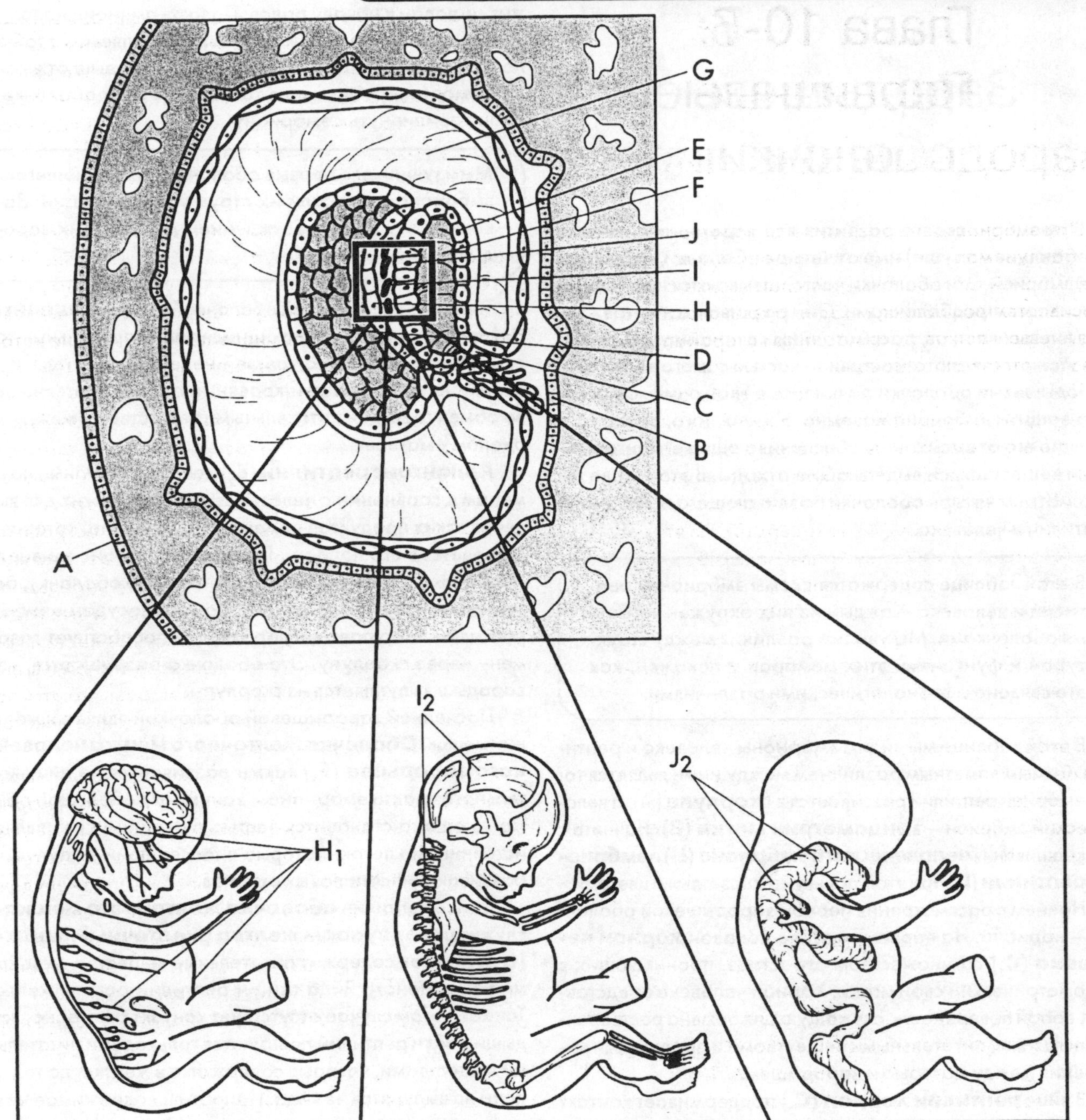

Первичные зародышевые листки

Эндометрий .... A
Хорион .... B
Детское место (плацента) C
Желточный мешок .... D
Амнион .... E
Аммутотическая полость .... F
Внезародышевая полость эмбриона .... G
Эктодерма..................... H
Производные органы эктодермы .... H_1
Мезодерма I
Производные органы мезодермы .... I_2
Энтодерма .... J
Производные органы эндодермы....................... J_2

Глава 10-7: Зародышевые оболочки

В процессе своего развития все наземные животные (обитающие на суше) имеют четыре оболочки, окружающие эмбрион. Эти оболочки часто называются наружными зародышевыми оболочками. Они развиваются из трех зародышевых листков, рассмотренных в предыдущей главе, при этом они являются составной частью самого эмбриона. Зародышевые оболочки появились в эволюции как средство защиты эмбриона наземного животного, предохраняющие его от высыхания, обеспечивающие его питательными веществами и выделяющие отходы. В этой главе мы рассмотрим четыре оболочки развивающегося эмбриона рептилии и человека.

В этой таблице содержатся схемы эмбрионов рептилии и человека. Каждый из них окружен четырьмя оболочками. Мы увидим различия между структурой и функциями этих мембран и покажем, как это связано с физиологическими различиями.

В этой таблице мы видим эмбрионы человека и рептилии. Самым заметным различием между ними является то, что эмбрион рептилии развивается в **скорлупе (A)**, а человеческий эмбрион – в **эндометрии матки (B)**. Начните с раскрашивания **человеческого эмбриона (H)** и **эмбриона рептилии (I)**. При этом пользуйтесь светлыми цветами.

Начнем с рассмотрения первой зародышевой оболочки — хориона. На первом рисунке показан **хорион человека (C_1)** со множеством отростков, проникающих в эндометрический слой матки. Хорион человека представляет собой поверхность, служащую для обмена растворенными газами, питательными веществами и продуктами выделения между матерью и зародышем.

В яйце **рептилии хорион (C_2)** поддерживает контакт с внутренней поверхностью скорлупы, выполняет респираторные функции и регулирует обмен газами и водой между эмбрионом и окружающей средой. Позднее этот хорион соединяется с аллантоисом (обсуждаемым дальше), образуя хориоаллантоичную оболочку.

Рассмотрим следующую оболочку – амнион. **Амнион человека (D_1)** представляет собой мешочек, в котором находится зародыш, как показано на рисунке. Он заполнен амниотической жидкостью, и эту полость надо раскрасить неярким цветом. В яйце **рептилии амнион (D_2)** служит той же цели. Амнион, как и хорион, развился из трофобласта. Амнион амортизирует зародыш и обеспечивает поддержание постоянной температуры. У человека в конце эмбрионального развития разрыв его оболочки служит сигналом к началу родов. Полость амниона наполнена чистой амниотической жидкостью, выделяемой этой оболочкой. Эта жидкость предохраняет зародыш от высыхания, амортизирует резкие толчки и не дает оболочке амниона прилипнуть к эмбриону.

Мы изучили две первые оболочки развивающегося эмбриона и описали их структуру и функции. Закончим эту главу обсуждением двух других зародышевых оболочек.

Третьей зародышевой оболочкой является **аллантоис (E_1)**, связанный с развивающимся пищеварительным трактом. Он появляется на третьей неделе и является частью пуповины, содержащей кровяные сосуды и отвечающей за обмен газами и питательными веществами между эмбрионом и матерью.

Аллантоис рептилии (E_2) довольно крупный по размерам в сравнении с человеческим. Он служит для выделения таких продуктов обмена, как мочевина, которая растворяется в его полости. Позднее аллантоис сливается с хорионом, образуя хориоаллонтоичную оболочку, богатую кровеносными сосудами. По этим сосудам в эмбрион рептилии поступает кислород, что способствует газообмену через скорлупу. Эта оболочка разрушается, когда зародыш вылупляется из скорлупы.

Последней зародышевой оболочкой является желточный мешок. **Оболочка желточного мешка человеческого зародыша (F_1)** также развивается из пищеварительного тракта эмбриона и занимает небольшой объем. Позднее она становится частью пуповины. Она является источником клеток, которые впоследствии дадут гаметы развивающихся половых органов.

В яйце рептилии **оболочка желточного мешка (F_2)** служит **резервуаром желтка (желточным мешком) (G_2)**. Желток содержит питательные вещества, усваиваемые эмбрионом. Яйца птиц и рептилий богаты желтком. Так как в этом случае отсутствует контакт с матерью, зародыши птиц и рептилий пользуются только теми питательными веществами, которые содержатся в желтке, до тех пор, пока не вылупятся из яйца. Напротив, содержимое **человеческого желточного мешка (G_1)** очень бедно питательными веществами. Считается, что у млекопитающих в оболочке желточного мешка содержатся предшественники красных и других кровяных клеток.

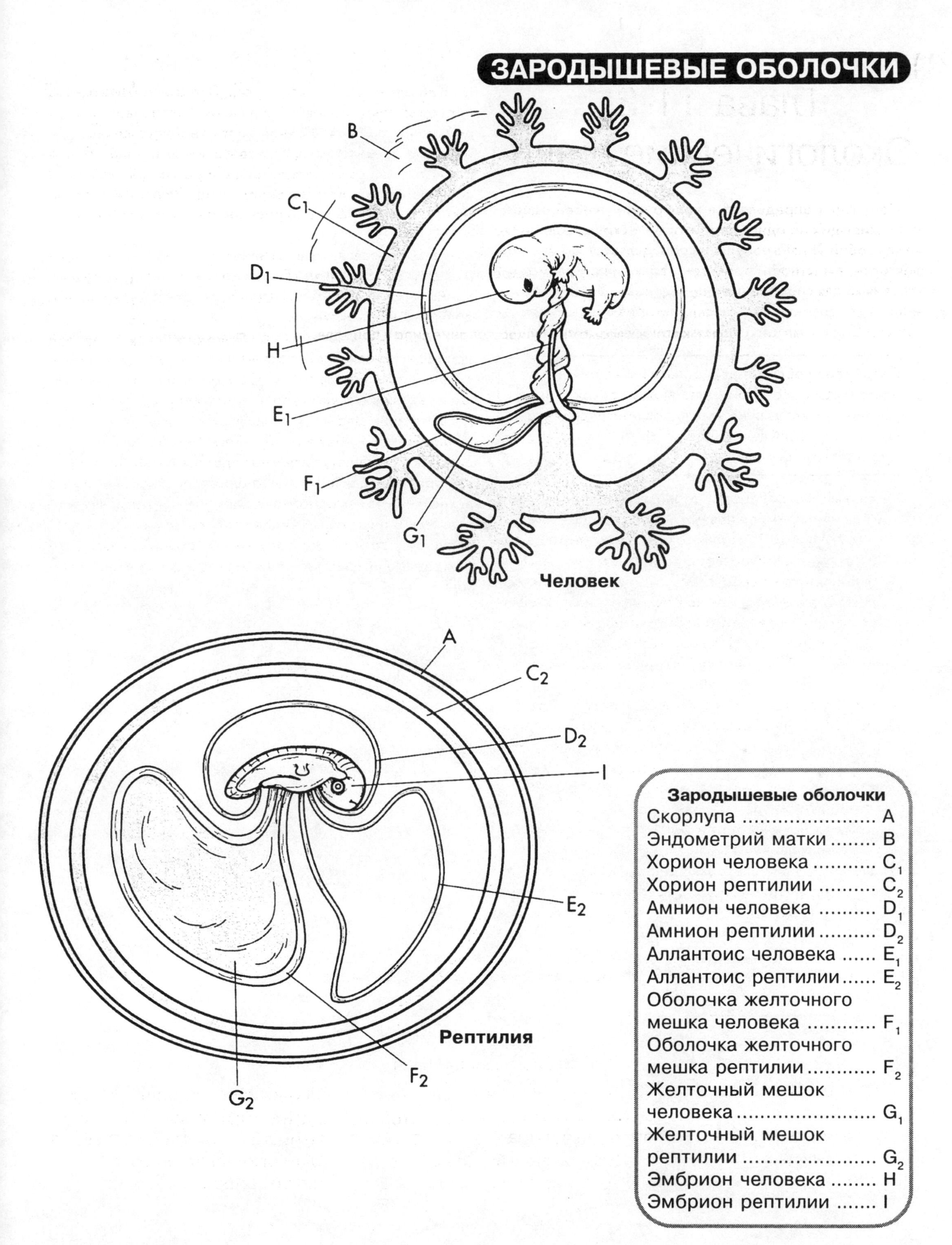
ЗАРОДЫШЕВЫЕ ОБОЛОЧКИ
B
C_1
D_1
H
E_1
F_1
G_1
Человек
A
C_2
D_2
I
E_2
F_2
G_2
Рептилия
Зародышевые оболочки
Скорлупа .... A
Эндометрий матки .... B
Хорион человека .... C_1
Хорион рептилии .... C_2
Амнион человека .... D_1
Амнион рептилии .... D_2
Аллантоис человека ...... E_1
Аллантоис рептилии ...... E_2
Оболочка желточного
мешка человека .... F_1
Оболочка желточного
мешка рептилии .... F_2
Желточный мешок
человека .... G_1
Желточный мешок
рептилии .... G_2
Эмбрион человека .... H
Эмбрион рептилии I

ГЛАВА 11

Принципы экологии

Глава 11-1: Природные сообщества

Экология – это наука, изучающая взаимоотношения организмов со своей внешней средой и друг с другом. Термин «экология» происходит от греческих слов «ойкис», что означает дом или место обитания, и «логос» – наука.

Экологи изучают группы взаимодействующих организмов, называемые сообществами. Организмы делятся на различные экологические категории в соответствии с их источником питания. В этой главе мы рассмотрим структуру двух природных сообществ.

В этой таблице представлено одно водное и одно наземное сообщество. Начинаем изучение их структуры с первого трофического уровня в верхней части таблицы.

Сообщество – это совокупность популяций различных видов, обитающих на одной территории и взаимодействующих друг с другом. Сообщества имеют самый разный размер: от небольшой лужицы до океана.

Первый трофический уровень сообщества состоит из организмов, называемых **продуцентами (А)**. Продуценты синтезируют органические вещества путем фотосинтеза. В водном сообществе, показанном на рисунке, продуценты – это **морские водоросли (фитопланктон) (A_1)**. К этой группе относятся, в частности, диатомовые, панцирные жгутиконосцы (жгутиковые) и цианобактерии (сине-зеленые водоросли). Фитопланктон – важная часть большинства океанских сообществ. Он улавливает солнечные лучи и производит углеводы.

В наземном сообществе продуцентами являются **растения (A_2)**, которые участвуют в фотосинтезе. Если биомассу (всю массу биологической материи) каждого трофического уровня изобразить графически, расположив продуцентов внизу этой диаграммы, то получится структура, имеющая форму пирамиды.

Самая большая биомасса сосредоточена на первой ступени этой пирамиды – на уровне продуцентов. Мы рассмотрели продуцентов в водном и наземном сообществах, а теперь перейдем к трофическому уровню консументов (потребителей). В этих организмах не происходит фотосинтез, поэтому для получения энергии они питаются продуцентами. Читайте дальше и продолжайте раскрашивать рисунки.

Следующим уровнем в водном и наземном сообществах являются **первичные консументы (В)**, питающиеся продуцентами. На рисунке мы видим **зоопланктон (B_1)** в водном сообществе. К зоопланктону относятся микроскопические животные, питающиеся фитопланктоном. В наземном сообществе первичные консументы представлены **насекомыми (B_2)**, которые питаются растениями. Биомасса первичных консументов в сообществе меньше биомассы продуцентов.

Следующий трофический уровень составляют **вторичные консументы (С)**, то есть существа, которые питаются первичными консументами. Примером вторичного консумента является **маленькая рыбка (C_1)**. Эта рыба питается зоопланктоном и такими беспозвоночными, как черви и мелкие насекомые. В наземном сообществе насекомыми питается **маленькая птичка (C_2)**. Питаясь насекомыми, этот вторичный консумент получает белки, углеводы и жиры, удовлетворяющие его потребности в пище. Биомасса вторичных консументов меньше биомассы первичных консументов.

Заканчиваем наше обсуждение трофических уровней сообщества рассмотрением последнего уровня – третичных консументов. Вы должны заметить, что на каждом трофическом уровне животные становятся крупнее и их количество уменьшается.

Самый высокий трофический уровень в этой пирамиде занимает **третичный консумент (D)**. В водном сообществе представителем третичных консументов является такая крупная рыба, как **окунь (D_1)**. Он питается мелкой рыбой. В наземном сообществе **ястреб (D_2)** добывает себе пищу, охотясь на мелких птиц. Третичных консументов меньше, чем вторичных. Другим примером третичных консументов в наземном сообществе являются люди.

Консументы, питающиеся только зелеными растениями, называются травоядными, тогда как те, кто питается другими животными, называются плотоядными. Всеядные животные питаются и растениями, и животными.

Помимо консументов и продуцентов в состав природных сообществ входят редуценты, которые разрушают органические вещества и таким образом замыкают цикл химических превращений.

ПРИРОДНЫЕ СООБЩЕСТВА

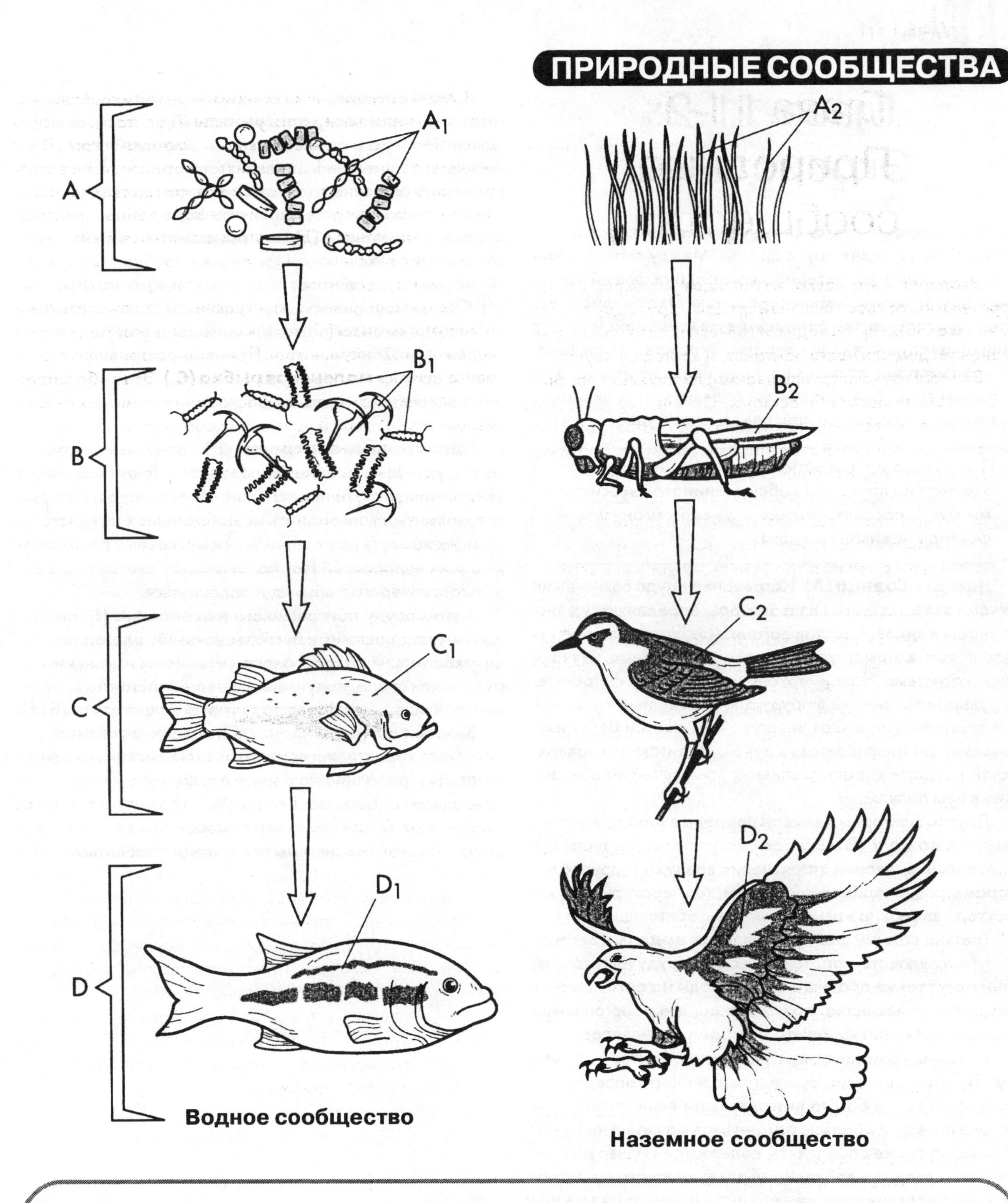

Природные сообщества

Продуценты .... A
Фитопланктон .... A_1
Растения .... A_2
Первичные консументы .... B
Зоопланктон .... B_1
Насекомое .... B_2
Вторичные консументы C
Мелкая рыбка .... C_1
Маленькая птичка .... C_2
Третичные консументы .... D
Окунь .... D_1
Ястреб .... D_2

Глава 11-2: Экосистемы

Сообщество является сложной системой организмов, взаимодействующих друг с другом. Между сообществом и физическими характеристиками окружающей среды существуют тесные взаимоотношения. Экосистема – это комплекс сообщества организмов и взаимодействующих с ним факторов неживой природы. Экосистемы отличаются по размерам – от очень крупных лесов до мельчайшей капельки воды. В этой главе мы будем изучать динамику экосистемы на примере пресноводного пруда.

В этой таблице схематически показана структура экосистемы пруда. При обсуждении этой экосистемы будут рассматриваться и живые организмы, и факторы неживой природы.

Начнем с **Солнца (А)**. Нагревание пруда солнечными лучами является одним из факторов, определяющих численность и видовой состав организмов, которые могут существовать в этом пруду. Экологи – это ученые, изучающие экосистемы. Например, они могут изучать фотосинтезирующие организмы в пруду для определения того, как используется солнечная энергия. Или же они будут изучать силу ультрафиолетовых лучей, достигающих поверхности пруда, и характер влияния этих лучей на обитающие в нем популяции.

Другим фактором неживой природы в этой экосистеме является **воздух (В)**. Экологи могут провести тесты для определения степени загрязнения воздуха и других его параметров, например влажности, температуры. Все эти факторы влияют на живые организмы, обитающие в пруду.

Третьим важным фактором является **вода (С)**. Экологи могут исследовать – проточная вода в пруду или стоячая. Они могут также провести анализ воды на органические питательные вещества, позволяющие микроорганизмам развиваться и конкурировать с рыбами за кислород.

Наконец, упомянем такой физический фактор, как **почва (D)**. При изучении экосистемы экологи определяют, насколько почва богата питательными веществами. Чем богаче почва, тем больше организмов может на ней жить. Они могут также определить, содержит ли почва растворенный кислород, необходимый для существования аэробных микроорганизмов, или его нет в почве, и тогда в ней обитают анаэробные организмы.

Теперь, когда мы перечислили физические факторы экосистемы пруда, перейдем к живым организмам ее населяющим, и посмотрим, как они взаимодействуют друг с другом и с окружающей средой.

Начнем рассмотрение организмов этой экосистемы с **планктонных микроорганизмов (Е)**, показанных в рамке. Тип и разнообразие этих водорослей зависят от количества органических веществ. Например, если в пруду имеются растения, то в нем много органических веществ, и это способствует разнообразию форм водорослей. Водоросли служат пищей для мелких планктонных животных, в частности рачков.

На дне пруда обитают различные **микроорганизмы (F)**. Как уже говорилось, химический состав грунта влияет на видовое разнообразие и численность живущих в нем организмов. Донные микроорганизмы разлагают органические остатки и таким образом возвращают минеральные вещества в грунт, замыкая круговорот химических элементов.

Планктонные водоросли (Н) – основные продуценты в пруду. Метаболические процессы, происходящие в этих организмах, приводят к синтезу углеводов, которые потребляют мелкие организмы. Добавление в пруд загрязняющих веществ может привести к массовому размножению этих водорослей (так называемому цветению), в результате которого рыбы могут задохнуться.

В этом пруду обитает много **насекомых (I)**, питающихся и водорослями, и беспозвоночными. Благодаря своей исключительной способности переносить изменения окружающей среды, популяция насекомых остается довольно устойчивой. Эти существа являются пищей для **рыб (J)**.

Видовой состав и плотность **водных растений (К)** зависят от характеристик грунта и воды. **Наземные растения (L)**, растущие на берегу пруда, тоже входят в это природное сообщество. Когда свойства этих растений меняются – от загрязнения или атмосферных явлений, вся структура этой экосистемы тоже может измениться.

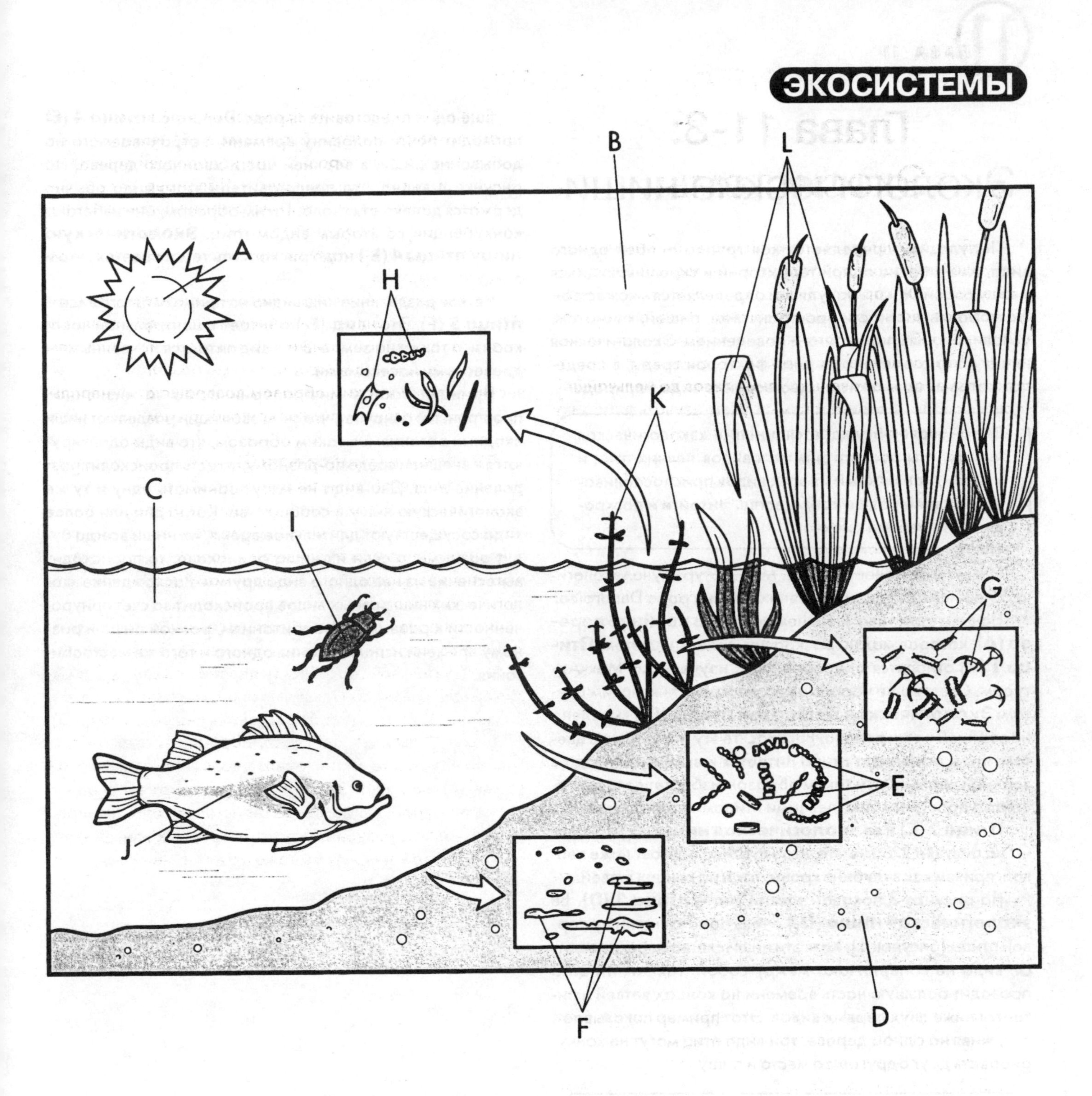

Экосистемы

Солнце .... A	Плавающие микроорганизмы .... E	Планктонные водоросли .... H
Воздух .... B	Донные микроорганизмы .... F	Насекомые I
Вода C	Беспозвоночные .... G	Рыба .... J
Почва .... D		Водные растения .... K
		Наземные растения L

Глава 11-3: Экологические ниши

Популяция определяется как группа особей одного вида, живущих на одной территории и скрещивающихся между собой. Жизнь популяции определяется множеством факторов, в частности пространством, пищей, климатом, условиями для спаривания и поведением. Экологическая ниша – это совокупность всех факторов среды, в пределах которых возможно существование вида в природе.

В этой главе обсуждается понятие «экологическая ниша». Мы рассмотрим пять видов певчих птиц и узнаем, как каждый из этих видов приспосабливается к своей роли в сообществе. Читайте и раскрашивайте первый рисунок.

Известный эколог Роберт Г. Мак-Артур изучал экологические ниши на примере певчих птиц из рода Dendroica.

Начнем с рисунка 1. На нем показано **хвойное дерево (A)**, которое можно раскрасить зеленым цветом. **Птица 1 (B)** относится к первому виду, изученному Мак-Артуром. Светлые ее части можно раскрасить неярким цветом. **Экологическая ниша этой птицы (B_1)** выделена на верхней части дерева. Раскрасьте эту нишу тем же цветом, что и птицу. Эта птица питается и вьет свои гнезда в верхней части крон и таким образом избегает соперничества за пространство с певчими птицами других видов.

Птица 2 (C) и ее **экологическая ниша (C_1)** показаны на рисунке 2. Заметьте, что эта птица обитает ниже первой, причем как в глубине кроны, так и на концах ветвей.

На рисунке 3 показан третий вид – **птица 3 (D)**. Ее **экологическая ниша (D_1)** очень похожа на нишу первой птицы (рисунок 1). Хотя эти ниши слегка перекрываются, виды не соперничают между собой, так как птица 3 проводит большую часть времени на концах ветвей и питается ниже двух первых видов. Этот пример показывает, как, живя на одном дереве, три вида птиц могут не конкурировать друг с другом за место и пищу.

В заключение рассмотрим еще два вида певчих птиц, изученные Мак-Артуром.

Еще один представитель рода Dendroica **птица 4 (E)** проводит почти половину времени, затрачиваемого на добывание пищи, в верхней части хвойного дерева. На рисунке 4 видно, что представители этого вида обычно держатся далеко от ствола. Таким образом, они избегают конкуренции со вторым видом птиц. **Экологическую нишу птицы 4 (E_1)** надо раскрасить тем же цветом, что и птицу.

Четкое разделение ниш видно на примере пятого вида – **птица 5 (F)**. Этот **вид (F_1)** обитает в центральной части кроны, а также на земле. Этот вид питается почвенными и древесными насекомыми.

Принцип исключения соперничества за жизненное пространство означает, что силы эволюции разделяют ниши сходных организмов таким образом, что виды адаптируются к внешней среде по-разному, то есть происходит разделение ниш. Два вида не могут занимать одну и ту же экологическую нишу в сообществе. Когда два или более вида сосуществуют длительное время, их ниши всегда будут разными, а если их ниша одинакова, то происходит вытеснение из нее одного вида другим. Расхождение экологических ниш разных видов происходит за счет приуроченности к разным местообитаниям, разной пище и разному времени использования одного и того же местообитания.

Экологические ниши

Хвойное дерево .... A
Птица 1 .... B
Экологическая ниша первого вида .... B_1
Птица 2 C
Экологическая ниша второго вида .... C_1
Птица 3 .... D
Экологическая ниша третьего вида .... D_1
Птица 4 .... E
Экологическая ниша четвертого вида .... E_1
Птица 5 .... F
Экологическая ниша пятого вида .... F_1

1.
A
B1
B
2.
C1
C
A
3.
D1
D
A
4.
E1
E
A
5.
A
F
F1

Глава 11-4: Биомы суши

Биосфера Земли состоит из всей совокупности экосистем. Внутри биосферы имеется несколько огромных и отличающихся между собой географических областей, называемых биомами. Биосфера содержит два типа биомов – наземные биомы (на суше) и водные (в водоемах). В этой главе будут обсуждаться биомы суши. Типы биомов различаются между собой по ландшафтам и климату, и биомы одного типа обладают сходными характеристиками, в какой бы географической области они ни находились.

В этой таблице показана экологическая карта Северной Америки и окружающих ее областей. Внутри этого региона существует восемь биомов. Строго говоря, биом не является отдельной географической зоной; к нему относятся регионы, обладающие сходным климатом, характеристиками почвы и экологическими сообществами.

Сначала выделим первый биом – **тропический лес (A)**. Тропический лес, расположенный в Центральной Америке и на Карибских островах, богат различными видами. Так как он располагается близко к экватору, то климат там теплый и влажный, часто идут тропические ливни и большое количество солнечного света. Тропический лес имеет четкую ярусную структуру. Верхний ярус состоит из очень высоких деревьев, второй – из деревьев средней высоты, а под ними располагается ярус подлеска.

Второй сухопутный биом, показанный на карте, — **луга (B)**. Луга простираются от Скалистых Гор до лесов в долине Миссисипи. В Северной Америке преобладают прерии и Великие Равнины, относящиеся к этому биому. Дожди в этом регионе идут редко, там обитают такие крупные животные, как бизоны. Луга являются самым важным биомом, поставляющим пищу для человека.

Третий биом Северной Америки – **пустыня (C)**, которая занимает огромные территории на юго-западе Соединенных Штатов и в Мексике. Дожди в этих краях идут чрезвычайно редко, и здесь то очень жарко, то очень холодно. К растениям пустыни относятся кактусы, юкка и пальмы, и у всех этих растений небольшие листья и толстый восковый покровный слой, предотвращающий испарение воды.

Мы рассмотрели три различных наземных биома Северной Америки; продолжим это исследование на примере пяти других биомов.

На побережье Южной Калифорнии расположен самостоятельный биом, называемый **чапараль (D)**. Этот биом отличается долгим, жарким и сухим летом и умеренными дождливыми зимами. Здесь из-за сурового климата могут расти только небольшие деревья и кустарники. Чапараль существует в районе Средиземного моря и в некоторых областях Чили, а также вдоль побережья Австралии.

Большая часть востока Соединенных Штатов находится в биоме **умеренных лесов (E)**. Там произрастают в основном листопадные деревья. Разнообразие флоры довольно велико.

Климат в этом биоме устойчивый, дождей много, и они идут равномерно, температура воздуха умеренная, а лето и зима четко выражены. Животный мир тоже разнообразен и многочисленен.

Территория Великих Озер, вплоть до Канады, занята **тайгой (F)**. Большинство деревьев этого биома хвойные. Эти деревья зимой не сбрасывают листья и продолжают осуществлять фотосинтез. Их плотная листва сильно затеняет землю, поэтому там мало кустарников и травянистых растений. Тайга – самый обширный наземный биом. Она занимает огромные площади в Северной Америке и Евразии.

К северу от хвойных лесов Канады, в арктической области, находится **тундра (G)**. Тундра – это обширная, безлесная равнина, лежащая на вечной мерзлоте. Здесь растут невысокие кустарники, лишайники и травы. Растительная и животная жизнь этого биома скудна из-за сурового климата.

Последним биомом на нашей карте являются **горы и ледники (H)**. Этот биом находится в Скалистых Горах и в Аппалачах, а также в Гренландии. Исключительно холодный климат этого региона очень сильно ограничивает растительную жизнь, и в этих высоких горах имеется мало форм жизни.

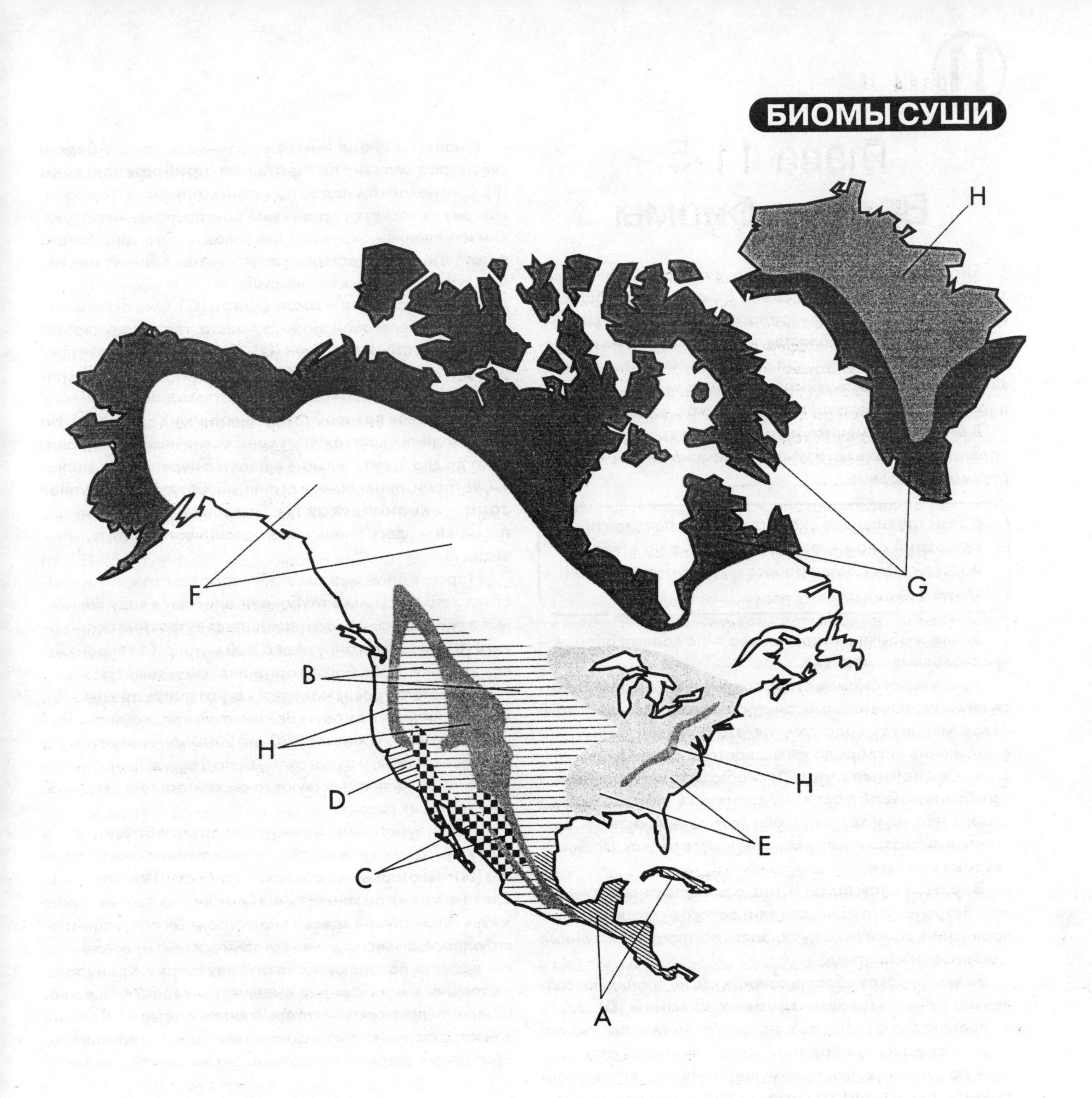

Биомы суши

Тропический лес .... A	Чапараль .... D	Тундра .... G
Луга .... B	Умеренные леса .... E	Горы и ледники .... H
Пустыня C	Тайга............................... F	

Глава 11-5: Водные биомы

Биосфера – это пространство, в котором обитают все живые существа нашей планеты. В биосфере сообщества растений, животных и микроорганизмов живут в различных географических областях, называемых биомами. Биомы имеют характерно выраженные климатические условия и различаются главным образом своей флорой. В одном биоме могут сосуществовать несколько сообществ.

В биосфере имеются и наземные, и водные биомы. В предыдущей главе мы изучали наземные биомы, а теперь рассмотрим водные.

В этой таблице две схемы: на одной показан пресноводный биом – озеро или пруд, а на второй – морской биом. Ваша работа начинается с верхней схемы.

Экологи обычно выделяют два типа водных биомов – пресноводные и морские.

В отличие от биомов суши, водные биомы подвергаются лишь незначительным температурным колебаниям. В озере или пруду вода стоячая, это приводит к тому, что содержание кислорода уменьшается с увеличением глубины. **Солнечные лучи (A)** снабжают биом энергией. В **прибрежной области (B)** солнечные лучи доходят до самой глубины, и здесь пускают свои корни растения. Растениями питаются многие консументы, такие как черви, насекомые и улитки.

Верхний слой воды (C) надо раскрасить светлым цветом. Эта зона по глубине доходит до того места, куда могут проникнуть солнечные лучи. Здесь обитают планктонные водоросли и животные.

Более глубокая область озера, куда не проникают солнечные лучи, называется **глубинной зоной (D)**. Здесь не происходит фотосинтез, но питательные вещества попадают сюда из прибрежной зоны и верхнего слоя. Глубинную зону населяют преимущественно первичные консументы. В **осадочном слое (E)** живут микроорганизмы, такие как бактерии и грибы. Эти организмы являются деструкторами, то есть разлагают упавшую на дно органическую материю. Ниже осадочного слоя находится **песок (E_1)** или каменистый грунт.

Изучив пресноводный биом, перейдем теперь к рассмотрению морского. Почти три четверти воды на Земле находится в океанах, и температура воды в них значительно колеблется в зависимости от глубины. Читайте дальше и раскрашивайте рисунок морского биома в нижней части таблицы.

В морском биоме имеются различные зоны. У берега океана расположена **литоральная (прибрежная) зона (F)**. Она находится под воздействием приливов и отливов, поэтому ее населяют организмы, приспособившиеся к резким изменениям окружающих условий. Эта зона богата питательными веществами, поэтому там обитает множество разнообразных живых существ.

Следующая **зона – шельфовая (G)**. Она охватывает область от береговой линии до места, где заканчивается **континентальный склон (H)**. В этой зоне планктон производит огромное количество углеводов путем фотосинтеза, а зоопланктон питается этими углеводами. В этой зоне самое большое разнообразие животных и водорослей. На мелководных участках этой зоны солнечные лучи проникают до дна, и питательные вещества переносятся волнами, ветрами, приливами и отливами. Следующая крупная **зона – океаническая (J)**. Эту зону можно сравнить с пустыней – здесь очень мало органических питательных веществ.

Морской биом можно также подразделять в зависимости от того, насколько глубоко проникают в воду солнечные лучи. Верхняя область называется **эуфотической зоной (K)** и имеет глубину около 200 метров. Свет проникает в эту зону, и она богата органическими веществами.

Ниже этого уровня находится **афотическая зона (L)**. Она начинается на краю континентального склона и расположена на глубине от 200 до 5000 метров. Это зона кромешной тьмы, и здесь очень мало форм жизни. Обитатели этой области существуют за счет питательных веществ, поступающих сверху.

Самая глубокая часть океана содержит **абиссальную зону (M)**, а ниже нее находятся **океанические впадины (N)**, некоторые из которых достигают 11 км в глубину. Свет не может проникнуть в эту зону, но тем не менее жизнь существует и здесь в виде огромных популяций деструкторов, существование которых зависит от органических веществ, попадающих на глубину сверху. Кроме того, из трещин в морском дне выделяются серные вещества, позволяющие выжить некоторым видам бактерий. Для этих зон характерны высокое давление и холод, а организмы, обитающие здесь, называются морскими мусорщиками.

ВОДНЫЕ БИОМЫ

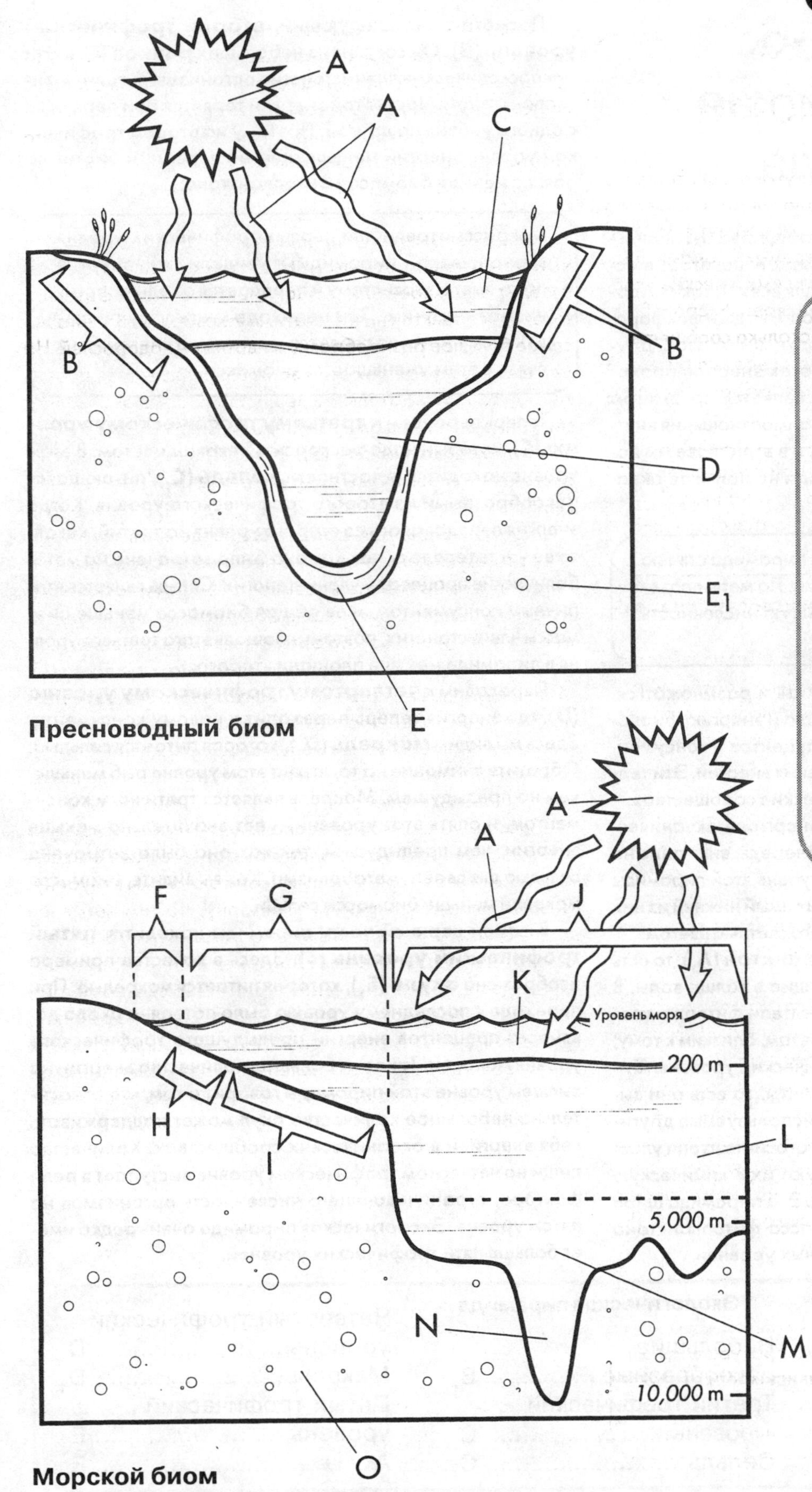

Пресноводный биом

Морской биом

Водные биомы

Солнечный свет .... A
Прибрежная зона.......... B
Верхний слой воды C
Глубинная зона .... D
Осадочный слой .... E
Песок .... E_1
Прибрежная зона.......... F
Шельфовая зона .... G
Континентальный склон ..... H
Континентальный шельф I
Океаническая зона .... J
Эуфотическая зона .... K
Афотическая зона L
Абиссальная зона.......... M
Океанические впадины .... N

Глава 11-6: Экологическая пирамида

Несмотря на то что природные сообщества очень сильно отличаются друг от друга по структуре, некоторые основные процессы являются общими для всех. К таким процессам относятся циклы азота, углерода, воды и фосфора, которые будут рассматриваться в следующих главах. Другим основным процессом является поток энергии, проходящий через сообщества, он тоже является предметом обсуждения в этой главе. Пищевые взаимоотношения внутри сообщества образуют пирамиду, и в этой главе мы посмотрим, как строится такая пирамида на примере океанического сообщества.

В этой таблице показана большая пирамида с пятью уровнями, обозначенными буквами. По мере подъема вверх уровни имеют все меньшую численность организмов.

Все организмы, для того чтобы жить и размножаться, должны получать питательные вещества и энергию. Биологи подразделяют организмы на продуцентов и консументов, в зависимости от способа получения энергии. Эти термины объяснялись в главе «Экологические сообщества».

Начнем наше изучение потока энергии в океаническом сообществе, обратив, в первую очередь, внимание на способы добывания пищи. Каждая ступень этой пирамиды называется **трофическим** уровнем, и самый нижний из них – **первый уровень (A)**. Раскрасьте его светлым цветом.

К этому уровню относится **фитопланктон (A_1)**, то есть микроскопические водоросли, живущие в толще воды. В рамке показаны некоторые представители фитопланктона, и их можно раскрасить неярким цветом, близким к тому, которым вы раскрашивали сам трофический уровень. Фитопланктон – это первичные продуценты, то есть они вырабатывают питательные вещества, используемые другими организмами сообщества. Путем фотосинтеза они улавливают солнечные лучи и преобразуют их в химическую энергию, содержащуюся в углеводах. Эта пирамида шире всего в нижней части, так как биомасса фитопланктона больше биомассы каждого из остальных уровней.

Посмотрим на следующий, **второй трофический уровень (B)**. Он состоит из небольших **рачков (B_1)**. Эти микроскопические членистоногие организмы питаются фитопланктоном. Часть этой энергии теряется при переходе с одного уровня на другой. Поэтому на втором трофическом уровне энергии меньше, чем на первом, и биомасса рачков меньше биомассы фитопланктона.

Мы рассмотрели два первых трофических уровня экологической пирамиды и увидели, как энергия поступает в экосистему и передается от одних организмов к другим. При переходе к каждому последующему уровню теряется все больше энергии, и в связи с этим уменьшается биомасса.

Теперь перейдем **к третьему трофическому уровню (C)**, который надо раскрасить неярким цветом. В этом уровне находится, в частности, **сельдь (C_1)**, питающаяся ракообразными из второго трофического уровня. Когда энергия передавалась со второго уровня на третий, какая-то ее часть терялась, так как она была затрачена на метаболические процессы у членистоногих. Сельдь является вторичным консументом, и ее общая биомасса меньше биомассы членистоногих, поэтому площадь этого третьего уровня в пирамиде меньше площади второго.

Переходим к **четвертому трофическому уровню (D)**, где энергия теперь переходит к новому консументу. Здесь мы видим **макрель (D_1)**, которая питается сельдью. Обратите внимание на то, что на этом уровне рыб меньше, чем на предыдущем. Макрель является третичным консументом, и опять этот уровень имеет значительно меньше энергии, чем предыдущий, так как она была затрачена сельдью для своего метаболизма. Как вы видите, биомасса макрели меньше биомассы сельди.

В самой верхней части пирамиды находится **пятый трофический уровень (E)**. Здесь в качестве примера изображена **акула (E_1)**, которая питается макрелью. При переходе к последнему уровню было потеряно около девяноста процентов энергии предыдущего трофического уровня макрели. Такое небольшое количество энергии на высшем уровне этой пирамиды говорит о том, что относительно небольшое количество акул может поддерживать себя энергией в океанических сообществах. Количество пищи на четвертом трофическом уровне выступает в роли фактора, ограничивающего численность организмов на пятом уровне. Экологическая пирамида очень редко имеет больше пяти трофических уровней.

Экологическая пирамида

Первый трофический уровень .... A
Фитопланктон .... A_1
Втрой трофический уровень .... B
Небольшие ракообразные .... B_1
Третий трофический уровень........................ C
Сельдь........................... C_1
Четвертый трофический уровень .... D
Макрель........................... D_1
Пятый трофический уровень .... E
Акула .... E_1

ЭКОЛОГИЧЕСКАЯ ПИРАМИДА

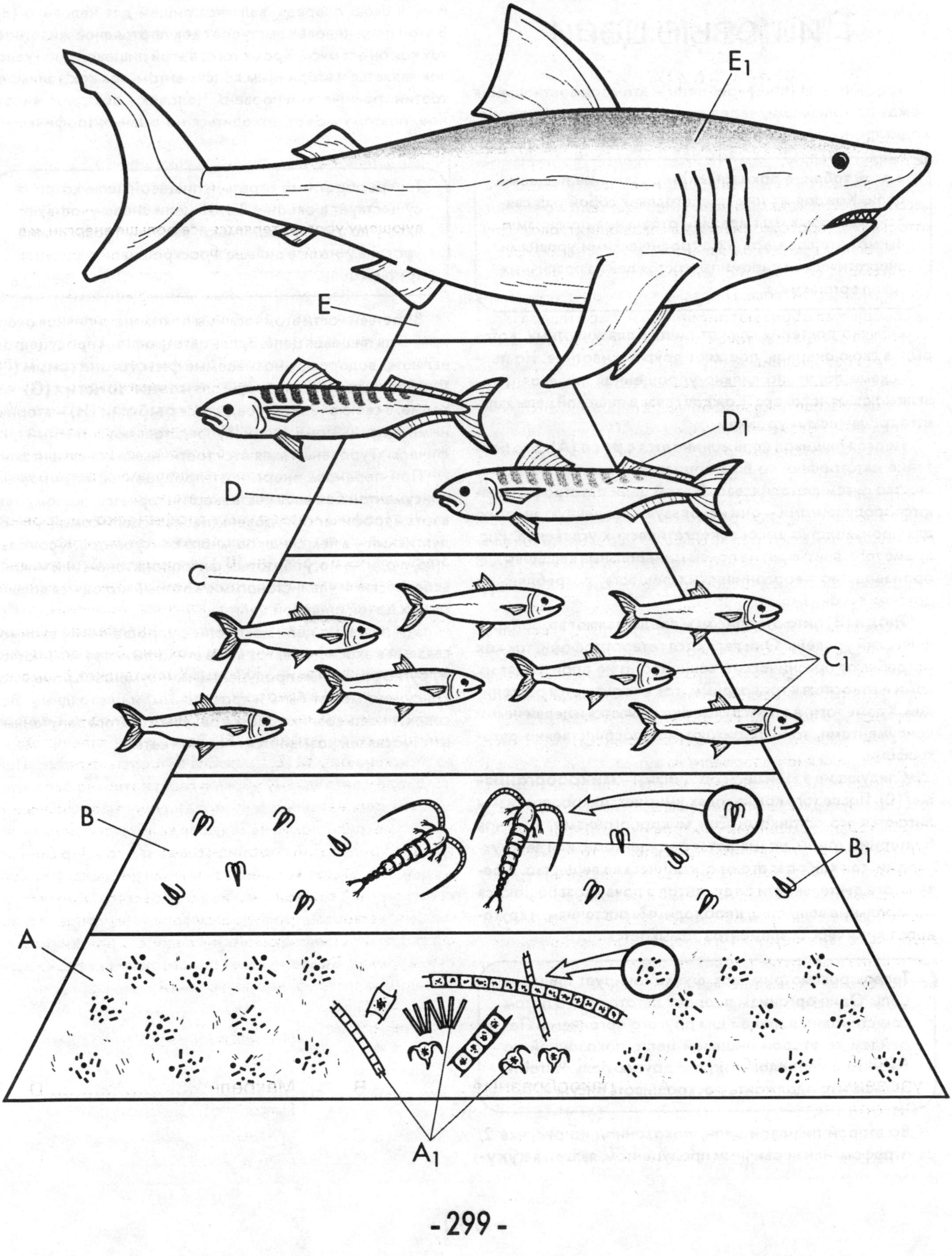

E_1

E

D

D_1

C

C_1

B

B_1

A

A_1

Глава 11-7: Пищевые цепи

Трофическая (пищевая) цепь – это взаимоотношения между организмами, через которые в экосистеме происходит трансформация вещества и энергии.

В этой таблице показаны три различные пищевые цепи. Каждая из них представляет собой ряд связей, в которых мы выделяли отдельные организмы. Вы можете сравнить их с трофическими уровнями энергетической пирамиды, состоящей из различных групп организмов.

Обычно растения служат пищей для животных, которых, в свою очередь, поедают другие животные. На первой схеме показана сильно упрощенная пищевая цепь, включающая человека. Каждая связь в пищевой цепи является трофическим уровнем.

Первая пищевая цепь начинается с **риса (A)**. Это растение автотрофно, то есть производит органические вещества путем фотосинтеза. В этой цепи автотрофы являются продуцентами – они используют солнечную энергию для производства высокоэнергетических углеводов. Рис, кроме того, впитывает из почвы минеральные вещества для производства неорганических веществ, потребляемых другими организмами.

Люди (B) питаются рисом и представляют второй трофический уровень. Они являются гетеротрофами, так как потребляют органические вещества, а не производят их сами и относятся к травоядным, так как питаются растениями. Кроме того, в этом случае они являются и первичными консументами, так как питаются непосредственно автотрофами.

Следующие в этой цепи организмы – **микроорганизмы (C)**. После того как человек умирает, микроорганизмы питаются его останками. Эти микроорганизмы, включая бактерии и грибы, называются редуцентами, или деструкторами, так как разлагают органические вещества. В результате деятельности редуцентов в почву возвращаются минеральные вещества, необходимые растениям, и круговорот химических элементов замыкается.

Теперь рассмотрим, как функционирует пищевая цепь. Один организм поедает автотрофы, а потом сам становится пищей для другого организма. Перейдем ко второй пищевой цепи, показанной на рисунке 2, где человек играет другую роль. Читайте дальше и продолжайте раскрашивать рисунки.

Во второй пищевой цепи, показанной на рисунке 2, автотрофом, или первичным продуцентом, является **кукуруза (D)**. Это растение служит пищей для первичного консумента, которым в данном примере является **бык (E)**. Этот бык, в свою очередь, является пищей для человека (B). В этой цепи человек выступает как плотоядное животное, так как он ест мясо. Кроме того, в этой пищевой цепи человек является и вторичным консументом, так как занимает третий трофический уровень. Человек – всеядное животное, поэтому может находиться на разных трофических уровнях.

Теперь обратимся к третьей пищевой цепи, которая существует в океане. В этой цепи снова участвуют люди, но тут они занимают высший трофический уровень. Читайте дальше и раскрашивайте рисунок третьей цепи.

В третьей части этой таблицы показана типичная океаническая пищевая цепь. Здесь автотрофным продуцентом являются водоросли, называемые **фитопланктоном (F)**. Фитопланктон служит пищей для **членистоногих (G)**, которые, в свою очередь, поедаются **рыбами (H)** – вторичными консументами. Люди (B) представляют четвертый трофический уровень и являются третичными консументами.

При переносе энергии от продуцентов к третичным консументам большая часть энергии теряется, поэтому четвертый трофический уровень пищевой цепи самый непродуктивный – в нем слишком много конкурентов. К сожалению, люди не могут питаться фитопланктоном или микроскопическими членистоногими, которые находятся далеко от них в этой пищевой цепи.

Эти пищевые цепи показаны с упрощенными взаимосвязями в экосистеме, так как в эти цепи могут включаться и другие различные продуценты и консументы. Кроме того, консумент может быть и травоядным, и плотоядным. Вся совокупность возникающих в результате этого запутанных взаимосвязей называется пищевой сетью.

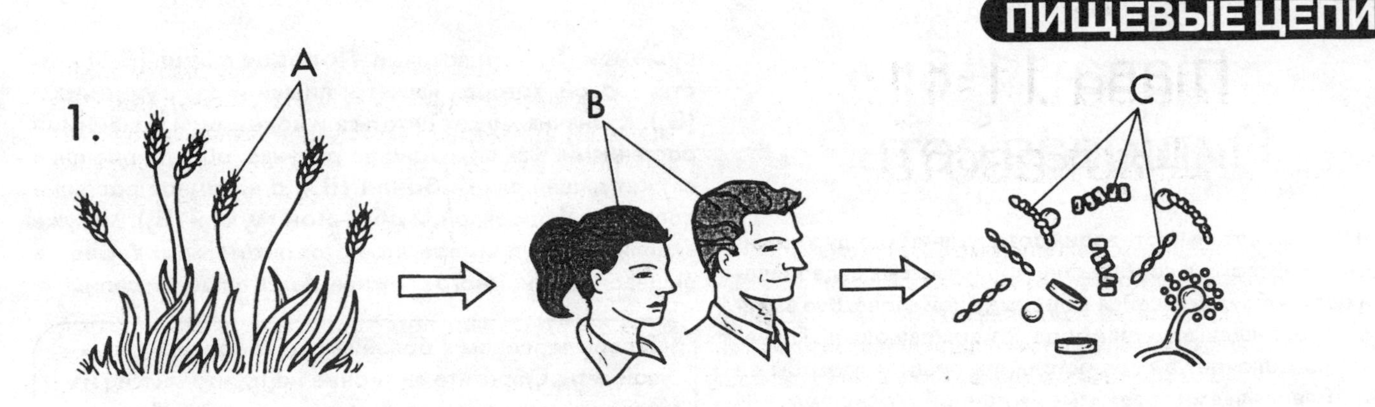

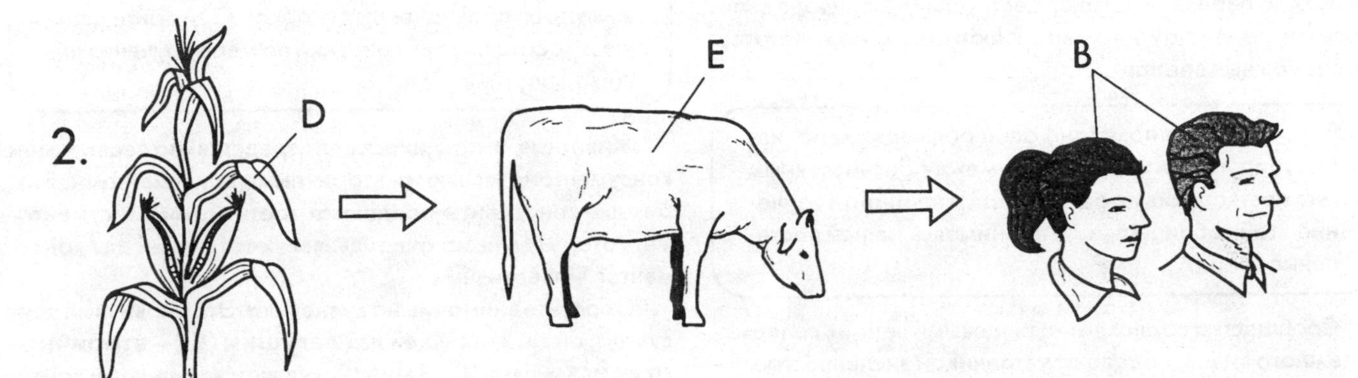

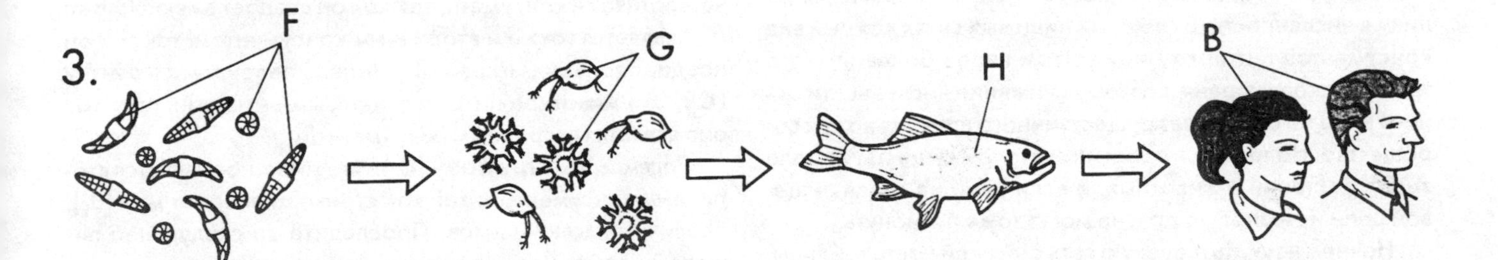

Пищевые цепи

Рис .... A	Кукуруза .... D	Членистоногие .... G
Люди .... B	Бык .... E	Рыба .... H
Микроорганизмы C	Фитопланктон .... F	

Глава 11-8: Пищевая сеть

Последовательность взаимоотношений между хищниками и жертвами в сообществе проявляется в виде пищевой цепи, обсуждавшейся в предыдущей главе. Все вместе взятые, пищевые цепи образуют пищевую сеть. Пищевая сеть включает в себя источники пищи и способы ее потребления всеми организмами данной экосистемы.

Пищевые цепи относительно просты. В отличие от них, пищевые сети являются довольно сложными, и так как невозможно определить все существующие в природе взаимосвязи, то эти паутины указывают только на некоторые их возможные варианты.

В этой таблице показана одна большая схема, иллюстрирующая взаимосвязь между бесчисленным множеством живых организмов. Начинайте изучение этой таблицы снизу, поднимаясь по ней постепенно вверх.

Сообщества со сложными пищевыми сетями, содержащие много видов, обладают устойчивой численностью популяций, в то время как сообщества с небольшим количеством видов подвергаются более существенным изменениям в численности. В сложных пищевых сетях каждый вид консументов питается множеством видов более низкого трофического уровня, поэтому снижение численности одного вида не оказывает существенного влияния на все сообщество. Напротив, в простых системах существует мало видов растений и животных, и если один из видов пищевой цепи исчезнет, то другие могут тоже погибнуть.

Начнем изучать пищевую сеть с нижней части таблицы, где имеются три различных типа **продуцентов (А)**. Скобкой обозначены три растения, которые надо раскрасить темным цветом. В крайнем левом углу показаны **травянистые растения ($А_1$)**. Они участвуют в фотосинтезе, производя простые и сложные углеводы. Кроме того, они извлекают из почвы минеральные вещества и преобразуют их в органические.

В центре схемы показано **водное растение ($А_2$)** – барвинок. Обитая на берегу водоемов, эти растения тоже производят углеводы. Они являются автотрофами, так как сами производят себе пищу. Справа показаны **наземные растения ($А_3$)**.

Изучив продуцентов этой пищевой сети, перейдем к первичным консументам. Теперь обратите внимание на следующий уровень и читайте дальше.

Животные, питающиеся только растениями, называются травоядными. В нашей пищевой сети **первичные консументы (В)** – травоядные. **Полевая мышь ($В_1$)** питается травой, которая является пищей и для **кузнечика ($В_2$)**. Кузнечик может питаться и водными, и наземными растениями. Как показано на рисунке, оба эти растения служат пищей для **бабочек ($В_3$)**, а наземное растение поедается и бабочкой, и **обычной мухой ($В_4$)**. Мы уже видели на этом примере, что поток питательных веществ в пищевой сети намного сложнее, чем в пищевой цепи.

Теперь перейдем к более высоким уровням пищевой сети. Обратите внимание на то, что многие из первичных консументов становятся жертвами консументов более высокого уровня. Теперь посмотрите на самый высокий уровень этой таблицы и на животных, обозначенных скобкой С. Читайте дальше и раскрашивайте рисунки по мере изучения пищевой паутины.

Животные, питающиеся непосредственно первичными консументами, являются вторичными консументами. Вторичные консументы поедаются третичными консументами, которые, в свою очередь, являются пищей для консументов четвертичных.

Обратите внимание на кузнечика. Это первичный консумент, он служит пищей для **лягушки ($С_1$) – вторичного консумента (С)**. **Змея ($С_4$)** является третичным консументом, так как она питается лягушками, а **ястреб ($С_6$)** – четвертичный консумент, так как он съедает змею. Ястреб ($С_6$) является также и вторичным консументом, так как он поедает полевых мышей ($В_1$). Теперь перейдем к **койоту ($С_5$)**. Это животное питается полевыми мышами, поэтому оно является вторичным консументом.

Рассмотрим **стрекозу ($С_2$)**. Это животное является вторичным консументом, так как стрекоза поедает мух ($В_4$), первичных консументов. Проследите за следующей пищевой цепью: наземное растение – муха – стрекоза – лягушка – змея – ястреб. Обратите внимание, что здесь в этих взаимосвязях имеется много трофических (пищевых) уровней.

Закончим обсуждение этой темы **птицей ($С_3$)**. Она питается и бабочками ($В_3$), и мухами ($В_4$). Ясно, что если мухи исчезнут, то птица будет продолжать питаться только бабочками. Чем больше в сообществе видов, тем многообразнее пищевые связи и тем устойчивее сообщество. Если бы птица в своем питании полагалась только на мух, то она прекратила бы свое существование с исчезновением мух.

Мы не включили сюда все возможные взаимосвязи «хищник—жертва» в пищевой сети. Вы можете дополнить эту таблицу, нарисовав другие стрелки между различными животными, которые могут поедать друг друга. Например, птица может быть пищей для ястреба. Попробуйте установить какие-нибудь другие связи между животными в этой пищевой сети.

ПИЩЕВАЯ СЕТЬ

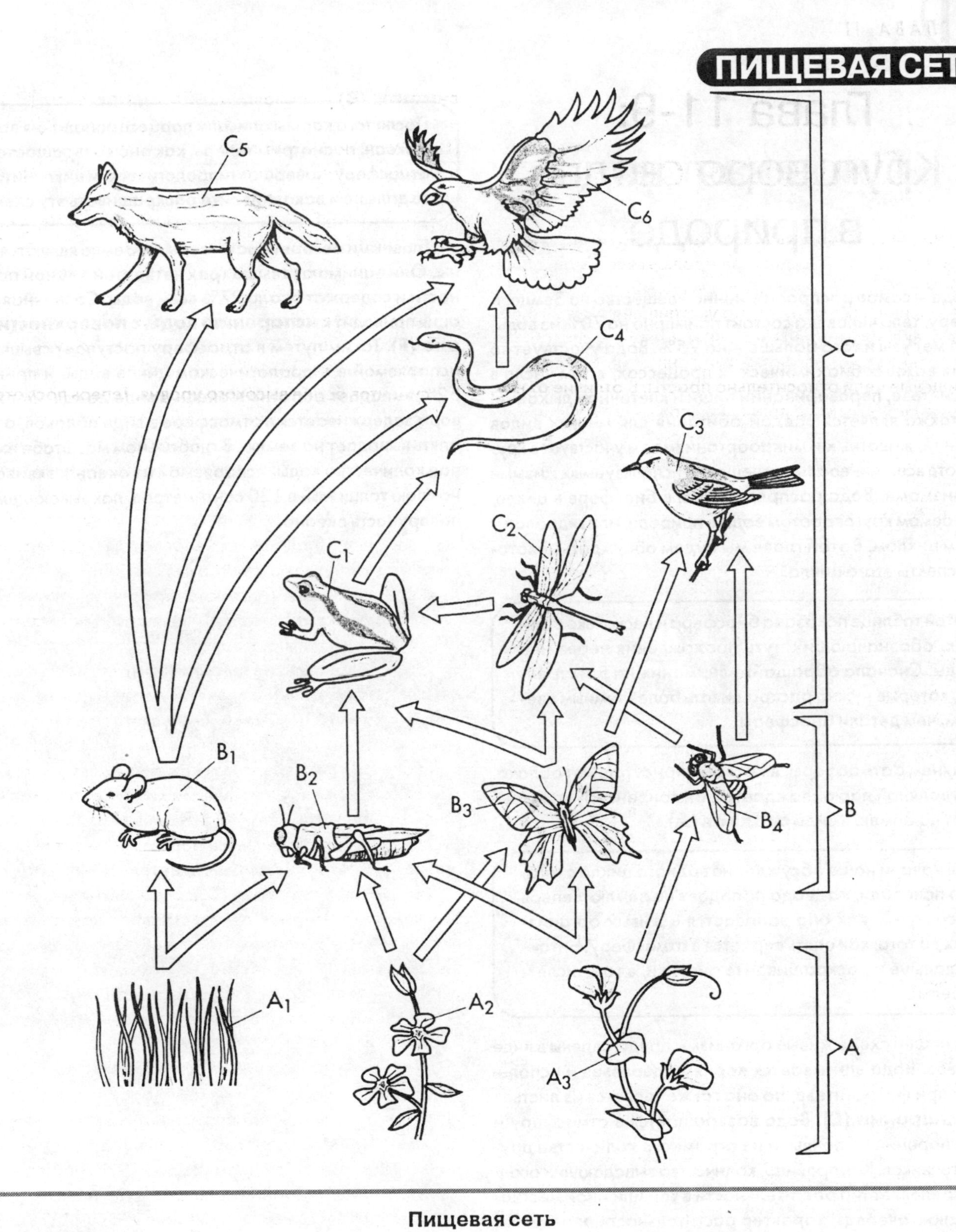

Пищевая сеть

Продуценты .... A
Травянистые растения .... A_1
Водные растения .... A_2
Наземные растения ...... A_3
Первичные консументы .... B

Полевая мышь .... B_1
Кузнечик .... B_2
Бабочка .... B_3
Обычная муха .... B_4
Вторичные консументы C
Лягушка .... C_1

Стрекоза .... C_2
Птица .... C_3
Змея .... C_4
Койот .... C_5
Ястреб .... C_6

Глава 11-9: Круговорот воды в природе

Вода – самое распространенное вещество на Земле. К примеру, тело человека состоит примерно на 70% из воды, а тело медузы и того больше – на 95%. Вода участвует во многих важных биохимических процессах, в том числе в фотосинтезе, переваривании пищи и клеточном дыхании. Она также является средой обитания для многих видов растений, животных и микроорганизмов и участвует в круговороте всех минеральных веществ, используемых живыми организмами. Вода распределяется в биосфере в цикле, называемом круговоротом воды в природе, или гидрологическим циклом. В этой главе мы будем обсуждать некоторые аспекты этого цикла.

В этой таблице показана биосфера и несколько стрелок, обозначающих путь прохождения через нее воды. Сначала обращайте внимание на эти стрелки, которые нужно раскрашивать более темным цветом, чем детали биосферы.

Начнем с атмосферы, в которой присутствуют облака. Когда водяной пар охлаждается, он конденсируется и выпадает на Землю в виде **осадков (A)**.

Мы начали наше обсуждение водного цикла с того, что показали, как вода попадает на землю. Теперь посмотрим, как она запасается в живых организмах до того, как опять вернется в атмосферу. Читайте дальше и раскрашивайте рисунки, в том числе и стрелки.

На нашей схеме живые организмы представлены в виде деревьев. Вода впитывается корнями деревьев и используется при фотосинтезе, но она также теряется из листьев при **испарении (C)**. Вода возвращается в атмосферу и при испарении из почвы, и из огромного количества других источников. Как правило, количество выпадающих осадков определяет тип растительности в той или иной местности. В свою очередь, характер растительности определяет видовой состав животных, обитающих на этой территории.

Вода с поверхности **просачивается через почву (D)** в водоносный слой. Из него вода поступает в океан. Вода попадает в океан также благодаря **потокам с поверхности земли (E)**. К таким потокам воды относятся реки, впадающие в океан, а также потоки, образующиеся в результате таяния снега и ледников.

После того как мы описали процесс попадания воды в океан, посмотрим теперь, как она возвращается в атмосферу, завершая гидрологический цикл. Читайте дальше и заканчивайте раскрашивать эту схему.

Главными резервуарами воды на Земле являются океаны. Они занимают свыше трех четвертей земной поверхности и содержат около 97% всей воды. Солнечная радиация приводит к **испарению воды с поверхности океана (F)**. Таким путем в атмосферу поступает свыше 80% испаряемой в гидрологическом цикле воды, и примерно 52% выпадает обратно в океан в виде дождя. Остальная вода задерживается в атмосфере в виде облаков, а затем опять выпадает на землю. В глобальном масштабе ежегодное количество воды, испаряемой из океана, эквивалентно слою толщиной в 120 сантиметров, покрывающему всю поверхность океана.

Круговорот воды в природе

Атмосферные осадки над землей .... A
Атмосферные осадки над океаном .... B
Испарение с поверхности листьев C
Просачивание через почву .... D
Водные потоки на земной поверхности .... E
Испарение с поверхности океана ... F

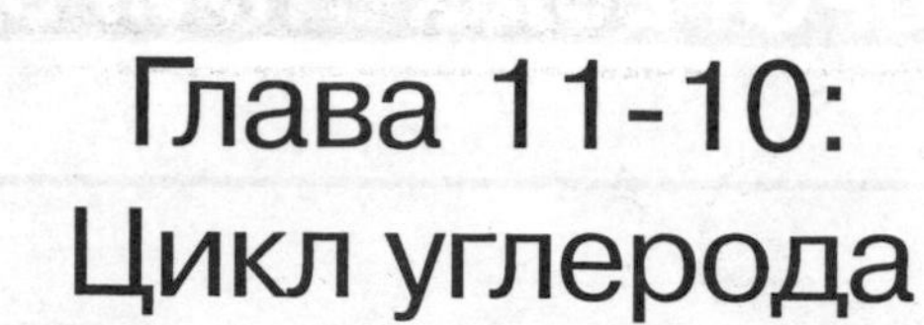

Глава 11-10: Цикл углерода

Энергия идет от Солнца в биосферу, но питательные вещества не поступают в нее от внешнего источника. Миллиарды лет, пока существует Земля, на ней циркулирует неизменный запас питательных веществ. Некоторые из них, называемые макроэлементами, потребляются организмами в огромном количестве, тогда как микроэлементы используются ограниченно. К макроэлементам относятся углерод, водород, кислород, азот и фосфор, а к микроэлементам – иод, железо, цинк и другие элементы.

И макро-, и микроэлементы имеют свои циклы; они циркулируют между живыми и неживыми компонентами экосистемы в процессе, называемом биогеохимическим циклом. В этой и последующих главах прослеживаются пути циркулирования некоторых элементов в биогеохимических циклах.

Главное внимание в этой таблице обращайте на стрелки, показывающие циркуляцию углерода между отдельными компонентами биосферы. Стрелки раскрашивайте более темными цветами.

Продуценты преобразуют неорганические вещества в органические. Затем продуценты часто потребляются вторичными консументами, и, наконец, деструкторы осуществляют возврат элементов в неживую природу.

Большая часть углерода находится в **атмосфере (A)** в виде углекислого газа. Углерод поступает в биотическую (живую) часть экосистемы посредством **фотосинтеза (B)**. Эту схему рекомендуется раскрасить зеленым цветом. **Лесные растения (C)** поглощают углерод в виде углекислого газа и фиксируют его в таких органических веществах, как глюкоза, крахмал, целлюлоза, и других углеводах. В процессе **дыхания растений (D)** углекислый газ возвращается в атмосферу; этот процесс показан стрелкой.

Мы увидели, как углерод входит в цикл живых организмов посредством фотосинтеза, а теперь посмотрим, как он проходит через различные формы жизни. Читайте дальше и раскрашивайте рисунки.

Растения являются продуцентами. В процессе **потребления растений (E)** углерод переходит к первичным консументам – травоядным животным. Когда животное, то есть **первичного консумента, съедают (F)**, углерод переходит ко вторичному консументу. В клетках первичного и вторичного консументов происходит процесс **дыхания (G)**, и углерод выделяется в окружающую среду в виде углекислого газа.

Когда первичный и вторичный консументы погибают, их органическое вещество попадает в почву в процессе **разложения (H)**. Они разлагаются деструкторами, или **редуцентами (I)** – мелкими животными или микроорганизмами, существующими за счет органических остатков опавших листьев и останков животных. Земляные черви, клещи и многие насекомые относятся к **редуцентам. Дыхание (J)** этих организмов тоже возвращает углерод в атмосферу.

Мы познакомились с тем, как углерод проходит через различные живые организмы. Теперь посмотрим, как происходит накопление углерода в почве. Читайте дальше и продолжайте раскрашивать таблицу.

На протяжении всей истории Земли большое количество углерода преобразовывалось в ископаемое **(природное) топливо (K)**. Высокое давление и температура превращали углеродосодержащую органическую материю в уголь, нефть и природный газ. Это **природное топливо (L) используется (M)** в самых разных отраслях хозяйства. **Продукты сгорания (N)** топлива включают в себя углекислый газ и другие углеродные соединения, выделяющиеся в атмосферу. Углерод также попадает в атмосферу в результате сгорания деревьев при **лесных пожарах (O)**.

Рассмотрим последний аспект цикла углерода – **газообмен с океанами (P)**. Некоторая часть углекислого газа растворяется в океанах и соединяется с кальцием, образуя карбонат кальция, который содержится в раковинах моллюсков и других морских животных. Когда эти раковины разлагаются, они превращаются в известняк, а тот со временем, растворяется в воде. Углерод выделяется из известняка и может опять вернуться в атмосферу.

Цикл углерода

Атмосфера .... A
Фотосинтез .... B
Лес C
Дыхание растений .... D
Потребление растений .. E
Съедение первичного консумента .... F
Дыхание .... G
Разложение .... H
Редуценты I
Дыхание редуцентов ...... J
Превращение в природное топливо .... K
Переработка природного топлива L
Использование природного топлива ..... M
Продукты сгорания .... N
Лесной пожар .... O
Газообмен с океаном .... P

Глава 11-11: Цикл азота

Важным процессом в экосистемах является циклическое прохождение азота через их живые (биотические) и неживые (абиотические) компоненты. Живые компоненты экосистемы, или биота, участвуют в цикле азота разными способами, и в этой главе мы будем обсуждать этот процесс.

В этой таблице показаны различные стадии круговорота азота в природе. При раскрашивании таблицы выделяйте стрелки.

Примерно 78% воздуха состоит из двухатомного азота. Азот важен для жизни, так как он является основной составной частью аминокислот и нуклеиновых кислот. Даже АТФ, главная энергетическая валюта живых организмов, содержит азот.

Ни растения, ни животные не получают азот непосредственно из **атмосферы (A)**, поэтому зависят от **азотофиксирующих организмов (B)**. Главными действующими лицами в фиксации азота являются **бобовые (C)** и симбиотические **азотофиксирующие бактерии (D)**, связанные с их корневыми узелками. Эти бактерии превращают азот почвы в аммиак (NH_3), который может быть усвоен другими растениями. Бактерии и растение являются примером симбиотического сосуществования. Цианобактерии тоже фиксируют азот; их очень много в водных экосистемах.

Мы познакомились с тем, как азот попадает в биотические компоненты экосистемы с помощью бактерий, фиксирующих азот. Теперь рассмотрим, как азот проходит свой цикл в живых компонентах экосистемы.

Азот фиксируется в почве посредством независимо существующих бактерий и, как мы уже говорили, при помощи бактерий, связанных с корневыми узелками бобовых растений. Оба этих способа фиксации азота приводят к его превращению в **аммиак (E)**. Почва является главным резервуаром аммиака и других азотосодержащих веществ. После того как азот фиксирован, другие бактерии превращают его в нитрат в химическом процессе, называемом **нитрификацией (F)**. На первой стадии нитрификации ***нитрозомоны (G)*** превращают аммиак в нитрит (NO_2), а на втором этапе нитрит превращается в нитрат (NO_3) ***нитробактерами (H)***. Потом нитрат (NO_3) поглощается растениями, как показано на рисунке.

Одни **растения получают азот (I)** из почвы, другие – от симбиотических бактерий, живущих у них на корнях. В обоих случаях азот поступает к продуцентам биотического сообщества. **Растения** могут быть **съедены животными (J)**. Травоядные являются первичными консументами, и азот из растений используется для синтеза таких важных органических веществ, как аминокислоты, белки и нуклеиновые кислоты.

Мы познакомились с тем, как азот фиксируется в почве и, наконец, поглощается растениями, а потом и животными. Теперь закончим изучение цикла азота, показывая, как он возвращается в атмосферу. Читайте дальше и продолжайте раскрашивать детали рисунка.

Последней фазой цикла азота является процесс **денитрификации (K)**. Этот процесс осуществляется различными микроскопическими бактериями, грибами и другими организмами, которые расщепляют нитраты почвы и выделяют азот в атмосферу (A). На этом цикл азота завершается.

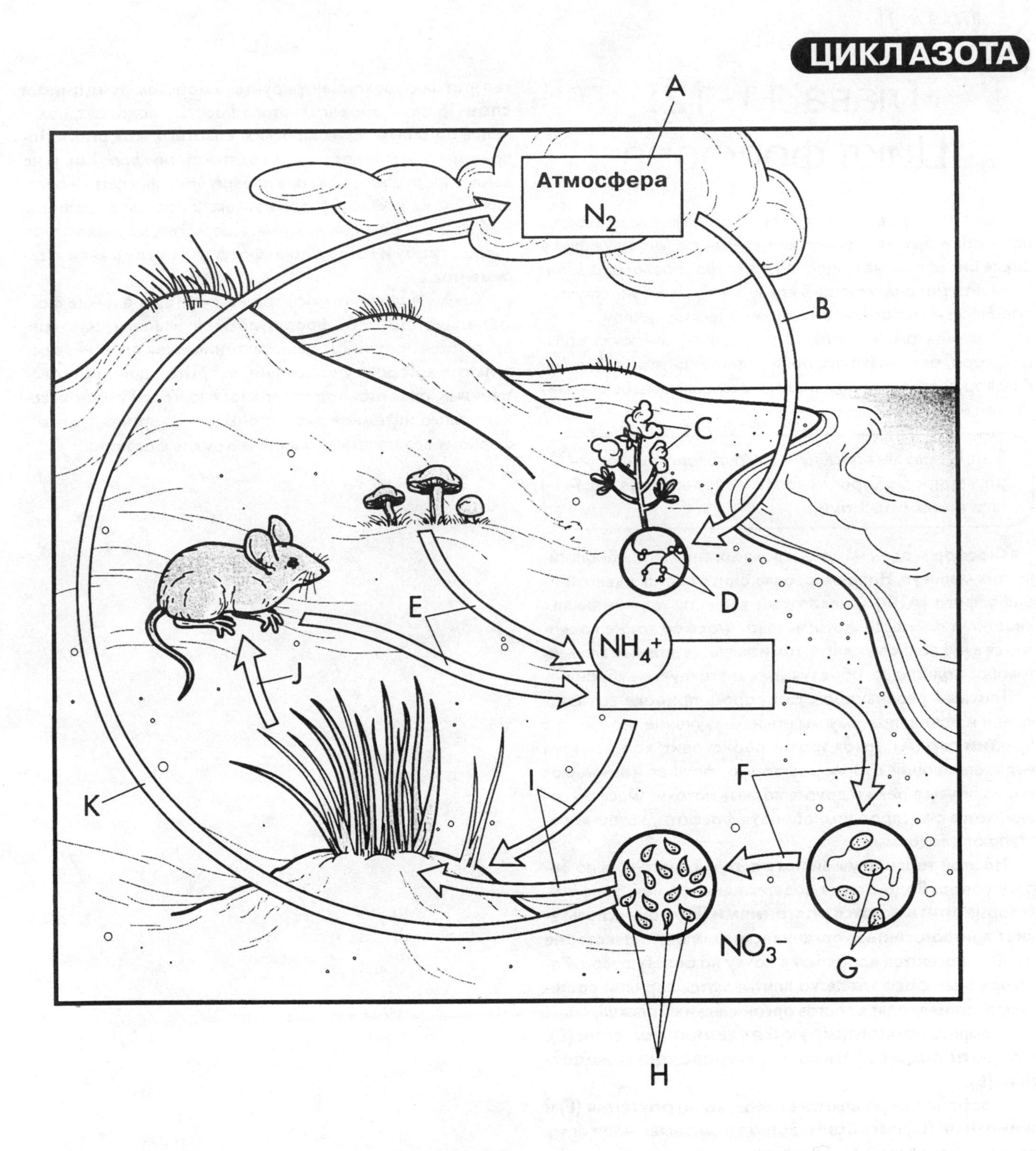

Цикл азота

Атмосфера .... A
Фиксация азота .... B
Бобовое растение C
Азотофиксирующие бактерии .... D
Аммонификация .... E
Нитрификация .... F
Нитрозомоны .... G
Нитробактеры .... H
Поглощение азота растениями I
Потребление азота животными .... J
Денитрификация .... K

Глава 11-12: Цикл фосфора

Азот и углерод существуют в природе как газы, однако некоторые другие химические элементы, участвующие в цикле биосферы, не существуют в газообразном виде. Эти элементы накапливаются в камнях и поч-ве и участвуют в процессе, называемом биогеохимическим циклом.

К элементам, имеющим такие циклы, относятся кальций, сера, магний и фосфор. Как вы увидите в этой главе, фосфор является одним из ключевых элементов органической материи.

В этой главе мы проследим за круговоротом фосфора в природе. Стрелки на этом рисунке надо выделять темными цветами.

Фосфор – один из самых важных элементов биологических молекул. Например, он входит в состав аденозинтрифосфата (АТФ) и некоторых веществ, принимающих участие в процессе фотосинтеза. Фосфор также содержится в нуклеиновых кислотах и является важным элементом фосфолипидов, образующих клеточную мембрану.

Главным резервуаром фосфора в природе являются камни и почва, поэтому мы начнем изучение его цикла с **эрозии гор (A)**. Такая эрозия происходит, когда потоки воды, стекающие с горы, растворяют фосфор и вымывают его из почвы в реки и другие водные потоки. Фосфор соединяется с кислородом, образуя фосфаты, которые поступают в водоемы.

На этой таблице мы видим растения, растущие на берегу озера. Вода отдает содержащиеся в ней фосфаты, которые **впитываются растениями (B)**, и они используются при фотосинтезе органических молекул. Некоторые из этих фосфатов попадают в почву на берегу озера. Растворенные фосфаты легко впитываются корнями растений, а затем входят в состав органических молекул.

Фосфаты **концентрируются в тканях растений (C)**, а потом **попадают (D)** в организм **травоядных животных (E)**.

Фосфаты возвращаются в озеро, когда **растения (F)** и **животные (G) погибают**. Затем эти вещества могут опять поглощаться растениями, растущими рядом с водой, таким образом этот цикл повторяется.

Изучив прохождение фосфора через различные компоненты биосферы, рассмотрим теперь, как происходит цикл фосфора в морской среде. Читайте дальше и продолжайте раскрашивать рисунок.

Огромное количество фосфора переносится реками и водными потоками, **впадающими в океан (H)**. Здесь фосфор, как и на земле, существует в виде фосфата. Затем этот фосфат концентрируется в морском **осадочном слое (I)**. Некоторая часть этого фосфата попадает, наконец, в организм таких морских животных, как рыбы. Например, чешуя и кости рыб содержат фосфор. Как и на земле, продуценты в океане превращают фосфаты в органические вещества, которые затем попадают в организм рыб и других беспозвоночных. Например, морские птицы съедают рыбу и возвращают фосфор в океан в виде экскрементов.

Как мы видели, атмосфера не участвует в цикле фосфора. Для того чтобы фосфор покинул океаническую среду, должен произойти сдвиг тектонических пластин, в результате которого участок дна, покрытый донными отложениями, окажется над поверхностью. Такой участок станет частью наземной экосистемы и подвергнется атмосферному воздействию, участвуя в цикле фосфора.

Цикл фосфора

Эрозия гор .... A
Впитывание растениями .... B
Концентрация в тканях растений C
Поедание растений ...... D
Травоядное животное ... E
Гибель растения............ F
Гибель животного .... G
Попадание воды в океан........................ H
Донные отложения I
Обнажение участка дна .. J

Глава 11-13: Парниковый эффект

Изучая цикл углерода, вы видели, как этот элемент проходит через различные компоненты биосферы, включая атмосферу, растения, животных и микроорганизмы. При идеальном стечении обстоятельств поглощение углекислого газа и его выделение из атмосферы происходят с одинаковой скоростью. Однако в последние десятилетия стало заметным постоянное увеличение содержания углекислого газа в атмосфере. Это явление привело к пугающему феномену, называемому парниковым эффектом.

На рисунке показана поверхность Земли и ее атмосфера вместе с облаками и озоновым слоем.

Начнем обсуждение этого явления с **Солнца (A)**. Солнце – источник практически всех видов энергии на нашей планете. Энергия Солнца включает механизм фотосинтеза и пронизывает различные трофические уровни, как это объяснялось в главе «Экологическая пирамида». Солнечная энергия преодолевает огромные расстояния в **космосе (B)**, прежде чем войти в **земную атмосферу (C)** и достичь **поверхности Земли (D)**. Выберите какой-нибудь один цвет для раскрашивания суши, а другой, более светлый – для океанов.

Мы показываем два возможных исхода для тепловой энергии солнечных лучей. Большая часть этой энергии отражается от земной поверхности; это показано на рисунке как **отражение тепловой энергии Солнца (E)**. Остальная часть энергии при прохождении через атмосферу поглощается и опять **попадает на поверхность Земли в виде тепла (F)**. Накопление избытка тепла в атмосфере вызывает парниковый эффект.

Теперь посмотрим, какие газы способствуют этому явлению. Обратите внимание на три вида облаков, показанных в таблице.

Около 300 млн лет назад, в каменноугольном периоде, огромное количество углерода, содержавшегося в погибших растениях и животных, было погребено под землей. Время, высокая температура и давление превратили эти углеродные соединения в такое природное топливо, как уголь, нефть и газ. Развитие техники привело к тому, что постоянно сжигается большое количество топлива, а значит, много **углекислого газа (G)** выделяется в атмосферу. В результате содержание углекислого газа в атмосфере повысилось почти на 25 процентов.

Другой газ, способствующий возникновению парникового эффекта, – это **метан (H)**. Метан выделяется из торфяников при лесных пожарах.

Третьим видом газов, способствующих парниковому эффекту, является **хлорфлуорокарбон (I)**. К хлорофлуорокарбонам относятся газы таких промышленных отходов, как охлаждающие вещества, растворители и пластмассы. При разложении этих веществ газы выделяются в атмосферу.

Определив факторы, способствующие возникновению парникового эффекта, рассмотрим теперь его сущность.

В парнике стеклянная поверхность пропускает солнечные лучи внутрь, после чего их энергия преобразуется в тепловую. Это тепло сохраняется внутри парника, поэтому температура воздуха здесь повышается.

Накопление тепла в атмосфере происходит по тому же принципу. В связи с процессами, происходящими на Земле, возникает тепловая энергия, и часть этого **тепла (J)** проходит через облака углекислого газа. Однако большая **часть энергии отражается (K)** от этого облака углекислого газа и опять возвращается на Землю.

Многие ученые считают, что парниковый эффект может привести к потеплению климата через несколько десятков лет. Они утверждают, что арктический лед и ледники гор когда-нибудь растают, что приведет к повышению уровня воды в океане. Сокращение общей площади материков и глобальное потепление климата стало бы катастрофой для многих форм жизни.

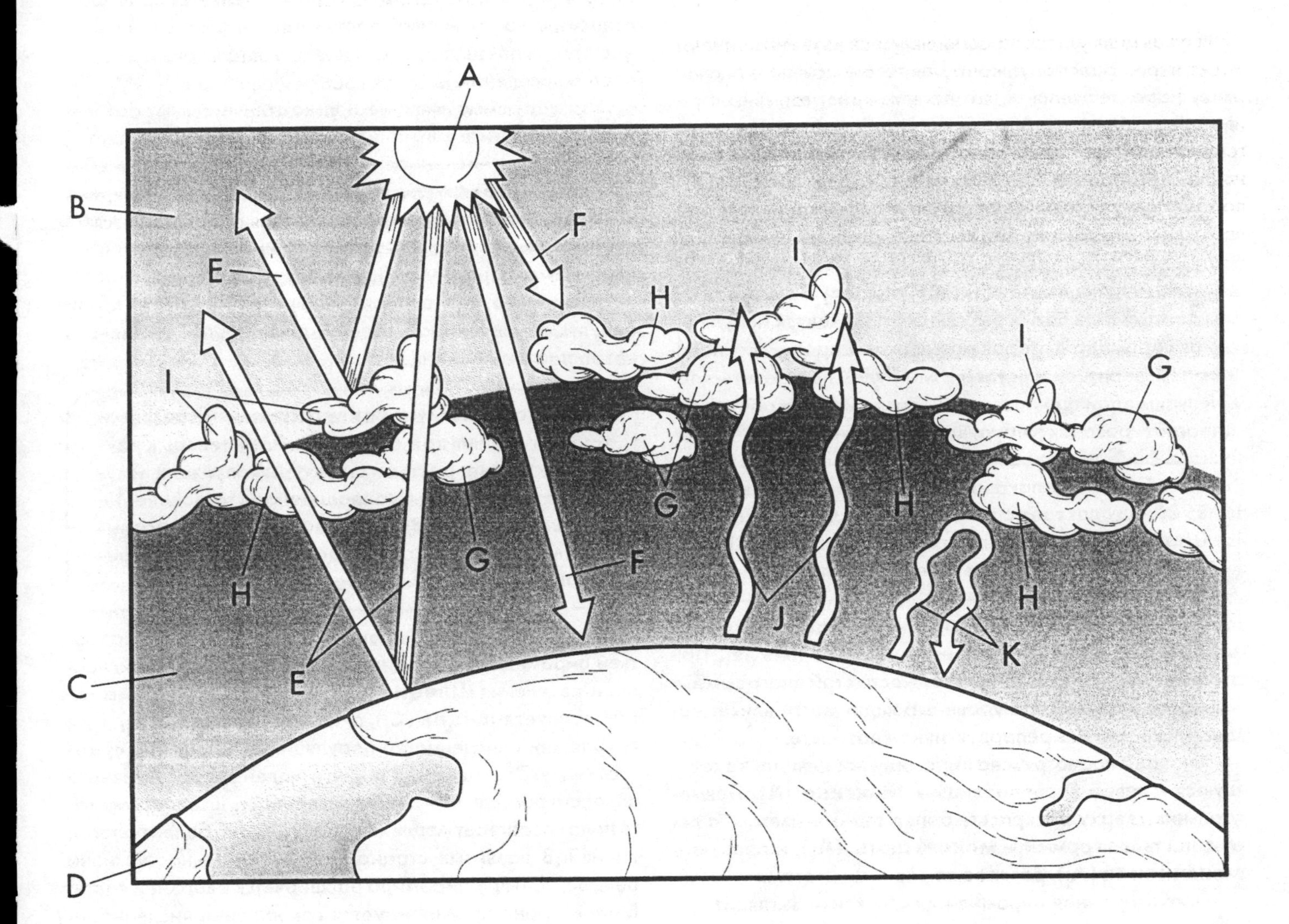

Парниковый эффект

Солнце .... A
Космос .... B
Земная атмосфера C
Поверхность Земли ...... D
Отраженная тепловая энергия Солнца............. E
Поглощенная тепловая энергия Солнца............ F
Углекислый газ .... G
Метан .... H
Хлорофлуоро карбонаты I
Выделение тепловой энергии с поверхности Земли .... J
Отраженная тепловая энергия .... K

Глава 11-14: Экология человека

Важным аспектом экологии является изучение динамики человеческой популяции. Для того чтобы понять динамику народонаселения, экологи изучают его плотность, распределение и темпы роста. На плотность популяции влияют такие факторы, как рождаемость, иммиграция, смертность и эмиграция.

Биологи также изучают структуру популяции по возрасту и полу, что помогает им предвидеть ее изменения в будущем. Они составляют столбчатые диаграммы, разбивающие популяцию на категории по полу и возрасту через каждые пять лет. В результате получается популяционная пирамида, которая может быть широкой в основании, перевернутой или узкой. Мы будем пользоваться такой пирамидой популяции при изучении трех популяций и прогнозирования их будущего развития.

В этой таблице показана пирамида популяции в 1980 году для трех стран – Мексики, Соединенных Штатов и Швеции. Посмотрим, как различается половозрастная структура населения в этих странах.

В этой таблице показаны три пирамиды популяции, разбитые на категории с промежутками в пять лет. При этом мужчины находятся в левой части этой диаграммы, а женщины в правой. На уровень рождаемости влияет общее число людей в репродуктивном возрасте.

Сначала посмотрим на пирамиду популяции, находящуюся в левой части таблицы – **Мексика (A)**. Прямоугольник вверху раскрасьте более темным цветом, а левую часть диаграммы – **мексиканцы (A_1)**, и правую – **мексиканки (A_2)**, раскрасьте разными цветами.

Популяционная пирамида для Мексики выглядит широкой в основании и сужающейся вверху, что является характерным для развивающихся стран. Обратите внимание на то, что в этой популяции больше всего детей в возрасте до пяти лет. Экологи предсказывают, что в будущем численность населения Мексики резко возрастет, так как детей в этой стране больше, чем тех, кто сейчас находится в репродуктивном возрасте. Возможно, что в будущем численность населения Мексики будет расти быстрее по сравнению с другими странами. В этой стране дети в возрасте до четырнадцати лет составляют больше 40% от общей численности населения.

А теперь посмотрим на вторую пирамиду популяции, иллюстрирующую Соединенные Штаты Америки. Читайте дальше и раскрашивайте диаграмму этой страны. Для раскрашивания этой пирамиды нужны три разных цвета.

Во второй пирамиде популяции показана половозрастная структура населения **США (B)** в 1980 году. **Американцы (B_1)** находятся слева в этой диаграмме, а **американки (B_2)** — справа. Эта диаграмма является примером относительно устойчивой популяции, когда общая численность детей почти уравновешивается остальной, взрослой, частью населения.

Эта диаграмма имеет несколько отличительных особенностей. Обратите внимание на то, что возрастная группа 45—49 лет по численности намного меньше группы 20—24 года. Первая группа отражает тот факт, что во время Великой депрессии рождалось мало детей, тогда как в послевоенный период произошел резкий рост рождаемости – «бэби-бум». Прогноз для этой популяции – численность населения не будет возрастать очень сильно, так как в этой популяции численность детей и людей репродуктивного возраста почти одинакова.

Рассмотрев различия между популяциями развивающейся и развитой стран, перейдем теперь к изучению половозрастной структуры популяции, имеющей тенденцию к сокращению. Это население Швеции. Продолжайте раскрашивать тремя разными цветами, как и прежде, этот рисунок, иллюстрирующий третий пример экологии популяции.

Сокращение численности популяции показано на третьей пирамиде. В этой диаграмме представлена численность населения **Швеции (C)**. Левая часть этой схемы характеризует **шведов (C_1)**, а правая – **шведок (C_2)**. При сокращении численности популяции ее пирамида сужается книзу. Это говорит о том, что людей репродуктивного возраста больше, чем детей. Численность шведов мужского пола возрастает медленно, что показано более пологой линией. В развитых странах продолжительность жизни больше, поэтому пирамида расширяется в верхней части. В этой стране прогнозируется сокращение численности населения в будущем.

Следует заметить, что в последние годы в Мексике снизилась рождаемость. Однако теперь многие люди достигли репродуктивного возраста, поэтому в будущем предвидится прирост населения в этой стране. В то же время уровень рождаемости в США и Швеции остается низким, в результате чего прирост людей репродуктивного возраста будет незначительным.

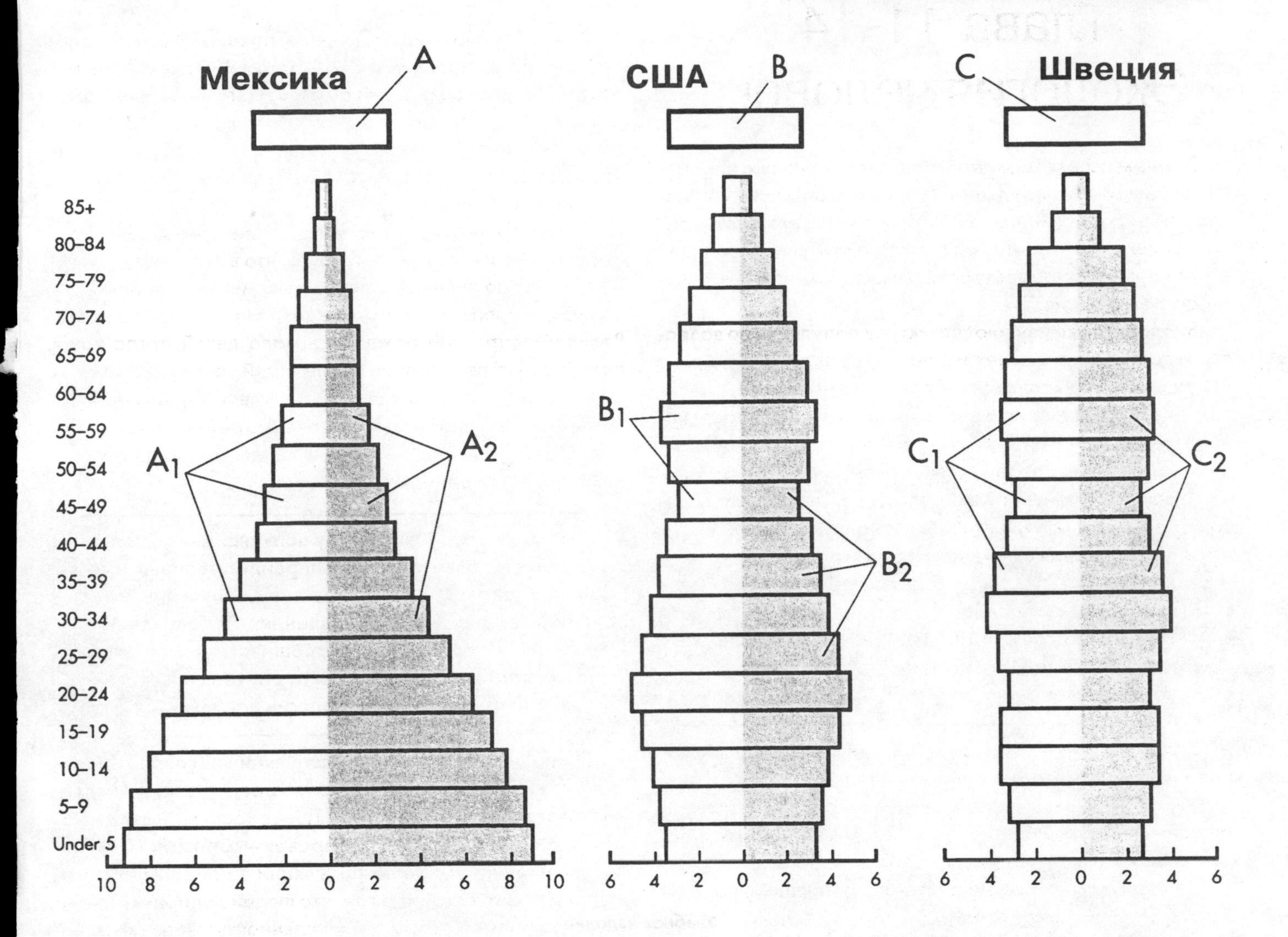

Экология человека

Мексика	A	США	B	Швеция	C
Мексиканцы	A_1	Американцы	B_1	Шведы	C_1
Мексиканки	A_2	Американки	B_2	Шведки	C_2

Учебное издание

АЛЬКАМО И. Эдвард

Биология. Учебное пособие

Ответственный редактор *Н. Доломанова*
Корректор *И. Мокина*
Технический редактор *О. Серкина*
Компьютерная верстка *К. Новицкого*

ООО «Издательство Астрель»143900, Московская обл.,
г. Балашиха, пр-т Ленина, 81

ООО «Издательство АСТ».
368560, Республика Дагестан, Каякентский район,
сел. Новокаякент, ул. Новая, д. 20.

Наши электронные адреса:
www.ast.ru.
E-mail: astpub@aha.ru

При участии ООО «Харвест». Лицензия ЛВ № 32 от
10.01.2001. РБ, 220013, Минск, ул. Кульман,
д. 1, корп. 3, эт. 4, к. 42.

Республиканское унитарное предприятие
«Полиграфический комбинат имени Я. Коласа».
220600, Минск, ул. Красная, 23.